U0164156

丁福保編

文選類詁

文史哲出版社印行

總　目

文選類詁序

余自弱冠前，卽喜讀漢魏六朝諸名家集，而於《蕭選》尤深嗜焉。蓋梁昭明太子聚高齋十學士，集周秦至梁文筆，成《文選》三十卷。凡所謂綜緝辭采，錯比文華，沈思翰藻，錦篇繡什，靡不燦備，洵古今總集之弁冕，詞林之鈐轄也。隋唐傳者，遂成"選學"。《隋志》:《文選音》三卷，蕭該撰。《唐志》: 蕭該《文選音》十卷，僧道淹《文選音義》十卷，李善《文選注》六十卷、《文選辨惑》十卷，公孫羅注《文選》六十卷又《音義》十卷，康國安注《駁文選異義》二十卷，《五臣注文選》三十卷，曹憲《文選音義》卷亡，許淹《文選音》十卷。今案: 隋蘭陵蕭該與陸法言同撰《切韻》，蓋最初爲"選學"者。"三卷"亦作"十卷"者，或有增纂也。曹憲精諸家文字之書，遠紹杜林、衛宏之古文學。《舊唐書·儒學·曹憲傳》:"所選《文選音義》，甚爲當時所重。初，江、淮間爲《文選》之學者，本之於憲，又有許淹、李善、公孫羅復相繼以《文選》教授，由是其學大興於世。"又《文苑·李邕傳》:"父善，嘗受《文選》於同郡人曹憲。"然則許淹、李善、公孫羅之學，當俱出諸曹憲者也。僧道淹卽許淹，《唐志》兩見，蓋傳本題名之不同。惟康國安未詳所出。今諸家書俱亡，僅存李善《注》及《五臣注》而已。李善《辨惑》十卷亦亡。五臣者: 呂延濟、劉良、張銑、呂向、李周翰五人也。南宋時曾與李善《注》合刻，亦題曰"六臣注"。自唐李匡乂《資暇集》，已備摘五臣竊據善《注》，巧爲顚倒，爾後代有攻駁，指不勝僂。則《五臣注》之疏陋，不待言矣。若夫李善《注》，敷析淵洽，援引浩博，但檢書目，新、舊《唐志》已不多載,馬氏《經籍考》,十僅存一二耳。都凡引用諸經傳訓一百餘種,小學三十七種,緯、候、圖讖七十八種,正史、雜史、人物別傳、譜牒、地理、雜術藝,凡史之類幾及四百種,諸子之類百二十種,兵書二十種,道釋經論三十二種,若所引詔、表、箋、啟、詩、賦、頌、贊、箴、銘、七、連珠、序、論、碑、誄、哀詞、弔祭文、雜文集幾及八百種。其卽入選之文,互引者不與焉。是以近代輯佚書者,爲箋注疏證之學者,咸莫不資之爲淵藪。而採李《注》以自成詁訓之書者,則如朱氏《駢雅》、夏氏《拾雅》、洪氏《比雅》、杭氏《續方言》、張氏《廣釋名》之屬,皆是也。蓋李《注》包羅羣籍,羽翼《六經》,雖零金斷璧,不免叢碎;而殘膏剩馥,猶足沾漑無窮。余自十七歲從事選學,卽擬將李《注》逐字逐條輯出,依照字典排列,名曰《文選類詁》,以便讀書注經時易於檢查。其後十餘年中,率因衣食於奔走,未能發凡而起例。至光緒乙巳,于役京師,得程一夔先生所輯《選雅》二十卷,依《爾雅》分類,其體例一如陳碩甫氏本《毛傳》而作《毛雅》,朱豐芑氏本《說文》而作《說雅》,俞蔭甫氏本《唐韻》而作《韻雅》,亦可謂篤古之作矣。然欲猝檢一字,往往不能遽得,輒引以爲苦。余於是盡變《選雅》之例,仍吾初志,依照筆畫多少、部居先後,略仿《駢字類編》之法:某詩、某文,注於各字之下;三言、五言,悉以首字爲斷。東海無際,既匯衆流;南山雖高,此其捷徑。假令顏曰"文選李注通檢",當可無愧。惟是先梁作家文字,每用同音通借,猶本六書假借依聲託事之例。如《上林賦》之"消搖"卽"逍遙",《長揚賦》之"桔隔"卽"戛擊",《射雉賦》之以"剔"爲"惕",張景陽《雜詩》之以"陣"爲"塵",諸如此類,不遑枚舉。初學讀之,每多不能得其會通。故余復取薛傳均之《文選古字通疏證》二百四條,杜宗玉之《文選通假字會》四百六十九條,併輯入焉。薛書則注明"疏證",杜書則注明"字會",以示區別。夫許叔重《說文解字》一書所載,多有借義行而本義轉晦者,亦有用本字而退借字者,證以薛、杜二書,而益昭若發蒙,洵足補《選雅》之闕漏矣。此書經始於乙巳,脫稿於乙丑,時閱二十載,而始克告成。尚冀閎淹博聞之士,以匡正不逮,則幸甚矣。中華人民建國之十四年八月,無錫丁福保仲祜序。

文選篇目簡稱索引

二　畫

卜居	卜居	屈平（原）
七命	七命	張協（景陽）
七啟	七啟	曹植（子建）
九章	九章	屈平（原）
九歌	九歌	屈平（原）
七發	七發	枚乘（叔）
九辯	九辯	宋玉

三　畫

上林	上林賦	司馬相如（長卿）
三都序	三都賦序	左思（太沖）
上書司馬	上疏諫獵	司馬相如（長卿）
上書江	詣建平王上書	江淹（文通）
上書枚壹	上書諫吳王	枚乘（叔）
上書枚貳	上書重諫吳王	枚乘（叔）
上書李	上書秦始皇	李斯
上書鄒壹	上書吳王	鄒陽
上書鄒貳	獄中上書自明	鄒陽
子虛	子虛賦	司馬相如（長卿）

四　畫

五　畫

六　畫

行旅正叔	迎大駕	潘尼（正叔）
行旅玄暉壹	之宣城出新林浦向版橋	謝朓（玄暉）
行旅玄暉貳	敬亭山詩	謝朓（玄暉）
行旅玄暉叁	休沐重還道中	謝朓（玄暉）
行旅玄暉肆	晚登三山還望京邑	謝朓（玄暉）
行旅玄暉伍	京路夜發	謝朓（玄暉）
行旅江	望荆山	江淹（文通）
行旅安仁壹	河陽縣作	潘岳（安仁）
行旅安仁貳	在懷縣作	潘岳（安仁）
行旅沈壹	早發定山	沈約（休文）
行旅沈貳	新安江水至清淺深見底貽京邑遊好	沈約（休文）
行旅陸壹	赴洛	陸機（士衡）
行旅陸貳	赴洛道中作	陸機（士衡）
行旅陸叁	吳王郎中時從梁陳作	陸機（士衡）
行旅陶壹	始作鎮軍參軍經曲阿作	陶潛（淵明）
行旅陶貳	辛丑歲七月赴假還江陵夜行塗口	陶潛（淵明）
行旅鮑	還都道中作	鮑照（明遠）
行旅顏壹	北使洛	顏延之（延年）
行旅顏貳	還至梁城作	顏延之（延年）
行旅顏叁	始安郡還都與張湘州登巴陵城樓作	顏延之（延年）
行旅靈運壹	永初三年七月十六日之郡初發都	謝靈運
行旅靈運貳	過始寧墅	謝靈運
行旅靈運叁	富春渚	謝靈運
行旅靈運肆	七里瀨	謝靈運
行旅靈運伍	登江中孤嶼	謝靈運

行旅靈運陸	初去郡	謝靈運
行旅靈運柒	初發石首城	謝靈運
行旅靈運捌	道路憶山中	謝靈運
行旅靈運玖	入彭蠡湖口	謝靈運
行旅靈運拾	入華子崗是麻源第三谷	謝靈運
羽獵	羽獵賦	楊雄（子雲）

七　畫

別	別賦	江淹（文通）
序卜	毛詩序	卜商（子夏）
序孔	尚書序	孔安國
序王	三月三日曲水詩序	王融（元長）
序石	思歸引序	石崇（季倫）
序任	王文憲集序	任昉（彥昇）
序杜	春秋左氏傳序	杜預（元凱）
序皇甫	三都賦序	皇甫謐（士安）
吳都	吳都賦	左思（太沖）
序陸	豪士賦序	陸機（士衡）
序顏	三月三日曲水詩序	顏延之（延年）

八　畫

東京	東京賦	張衡（平子）
長門	長門賦	司馬相如（長卿）
東征	東征賦	班昭（曹大家）
東都	東都賦	班固（孟堅）
兩都序	兩都賦序	班固（孟堅）
長笛	長笛賦	馬融（季長）
長楊	長楊賦	楊雄（子雲）
招魂	招魂	宋玉

郊廟	宋郊祀歌	顏延之（延年）
招隱士	招隱士	劉安
招隱左	招隱詩	左思（太沖）
招隱陸	招隱詩	陸機（士衡）

九　畫

風	風賦	宋玉
恨	恨賦	江淹（文通）
表孔	薦禰衡表	孔融（文舉）
思玄	思玄賦	張衡（平子）
表羊	讓開府表	羊祜（叔子）
軍戎	從軍行	王粲（仲宣）
表任壹	爲齊明帝讓宣城郡公第一表	任昉（彥昇）
表任貳	爲范尚書讓吏部封侯第一表	任昉（彥昇）
表任叄	爲蕭揚州薦士表	任昉（彥昇）
表任肆	爲褚諮議蓁讓代兄襲封表	任昉（彥昇）
表任五	爲范始興作求立太宰碑表	任昉（彥昇）
表李	陳情事表	李密（令伯）
表桓	薦譙元彥表	桓溫（元子）
洛神	洛神賦	曹植（子建）
南都	南都賦	張衡（平子）
奏記	奏記詣蔣公	阮籍（嗣宗）
表殷	解尚書表	殷仲文
述祖德	述祖德詩	謝靈運
幽通	幽通賦	班固（孟堅）
表陸	謝平原内史表	陸機（士衡）
表張	爲吳令謝詢求爲諸孫置守冢人表	張悛（士然）
表庾	讓中書令表	庾亮（元規）

十　畫

書司馬	報任少卿書	司馬遷（子長）
書孫	爲石仲容與孫皓書	孫楚（子荊）
書朱	爲幽州牧與彭寵書	朱浮（叔元）
書阮	爲曹公作書與孫權	阮瑀（元瑜）
書李	答蘇武書	李陵（少卿）
書吳	答東阿王書	吳質（季重）
書孝標	重答劉秣陵沼書	劉峻（孝標）
書陳	爲曹洪與魏文帝書	陳琳（孔璋）
高唐	高唐賦	宋玉
書曹壹	與楊德祖書	曹植（子建）
書曹貳	與吳季重書	曹植（子建）
書嵇	與山巨源絕交書	嵇康（叔夜）
書楊	報孫會宗書	楊惲（子幼）
射雉	射雉賦	潘岳（安仁）
書趙	與嵇茂齊書	趙至（景真）
挽歌陸	挽歌詩	陸機（士衡）
挽歌陶	挽歌詩	陶潛（淵明）
挽歌繆	挽歌詩	繆襲（熙伯）
祖餞玄暉	新亭渚別范零陵詩	謝朓（玄暉）
祖餞沈	別范安成詩	沈約（休文）
祖餞宣遠	王撫軍庾西陽集別時爲豫章太守庾被徵還東	謝瞻（宣遠）
祖餞孫	征西官屬送於陟陽侯作詩	孫楚（子荊）
祖餞曹	送應氏詩	曹植（子建）
祖餞潘	金谷集作詩	潘岳（安仁）
祖餞謝	鄰里相送方山詩	謝靈運
書應壹	與滿公琰書	應璩（休璉）
書應貳	與侍郎曹長思書	應璩（休璉）
書應叄	與廣川長岑文瑜書	應璩（休璉）

補亡	補亡詩	束晳（廣微）
詠史王	詠史	王粲（仲宣）
詠史左	詠史	左思（太沖）
詠史張	詠史	張協（景陽）
詠史曹	三良詩	曹植（子建）
詠史虞	詠霍將軍北伐	虞羲（子揚）
詠史鮑	詠史	鮑照（明遠）
詠史盧	覽古	盧諶（子諒）
詠史謝	張子房詩	謝瞻（宣遠）
詠史顏壹	秋胡詩	顏延之（延年）
詠史顏貳	五君詠	顏延之（延年）
牋阮	爲鄭沖勸晉王牋	阮籍（嗣宗）
牋任壹	到大司馬記室牋	任昉（彥昇）
牋任貳	百辟勸進今上牋	任昉（彥昇）
牋吳壹	答魏太子牋	吳質（季重）
牋吳貳	在元城與魏太子牋	吳質（季重）
閒居	閒居賦	潘岳（安仁）
牋陳	答東阿王牋	陳琳（孔璋）
牋楊	答臨淄侯牋	楊修（德祖）
景福殿	景福殿賦	何晏（平叔）
登樓	登樓賦	王粲（仲宣）
牋謝	拜中軍記室辭隨王牋	謝朓（玄暉）
牋繁	與魏文帝牋	繁欽（休伯）
詠懷阮	詠懷	阮籍（嗣宗）
詠懷謝	秋懷	謝惠連
游天台山	遊天台山賦	孫綽（興公）
遊仙何	遊仙詩	何劭（敬祖）
遊仙郭	遊仙詩	郭璞（景純）
游覽玄暉	遊東田	謝朓（玄暉）

游覽江	從冠軍建平王登廬山香爐峯	江淹（文通）
游覽沈壹	鍾山詩應西陽王教	沈約（休文）
游覽沈貳	宿東園	沈約（休文）
游覽沈叁	遊沈道士館	沈約（休文）
游覽叔源	遊西池	謝琨（叔源）
游覽殷	南州桓公九井作	殷仲文
游覽徐	古意酬到長史溉登琅玡城詩	徐悱（敬業）
游覽惠連	泛湖歸出樓中翫月	謝惠連
游覽鮑	行藥至城東橋	鮑照（明遠）
游覽魏文	芙蓉池作	曹丕（魏文帝）
游覽顏壹	應詔觀北湖田收	顏延之（延年）
游覽顏貳	車駕幸京口侍遊蒜山作	顏延之（延年）
游覽顏叁	車駕幸京口三月三日侍游曲阿後湖作	顏延之（延年）
游覽靈運壹	從遊京口北固應詔	謝靈運
游覽靈運貳	晚出西射堂	謝靈運
游覽靈運叁	登池上樓	謝靈運
游覽靈運肆	遊南亭	謝靈運
游覽靈運五	遊赤石進帆海	謝靈運
游覽靈運陸	石壁精舍還湖中作	謝靈運
游覽靈運柒	登石門最高頂	謝靈運
游覽靈運捌	於南山往北山經湖中瞻眺	謝靈運
游覽靈運玖	從斤竹澗越嶺溪行	謝靈運

十 三 畫

頌王	聖主得賢臣頌	王襃（子淵）
碑文仲寶	褚淵碑文	王儉（仲寶）
碑文沈	齊故安陸昭王碑文	沈約（休文）
碑文蔡壹	郭有道碑文	蔡邕（伯喈）

碑文蔡貳	陳太丘碑文	蔡邕（伯喈）
碑文簡栖	頭陀寺碑文	王巾（簡栖）
頌史	出師頌	史岑（孝山）
頌陸	漢高祖功臣頌	陸機（士衡）
蜀都	蜀都賦	左思（太沖）
誄曹	王仲宣誄	曹植（子建）
頌楊	趙充國頌	楊雄（子雲）
墓誌	劉先生夫人墓誌	任昉（彥昇）
頌劉	酒德頌	劉伶（伯倫）
誄潘壹	楊荊州誄	潘岳（安仁）
誄潘貳	楊仲武誄	潘岳（安仁）
誄潘叁	夏侯常侍誄	潘岳（安仁）
誄潘肆	馬汧督誄	潘岳（安仁）
誄謝	宋孝武宣貴妃誄	謝莊（希逸）
誄顏壹	陽給事誄	顏延之（延年）
誄顏貳	陶徵士誄	顏延之（延年）

十 四 畫

舞	舞賦	傅毅（武仲）
漁父	漁父	屈平（原）
銘班	封燕然山銘	班固（孟堅）
對問	對楚王問	宋玉
寡婦	寡婦賦	潘岳（安仁）
銘崔	座右銘	崔瑗（子玉）
銘張	劍閣銘	張載（孟陽）
銘陸壹	石闕銘	陸倕（佐公）
銘陸貳	新刻漏銘	陸倕（佐公）
舞鶴	舞鶴賦	鮑照（明遠）

十　五　畫

箴	女史箴	張華（茂先）
嘯	嘯賦	成公綏（子安）
論王	四子講德論	王褒（子淵）
論李	運命論	李康（蕭遠）
論東方	非有先生論	東方朔（曼倩）
樂府石	王明君詞	石崇（季倫）
樂府玄暉	鼓吹曲	謝朓（玄暉）
樂府古辭	飲馬長城窟行	佚名
樂府古辭	傷歌行	佚名
樂府古辭	長歌行	佚名
彈事任壹	奏彈曹景宗	任昉（彥昇）
彈事任貳	奏彈劉整	任昉（彥昇）
彈事沈	奏彈王源	沈約（休文）
樂府班	怨歌行	班婕妤
樂府陸	樂府十七首	陸機（士衡）
樂府曹	樂府四首	曹植（子建）
樂府鮑	樂府八首	鮑照（明遠）
樂府魏文	樂府二首	曹丕（魏文帝）
樂府魏武	樂府二首	曹操（魏武帝）
樂府靈運	會吟行	謝靈運
歎逝	歎逝賦	陸機（士衡）
論韋	博弈論	韋曜（弘嗣）
論班	王命論	班彪（叔皮）
論曹	六代論	曹冏（元首）
論陸壹	辯亡論上	陸機（士衡）
論陸貳	辯亡論下	陸機（士衡）
論陸叁	五等論	陸機（士衡）

論嵇	養生論	嵇康（叔夜）
論賈	過秦論	賈誼
論劉壹	辯命論	劉峻（孝標）
論劉貳	廣絕交論	劉峻（孝標）
論魏文	典論論文	曹丕（魏文帝）
魯靈光殿	魯靈光殿賦	王延壽（文考）

十 六 畫

| 赭白馬 | 赭白馬賦 | 顏延之（延年） |
| 蕪城 | 蕪城賦 | 鮑照（明遠） |

十 七 畫

魏都	魏都賦	左思（太沖）
檄司馬	喻巴蜀檄	司馬相如（長卿）
檄陳壹	爲袁紹檄豫州	陳琳（孔璋）
檄陳貳	檄吳將校部曲文	陳琳（孔璋）
檄鍾	檄蜀文	鍾會（士季）

十 八 畫

藉田	藉田賦	潘岳（安仁）
歸田	歸田賦	張衡（平子）
臨終	臨終詩	歐陽建（堅石）
雜詩左	雜詩	左思（太沖）
雜詩平子	四愁詩	張衡（平子）
雜詩正長	雜詩	王讚（正長）
雜詩古詩	古詩十九首	佚名
雜詩玄暉壹	始出尚書省	謝朓（玄暉）
雜詩玄暉貳	直中書省	謝朓（玄暉）
雜詩玄暉叄	觀朝雨	謝朓（玄暉）

雜詩棗	雜詩	棗據（道彥）
雜詩傅	雜詩	傅玄（休弈）
雜詩劉	雜詩	劉楨（公幹）
雜詩盧	時興詩	盧諶（子諒）
雜詩鮑壹	數詩	鮑照（明遠）
雜詩鮑貳	翫月城西門廨中	鮑照（明遠）
雜詩魏文	雜詩	曹丕（魏文帝）
雜詩顏遠壹	思友人詩	曹攄（顏遠）
雜詩顏遠貳	感舊詩	曹攄（顏遠）
雜詩蘇	詩	蘇武（子卿）
雜詩靈運壹	南樓中望所遲客	謝靈運
雜詩靈運貳	齋中讀書	謝靈運
雜詩靈運叁	田南樹園激流植援	謝靈運
雜詩靈運肆	石門新營所住四面高山迴溪石瀨修竹茂林詩	謝靈運
雜歌荊	歌	荊軻
雜歌陸	中山王孺子妾歌	陸厥（韓卿）
雜歌漢高	歌	劉邦（漢高祖）
雜歌劉	扶風歌	劉琨（越石）
雜擬王	和琅邪王依古	王僧達
雜擬江	雜體詩三十首	江淹（文通）
雜擬范	効古	范雲（彥龍）
雜擬袁壹	効曹子建樂府白馬篇	袁淑（陽源）
雜擬袁貳	効古詩	袁淑（陽源）
雜擬陸	擬古詩	陸機（士衡）
雜擬陶	擬古詩	陶潛（淵明）
雜擬張	擬四愁詩	張載（孟陽）
雜擬劉	擬古詩	劉鑠（休玄）
雜擬鮑壹	擬古	鮑照（明遠）

雜擬鮑貳	學劉公幹體	鮑照（明遠）
雜擬鮑叄	代君子有所思	鮑照（明遠）
雜擬謝	擬魏太子鄴中集詩	謝靈運

十九畫

難	難蜀父老	司馬相如（長卿）
贊袁	三國名臣序贊	袁宏（彥伯）
贊夏侯	東方朔畫贊	夏侯湛（孝若）
辭陶	歸去來	陶潛（淵明）
鵩鳥	鵩鳥賦	賈誼
贈答士衡壹	贈馮文羆遷斥丘令	陸機（士衡）
贈答士衡貳	答賈長淵	陸機（士衡）
贈答士衡叄	於承明作與士龍	陸機（士衡）
贈答士衡肆	贈尚書郎顧彥先	陸機（士衡）
贈答士衡五	贈顧交阯公真	陸機（士衡）
贈答士衡陸	贈從兄車騎	陸機（士衡）
贈答士衡柒	答張士然	陸機（士衡）
贈答士衡捌	爲顧彥先贈婦	陸機（士衡）
贈答士衡玖	贈馮文羆	陸機（士衡）
贈答士衡拾	贈弟士龍	陸機（士衡）
贈答士龍壹	爲顧彥先贈婦	陸雲（士龍）
贈答士龍貳	答兄機	陸雲（士龍）
贈答士龍叄	答張士然	陸雲（士龍）
贈答公幹壹	贈五官中郎將	劉楨（公幹）
贈答公幹貳	贈徐幹	劉楨（公幹）
贈答公幹叄	贈從弟	劉楨（公幹）
贈答正叔壹	贈陸機出爲吳王郎中令	潘尼（正叔）
贈答正叔貳	贈河陽	潘尼（正叔）
贈答正叔叄	贈侍御史王元貺	潘尼（正叔）

贈答司馬	贈山濤	司馬彪（紹統）
贈答玄暉壹	郡內高齋閑坐答呂法曹	謝朓（玄暉）
贈答玄暉貳	在郡臥病呈沈尚書	謝朓（玄暉）
贈答玄暉叁	暫使下都夜發新林至京邑贈西府同僚	謝朓（玄暉）
贈答玄暉肆	酬王晉安	謝朓（玄暉）
贈答任	贈郭桐廬出溪口見候余既未至郭仍進村維舟久之郭生方至	任昉（彥昇）
贈答仲宣壹	贈蔡子篤詩	王粲（仲宣）
贈答仲宣貳	贈士孫文始	王粲（仲宣）
贈答仲宣叁	贈文叔良	王粲（仲宣）
贈答安仁	爲賈謐作贈陸機	潘岳（安仁）
贈答何	贈張華	何劭（敬祖）
贈答范壹	贈張徐州稷	范雲（彥龍）
贈答范貳	古意贈王中書劾古	范雲（彥龍）
贈答宣遠壹	答靈運	謝瞻（宣遠）
贈答宣遠貳	於安城答靈運	謝瞻（宣遠）
贈答郭	答傅咸	郭泰機
贈答張	答何劭	張華（茂先）
贈答曹壹	贈徐幹	曹植（子建）
贈答曹貳	贈丁儀	曹植（子建）
贈答曹叁	贈王粲	曹植（子建）
贈答曹肆	又贈丁儀王粲	曹植（子建）
贈答曹五	贈白馬王彪	曹植（子建）
贈答曹陸	贈丁翼	曹植（子建）
贈答嵇	贈秀才入軍	嵇康（叔夜）
贈答傅	贈何劭王濟	傅咸（長虞）
贈答越石壹	答盧諶詩	劉琨（越石）

二 十 八 畫

鸚鵡　　　　　　鸚鵡賦　　　　　　　　　禰衡(正平)

文選類詁通檢

鑄	501	鑪	504	纓	505	鷟	508
霽	501			纖	505	鷩	508
霾	501	**二十三畫**		蠳	506	鷸	508
𩃬	501	孌	504	矑	506	鷯	508
鞠	501	巖	504	蠋	506	鵻	508
響	502	巘	504	禳	506	麟	508
顥	502	攪	504	礜	506	麢	508
颺	502	攬	504	礨	506	鷺	508
饗	502	慢	504	讚	506	鑓	508
饕	502	戀	504	聽	506	鹺	508
驕	502	玃	504	鑢	506		
驛	502	變	504	鑠	506		
驍	502	曬	504	鑛	506	**二十四畫**	
鬻	502	欖	504	靁	507	攬	508
魖	502	欏	504	曆	507	灝	508
鰱	502	欒	504	巂	507	爦	508
鰰	502	鑌	504	顯	507	鸁	508
鰷	502	瓚	504	贏	507	鹽	508
鰽	502	邐	504	驚	507	矗	508
鷗	502	疊	505	驌	507	贊	508
鷃	502	癉	505	髓	507	曬	508
鷦	502	皭	505	體	507	纊	508
鷳	502	蠱	505	鬚	507	蠮	508
鷙	502	稤	505	鼉	507	蠶	508
鷲	502	籥	505	鱓	507	衢	509
鶴	502	籧	505	鱝	507	襻	509
顚	503	鐘	505	鱏	507	讖	509
襲	503	繞	505	鱗	507	鑪	509
龕	503	纕	505	鱕	508	靈	509
						霳	510

文選類詁

一　畫

【一】道也。（碑文簡栖　按:“碑文簡栖”,注所出也。詳言之,卽謂此文出於王簡栖《頭陀寺碑文》也。凡各文類中有多人所作者,文題下均加以姓別,俾易檢查原文,例如“論賈”、“論班”等。假如同一類文中撰人有同姓者,則不稱其姓,稱其字,例如“贈答惠連”、“贈答靈運”等。本條“碑文簡栖”,卽同此例。有一人作多首者,則姓或字下加以數目字,例如“雜詩鮑壹”、“行旅靈運肆”等。若賦文則略去賦字。如《江賦》但稱“江”、《文賦》但稱“文”,不著作者姓或字。餘類推。）

【一金】一斤爲一金。（論班）

【一切】權時也。（琴）

【一介】獨使也。（論陸壹）

【一紀】十二年曰一紀。（魏都）

【乙乙】難出之貌。（文）

二　畫

【二八】八元八愷也。（思玄）

【二八】十六日也。（雜詩鮑貳）

【二八】二列也。（招魂）

【二毛】頭白有二色也。（秋興）

【二王】謂夏、殷也。（論陸叁）

【二分】春秋之中者也。（魏都）

【二名】卽有名物始、無名物母也。（游天台山）

【二妃】娥皇、女英,舜妻也,死於江湘之間。俗謂之湘君。（思玄）　湘妃。（離騷）　湘夫人、帝子、公子、佳人。（九歌）

【二老】老子,老萊子也。老萊子,古之壽者。（游天台山）

【二別】大別小別。（雜詩玄暉陸）

【二奈】白奈出張掖。赤奈出酒泉。（閒居）

【二紀】日月也。（思玄）

【二軌】謂容兩車也。軌謂轍廣。

（魯靈光殿）

【二離】日月也。（贈答傅）

【二霸】齊桓、晉文也。（論李）

【七子】詳"昭儀"條。

【七臣】蔿國、邊伯、詹父、子禽祝跪及頹叔、桃子、賓起也。（論陸叁）

【七里瀨】在桐廬縣。其下數里曰"嚴陵瀨"。（行旅靈運肆）

【七政】日、月、五星各異政也。（公讌士衡）

【七政】七曜。（公讌士龍）

【七略】《輯略》、《六藝略》、《諸子略》、《詩賦略》、《兵書略》、《術數略》、《方技略》。（序任）

【七陵】宣帝葬杜陵，文帝葬霸陵，高帝葬長陵，惠帝葬安陵，景帝葬陽陵，武帝葬茂陵，昭帝葬平陵。（西都）

【七國】吳王濞、楚王戊、趙王遂、膠西王卬、濟南王辟光、淄川王賢、膠東王渠。（檄陳貳）

【七萃之士】亦猶七輿大夫，皆衆聚集有智力者爲王爪牙也。（詠史盧）輿，車士也。（東京）

【七族】上至高祖，下至曾孫。（上書鄒貳 何校："高"作"曾"）。

【七貴】謂呂、霍、上官、趙、丁、傅、王也。（西征）

【七雄】謂韓、魏、燕、趙、齊、楚、秦也。（東京）

【七盤】舞名。（南都）

【七澤】楚境也。（餞謝）

【七輿大夫】詳"七萃之士"條。

【八九】謂七十二君也。（序王）

【八子】詳"昭儀"條。

【八川】涇、渭、灞、滻、酆、鎬、潦、潏也。（上林）

【八公】山名。（雜詩玄暉陸）

【八代】三皇五帝也。（論劉壹）

【八代】謂五帝三王也。（論陸叁）

【八圻】猶八埏。（符命楊）

【八音】金、石、絲、竹、匏、土、革、木。（長笛） 又詳"五聲八音"條。

【八風】天有八風：條風、明庶風、清明風、景風、涼風、閶闔風、不周風、廣莫風。（江）【八風】八方之風。金乾主磬，其風不周。石坎主鼓，其風廣漠。革艮主笙，其風明庶。匏震主簫，其風條。竹巽主柷敔，其風清明。木離主琴瑟，其風景。絲坤主鐘，其風涼。土兑主壎，其風閶闔。（長笛）

【八荒】四海之外有八澤,八澤之外曰八埏,八埏之外曰八荒。（思玄）

【八埏】埏若瓮埏。地之八際也。（符命司馬）又詳"八圻"及"八荒"條。

【八陣】一曰方陣，二曰圜陣,三曰牝陣,四曰牡陣,五曰衝陣,六曰輪陣,七曰浮沮陣,八曰雁行陣。（書陳）

【八桂】謂桂林之八樹也。（游天台山）

【八神】八方之神也。（甘泉）

【八紘】八方之綱維也。（贈答公幹貳）又詳"八索"條。

【八索】九州外有八澤,方千里。八澤之外有八紘,亦方千里,蓋八索也。（吳都）又詳"三墳五典八索九丘"條。

【八族】陳、桓、呂、竇、公孫、司馬、徐、傅也。（樂府陸）

【八寓】八方區宇也。（東京）

【八座尚書】古六卿之任也。尚書令、尚書僕射、六尚書,古爲八座尚書。今之尚書令,皆古之百揆任也。（行狀）

【八區】四方四隅也。（蜀都）
　【八區】八方之區也。（長楊）

【八都】猶八方也。（西京）

【八維】詳"三間四表八維九隅"條。

【八極】八紘之外乃有八極。（文）
　【八極】八方之極也。（雜詩景陽）

【八裔】猶八方也。（海）

【八鄙】四方與四角也。（東京）

【八澤】詳"八索"條。

【八鎮】四方四隅爲八鎮。不言九者,一鎮在中,天子居之故也。（羽獵）

【八駿】驊騮、綠耳《南都》作"騄耳"）、赤驥、白儀、渠黃、踰輸、盜驪、山子。（江）

【八體】一曰大篆，二曰小篆,三曰刻符,四曰蟲書,五曰摹印,六曰署書,七曰殳書,八曰隸書。（碑文沈）

【八靈】八方之神也。（東京）

【九工】九官也。（文貳）

【九土】九州之土。（藉田）

【九方堙】詳"秦青方堙"條。

【九天】八方中央,謂之九天。（景福殿）

【九井】山名。（游覽殷）

【九丘】詳"三墳五典八索九丘"條。

【九市】長安立九市,其六市在道西,三市在道東。（西都）

【九司】九卿也。（景福殿）

【九有】九州也。（景福殿）

【九谷八溪】養魚池。（東京）

【九州】中國外如赤縣州者九，乃所謂九州也。於是有瀛海環之，人民禽獸莫能相通者各一區，中者乃爲一州。如此者九，乃有大瀛海環之。其外天地之外也。（雜詩景陽）

【九牧】九州也。（書楊）

【九域】九州也。（冊）

【九春】詳"三春"條。

【九派】江自廬江潯陽分爲九。（江）

【九泉】地有九重，故言九泉。（海）泉下有壚山，故謂九泉爲黃壚也。（獻詩曹壹）

【九服】侯服、甸服、男服、采服、衞服、蠻服、夷服、鎮服、蕃服也。（表劉）

【九星】星辰日月四時歲，是謂九星。（令）

【九國】謂齊、楚、韓、魏、燕、趙、宋、衞、中山也。（論賈）

【九卿】詳"三公九卿"條。

【九垠】九重也。（甘泉）

【九流】有儒家流、道家流、陰陽家流、法家流、名家流、墨家流、縱橫家流、雜家流、農家流。（文叁）

【九斿】亦旗名也。（東京）【九斿】諸侯之冕，每繅九成，故曰九斿。（七啟）【九斿】天子出，道輿五乘，斿車九乘。（序王）

【九真之麟】謂九真獻奇獸。駒形，麟色，牛角。（西都）

【九區】九服也。（赭白馬）

【九歌】詳"九辯九歌"條。

【九陽】九天之涯也。（琴）

【九族】高祖玄孫之親也。（雜詩鮑壹）

【九旗】日月爲常，蛟龍爲旂，通帛爲旝，雜帛爲物，熊虎爲旗，鳥隼爲旟，龜蛇爲旐，全羽爲旞，析羽爲旌。（藉田）

【九親】猶九族也。（表曹貳）

【九疑】山名。（游天台山）

【九隅】詳"三間四表八維九隅"條。

【九野】八方中央，謂之九野。（景福殿）

【九錫】九錫者，諸侯有德，天子錫之。一錫車馬，再錫衣服，三錫虎賁，四錫樂器，五錫納陛，六錫朱戶，七錫弓矢，八錫鈇鉞，九錫秬鬯也。（冊）

【九龍】周時殿門上有三銅柱，柱

有三龍相糺繞，故名。（東京）

【九穀】稷、黍、秫、稻、麻、大小豆、大小麥也。（補亡）

【九壤】九州也。（補亡）

【九醖】三日一釀，滿九斛米止。醖，投也。（南都）

【九辯】辯者變也。九者陽之數也，道之綱紀也。謂陳說道德以變說君也。（九辯）

【九辯九歌】禹樂也。（離騷）

【九竅】九竅者，精神之戶牖。（高唐）

【十八王】詳"十五王"條。

【十二國】謂魯、衞、齊、宋、楚、鄭、燕、趙、韓、魏、秦、中山也。（設論東方）

【十五王】謂后稷、不窋、鞠陶、公劉、慶節、皇僕、羌弗、毀俞、公非、高圉、亞圉、公組、大王、王季、文王也。十八者，加武王、成王、康王并上十五。（史論干貳）

【入】猶墮也。（樂府陸）

【人】有生之最靈者也。（藉田）沖和之氣爲人。（西征）

【人有十等】王臣公、公臣大夫、大夫臣士、士臣阜、阜臣輿、輿臣隸、隸臣寮、寮臣僕、僕臣臺。（東京）

【人肖天地之貌】頭圓象天，足方象地。（史論沈壹）

【人皇九頭】九頭，九人也。（魯靈光殿）

【人謀】謂衆議。（史述贊范）

【人籟】簫也。（游覽殷）

【刀布】錢刀之謂。（魏都）

【刀魚】詳"紫"條。

【丁令】國名也。（册）

【丁年】謂丁壯之年也。（書李）

【又】復也。（離騷）

【几】俎也，長七尺。（東京）

【几】《莊子》："南郭子綦隱机而坐，嗒焉似喪其偶。"（贈答盧壹）案：《說文》："几，尻几也，象形。尻從几，像人有所倚也。《周禮》'五几'。凡几之屬，皆從几。"《左·襄十年傳》："投之以几。"《釋文》本又作"机"。《昭元年傳》："圍布几筵。"《釋文》本亦作"机"。乃通用之字。几或以木爲之也。用机爲機者，俗字。一說机爲几之俗。又且、古文且，亦以爲几字。（字會 按："字會"，書名也，爲《文選通叚字會》之簡稱，後準此。）

【乂】治也。（贈答士衡貳）

【勺斗】以銅作鑵，受一斗。畫炊

飲食，夜擊持行，名曰刁斗。（詠史虞）《漢書》："李廣不擊刁斗自衞。"孟康曰："以銅作鐎。"（銘陸貳　按：《銘陸貳》："晝炊飲食"作"晝炊飯食"。"夜擊持行"作"擊持行夜"。）案：《説文》："鐎，鐎斗也。從金焦聲。"《一切經音義》十五引《聲類》："鐎，温器也，有柄即刁斗也。"又引《字林》："鐎容一斗，似銚無緣也。"《方言》十三注："刁斗，謂小鈴也。蓋從鐎者，象晝炊飲食之器。從刁者，言其聲也。"《莊子·齊物論》："而不見夫刁刁之調調乎？"刁、鐎一音，同用字也。（字會）

【匕首】其頭類匕，故曰匕首。短而便用也。（上書鄒貳）

三　畫

【三】詳"五三"條。

【三川】韓界也。（上書李）【三川】河、洛、伊也。（詠史鮑）

【三山】詳"三丘"條。

【三子】子頹、叔帶、子朝也。（論陸叄）

【三王】夏、殷、周也。（論陸臺）

【三公九卿】三公象五岳，九卿法河海。三公在天法三台，九卿法北斗。（文貳）

【三仁】微子、箕子、比干也。（設論楊）

【三五】謂十五日也。（雜詩靈運壹）【三五】三心五噣，四時更見也。（雜詩魏文）

【三代】夏、商、周也。（論陸叄）

【三正】夏、殷、周也。周建子爲正月，殷建丑爲正月，夏建寅爲正月，蓋正色三而復者也。（公讌士衡）

【三丘】謂蓬萊、方丈、瀛洲也。（思玄）　亦謂之三山。（游覽沈壹）

【三世】謂宣、景、文。（表劉）

【三市】洛陽凡三市。大市名曰金市，公觀之西。城中馬市，在大城之東。洛陽縣市，在大城南。（閒居）　大市日昃而市，朝市朝時而市，夕市日夕而市，此三市之謂也。（魏都）

【三江】越境也。（牋謝）

【三江口】巴陵縣有洞庭陂，江、湘、沅水皆共會巴陵，故號三江口也。（行旅顏叄）

【三河】洛陽也。（史述贊范）【三河】河南、河東、河北，秦之三川郡。古人呼水皆爲河耳。

（詠懷阮）

【三后】宣、景、文也。（公讌士衡）　【三后】禹、湯、文王也。（離騷）

【三良子】車氏三子；奄息、仲行、鍼虎，皆秦之良也。（寡婦）

【三秀】芝草也。芝草一歲三華。（思玄）

【三芝】參成芝、木渠芝、建實芝也。得而服之，白日升天。（游覽沈壹）

【三季王】桀、紂、幽王也。（符命班）

【三桓】謂仲孫、叔孫、季孫也。（連珠）

【三時】春、夏、秋也。（藉田）

【三峽】巴東永安縣有高山相對，民謂之峽。（史論干貳）

【三晉】韓哀侯、魏武侯、趙敬侯共滅晉，三分其地，故曰三晉。（連珠）

【三辰】日、月、星也。（公讌士龍）　亦謂之三光（贈答司馬），三精。（史述贊范）

【三秋】秋有三月，故曰三秋。（文貳）

【三神】天、地、人也。（甘泉）　【三神】上帝、泰山、梁父也。（符命司馬）

【三能】台室三公位。中宮文昌、魁下六星兩兩相比，名曰三能。（月　《贈答盧壹》：“中宮文昌”作“北斗”。）

【三道】國體、人事、直言也。（文壹）

【三哲】劉備、孫權、曹操也。（贈答士衡貳）

【三春】一時三月，謂之三春。九十日謂之九春。（琴）　一歲三春，故以三年爲九春。（雜詩曹貳）

【三揖之禮】土揖，推手小下之也；時揖，平推手也；天揖，推手小舉之。又曰諸侯心平手禮，伯男手在心下禮，外國君在心上禮。（東京）

【三疫鬼】顓頊氏有三子，已而爲疫鬼。一居江水爲瘧鬼；一居若水爲罔兩蜮鬼；一居人宮室區隅，善驚人，爲小鬼。（東京）

【三術】王霸、富國、强兵爲三術。（設論班）

【三間四表八維九隅】室每三間則有四表。四角四方爲八維。并中爲九隅。（魯靈光殿）

【三階】三台也。（碑文仲寶）

【三秦】章邯爲雍王，司馬欣爲塞

王,董翳爲翟王,分王秦地,故
曰三秦。（史述贊班壹）

【三垂】謂西方、南方、東方。（羽
獵）

【三都】蜀、吳、魏也。（樂府靈
運）

【三事】三公也。（景福殿）

【三朝】歲首朔日也。（東都）

【三皇】伏羲、女媧、神農爲三皇。
（東都）

【三避】三黜也。（贈答靈運壹）

【三調】清、平、側也。（樂府靈
運）

【三雄】韓信、彭越、英布。（頌
陸）

【三輔】右扶風、左馮翊、京兆尹,
是爲三輔。（樂府鮑）

【三蛟】似蛤。（江）

【三象】周公樂曰三象。（上林）

【三關】蜀有陽平江關、白水關,
此爲三關。（史論干貳　毛本
“水”下無“關”字。“此”作
“北”,恐誤。又按:此但有二
關,疑“陽”下脱“關”字。）

【三關延頸】二戍名也。（彈事任
壹）

【三墳】汝墳、淮墳、河墳也。（燕
城）

【三墳五典八索九丘】三墳,三皇

之書。五典,五帝之典。八索,
素王之法。九丘,亡國之戒。
（閒居　《東京》“五帝之典”作
“五帝之書”。）

【三賢】管仲、鮑叔牙、隰朋也。
（贊袁）

【三壽】三老也。（東京）

【三臺】尚書爲中臺,御史爲憲
臺,謁者爲外臺。（檄陳壹）

【三犧】詳“五牲三犧”條。

【三屬之甲】三屬之甲者,上身
一,髀褌一,踁繳一,凡三屬
也。（公讌沈）

【三翼】翼謂舟也。大翼一艘,廣
一丈五尺二寸,長十丈。中翼
一艘,廣一丈三尺五寸,長五
丈（胡云:“五”當作“九”）六
尺。小翼一艘,廣一丈二尺,長
九丈。（游覽顏叁）

【三巒】封巒也。（甘泉）

【三靈】日、月、星也。（羽獵）

【三靈】天、地、人也。（符命班）

【千千】《説文》曰:“俗望山谷芊
芊,青也。”千與芊古字通。
（高唐）　案:《藉田賦》“碧色
蕭其千千”《注》:“千千,碧
皃。”謝玄暉《遊覽詩》“遠樹曖
仟仟”《注》:“《廣雅》曰:‘芊
芊,盛也。’仟與芊同。”潘安仁

《旅行詩》"稻栽肅仟仟"《注》："《廣雅》曰：'芊芊，茂也。'"芊、仟皆千聲，故通。（疏證按："疏證"爲《文選古字通疏證》之簡稱，例同"字會"，後準此。）

【千石】十二萬斤也。（上林）

【千名】言多也。（別）

【千金堰】謂之千金塢。（雜詩沈陸）

【千金隄】詳"千金堰"條。

【千秋】亭名。（西征）

【千鈞】喻重也。（詠史左）　千鈞者，三萬斤。（設論班）

【千眠】詳"肝瞑"條。

【干】犯也。（西京）　【干】崖也。（祭文顏）

【干】地下而黄曰干。（吳都）又詳"奸"條。

【干將】詳"龍淵太阿"條。

【干遂】吳邑也。（江）

【干戚羽旄】干，盾也；戚，斧也；武舞所執。羽，翟羽也；旄，旄牛尾；文舞所執。（魏都）

【干遮】曲名。（上林）

【干鹵】皆楯也。（吳都）

【大人】天子也。（論王）　【大人】諸侯之謂也。（論陸叁）

【大口】詳"修額短項大口折鼻"條。

【大弓】詳"越棘"條。

【大火】詳"火"條。

【大方】法也。（論陸叁）

【大内】京邑都内寶藏曰大内。（魏都）

【大丙】詳"鉗且大丙"條。

【大田】官名也。（雜擬江）

【大行皇帝】皇帝新崩，未有定謚，故稱其名爲大行皇帝。（哀顏）

【大明】月也。（海）

【大命】謂天命也。（弔文陸）

【大風】風伯也。（序王）　【大風】鷙鳥。（論劉壹）

【大吕】律名也。（招魂）

【大武】武王之樂曰《大武》。（笙）又詳"六樂"條。

【大咸】詳"六樂"條。

【大苦】豉也。（招魂）

【大帝】天也。（西京）

【大貞】大卦也。（挽歌陸）

【大章】堯樂曰《大章》。（笙）

【大鈞】謂陰陽造化，如鈞之造器也。（鵬鳥）

【大荒】山名。（七命）　謂海外也。（吳都）

【大胡】山名。（南都）

【大侯五正】大侯，君侯也。凡

侯,天子五正,諸侯三正,大
夫、士二正。五正者,以布畫
取五方正色於大侯之上也。
亦謂之五采之侯。(東京)

【大畦】今俗以五十畝爲大畦。
(行旅安仁壹)

【大莫】猶長夜也。(歎逝)

【大順】大順者,天理也。(論秭)

【大塊】地也。(贈答張)【大
塊】自然也。(江)

【大雛鷚】詳"鷚鳥"條。

【大較】猶大略也。(景福殿)

【大蜡】詳"臘"條。

【大韶】詳"韶"、"夏"及"六樂"
條。

【大輅】大輅者,天子之車也。
(東都)【大輅】金輅。(册)

【大雪】凡平地尺爲大雪。大雪
甚厚後,必有女主。天雪連
月,陰作威。雪爲陰,臣道也。
(雪)

【大閱】大閱者何? 簡車馬也。
(述祖德)

【大夏】門名。(行旅安仁壹)
又詳"韶"、"夏"及"六樂"條。

【大厦殿】始皇造。(西京)

【大麾】不在九旗之中。(七命)

【大駕車】八十一乘,作三行。
(東都 胡云:"車"上當有

"屬"字。) 備千乘萬騎。(閑
居) 最後一乘,懸豹尾,以前
爲省中侍御史載之。豹尾車,
同制也。(胡云:"同"當作
"周"。) 所以象君豹變,言尾
者,謹也。(西京)

【大駕屬車】詳"大駕車"條。

【大篆】蟲書、鳥書是也。(吳都)

【大護】詳"六樂"條。

【大翼】詳"三翼"條。

【大羹】肉湇不調以鹽菜也。(文)

【大壑】大壑者,渤海之東,其下
無底,名歸墟。(江)

【大鶬】詳"鷚鳥"條。

【上】君也。(贊袁)

【上下】上謂君,下謂臣。(離騷)

【上巳禊事】禊者,絜也。仲春之
時,於水禊除,故事取於清絜
也。(閑居),禊者,絜也,於水
上盥絜也。巳者,祉也,邪疾
已去,祈介祉也。(序顏)又
《序王》:"禊者,絜也。仲春之
時,於水上釁絜也。")

【上玄】天也。(甘泉)

【上成】方士也。(高唐)

【上林禁苑】上林,苑名。禁,禁
人妄入也。(西京)

【上囿禁林】卽林苑也。(西都)

【上帝】太微中五帝也。(東京)

【上皇】謂東皇太一也。（九歌）

【上將】詳“文昌宮”條。

【上書】詳“表”條。

【上減五下登三】謂五帝之德，比漢爲減。三王之德，漢出其上。（難）

【上疏】詳“表”條。

【上翔】鳳舉曰上翔。（此條失注。　按：“舉”下當有“鳴”字。）　又詳“鳳”條。

【上嗣】君之適長子爲上嗣。（公讌顏貳）

【上圓】天也。（銘陸壹）

【上藥中藥】上藥一百二十種爲君，主養命以應天。無毒，久服不傷人，輕身益氣，不老延年。中藥一百二十種爲臣，主養性以應人。上藥養命，五石練形，六芝延年。中藥養性，合歡蠲忿，萱草忘憂也。（論稽）

【上蘭】觀名也。（西都）

【于】往也。（獻詩曹壹）【于】爲也。（長門）【于】南方越名。（吳都）

【土】度也。（東京。　何校：“土”改“測”。）　又詳“金石土革絲木匏竹”條。

【土肉】正黑，如小兒臂大，長五寸，中有腹，無口目，有三十足。（江）

【土伯】后土之侯伯也。參目虎首，其身若牛。（招魂）

【土梗】喻輕賤也。（論劉貳）

【土囊】大穴也。（風）

【工】巧也。（招魂）【工】官也。（贈答顏壹）【工】樂師謂之工。（舞）【工】女功也。（長楊）【工】《漢書》：“酈食其曰：‘農夫釋耒，紅女下機。’”工與紅同。（牋吳貳）案：紅從工聲。《漢書·酈食其傳》作“紅女下機”。《史記·酈生陸賈傳》作“工女下機”。《漢書·文帝紀》：“服大紅十五日。”《注》引晉灼：“《漢書》例以紅爲功。”古者工與功同字。《書·皋陶謨》：“天工人其代之。”《漢書·律曆志》作“天功人其代之”。《益稷》：“苗頑弗即工。”《史記·夏本紀》作“苗頑不即功”。工與功同。故工與紅亦通。又“紅”本作“紅”《賈捐之傳》：“太倉之粟紅腐而不可食。”《說文》：“紅，陳臭米。”紅即紅也。（字會）

【工市】詳“龍淵太阿”條。

【工雀】詳“鶺鴒”條。

【下】臣也。（贊袁）　又詳“上下”條。

【下土】謂天下也。（離騷）

【下里】歌名。（文）

【下矩】地也。（銘陸壹）

【下陳】猶後列也。（上書李）

【下國】非天子之國曰下國。（鸚鵡）

【下徵】七絃總會樞極也。下徵調法，林鍾爲宮，南呂爲商。（長笛）

【下蔡】縣名。（好色）

【下聲】詳“高張下聲”條。

【已】與也。（贈答仲宣貳）【已】止也。（東京）【已】猶決竟也。（贈答盧壹）【已】畢也。（詠懷阮）

【已矣】絶望之辭也。（雜歌陸）

【尸】雞中主也。（書阮）

【尸柩】在牀曰尸，在棺曰柩。（東都）

【尸禄】詳“素餐尸禄”條。

【子】愛也。（論陸叁）【子】男子美稱。（東都）【子】男子之通稱也。（好色）【子】通稱也。（碑文仲寶）

【子大夫】親而近之，故曰子大夫。（魏都）

【子母五色】皆謂瓜也。（詠懷阮）

【子都】美丈夫也。（魏都）【子都】世之美好者。（長笛）

【子嶲】卽子規，一名姊歸。（高唐“姊”同“姉”。）

【子虚】虚言也。（子虚）

【叉】取魚叉也。（西征）

【叉髦】以璿玉作之。（東京“叉”原作“又”，依胡校改。）馬並以黄金爲叉髦，插以翟尾，先多用雉尾。（射雉）

【亡】喪也。（上林）

【亡命】命，名也。謂所犯罪名已定，而逃亡避之，謂之亡命。（表陸）委君之徒，謂之亡命，謂亡君命也。（設論班）

【亡是公】亡是人也。（子虚）

【亡逃抵誅】亡逃而至於誅也。一曰逃亡被誅，而抵拒於誅也；一曰抵其罪而誅戮之也；一曰誅者亡不肯受誅也。（檄司馬壹）

【巾】巾箱也，所以盛書。（公讌顏貳）【巾】佩巾也。（雜詩平子）【巾】處士所服。（詠史顏）【巾】猶衣也。（西京）

【巾車】主車也。（西京）巾猶衣也。（贈答正叔壹）

【巾帶】謂中國也。（表劉）

【山】山者,地基也。（游覽沈壹）

【山父】詳"巢父"條。

【山坻】除也。（西京　梁云:
"《六臣》本無'山'字,是也。"）

【山李】詳"奠"條。

【山祇】山神也。（游覽顏叄）

【山陵】詳"長山"條。

【山椒】山頂也。（月）

【山庭】謂面有三庭,言山在中,
鼻高有異相也。（序任）

【山梨】詳"樗"及"離"條。

【山陽】縣名。（書應肆）

【山鷄】詳"鷄"條。

【山鷄】如鷄而黑色,樹棲晨鳴。
（吳都）

【山圖】仙人名。（蜀都）

【山靈】山神也。（東都）

【小心翼翼】恭順之貌也。（史論
干貳）

【小鬼】詳"三疫鬼"條。

【小畦】今俗以二十五畝爲小畦。
（贈答顏肆）

【小說】醫、巫、厭、祝之術。（西
京）

【小儒】小儒者,謂大夫、士也。
（雜擬江）

【小翼】詳"三翼"條。

【川】流水也。（西都）　流源爲
川。（招魂）

【川后】河伯也。（洛神）

【川流】言衆瑞之多也。（符命
楊）

【川淵】水有大小。出之溝,流於
大水及海者,命之曰川。出於
地而不流,命曰淵水。（論李）

【川瀆】中國川原以百數,莫著於
四瀆,而河爲宗。（江）

【夕】詳"朝夕"條。

【夕陽西流】喻年老之人也。（贈
答越石貳）

【久】滯也。（歸田）　【久】舊也。
（設論班）

【女工】詳"鶬鶊"條。

【女子子】女子子者,女子也,別
於男也。（贈答士龍壹）

【女匠】詳"鶬鶊"條。

【女貞木】葉冬不落。（上林）

【女娃】赤帝之女,名曰女娃。
（魏都）

【女媧】黃帝臣也。（長笛）

【女媧蛇軀】謂蛇身也。（魯靈光
殿）

【女桑】荑桑也。（七發）

【女魃】大荒之中,有山名不勾。
有人衣青衣,名曰黃帝女魃。
所居不雨。（東京）

【女嬃】屈原姊也。（離騷）

【女蘿】松蘿也。蔓松而生,枝正

青。（遊仙郭）

【幺】小也。（文）

【幺麼】不長曰幺，細小曰麼。（論班）

【兀】無知之貌也。（遊天台山）

【兀嵏狋嶭】山險峻貌。（長笛）

【勺】沾也。（招魂）

【勺藥之和】或以芍藥調食也，一曰五味之和也。一曰勺藥，調和之意也。（子虛）

【勺㴽】熱貌。（思玄）

【个】東西廂也。（景福殿）

【孑蜺】延首之貌。（魯靈光殿）

【彳亍】止貌也。（射雉）

【亍】小步也。（魏都）

【卩】詳“㷀”條。

【弋】繳射也。（吳都）

【才人】才伎人也。（七啟）

【丸】取也。（長笛）

【凡】大指也。（長楊）

【几】詳“几”條。

四　　畫

【井】方一里。（碑文仲寶）

【井邑】九夫爲井，四井爲邑。（贈答士龍叄）

【井幹】樓名。【井幹】井欄也。（西都） 又臺之通稱也。（哀傷玄暉） 幹，井上四交之幹

也。（上書枚壹）

【天人】皆原於一，不難於宗，謂之天人。（公讌應）

【天子】言是天帝之子。（東京）
【天子】王者父事天，故爵稱天子。（西征）

【天子冢】詳“長山”條。

【天子左右五鐘】天子左五鐘，將出，則撞黃鍾，右五鐘皆應。天子將入，則撞蕤賓之鐘，左五鐘皆應之。（東都）

【天水】詳“漢陽”條。

【天井】詳“東井”條。

【天文地理】天文者，謂三光。地理者，謂五土也。（樂府靈運）

【天台山】即葛仙公山也。（遊天台山）

【天光】傅元長簫歌篇名。（笙）

【天地】清輕者上爲天，重濁者下爲地。（魏都）

【天宗】謂老君也。（遊天台山）

【天官】百官小吏曰天官。（東都）

【天旨】謂天子意也。（論劉壹）

【天吳】朝陽之谷神名天吳，是爲水伯。（吳都） 其形八首人面，八足八尾，皆青黃。（琴） 又《遊覽靈運伍》云：“其獸也，八首、八足、八尾，背黃青。”）

【天阻】山名。（雜詩子建壹）

【天弧】虛、危上二星。一曰狼下有四星曰弧。（羽獵）或謂之威弧。（思玄）

【天沼】窮髮之北有溟海者，天池也，故曰天沼。（海）

【天門】上帝所居紫宮門也。（樂府陸）

【天封】山名。（南都）

【天時】支干、五行、王相、孤虛之屬。（論陸貳）

【天皇】大帝也。（思玄）

【天球】寶器也。（碑文仲寶）

【天琛】自然之寶也。（海）

【天窗】高窗也。（魯靈光殿）

【天旋地轉】天左旋，地右轉。（勸勵張）

【天雲】言高也。（述德）

【天祿閣】在大殿北，以閣秘書。（西都　何校："大"下添"祕"字。《碑文仲寶》下"閣"字作"藏"。）

【天梁】宮名也。（西都）

【天漢】河精上爲天漢。（雜詩魏文）

【天潢】天津也。（思玄）

【天樞】詳"北斗七星"條。

【天德】變化代興，謂之天德。（贈答顏肆）

【天機】自然也。（文）

【天璣】喻帝位也。（哀顏）

【天雞】黑身，一名莎雞。（江）又詳"匏瓜"條。

【天綱】詳"衆目天綱"條。

【天鼓】詳"牽牛"條。

【天寶】陳寶也。雞頭而人身。（羽獵）

【天駟】詳"天騎"條。

【天騎】漢中四星。天騎一曰天駟，旁一星王良，主天馬也。（思玄）

【天關】詳"牽牛"及"北辰"條。

【天聲】如天之聲，言其大也。（甘泉）

【天驥】天馬也。（七命）

【元】大也。（東京）【元】善也，長也。（思玄）又詳"自然"條。

【元元】善也。（檄陳壹）

【元弋】詳"元戈"條。

【元戈】（"戈"本作"弋"，依孫校改。）北斗第八星，名爲矛頭，主胡兵。（西京）

【元天】山名。（游覽顏貳）

【元年】元年者何？元宜爲一；謂之元何？曰君之始年也。（東都）

【元后】天子也。（論班）

【元戎】兵車也。（閒居）

【元首】君也。（論陸壹）

【元武】詳“玄武”條。

【元宰】冢宰也。（序王）

【元圃】詳“閬風”及“玄圃”條。

【元冥】水正也。（思玄）【元冥】北方黑帝佐也。（甘泉）

【元瑞】大瑞也。（長楊）

【元凱】詳“尚書”條。

【元墀】墀以鬃漆，故曰元也。（西都）

【元屬】黑石。可用磨也。（子虛）

【元龜】詳“黿”條。

【云】辭也。（贈答傅）【云】言也。（贈答越石貳）【云】有也。（贈答士衡貳）　又詳“魂”條。

【王】仁義所生爲王。（兩都序）【王】王者往也。天下往之，謂之王也。（論班）

【王子喬】周靈王太子晉也。（游天台山）又詳“吟嘆四曲”條。

【王母】西王母也。崑崙之丘，有人戴勝，虎齒豹尾，穴處，名王母。　其狀如人，是司天之屬。（思玄）

【王良】善御馬。（設論班）　又詳“天騎”條。

【王命】帝王受命也。（論班）

【王明君】詳“明妃”條。

【王庭】單于所居之處，號曰王庭。（書司馬）

【王昭君】詳“吟嘆四曲”條。

【王孫】隱士謂之王孫。（招隱士）

【王孫公子】皆古人相推敬之辭。（西京）

【王珧】蚌屬。（江）

【王餘】比目之半。俗云越王鱠魚未盡，因以殘半棄水中爲魚，遂無其一面，故曰王餘。（吳都）

【王爾】詳“般爾”條。

【王韓】王子晉、韓衆也。（樂府陸）

【王畿】方千里曰王畿。（西都）

【王鮪】魚之大者。（東京）　又詳“鮪”條。

【王鱣】鱣之大者。（下“鱣”字，原脫去。）猶曰王鮪。（江）

【木】詳“金石土革絲木匏竹”條。

【木禾】生於帝之下都，崑崙之墟，穗長五尋，大五圍，蓋穀類也。一曰嘉穀也，二月生，八月熟。得中和故曰禾。木王而生，木衰而死，故曰木禾。（思玄）　瓊山之禾卽木禾。

（七命）

【木羽】仙人名。（吳都）

【木槿】詳"日及"條。

【木棉】樹高大，其實如酒杯，皮薄，中有如絲縣者，色正白。（此條失注。）

【木難】金翅鳥沫所成碧色珠也。（樂府曹）

【木蘭】坊名。（魏都）【木蘭】大樹。葉似長生，冬、夏榮，常以冬華。實如小柿，甘美，南人以爲梅。其皮可食。（蜀都）　木蘭皮辛可食。（子虛）似桂。（長門）

【五三】五，五帝也。三，三王也。（符命司馬）

【五正】詳"大侯五正"條。

【五白】簙齒也。（招魂）

【五代】周、殷、夏、唐、虞也。（魯靈光殿）

【五色】五色者，丹砂、雄黄、白礬石、曾青、磁石也。（游仙郭）又詳"子母五色"條。

【五伯】夏伯昆吾、商伯大彭、豕韋、周伯齊桓、晉文也。（文貳）

【五臣】狐偃、趙衰、顛頡、魏武子、司空季子也。（贊袁）

【五岋】一山有五重。（蜀都）

【五材】金、木、水、火、土也。（江）

【五夜】甲夜、乙夜、丙夜、丁夜、戊夜也。（銘陸貳）

【五兩】詳"綄"條。

【五官】詳"昭儀"條。

【五典】五常之教。（行狀）　又詳"三墳五典八索九丘"條。

【五芝】赤芝一名丹芝，黃芝一名金芝，白芝一名玉芝，黑芝一名玄芝，紫芝一名木芝。（游天台山）

【五柞】館名。（長楊）【五柞】宮名也。（羽獵）

【五英】詳"六英五莖"條。

【五服】謂甸服、侯服、綏服、要服、荒服也。（勸勵韋）

【五品】謂五常也。（公讌應）

【五始】一曰元，二曰春，三曰王，四曰正月，五曰公卽位。（頌王）

【五音】商，金音，屬秋，南宮八月律。角，木音，屬春，夾鍾二月律。羽，水音，屬冬，黃鍾十一月律。徵，火音，屬夏，蕤賓五月律。（嘯）　又詳"五聲"條。

【五侯】王譚、王立、王根、王逢、王商也。（雜詩鮑壹）　又單超封新豐侯，徐璜武原侯，具

瑗東武侯,左瑄上蔡侯,唐衡汝陽侯,五人同日封,故俗謂之五侯。(史論范叁)

【五帝】黃帝、顓頊、帝嚳、帝堯、帝舜也。(東都)

【五帝神】天神之貴者太一,其佐曰五帝。蒼帝神名靈威仰,赤帝神名赤熛怒,黃帝神名含樞紐,白帝神名白招拒,黑帝神名汁光紀。(東都)

【五牲三犧】五牲,麋、鹿、麏、狼、兔。三犧,祭天、地、宗廟三者之犧。(東都)

【五毒】野葛狼毒之屬。(檄陳壹)

【五都】五方之都。(好色)【五都】雒陽、邯鄲、臨淄、宛、成都,是爲五都。(文貳)

【五等】公、侯、伯、子、男也。(論陸叁)

【五軍】漢有五營,五軍卽五營也。(西京)

【五莖】詳“六英五莖”條。

【五常】五行也。(史論沈壹)

【五精】五方星也。(東京)

【五運】五行用事之運也。(魏都)

【五陵】北邙東則乾脯山,山西南晉文帝崇陽陵,陵西武帝峻陽陵,邙之東北宣帝高陵,景帝峻平陵,邙之南則惠帝陵也。(表傅壹)

【五路】王之五路:一曰玉路,二曰金路,三曰象路,四曰革路,五曰木路。(藉田)

【五湖】五湖者,太湖之別名也。周行五百餘里。(述德)

【五德】五行之德。(符命班)

【五縣】謂五陵也。長陵、安陵、陽陵、武陵、平陵。(西京)

【五潢】天津之別名也。(思玄)

【五圖】五岳真形圖也。(樂府鮑)

【五經緯】皆河圖也。(西都)

【五嶺】大庾、始安、臨賀、桂陽、揭陽也。(贈答士衡伍)

【五穀】黍、稷、菽、麥、稻也。(西都) 一曰麻、黍、稷、麥、豆也。(論稽)

【五禮】吉、凶、軍、賓、嘉也。(銘陸壹)

【五藥】草、木、蟲、石、穀也。(游覽沈壹)

【五緯】五星也。(西京) 一曰:日雨,日暘,日燠,日寒,日風,日時也。(補亡 按:“時”上“日”字,疑爲“五”字之譌。)

【五寶劍】越王句踐有寶劍五:一

曰純鉤,二曰湛盧,三曰莫耶,
四曰豪曹,五曰巨闕。(吳都)

【五龍】皇伯、皇仲、皇叔、皇季、
皇少五姓,同期俱駕龍,周密
與神通,號曰五龍。(魯靈光
殿) 【五龍】皇后君也。昆弟
四人,皆人面而龍身。長曰角
龍,木仙也;次曰徵龍,火仙
也;次曰商龍,金仙也;次曰羽
龍,水仙也。父曰宮龍,土仙
也。(游仙郭)

【五聲】宮、商、角、徵、羽。(長
笛) 亦謂之五音。(九歌)

【五聲八音】聲所以五者,繫五行
也。音所以八者,繫八風也。
(七命)

【反】還也。(招魂)

【反舌國】南方有反舌國。舌本
在前,末倒向喉,故曰反舌也。
(銘陸壹)

【反宇業業】凡屋宇皆垂下向,而
好大屋,飛邊頭瓦皆微反上,
其形業業然。(西京)

【反商】猶變商也。變宮生徵,變
徵生商,變商生羽。(長笛)

【反掌】言易也。(上書枚壹)

【反踵】夷國名也。(序王)

【反覆】猶傾動也。(西都)

【太一】一名終南山。或曰:終

南,南山之總名;太一,一山之
別號。(西京)【太一】天之
尊神也。(東京) 又詳"五帝
神"條。

【太一禹餘糧】一名石腦,生山
谷。(南都)

【太上】天子也。(東都) 【太
上】太古也。(公讌應) 【太
上】謂太古無名之君也。(表
庚)

【太山】天帝孫也,主召人魂。
(贈答公幹壹) 又詳"東武太
山"條。

【太夫人】詳"夫人太夫人"條。

【太半】凡數三分有二爲太半。
(西都)

【太白】金之精。太白入昴,金虎
相薄,主有兵亂。(贈答士衡
貳) 【太白】天之將軍。(上
書鄒貳) 又詳"冰夷"條。

【太白星精】詳"東方朔"條。

【太史公牛馬走】走猶僕也。言
己爲太史公,掌牛馬之僕。自
謙之辭也。(書司馬)

【太行】山名。(臨終)

【太和】謂太平也。(哀顏)

【太阿】阿衡也。(誄潘壹) 又
詳"龍淵太阿"條。

【太容】黃帝樂師也。(思玄)

【太皇太后】帝祖母爲太皇太后。
（哀謝）

【太室】明堂之中央室也。（序
王）　【太室】嵩高別名。（東
京）　在洛陽東南五十里，東
謂太室，西謂少室，總名嵩。
嵩丘去太室七十里。（懷舊）
嵩高，總名也。（游覽沈壹）

【太冥】北方極陰，故曰太冥。
（七命）

【太常】畫三辰於旌旗，垂十二
旒，曰太常。（西京）

【太原】郡名。（碑文蔡壹）

【太清】天也。（吳都）

【太液】池名。（西都）

【太虛】天也。（游天台山）

【太極】太極者，無稱之稱，不可
得名也。（江）　又詳“自然”
條。

【太湖】在吳縣。尚書所謂震澤
也。（上林）

【太陽】日也。（雪）

【太陰】北方也。（思玄）

【太微】其星十二，四方。（西都）

【太儀】太極也。以生天地，謂之
太；成形之始，謂之儀。極中
之道，淳和未分之氣也。（勸
勵張）

【太簇姑洗】太簇，所以金奏贊揚

出滯也。姑洗，所以修潔百物
考神納賓也。（嘯）

【不】詳“跗”條。

【不毛】凡地之所生謂之毛。（七
命）　境堉不生五穀曰不毛。
（表諸葛）

【不及中庸】庸，賤稱也。不及中
庸，言不及中等庸人也。（論
賈）

【不可】猶不堪也。（難）

【不死樹】在崑崙開明北，食之長
壽。一曰在層城西。（思玄）

【不肖】生子不似父母曰不肖。
（書司馬）

【不奇】奇也。（招魂）

【不周】西北風謂之不周。（羽
獵）　【不周】西海之外，有山
不合，名曰不周。（甘泉）在崑
崙西北。（思玄）

【不周風】詳“八風”條。

【不味】不忘也。（序王）

【不紀】不爲人所記也。（論班）

【不翅】猶過多也。（公讌王）

【不逮】言疾也。（七啓）

【不貳】不差貳也。（思玄）

【不羈】言材質高遠，不可羈繫
也。（書司馬）

【巴人】歌名。（琴）

【巴苴】巴蕉。（上林）

【巴蛇】巴蛇食象，三歲而出其骨。（吳都）

【巴姬】漢之美人，猶衞之雅質，蔡之幼女。（蜀都　胡云："雅"當作"稚"。）

【巴渝】舞名。（上林）

【巴菽】巴豆。（蜀都）

【巴戟】巴戟天。（蜀都）

【巴童】巴渝之童也。（舞鶴）

【方】猶文章也。（音樂）【方】比方也。（獻詩曹壹）【方】常也。（甘泉）【方】將也。（東京）【方】始也。（詠史顏壹）【方】泲也。（哀顏）【方】並也。（西京）【方】法也。（舞）【方】術也。（歎逝）【方】向也。（南都）【方】且也。【方】正也。【方】道也。（東京）又詳"坊"及"舫"條。

【方山】在江寧縣東五十里。（祖餞謝）

【方今】猶正今也。（高唐）

【方舟】併兩船也。（景福殿）

【方良】草澤之神。（東京）

【方林】地名。（九章）

【方命】放棄王命也。（魏都）

【方皇】觀名也。（甘泉）【方皇】大澤也。（書應壹）

【方神】四方之神也。（東都）

【方釳】謂轅旁以五寸鐵鏤錫，中央低，兩頭高，如山形，而貫中以翟尾結著之轅兩邊，恐馬相突也。（東京　胡云：陳校"錫"字疑衍，是也。）

【方望】謂郊時所望，祭四方羣神、日月星辰及五岳四瀆也。（游覽顏貳）

【方部】四方州部也。（碑文沈）

【方陣】詳"八陣"條。

【方壺】詳"海中仙山"條。

【方載】四方之事。（赭白馬）

【方儀】地也。（雜詩盧）

【方諸】詳"鑒"條。

【方攘】半散也。（甘泉）

【六七】謂齊、燕、楚、韓、趙、魏爲六，就秦爲七。（設論楊）

【六引】控抴引、宮引、商引、角引、徵引、羽引也。（樂府靈運）

【六玉虯】謂駕六馬，以玉飾其鑣勒，有似虯龍也。（上林）

【六合】四方上下謂六合。（西都）

【六服】王畿外侯服、甸服、男服、采服、衞服、蠻服，斯爲六服。（赭白馬）

【六幽】謂上下四方也。（符命

班）

【六卿】謂范氏、中行氏、智氏及
趙、韓、魏也。（論曹）又詳
"八座尚書"條。

【六國】謂韓、燕、趙、魏、齊、楚
也。（贈答安仁）

【六郡】金城、隴西、天水、安定、
北地、上郡也。（詠史虞）

【六情】喜、怒、哀、樂、好、惡，謂
之六情。（文）

【六英五莖】帝嚳樂曰《六英》。
帝顓項曰《五莖》。（"五莖"，
《舞注》作"五英"。）一曰《六
莖》。（魏都）

【六師】六軍也。（西京）

【六區】上下四方也。（思玄　又
《東京》"六"誤作"天"。）

【六氣】陰、陽、風、雨、晦、明，謂
之六氣。（補亡）

【六莖】詳"六英五莖"條。

【六禽】雁、鶉、鷃、雉、鳩、鴿。
（東京　《七命》"鷃"作"鶃"。）

【六經】詩、書、禮、樂、易、春秋
也。（書魏文壹）

【六樂】《雲門》、《大咸》、《大韶》、
《大夏》、《大護》、《大武》。（銘
陸壹）

【六輔】謂京兆、馮翊、扶風、河
東、河南、河內也。（序任）

【六簙】投六箸，行六棊，故爲六
簙。（招魂）

【六藝】禮、樂、射、御、書、數。
（思玄）【六藝】六經也。（史
論班　又《上林》："藝，六經
也。"）

【六籍】六經謂之六籍。（東都）

【六變】凡樂六變爲一成。六變
者：一變川澤之神見，二變山
林之神見，三變丘陵之神見，
四變墳衍之神見，五變地神
見，六變天神見。（東京）

【文】謂綺繡也。（招魂）【文】
謂尊卑之差制也。（論李）

【文子】詳"計然"條。

【文木】材密緻無理，黑如水牛
角。（吳都）

【文石】室名。（魏都）

【文考】晉文王也。（閒居）

【文身】鏤膚也。（魏都）

【文杏】木名。（長門）

【文君】文王也。（思玄）

【文昌】殿名也。（魏都）

【文昌宮】一曰上將，二曰次將，
三曰貴相。（弔文陸　按：《漢
書》曰："斗魁戴筐六星，曰文
昌宮：一曰上將，二曰次將，三
曰貴相，四曰司命，五曰司祿，
六曰司災。"）

【文竿】竿以翠羽文爲飾也。（西
　都）

【文馬】詳“文駹”條。

【文魚】詳“文鰩”條。

【文理】天道爲文，地道爲理。
　（吳都）

【文裘】文狐之裘也。（七啟）

【文駹】文馬。赤鬣白身。（赭白
　馬）

【文鮪】其狀如覆銚，鳥首而翼，
　魚尾，音如磬之聲。是生珠
　玉。（江）

【文憲】忠信接禮曰文。博聞多
　能曰憲。（序任　毛本“聞”作
　“文”。）

【文鰩】鰩魚狀如鯉。魚身鳥翼，
　蒼文，白首，赤喙。（吳都）
　亦謂之飛鱗。（七啟）　文魚，
　有翅能飛。（洛神）

【文碣】立石也。（銘班）

【中】成也。（郊廟）【中】半也。
　（上林）【中】猶應也。（西
　征）

【中天】周穆王之臺也。（西都）

【中州】謂洛陽。（表庾）【中
　州】猶中國也。（琴）

【中年】猶中身也。（誄潘叁）

【中門】中門，於外內曰中。（史
　論范叄）

【中區】區中也。（文）

【中洲】洲中也。（九歌）

【中宮】謂諸中人。（史論范叄）

【中堂】中央也。（東京）

【中朝】內朝也。（魏都）

【中鉉】司徒也。（序王）

【中帶】中衣帶。（雜詩古詩）

【中黃】石中黃子、黃石脂。（南
　都）

【中逵】逵中九交之道也。（公讌
　顏貳）

【中領軍】延康置。故漢北軍中
　候之官也。（碑文沈）

【中鄉】卽中陽里也。（頌陸）

【中翼】詳“三翼”條。

【中藥】詳“上藥中藥”條。

【曰】辭也。（東京）

【日】積陽之熱起生火，火氣之精
　者爲日。（贈答士衡肆）　陽
　精爲日。（月）

【日月】天精爲日。地精爲月。
　（史述贊范）

【日月聯璧】謂太平也。（論劉
　貳）

【日及】木槿。或謂之朝菌。似
　李樹，華朝生夕隕，可食。（歎
　逝）　朝華暮落。（贈答士龍
　壹）　朝菌者，時人以爲蕣華。
　（游仙郭）　合昏，槿也。葉晨

舒而昏合。（銘陸貳）

【日母】日者陽德之母，故云日母。（七發）

【日者】占候時日，謂之日者。（論劉壹）

【日既】蝕明盡曰日既。（月）

【日域】日所出之域也。（長楊）

【日逐】匈奴王也。（詠史虞）

【日御】詳"羲和"條。

【內外】內謂諸夏也。外謂夷狄也。（史論干貳）

【內宰】詳"閽尹"條。

【水】水者五行始焉。元氣之湊液也。（江）

【水玉】水精也。（上林）

【水母】東海謂之蛇。（江）

【水伯】詳"天吳"條。

【水芝】詳"藕"條。

【水松】藥草，生水中。（吳都）

【水陸】謂高下之田也。（魏都）

【水碧】水玉類也。（江）

【水衡】官名也。（思玄）

【水鶂】詳"鷗"條。

【少使】詳"昭儀"條。

【少室】詳"太室"條。

【少城】小城也。（蜀都）

【少陽】東宮也。（序顏）【少陽】東方。（魯靈光殿）

【月】月者，陰之精，地之理也。

（哀顏）夜光謂之月。月者，太陰之精，臣象也。月，闕也。言有時盈，有時闕也。（月）又詳"日月"條。

【月行白道】月有九行，立秋、秋分西從白道。（游仙郭）

【月兔】月者陰精之宗，積成爲獸，象兔形。兩說蟾蜍與兔者，陰陽雙居，明陽之制陰，陰之倚陽。（月）

【月氣參變】謂三月也。月氣每月一變，故曰參也。（公讌顏壹）

【月御】詳"望舒"條。

【月精】地生月精爲馬。（赭白馬 葉本"生"作"主"。）

【丹井】丹砂井也。（雜擬江）

【丹石】言不移也。（雜詩玄暉壹）

【丹厓】丹水之厓也。（甘泉）

【丹泉】丹巒之泉也。（雜擬江）

【丹浦】丹水之浦也。在南陽浦崖。（公讌沈）

【丹冥】南方也。（七命）

【丹梯】謂山也。（行旅玄暉貳）【丹梯】丹墀也。（雜擬謝）

【丹湖】丹陽有丹湖。（江）

【丹粟】細沙如粟。（南都）

【丹墀】以丹漆地，故曰丹墀也。

（西京）

【丹魄】虎魄也。色赤，故曰丹。（史論沈貳）

【丹礫】丹砂也。（江）

【火】電照也。（羽獵）【火】大火也。（秋興）大火，心也。在中最明，故時候主之也。（贈答士衡肆）心爲明堂大星天王。（同上貳）

【火井】鹽井也。蜀郡臨邛縣、江陽漢安縣，皆有鹽井。巴西充國縣，有鹽井數十。（蜀都）

【火列】列人持火也。（東京）

【火德】詳“鶉鵝”條。

【火齊】如雲母重沓而可開，色黃赤似金。（吳都）

【火燎】以喻亂也。（贈答越石壹）

【火龍】火，畫火也。龍，畫龍也。（東京）

【毛】國名也。（冊）又詳“不毛”條。

【毛子】毛義也。（誄顏貳）

【毛女】仙人名。（思玄）

【毛炰豚胉】毛炰者，豚胉去其毛而炰之，以備八珍。（東京胡云：“者豚”當作“豚者”。“胉”當作“爛”。）以毛曰炰。（西都）火熟之曰炰。（七發）

【毛嬙先施】天下之美妓也。先施卽西施也。（神女）

【毛羣】獸也。（蜀都）

【公】御史大天、將軍通稱也。（西都）

【公子】詳“二妃”條。

【公莫舞】今之巾舞也。（舞鶴）

【公廨】藏官物曰公廨。（吳都）

【公輸若】匠師也。般若之族多伎巧者也。（七啓）

【公聽】言無私也。（上書鄒貳）

【化】變也。（離騷）【化】猶生也。（游覽顏壹）【化】能生非類曰化。（同上貳）

【什】詩每十篇同卷，故曰什。（史論沈壹）

【什一】謂十中之一也。（書楊）

【分】決也。（設論班）【分】次也。（魯靈光殿）【分】分義也。（七啓）【分】猶志也。（祖餞潘）【分】猶節也。【分】謂已所當得也。（贈答盧壹）【分】謂甘愜也。（獻詩曹壹）

【分至】分，春秋分也。至，冬夏至也。（銘陸貳）

【引】進也。（行旅顏壹）【引】致也。（西京）【引】伸也。（長笛）又詳“肩”及“遷引”條。

【引綍】引，所以引柩車也。在輴曰綍。（《誄謝》、《哀顏》作“引棺在輴車曰綍。綍同綍。”）

【孔雀】（蜀都）　尾長六七尺，綠色有華采。（吳都）

【孔佐】卽孔子也。能表相祖宗，故曰佐。（符命班）

【孔昊】孔子、太昊也。（幽通）

【孔蓋】以孔雀之翅爲蓋曰孔蓋。（九歌　按：“蓋”謂“車蓋”。）

【孔墨】孔子、墨翟也。（論劉壹）

【夫】語助也。（書司馬）【夫】發聲也。（連珠）【夫】復也。（思玄）【夫】夫之言扶也。言能以禮自扶。（閒居）

【夫人】詳“皇后夫人”條。

【夫人太夫人】漢時列侯之妻稱夫人。列侯死，子復爲列侯，乃得稱太夫人。（閒居）

【夫南】特有才巧。（吳都）

【夫遂】陽燧也。（連珠）

【介】甲也。（東京）【介】被甲也。（長楊）【介】助也。（補亡）【介】特也。（思玄）【介】閒也。（述德）【介】閡也。（江）【介】操也。（長笛）【介】紹介也。（論李）【介】謂自得無悶也。（書秘）

【介】界也。（魏都）　案：界從介聲。《說文》：“界，竟也。”“介，畫也。從八從人。人各有介也。”《孟子》：“經界不正，井地不均。”《遊天台山賦》“瀑布飛流以界道”，《注》：“界道，謂爲道疆界也。”《易·兌》：“介疾有喜。”注：介，隔界之言也。介者畫也。畫者介也。象田四界，聿所以畫之。界、介蓋古今字。介又通作閜。《長笛賦》“是以閒介無蹊”《注》引《杜預注左氏傳》曰：“介猶閜也。閜介一也。”介又通扴。《易》：“介于石。”馬本作“扴”。云觸小石聲。（字會）

【心】詳火條。

【心行】心所行之行也。（碑文簡栖）

【心眷】詳“四體心眷”條。

【心識】識，心之別名。湛然不動謂之心。分別是非謂之識。（詠史顏貳）

【切】近也。（羽獵）【切】治骨曰切。【切】猶磨切也。【切】相摩切也。（長笛）【切】與砌古字通。（西京）　案：《說文·新附》：“砌，階甃也。”古通作“切”，後人加石旁耳。

《文選·班固西都賦》：“玄墀
釦砌。”《漢書》本傳作“釦切”。
切之本義，《說文》訓刊。詞賦
家用爲“階、切”者，亦以同聲
叚借也。（疏證）

【亢】（文）　案：亢者叚抗而爲之
也。《說文》：“亢，咽也。”“抗，
扞也。”亢亦有扞義。《左氏·
昭元年傳》“吉不能亢身，焉能
亢宗”《注》：“亢，蔽也。”《襄十
四年傳》“戎亢其下”《注》：“亢
猶當也。”《漢書·陳勝項藉
傳·贊》“不亢于九國之師”
《注》：“亢讀與抗同。”《高帝
紀·上》“沛公還軍亢父”《注》
引鄭氏：“亢音人相抗答。”亢、
抗通用字也。亢又通爲沆。
《水經注·巨馬河篇》曰：“巨
馬水，又東經督亢澤。《荆軻
傳》之督亢地圖也。”引《風俗
通》“沆，莽也”云云。（字會）
又詳“閌”條。

【尤】甚也。（文）　【尤】過也。
（東京）　【尤】怨大也。（弔文
賈）　【尤】非也。《左傳》：“郵
無恤。”云郵與尤古字通。（贈
答盧壹）　案：《說文》：“郵，竟
上行書舍。”《釋言》：“郵，過
也。”段曰：“經過與過失，古不

分平去。故經過曰郵，過失亦
曰郵。”《呂覽·樂成》“投之無
郵”《注》：“郵字與尤同。”《禮
記·郊特牲》：郵表畷”，《釋
文》“郵”本亦作“尤”字。是其
徵也。又尤通爲訧。《孟子》
引詩“畜君何尤”作“尤”。《說
文》“訧，罪也”，《邶風毛傳》曰
“訧，過也”，作“訧”。至尤之
本義爲尤異。其用作“訧”者，
爲叚借。（字會）

【升】進也。（西京）

【升越】越之細者。（吳都）

【升賢】宮殿門名也。（魏都）

【夭】折也。（西征）　【夭】草木
未成曰夭。（魏都）　年未三
十而死曰夭。（補亡　又《離
騷》：“早死曰夭。”）

【夭夭】少長也。（高唐）

【夭嬌】自縱恣貌。（思玄　又
《江》：“夭嬌，自得之貌。”）

【夭矯】詳“夭嬌”條。

【夭蟜】頻申也。（上林）

【夭蟜勍糾】特出之貌。（魯靈光
殿）

【夭蟜偓寨】皆獼猴在樹共戲姿
態也。（上林）

【比】近也。（上書鄒貳）【比】
親也。　【比】集也。（招魂）

【比】輔也。（文）　【比】猶比方也。（西京）

【比目】詳"魪"及"鮎"條。

【止】至也。（藉田）　【止】禮也。（思玄）

【止息】曲名。（琴）

【戈】謂木勾矛戟也。（東京　胡云：陳校"木"字衍，"矛"當作"子"，是也。）

【戈船】船下有戈也。（吳都）

【斗分野】吳地，斗分野。（樂府陸）

【斗牛分野】詳"婺女分野"條。

【斗回】詳"筌"條。

【斗藪】詳"頭陀"條。

【勿】不也。（東京）

【勿述】無所逆誤之貌。（洞簫）

【屯】勒兵而守曰屯。（東都）　【屯】聚也。（思玄）　【屯】難也。（幽通）　【屯】陳也（東京）又詳"敦"條。

【仇】怨耦曰仇。　仇，讎也。（東京）又詳"疇"條。

【丰容】悦茂貌。（游覽靈運捌）

【丰茸】衆飾貌。（長門）

【凶水】北狄之地有凶水。（論劉壹）

【凶幡】即今之旐旗。（寡婦）

【牛首】池名。（上林）

【牛旄】詳"旄"條。

【尺】詳"斥"條。

【尺澤】言小也。（對問）

【手劍】持拔劍也。（誅潘肆）

【爻】六爻也。（碑文簡栖）

【今】時辭也。（南都）

【匹夫】庶人稱匹夫何？言其夫妻爲偶也。（論班）

【匹溢】聲四散也。（洞簫）

【毋】勿也。（思玄）

【支離】分散貌。（魯靈光殿）

【互經】互相經過也。（上林）

【牙旗】將軍之旌。（《獻詩潘》作"牙旗，將軍之旗"。）古者天子出，建大牙旗，竿上以象牙飾之，故云牙旗。（東京）

【牙曠】伯牙、師曠也。（洞簫）

【之】至也。（寡婦）

【之子】謂妻也。（哀傷潘）

【尤】懈怠也。（羽獵　按："尤"當作"宄"。）

【爪】詳"瑤"條。

【卬州】正南州名也。其地極熱。（思玄　按："卬"當作"邛"。）

【斤】斫木也。（長笛）

【殳】杖也。八棱，長丈二而無刃。或以木爲之，或以竹爲之。（西京）

【厄】詳"扼"條。

【刈】穫也。（離騷）

【及】至也。（樂府陸）

【市】詳“黻”條。

【仆】頓也。（西都）

【勾芒】木正也。少皞子重爲之。（思玄）

五　畫

【四上】謂代、秦、鄭、衛也。（序顏　按：“四上，樂曲名。”）

【四五】二十日也。（雜詩古詩）

【四代】謂虞、夏、商、周也。（論陸叁）

【四民】士、農、工、商四民者，國之正民也。（藉田）

【四阿】若今四注也。（樂府陸《雜詩·古詩》“注”下有“者”字。）

【四夷之樂】東夷之樂曰休（按：《魏都》“休”作“昧”。），南夷之樂曰任，西夷之樂曰林離（按：《魏都》“林”作“株”，此蓋株之譌。），北夷之樂曰僸（《魏都》“僸”作“禁”）。一曰東夷之樂曰靺，南夷之樂曰任，西夷之樂曰朱離，北夷之樂曰禁。（東都）

【四祖】宣、景、文、武也。（公讌士龍）

【四姓】朱、張、顧、陸也。（樂府陸）　【四姓】明帝時外戚有樊氏、郭氏、陰氏、馬氏。（表任貳）

【四時】春生、夏長、秋收、冬藏。（補亡）

【四部】五經爲甲部，史記爲乙部，諸子爲丙部，詩賦爲丁部。（序任）

【四海】九夷、八蠻、六戎、五狄，謂之四海。（東都　按：此引《爾雅》。而今《爾雅》作“九夷八狄七戎六蠻”。）

【四極】禹使大章步自東極至於西極，二億三萬三千五百里七十步；使豎亥步自北極至於南極，二億三萬三千五百七十里。（七命）

【四聖】謂武帝也。（表劉）

【四節】春夏秋冬曰四時，時各一節，故言四節。（寡婦）

【四溟】四海也。（雜詩景陽）

【四維】一曰禮，二曰義，三曰廉，四曰恥。（史論干貳）

【四隩】四方之隱處也。（赭白馬）

【四關】洛陽有四關：東爲成皋，南伊闕，北孟津，西函谷。（樂府鮑）　【四關】長安也。（史）

述贊范）

【四體心膂】四體，喻諸侯。心
膂，喻王室也。（論陸叁）

【丘】居也。（樂府鮑）【丘】山
也。（符命司馬）【丘】墓也。
（東征）【丘】冢大者爲丘。
小曰丘。（詠懷阮）

【丘虛】山貌。（上林）

【正】平也。【正】方也。（離騷）
【正】長也。（藉田）

【正內】路寢也。（史論范叁）

【正中】日出於暘谷，至於昆吾，
是謂正中。昆吾，南方也。（思
玄）

【正冥】鳥名。（高唐　梁云：疑
卽征鳥。）

【正殿】詳"路寢"條。

【正體】太子也。（序顏）

【玉山】西王母所居。（甘泉）

【玉門】關名。（表曹壹）

【玉柱】瑟柱以玉爲之。（別）

【玉英】出藍田。（西都）【玉英】
玉有英華之色也。（甘泉）

【玉軑】以玉爲車輨曰玉軑。（離
騷）

【玉笄】謂以玉飾之。（東京）

【玉戚】戚，斧也。玉戚，以玉爲
戚秘。（甘泉）

【玉符】赤如雞冠，黃如蒸粟，白

如豬肪，黑如神漆，玉之符也。
（書魏文叁）

【玉案】君所憑依也。食器也。
（雜詩平子）

【玉馬】喻賢臣。（牋任貳）

【玉堂】殿名也。（西都）

【玉路】以玉飾車。（吳都）

【玉綏】以玉飾綏也。（子虛）

【玉策】玉牒也。（魏都）

【玉箱】猶玉房也。（七啟）

【玉輦】大輦也。（藉田）

【玉漿】謂之瑤漿。亦謂之瓊漿。
（招魂）

【玉衡】詳"北斗七星"條。

【玉膏】出丹水。（南都）

【玉題】以玉爲之。（蜀都）

【玉繩】殿名也。（哀顏）【玉繩】
玉衡北兩星爲玉繩。（西京
案：此引《春秋元命苞》。又
《七命》引同。又《贈答玄暉
叁》"玉繩低建章"《注》所引
"繩"下衍"星"字。又案：後世
謂玉繩爲河漢，非也。玉繩者，
杓也。《太平御覽》卷五引《元
命苞》曰："玉之爲言溝刻也。
瑕而不掩，折而不傷。繩能直
物，故名玉繩。溝謂作器"。
《開元占經》卷六十七引《元命
苞》曰："直杓，故曰玉繩也。"）

【玉體】猶玉貌也。（七發）

【玉壘】山名。（蜀都）

【玉纓】纓，馬鞅也。以玉飾之曰玉纓。纓在馬膺前。（東京）

【玉鷺】鷺，鳥也。玉鷺，以玉作之著於衡。（離騷）

【巨】大也。（西京）

【巨狿】麕也。怒走者爲狿。（西京）

【巨黍】古之良弓也。（閒居）

【巨闕】詳“五寶劍”條。

【巨靈】河神也。（西京）

【甘】謂飴蜜也。甘，美也。（招魂）【甘】緩也。（文）

【甘泉宮】秦二世造。（西都）

【甘寢】安寢也。（碑文仲寶）

【甘露】味如飴蜜，王者太平則降。（魏都）一名膏露。（羽獵）

【世】詳“紲踰”條。

【世人】世之得名，緣於君上。人之父子相繼，亦取其名。故以一代之人，通呼爲世人。（歎逝）

【世子】諸侯適子稱世子。（雜詩沈叁）所以爲世子何？言世世不絕也。（詠史左）

【世網】猶皇綱也。（樂府陸）

【世儒】說經者爲世儒。（贈答曹陸）

【世霸】謂當世而霸者也。（誄顏貳）

【古文】先王之典籍也。（符命楊）

【古度】不華而實，子皆從皮中出，大如安石榴。正赤。（吳都）

【本】基也。（藉田）又詳“奔”條。

【本俞】國名也。（難）

【本朝】國朝也。（論王）

【左右】東方爲左，西方爲右。（碑文簡栖）【左右】謙不敢斥言，故云左右。言使者左右也。（子虛）

【左宦】人道尚左。今舍天子而仕諸侯，故謂之左宦。（贈答安仁）

【左城右平】王者宮中必左城而右平。凡太極乃有陛，堂則有階無陛也。左城右平。平者，以文塼相亞次也。城者，爲陛級也。言階級勒城然。（西都胡云：末句“階”字，袁本、茶陵本作“陛”，是也。）

【左帶】左衽也。（論劉壹）

【左驩史妠謇姐】魏時之樂人也。（牋繁）

【平】詳"絣"及"辨"條。

【平生】少時也。(歎逝)

【平民】詳"齊民"條。

【平仲】實白如銀。(吳都) 又
　詳"枰"條。

【平樂】觀名也。(東京)

【石】金鐵曰石。(魏都)【石】
　伯石。叔向子也。(幽通)
　又詳"金石土革絲木匏竹"及
　"鈞石"條。

【石力士】石蕃也。衛臣也。(七
　命)

【石帆】石上草類也。生海嶼,無
　葉,高尺許。其華離婁相貫。
　(吳都)

【石交】詳"碩交"條。

【石芝】詳"菌"條。

【石首】詳"鯼"條。

【石記】刻石書傳記也。(吳都)

【石留】若榴。(南都) 實亦如
　梨,核堅,味酸美。(吳都)

【石留之地】喻土地多石,猶人物
　之有留結也。一曰壤漱而石
　也。(魏都)

【石城】石頭塢也。(吳都)

【石菌】石芝也。(思玄) 又詳
　"菌"條。

【石流黄】生東海牧陽山谷中。
　(南都)

【石砝】形如龜脚,得春雨則生
　花,花似草華。一名石鮭。(江)

【石碑】碣也。(文)

【石臒】詳"太一禹餘糧"條。

【石華】附石生。(江)

【石渠閣】在大祕殿北,以閣祕
　書。(兩都序)

【石髮】水苔,青綠色。(江)

【石關】觀名也。(此條失注
　《上林》作"石闕。")

【石鮭】詳"石砝"條。

【石蘭】香草也。(游覽靈運玖)

【石瀨】湍也。水激石閒則怒成
　湍。(魏都)

【石竇】橋名也。(魏都)

【布】散也。(景福殿)

【布施】詳"檀"條。

【布薩】外國云布薩,此云淨住,
　亦名長養,亦名增進。(行狀)

【布濩】遍滿貌。(吳都)【布濩】
　猶被散也。(東京) 猶布露
　也。(上林)

【布濩漫汗】言廣大也。(南都)

【弗】詳"拂"及"沸"、"佛"二條。

【永】引也。(公讌劉)【永】別
　也。(贈答靈運壹)【永】(序
　卜) 案:《說文》:"詠,歌也。
　從言永聲。咏,詠或從口。"詠
　者歌也。《書·益稷》:"搏拊琴

瑟以詠。"鄭注:"以詠者,歌詩也。"《漢書·藝文志集注》:"詠者,永也。"《書·舜典》:"歌永言。"《詩·碩鼠》:"誰之咏號?"《釋文》:"咏本作永。"《舞賦》"臣聞歌以詠言"《注》引《尚書》曰"歌永言",又引毛萇《詩序》曰"嗟歎之不足,故詠歌之"。此詠、永通用之證。《四子講德論》作"詠歌"。(字會)

【永平】里名也。(魏都)

【永安】宮名也。(東京)

【永始】臺名也。(景福殿)

【永巷】堂塗也。(景福殿)【永巷】掖庭之別名。(魏都)

【永寧】殿名也。(景福殿)

【立】成也。(離騷)

【立秋】斗指西南維爲立秋。(雜詩景陽)

【立胎】市聚人謂之立胎。(吳都)

【玄】幽遠也。(文)【玄】遠也。玄,黑也。 玄,天也。(東京)

【玄】天色也。(公讌士龍)

【玄】靜也。(序皇甫)【玄】道也。(獻詩曹壹)【玄】猶聖也。(雜擬江)

【玄弋招搖】鹵簿中畫是星於旗。(西京 "弋"當作"戈"。)

【玄王】契也。(連珠)

【玄寺】道場也。尚書、御史所止皆曰寺。故後代道場及祠宇皆取其稱焉。(書應叄)

【玄俗】仙人名。(吳都)

【玄風】謂道也。(雜擬江)

【玄枵】歲星也。(銘陸壹)

【玄洲】在北海,上有風聲響如雷,上對天之西北門也。(風)

【玄珠】喻道也。(論劉貳)

【玄鳥】燕也。(樂府魏文)(玄鳥)謂鶴也。(思玄)又詳"葛天氏之樂八闋"條。

【玄武】龜與蛇交曰玄武。一曰北方玄武。介蟲之長。(思玄按:"玄"或作"元"。)

【玄符】天符也。(符命楊)

【玄聖】孔子也。(符命班)

【玄冥】詳"顓頊玄冥"條。

【玄黃】玄馬病則黃。(贈答曹伍)

【玄豹】黑豹。(子虛)

【玄軒】上加漆,故曰玄軒。(景福殿)

【玄塞】長城也。(表曹壹)

【玄微】幽玄精微也。(七啓)

【玄猨素雌】玄猨,言猨之雄者玄色也。素雌,猨之雌者素色也。(上林)

【玄圃】懸圃在崑崙閶闔之中。玄

與懸古字通。（東京）　案:陸士衡《漢高祖功臣頌》。"重玄匪奧"《注》:"重玄,天也。"《莊子·在宥》"其動也,懸而天",《釋文》引向注:"希慕高遠,故曰懸天。"《釋名·釋天》:"天亦謂之玄。玄,懸也。如懸物在上也。"玄從懸訓,故通。（字會　按:"玄"或作"元"。）

【玄圃園】洛陽東宮之北曰玄圃園。（公讌士衡）

【玄澤】聖恩也。（公讌應）

【玄蹄素支】玄蹄,馬蹄也。素支,月支也。皆射帖名也。馬射左邊爲月支二枚,馬蹄三枚。（赭白馬　按:毛本《樂府曹注》"二枚"作"三枚","三枚"作"一枚"。胡本《樂府注》"二枚"亦作"三枚",其"三枚"又作"二枚"。《赭白馬》二本俱同。）

【玄關】喻法藏也。（碑文簡栖）

【玄廬】墓也。（挽歌陸）

【玄瓚】詳"瓚"條。

【玄龍】喻美女也。（贈答士龍壹）

【玄闕】玄武闕也。（書吳）

【玄覽】心居玄冥之處,覽知萬物,故謂之玄覽。（東京）

【玄鑑】詳"赤蟻玄鑑"條。

【穴】孔也。（高唐）【穴】塚壙也。（詠史王）

【宂】散也。（文）【宂】僻也。（幽通）

【目】視也。（東京）

【目曾波】言黑白分明,精若水波而重華也。（招魂）

【甲】言第一也。（西京）

【甲乙】帳名也。（西京）

【甲氏】亦狄別種也。（獻詩潘）

【甲令】甲令者,前帝第一令。（史論范壹）

【甲宅】皮曰甲。根曰宅。善曰:"《周易》曰:'百果草木皆甲宅。'鄭玄曰:'皆讀如人倦解之解。謂拆呼。根曰宅。'"（蜀都）　案:謝靈運《於南山往北山經湖中瞻眺》詩"解作竟何感"《注》引《周易》曰"雷雨作而百果草木皆甲坼",與今本合。蓋"宅"正字,"坼"俗字也。（疏證）　案:《說文》:"宅,所乇也。"段曰:"人擇一處而居之也。"故草木之根,通曰宅。古文宅、度同。《詩·皇矣》:"此維與宅。"《論衡·初稟》。作"此維與度"。"宅是鎬京”,《禮記・坊記》作“度是鎬京”。《書・禹貢》:“是降邱宅土。”《風俗通・山澤》引,作“民乃降邱度土”。宅蓋擇也。擇吉處而營之也。《釋名・釋宮室》均同。蓋宅從乇聲,乇音近度,度義訓擇,坏、擇音轉,故今易作坏也。又坏,古音讀如託。(字會)

【甲坏】詳“甲宅”條。

【甲第】有甲乙次第,故曰甲第。(樂府陸按:《西京》脫去下“甲”字。)

【申】展也。(洛神) 又詳“信”條。

【申申】重也。(離騷)

【申徒狄】殷之末世人也。(上書鄒貳)

【申博】詳“鬻博”條。

【央】盡也。(離騷) 【央】已也。(贈答玄暉叁)

【央央】廣貌也。(長門)

【田】獵也。(離騷) 又詳“畋”條。

【田生】田過也。(誅顏貳)

【田連成竅】天下善鼓琴者也。成、連,古之善音者也。(琴)

【由】從也。(洛神) 【由】自也。(思玄) 【由】行也。(雜詩曹

貳) 又詳“游”及“繇”、“悠”二條。

【由衍】行貌。(長笛)

【皮弁】白鹿皮爲冠,象上古也。(七啓)

【皮軒】車有藩者曰軒,皮軒以虎皮爲之。(東京)

【生】猶造也。(景福殿) 【生】猶養也。 【生】自無出有曰生。(魏都) 【生】業也。(樂府陸) 【生】謂衞護其生全性命也。(贈答靈運壹) 【生】得性之始也。(雜詩陶壹) 又詳“死生”條。

【生死】生,人之始也。死,人之終也。(東都) 【生死】化於陰陽象形而發謂之生,化窮數盡謂之死。(贈答顏壹)

【代】更也。(游仙郭) 【代】卽燕也。(史述贊范)

【代雲寡色】凡望雲氣,勃碣海代之間氣皆黑。(恨)

【代謝】一寒一暑、一往一復爲代。去者爲謝。(勸勵張 胡云:袁本、茶陵本上句作“來者爲代。”)

【白】爵名也。(吳都)

【白日西傾】喩年老也。(贈答張)

【白水】在崑崙之源。(思玄)

【白肉】股裏也。（誄潘肆）

【白羽】矢名也。（雜擬鮑壹）

【白坿】白石英也。（子虛）

【白虎】殿名也。（西都）

【白芷】一名蘺。（七命）

【白門】八極西南方曰徧駒之山，曰白門。言金氣白也。（思玄）

【白招拒】詳“五帝神”條。

【白屋】詳“北方五狄”條。

【白狼夷】在漢嘉西界。（蜀都）

【白雪】五十絃瑟樂曲名。（文）

【白閒】青瑣之閒，以白塗之，謂之白閒。（景福殿）

【白楊】葉圓。（蕪城）【白楊】觀名也。（羽獵）

【白藏】庫名也。（魏都）

【白麟赤雁芝房寶鼎之歌】武帝行幸雍，獲白麟，作《白麟之歌》。行幸東海，獲赤雁，作《朱雁之歌》。甘泉宮內產芝九莖連葉，作《芝房歌》。得寶鼎后土祠旁，作《寶鼎之歌》。（兩都序）

【他】謂奇聲也。（洞簫）　又詳“它”條。

【他日】異日也。（文）

【他他籍籍】言交橫也。（上林“籍”，毛本作“藉”。）

【北】北者敗也。（頌史）【北】師敗曰北。（魏都）

【北戶孫】國名也。（思玄）

【北斗七星】所謂璇璣玉衡。（甘泉）　第一星天樞。（文貳）第五曰玉衡（長楊），主廻轉。（東京）　第六曰開陽。（思玄）第七曰瑤光。（西京）

【北方五狄】一曰匈奴，二曰穢貊，三曰密吉，四曰單于（胡云“單”當作“箄”），五曰白屋。白屋，今之鞒鞨也。箄于，今之契丹也。（冊）

【北里】舞名。（七啓）

【北辰】共星七。在紫微中。（魯靈光殿）

【北辰】一名天關。（長楊）

【北固】山名。（游覽靈運壹）

【北河】戎地之河上也。（上書鄒壹）

【北毳】獯貂之屬。（史論沈貳）

【北發】國民也。（詔貳）

【北煥】里名也。（西征）

【北落】鈛旁一大星曰北落。（思玄）

【北闕】詳“東闕北闕”條。

【巧】伎巧也。（長笛）

【巧婦】詳“鷦鷯”條。

【弘】廣也。（西征）　又詳“呟”條。

【弘㲉】猶延蔓也。（西京）

【弘璧琬琰】皆歷代傳寶。（序任）

【外】猶賤也。（書秘）　又詳“内外”條。

【史公】司馬遷爲太史公，故曰史公。（論劉壹）

【史匠】能雕琢文書，謂之史匠。（文）

【史妠】詳“左駷史妠謇姐”條。

【史皇】黄帝臣也。（誄謝）

【史經】史，三史。經，六經。（誄謝）

【叩】擊也。（游覽殷）

【叩楫】叩船舷也。（行旅陶貳）

【叩舷】叩船舷也。（江）

【庀】由理也。（南都）　【庀】具也。（碑文簡栖）

【仞】七尺曰仞。（上林）　【仞】八尺曰仞。（長笛）　【仞】滿也。（景福殿）

【矛】詳“招摇”條。

【矛頭】詳“元戈”條。

【司】主也。（東京）

【司州】宋之司州，漢之司隷校尉也。（誄顔壹）

【司命】主督察三命。一曰司命之神，總鬼録者也。（思玄）又詳“文昌宫”條。

【司災】詳“文昌宫”條。

【司馬】宫殿門名也。（魏都）

【司會】主天下之事，若今之尚書。（表任壹）

【司禄】詳“文昌宫”條。

【司隷校尉】詳“司州”條。

【斥】澤崖也。（西京）　【斥】卻也。（思玄）

【斥】推也。（長楊）　【斥】莊子曰：“斥鷃笑之。”許慎《淮南子注》曰：“鷃雀飛不過一尺。”斥與尺古字通。（七啓）案：張平子《西京賦》“絶阬踰斥”《注》：“善曰：斥音尺。”案：陸德明《莊子釋文》：“斥如字。司馬云小澤也。本亦作尺。崔本同。”《洞簫賦》：“是以蟋蟀蚸蠖”《注》：“《爾雅》曰：蠖，蚇蠖也。”由偏旁例推，亦通用之證。（疏證）

【斥丘】縣名。（贈答士衡壹）

【斥鷃】詳“鷃雀”條。

【冉冉】進也。（歎逝）　【冉冉】行貌也。（離騷）

【冉弱】詳“姌嫋”條。

【冉駹笮邛】皆蜀郡西部也。（難又《銘張》：“邛，蜀都西部也。”按：“邛”當作“邛”）。

【氾】濫也。（長笛）　【氾】王逸注：“氾猶汎汎，摇動貌也。”

（招魂）　案:《邶風》:"汎彼柏舟。"毛曰:"汎,流貌。"《廣雅》曰:"汎汎,氾氾,浮也。"汎、氾二字同訓,故通。《詩・文王有聲箋》:"豐水亦氾濫爲害。"《釋文》字亦作"汎"。《禮記・王制》:"氾與衆共之。"《釋文》"氾"本又作"汎"。《莊子》:"大道氾兮。"《釋文》"氾"本亦作"汎"。"氾"亦作"泛"。《漢書・伍被傳》:"氾愛蒸庶"《注》:"與泛同。"此與淡、澹二字同例。《文選》疊字多通叚。（字會）

【氾濫】任波搖蕩之貌。（長笛）

【幼】少也。（九歌）

【幼女】詳"巴姬"條。

【幼妙】幼音要。（長門）　案:潘安仁《笙賦》:"音要妙而含清。"蓋幼與要一聲之轉。《斯干毛傳》云:"冥,幼也。"此假幼爲幽也。幽與要又一聲之轉。《詩・七月》云:"四月秀葽。"《夏小正》云:"四月秀幽。"此假幽爲葽也。葽字要聲。葽可與幽通。則要亦可與幼通矣。楊子雲《長楊賦》"憎聞鄭衛幼眇之聲"《注》:"善曰:幼一笑切。眇音妙。"蓋眇與妙俱少聲,故可通用。《文賦》"眇衆慮而爲言"《注》:"《周易》曰:'神也者,妙萬物而爲言者也。'"據《周易釋文》:王肅本作"眇萬物而爲言者也"。云眇音妙,此二字通用之證。又案《西京賦》:"要紹修態。"《南都賦》:"偠紹便娟。"偠字要聲。古同聲之字皆可通也。（疏證）

【台】善曰:"《尚書》曰:'舜讓于德不嗣'。"又引韋昭《漢書音義》曰"古文台爲嗣"。（符命班）　案:《説文》:"台,説也。"段曰:"台説者,今之怡悦字。"《詩・子衿》:"子甯不嗣音。"《韓詩》作"子甯不怡音"。《書・舜典》:"舜讓于德不嗣。"《今文尚書》作"不台"。《五帝本紀》作"舜讓于德不台懌"。蓋台從口,㠯聲。與之切。與嗣音同。不台云者,謂不爲百姓所悦,故不敢嗣堯位耳。台、嗣義相屬,故今文作台,古文作嗣耳。（字會）【台】《春秋漢含孳》曰:"三公象五嶽。在天法三能。"台與能同。（序任）　案:盧子諒《贈劉琨詩》"三台摛朗",《王仲宣誄》

"三台樹位"，《褚淵碑文》"台衡之望"，《注》並云"台與能同"。《齊竟陵文宣王行狀》"故上穆三能"《注》："《漢書》曰：'三能色齊，君臣和'。蘇林曰：'能音台。'"鄭康成《樂記注》"古以能爲三台字。"皆台能通用之證。能字，《説文》從肉，目聲。古目聲、台聲本同部也。（疏證）

【台司】三公也。（表羊）

【氐】西戎別名也。（獻詩潘）又詳"邸"條。

【氐羌】夷狄國。別在西方也。（詔貳）

【民】詳"黔首"條。

【民主】天子也。（符命班）

【汁】《方言》曰："汁，叶也。"之十切。郭璞曰："叶，和也。"（西京）案：左太沖《吳都賦》"皆與謠俗汁協"《注》："善曰：汁猶恊也。"恊卽和協之義。《秋官·卿士》："汁日刑殺"《注》："汁，合也、和也。"《釋文》："汁音協，本亦作恊。"《大行人》"協辭命"《注》："故書'協辭命'作'叶詞命'。鄭司農云：'叶'當爲'汁'"。《説文》："協，衆之同和也。"叶或从口，是叶卽協之或體，故皆訓和也。至於汁字，説文訓液。段氏注云："汁液必出於和協，故其音義通也。"其説最確。（疏證）

【汁光紀】詳"五帝神"條。

【仡】舉頭也。（魯靈光殿）

【仡仡】壯勇也。（甘泉）

【仡然】壯勇貌。（景福殿）

【仟仟】詳"千千"條。

【仟眠】詳"阡瞑"條。

【册】符命也。諸侯進受於王者也。（册）

【册書】史記也。（論班）

【卮】一名觶，酒器也。（三都序）

【卮】鄉飲酒禮器也。受四升。（公讌謝）

【勾】乞也。（檄陳壹）

【圤】詳"鑛"條。

【叫】呼也。（思玄）

【叶】詳"汁"條。

【奴隸】詳"臧獲"條。

【妃嬙】貴者也。（史論范叁）

【宄】詳"軌"及"姦宄"條。

【宁】詳"佇"條。

【丕】詳"邳"條。

【加】制也。（子虛）

【它】（樂府魏文）案："它"今作"他"。亦作"佗"。説文："它，

蟲也。從蟲而長,象冤曲垂尾
形。上古草居患它,故相問
無它乎。"是他從它訓也。《儀
禮・士虞禮》"他用剛日",
《注》:"今文他爲它。"《詩・鶴
鳴》:"它山之石",《釋文》:
"它,古他字。"《漢書・高帝
紀上》"項它"《注》:"它字與
他同。"《古今人表》"尹公
佗",《孟子》作"尹公之他"。
皆它、他、佗通用之證。(字
會)

【叁】詳"叄"條。

【汀】水際平也。(贈答靈運貳)

【圻圻】廣大貌也。(魏都)

【包】裹也。(吳都)

【右】詳"左右"條。

【示】教也。(東京)

【未央】宮名也。(西都)

【末學膚受】末學謂不經根本。
膚受謂皮膚之不經於心胸。
(東京)

【叵】不可也。(行旅靈運捌)

【可乎哉】言不可也。(論東方)

【召】詳"邵"條。

【主】謂主首也。(彈事任壹)

【旦】明也。(九章)

【朱柯】詳"菌"條。

【句】曲也。(風)

【半漢】詳"蟠蜿半漢"條。

【令】詳"律令"條。

【乍】暫也。(東京)

【母】母者道也。(思玄)

【冬】日行北陸謂之冬。(游仙郭)

【以】用也。(九章)

【功】詳"工"條。

【卭竹】中實而高節,可以作杖。
(蜀都 按:"卭"當作"邛"。)

【弁】馬冠也。(東京)

【刊】削也。(西京)

【丙穴】沔陽縣北之魚穴也。(蜀
都)

【且】辭也。(西京)

【切怛】切切怛怛也。(寡婦)

【矢】指也。其有所指迅疾也。
(樂府陸)

【乏】以革爲之,護旌者之禦矢
也。(東京)

六　畫

【式】法也。(誄謝)　【式】猶則
也。(論嵇)

【式道】左右中候也。(序王)

【吉】福也。(東京)　【吉】朔日
也。(銘陸壹)

【吉光】詳"騰黃"條。

【吉良】詳"騰黃"條

【吉陽】里名也。(魏都)

【老聃】詳"東方朔"條。

【老莊】老聃、莊周也。（贈答越石壹）

【老菟】鴟鵂謂之老菟。（連珠）

【老童】耆童也。顓頊之子，騩山之神，其音常如鐘磬音。（琴《離騷》、"童"作"僮"。）

【老僮】詳"老童"條。

【西子】西施也。（連珠）

【西土】長安在西，故曰西土。（兩都序）

【西陂】池名。（上林）

【西皇】帝少皞也。（離騷）

【西施】《慎子》曰："毛嬙、先施，天下之姣也。"先施、西施，一也。（神女） 案：王子淵《四子講德論》"故毛嬙西施"《注》引《慎子》同。又袁陽源效曹子建《樂府·白馬篇》"留宴西陰汾"《注》："西音先。"枚叔《七發》"使先施、徵舒、陽文、段干、吳娃、閭娵、傅予之徒"《注》："先施，即西施也。"《戰國策》："魯仲連謂孟嘗君曰：'君後宮十妃，皆衣縞紵，食粱肉，豈毛廧、先施哉！'"史孝山《出師頌》"西零不服"《注》："西零，即先零也。"《史記·趙世家正義》：

"西、先聲相近是也。"古西聲本讀如先。《詩·小雅·小明》："我征徂西"，與天爲韵，可證。（疏證）

【西荆】楚舞。（南都）

【西冥】昧谷也。（月）

【西清】西廂清淨之處。（甘泉）

【西崐】謂崦嵫日之所入也。（雜詩沈壹）

【西掖】詳"東掖西掖"條。

【西屠】以草染齒，染白作黑。（吳都）

【西朝東晉】晉初都洛陽，故曰西朝。後在江東，故曰東晉。（彈事沈）

【西園】上林苑。（東京）

【西隤】楚辭曰："日杳杳而西隤。"（詠懷阮） 案："隤"通作"頹"，本作"穨"。《說文》："隤，下墜也。從𨸏貴聲。"又"穨，禿貌。從禿貴聲"。《廣雅·釋詁一》："隤，下也。"《爾雅·釋天孫注》："迴風從上下曰頹。"《釋文》："頹"本作"穨"，又作"隤"。《禮記·檀弓上》"頹乎其順也"《注》："頹，順也。"《禮記·曲禮注》："隤然，順也。"《釋文》："隤，順貌。"《魏都賦》："未上林之隤牆。"《注》

引司馬相如《上林賦》："頹牆
填壍。"又引張衡《東京賦》曰：
"雖系以隤牆填壍。"隤、頹
同用同訓。謝惠連《秋懷詩》
"頹魄不再圓"，即西隤之義
也。《漢書·太史公傳》"李陵
既生降，隤其家聲"《注》亦音
頹。據《說文》隤訓下墜，積訓
禿貌，二義究別。以均貴聲，
故用同。（字會）

【共】詳"襲"條。

【共和】詳"昭儀"條。

【共波】猶連波，以喻多。（祭文
王）

【在】察也。（公讌謝）

【在昔】古曰在昔。（東都）

【在疚】凡人喪曰在疚。（寡婦）

【存】省也。（公讌應）【存】恤
也。（思玄）

【存】恤問也。（長門）

【百子】殿名也。（景福殿）

【百六之會】詳"陽九"條。

【百尺】帆檣也。（海）

【百夫之特】百夫之中最雄俊者
也。（詠史王）

【百姓】百官也。（表曹貳）

【百兩】百乘也。（蜀都）車稱
兩。（史論沈叁）

【百舍】百里一舍也。（牋任貳）

【百越】非一種，若今言百蠻也。
（論賈）

【百揆】詳"八座尚書"條。

【百鍊剛】以金取堅剛，百鍊不化
也。（贈答越石貳）

【百穀】穀類非一，故言百也。（東
都）

【死】言精神盡也。（弔文陸）

　【死】死者生之終也。（西征）
又詳"生死"條。

【死生】代隱謂之死。待顯謂之
生。（雜擬王）

【死罪死罪】人臣上書，當昧犯死
罪而言也。（獻詩曹表）

【至】到也。（長笛）又詳"致"
及"分至"條。

【至人】不離於真，謂之至人。（秋
興）得至美而游乎至樂之謂
至人。（招隱陸）

【至貴】道無匹敵，故曰至貴。（雜
擬江）

【羊土神】詳"墳羊"條。

【羊腸坂】其山盤紆如羊腸也。
（樂府魏武）

【羊頭之銷】白羊子刀也。（七命）

【交】合也。（東征）【交】共也。
（射雉）【交】會也。（雜詩沈壹）

【交】戾也。（登樓）【交】黨
與也。（誅顏壹）

【交谷】水名。（魏都）

【交精】似鳧而脚高，有毛冠，辟火災。（上林）　鴰鶬，頭上總毛羽。（吳都）

【交龍玉匣】匣形如鎧甲，連以金鏤，皆鏤爲交龍鸞鳳龜龍之形，所謂交龍玉匣。漢帝及諸侯王送死之具也。（表任伍）

【交讓木】兩樹對生，一樹枯則一樹生，如是歲更，終不俱生俱枯也。（蜀都）

【安】猶焉也。（樂府曹）

【安回】波靜遠去貌也。（琴）

【安昌】殿名也。（景福殿）

【安胡】彫胡也。（七發）

【安福】殿名也。（東京）

【安歌】安意歌吟也。（琴）

【安期生】仙人名。（琴）

【安陸】縣名。（碑文沈）

【安處】殿名也。（西都）

【安處先生】安處猶鳥處，若言何處，亦謂無此先生也。（西京）

【安瀾】以喻太平也。（論王）

【宇】四方上下曰宇。（蜀都）

【宇】四表曰宇。（符命班）

【宇】邊也（東京）【宇】野也。宇，屋也。（招魂）　又詳“寓”條。

【宇宙】天所覆爲宇。中所由爲宙。（魯靈光殿）

【汝南潁川許】皆魏分也。魏徙大梁，一號爲梁。（雜擬謝）

【汝海】汝水出魯陽山，東北入淮海。汝稱海，大言之也。（七發）

【同】聚也。（東京）【同】陰律也。（序王）

【同生】同母兄弟也。（贈答曹伍）

【同胞】言親兄弟也。（設論東方）

【伏】猶憑也。（西京）

【伏羲鱗身】謂龍身也。（魯靈光殿）

【圮】絶也。（東京）【圮】河水所毀爲圮。（西京）

【回】謂回皇也。（甘泉）【回】邪僻也。（西征）　又詳“洄”條。

【回回】光明貌也。（思玄）

【回穴】穴，僻也。善曰：“《韓詩》曰：‘謀猷回穴。’”（幽通）案：《毛詩》“謀猷回遹”，《韓詩》“遹”作“穴”，或作“次”，或作“欥”，皆叚借字。“潏水”或作水旁“次”。此言回穴，以水之回旋，象人之回邪也。《西征賦》“事回泬而好還”《注》引《韓詩》曰：“謀猷回泬。”《魯靈光殿賦》“仡欺傀以鵰眎”《注》

引《聲類》曰：“瞯，驚視也。矖
與瞯同。”穴、矞互通之證也。
“穴”又通作“閲”。宋玉賦“空
穴來風”，《莊子》作“空閲來
風”。（字會）

【回沇】邪僻也。（西征）

【回遹】詳“回穴”條。

【曲】謂僻也。（吳都）【曲】迴
也。（游覽沈壹）

【曲岪】結屈也。（招隱士）

【曲陽】王根爲曲陽侯也。（西征）

【曲閣】閣道委曲也。（上林）

【曲臺】殿名也。（長門）

【曲瓊】玉鉤也。（雜詩鮑貳）

【光】大也。（史論干貳）【光】
明也。（九歌）　【光】充也。
（頌陸）【光】華飾也。（笙）
功格天下曰光。（東京）

【光光】明也。（獻詩曹）

【光誦】猶華篇也。（游覽江）

【光風】謂雨已日出而風，草木有
光色也。（招魂　《雜詩玄暉
柒》無“雨巳”二字。）

【吁】驚也。（東京）【吁】疑怪
之辭也。（長楊）

【吁嗟】歎辭也。（雜詩玄暉陸）

【先生】老人教學者。（西京）
【先生】學人之通稱也。（序皇
甫）

【先正】先臣。爲公卿大夫也。
（册　胡云：“爲”當作“謂”。）

【先民】昔日先民。（東都）【先
民】周公、孔子也。（勸勵張）

【先知】詳“隱淪”條。

【先施】詳“西施”及“毛嬙先施”
條。

【先馬】太子官屬有先馬。先馬
者，前驅也。（贈答士衡貳
“先”或作“洗”。）　又詳“洗
馬”條。

【先零】羌別號。（頌楊　《頌史
作“西零”同。）

【兆】人也。（幽通）【兆】埊也。
（西征）【兆】形也。（游天台
山）【兆】爲壇之營域也。
（册）　【兆】猶幾事之先見者
也。（魏都）　又詳“京兆”及
“卦兆”條。

【朱】丹也。（招魂）【朱】赤也。
（東京）

【朱方】吳邑也。（牋任貳）

【朱光】日也。（京傷張）【朱光】
朱明也。（贈答士衡肆）【朱
光】謂漢也。（頌陸）

【朱明】日也。（思玄）

【朱垠】南方也。（東都）

【朱英】詳“朱草”條。

【朱邸】諸侯朝天子於天子之所

【朱邸】立宅舍曰邸。諸侯王朱戶,故曰朱邸。（雜詩玄暉壹）

【朱宣】少皥氏也。（文貳）

【朱竿】太常之竿也。（羽獵）

【朱絃】練朱絃也。練則聲濁。（文）

【朱草】長三尺,枝葉皆赤,莖似珊瑚。（東京）亦曰朱英。（序王）

【朱紘】以朱組爲紘。一條屬兩端也。（文壹）

【朱湖】溧陽有朱湖。（江）

【朱軒】飾以朱,士車也。（別）

【朱楊】赤莖柳。一曰有蓋山之國有樹,赤皮幹,名曰朱木楊柳也。（子虛）

【朱鳥】殿名也。（西京）

【朱絲】朱絃也。（樂府鮑）

【朱華】芙蓉也。（公讌曹）

【朱離】詳"四夷之樂"條。

【朱屝】赤絲履也。（西京）

【朱黻】詳"黼黻"條。

【朱塵】朱畫承塵也。（別）

【朱羲】日也。（游仙郭）

【朱襦】丹朱中衣也。（雜擬鮑壹）

【有年】五穀皆熟爲有年。（長楊）

【有事】有祭事也。（閒居）

【有室】有妻。妻稱室也。（彈事沈）

【有娀】國名也。（離騷）

【有娀佚女】謂帝嚳之妃、契母簡狄也。（離騷）

【有閒】謂有頃之閒也。（東京）

【有無】有謂富。無謂貧。（贈答何）

【有黎】顓頊氏之子、高辛氏之火正,謂祝融也。（思玄）

【有虞】國名也。（離騷）

【有蘊藉】謂寬博有餘也。（史論范）

【竹】詳"管"及"金石土革絲木匏竹"條。

【竹皮】筞也。（雜擬江）

【竹葉】酒名也。（七命）

【旬】時也。（魏都）

【旬始】妖氣。狀如雄雞。（東京）

【合】匹也。（離騷）

【合昏】詳"日及"條。

【合沓】重沓也。（洞簫）

【合宮】黃帝明堂,以草蓋之,名曰合宮。（東京）

【合遝】盛多貌。（洞簫）

【合驩】殿名也。（西都）

【合歡樹】似梧桐,枝葉繁,互相交結,每一風來,輒自離,了不相牽綴。樹之階庭,使人不忿。（論嵇）

【全人】全德之人無虧闕也。（表

殷）

【全節】地名。（西征）

【自】從也。（上書枚壹）

【自引】自殺也。（寡婦）

【自卬】激厲也。（長門）

【自然】繼本名也。（贈答盧壹）
　【自然】莫知所出，故曰自然。
　（閒楊）【自然】道者自然，易
　謂之太極。《春秋》謂之元，《老
　子》謂之道。（游天台山）

【色】溫潤也。（獻詩潘）【色】
　有物有文曰色。（物色）

【危】高也。（七命）【危】棟上
　也。（魏都）

【危柱】謂琴也。（行旅靈運捌）

【名】令問也。（詠史曹 《贈答
　曹》、《詠懷阮》“問”並作
　“聞”。）又詳“英名”條。

【名字】謂譽聲遠聞也。（書朱）

【牟】倍勝爲牟。（招魂）

【牟首】閣道有室者也。（魏都）

【次】自循止之處。（西京）【次】
　止也。（符命班）【次】比也。
　（東京）【次】舍也。過信爲
　次。（離騷）

【次舍甲乙】謂次舍之名，以甲乙
　紀之也。（魏都）

【次將】詳“文昌宮”條。

【伎藝】手伎曰伎。體才曰藝，

（思玄）

【伎懱】有伎藝欲逞曰伎懱。（射
　雉）

【休】美也。（甘泉）【休】假也。
　（行旅玄暉叄）

【休徵】敍美行之驗也。（東都）

【伏】伏者何也？金氣伏藏之日
　也。四時代謝皆以相生。春木
　代水，水生木。立夏火代木，
　木生火。立冬水代金，金生水。
　至於立秋以金代火，金畏火，
　故至庚日必伏。庚者，金故
　也。秦孝公始置伏。（閒居）
　又詳“扶服”條。

【伏同】詳“伏事”條。

【伏事】《周禮鄭注》云：“伏與服
　同。”古字通。（行旅陸叄）
　案：《說文》：“伏，司也。”段曰：
　“司，今之伺字。凡有所司者，
　必專守之。伏伺卽服事也。引
　申之爲俯伏，又引申之爲隱
　伏。”潘安仁《在懷縣作》：“恪
　居處職司。”司與忌韻，卽讀司
　爲伺也。唐人白香山，亦司字
　仄讀。服虔宋本作伏虔。《別
　賦注》引服虔《通俗文》，作伏。
　知服伏、伺事通用。伏又通爲
　跋。《吳都賦》“魂褫氣懾而自
　踢跋者”《注》：“踢跋，皆頓伏

也。”又伏通作處。古伏羲字
作處。《論語》“處子賤”,濟南
伏生,偶子賤之後。知處之與
伏,古來通字。(字會)

【伊】惟也。(西京)【伊】辭也。
（贈答士衡貳）

【伊公】伊尹也。(七命)

【伊水】洛水之南,名曰伊水。(閒
居)

【伊霍】伊尹、霍光。(史論范叁)

【伊闕】山名。(南都)

【伊顏】伊尹、顏回也。(論劉壹)

【伊瀍】二水名也。(行旅顏壹)
案:《水經注》二十四:“穀水卽
瀍水也。”《國語·周語》:“靈
王十二年,穀洛鬭”。《注》:
“穀、洛,二水名。”疑伊瀍之
瀍,卽穀水也。《左傳》:“伊、
洛之間。”又云:“見被髮于伊
川。”古字緐簡各異,猶淯水之
或作育,巢湖之或作漅,渤碣
之或作勃也。(字會)

【伊鬱】不通也。(洞簫)【伊鬱】
煩熱貌。(景福殿)

【任】當也。(登樓)【任】用也。
（贈答盧壹）【任】猶因也。
（雪） 又詳“四夷之樂”條。

【任俠】相與信爲任。同是非爲
俠。(吳都)

【地】地者陰也,矩也。(東京)
又詳“天地”及“黃”條。

【地理】詳“天文地理”條。

【地軸】地下有四柱,廣十萬里,
有三千六百軸,故曰地軸。
（海）

【地游】地有四游。冬至地上行,
北而西三萬里。夏至地下行,
南而東三萬里。春秋二分,是
其中矣。地常動不止,而人不
知,譬如閉舟而行,不覺舟之
運也。(勸勵張)

【地震】地震者何？地動也。(東
都)

【洿】猶殺也。(論劉貳)【洿】
與洿古字通。(西征) 案:
“洿”本作“洿”。《廣韻》洿同。
《釋名·釋言語》:“洿,洿也。
如洿泥也。”《左傳·文六年》:
“治舊洿。”《釋文》“洿”又作
“洿”。《說文》:“洿,水濁不流
也。”服虔《左傳》“潢洿行潦之
水”《注》:“水不流謂之洿。”音
義均同。蓋洿卽洿之叚借字。
《孟子·梁惠王》作“洿”,《滕
文公》作“洿”。《漢書·食貨
志》“川原爲黃洿”。《注》:“一
胡反,與洿同。”(字會)

【污】下也。(西都) 又詳“洿”

條。

【江】江者公也。出物不私，故曰
　公。一曰江者貢也。爲其出
　物可貢。（江）

【江左】江車也。（表劉）

【江介】東晉謂之江介。（述德）

【江妃】《列仙傳》曰：“江斐二女，
　出遊江濱。”（江）　案：左太沖
　《蜀都賦》：“娉江斐與神遊。”
　劉淵林《注》：“江斐二女，遊於
　江濱。”《吳都賦》：“江斐於是
　往來。”兩用皆作斐。据此，知
　《江賦》之江妃，原本亦必是
　斐，《注》尚存其迹耳。惟阮
　嗣宗《詠懷詩》“二妃遊江濱”
　《注》引《列仙傳》作“江妃”。
　案：《說文》：“妃，配也。”斐，往
　來斐斐也。一曰大醜兒。”當
　以妃爲正字，斐蓋同音假借字
　耳。（疏證）

【江津】馬頭崖北對大岸，謂之江
　津。（江）

【江南之丘墟】謂慈母山也。此
　山出竹，歷代常給樂府，而呼
　鼓吹山。（洞簫）

【江珠】詳“琥珀”條。

【江豚】似豬。（江）

【江斐】鄭交甫所挑者。（江）
　又詳“江妃”條。

【江都】廣陵國縣名也。（江）

【江蘺】似水薺。（子虛）　【江蘺】
　香草也。（吳都）

【江鷗】一名海鷗。（游覽靈運捌）

【池】池者，懸池於荒之爪端，若
　今承霤然。（哀謝）　又詳“陂
　池”及“隍池”條。

【池陽】縣名。（雜擬袁壹）

【行】往也。（長笛）　【行】且也。
　（書魏文貳）　【行】列也。（詠
　史謝）　二十五人爲行。（西
　京）　【行】猶道也。（雜擬江）
　【行】趣步也。（設論班）　【行】
　謂卽世也。（挽歌陸）　【行】
　曲也。行聲有長短，故謂之長
　歌、短歌。（樂府古辭）

【行行】剛強貌。（銘崔）

【行人】言使人也。（贈答仲宣叁）

【行年】行狀年紀也。（序王）

【行李】使人也。（詠史盧）

【行所】天子以天下爲家，自謂所
　居爲行在所。（序顏）

【行宮】天子行所立，名曰行宮。
　（吳都）

【行媒】喻左右之臣也。（離騷）

【行暉】行旅之光暉也。（樂府鮑）

【行潦】流潦也。（贈答曹伍）

【夷】滅也。（長楊）　【夷】殺也。
　【夷】傷也。（論陸叁）　【夷】

氏也。（同上壹）【夷】平也。
（西都）【夷】常也。（補亡）
又詳"希夷"條。

【夷庚】藏車之所。（論陸壹）

【夷叔】伯夷、叔齊也。（論劉壹）

【夷猶】猶豫也。（吳都）

【夷險】喻治亂也。（贈答盧壹）

【夷靡】頹弛也。（射雉）【夷靡】
平而漸靡也。（笙）

【充】足也。（贈答曹壹）【充】
猶備也。（行旅靈運拾）【充】
滿也。（東京） 又詳"崇"條

【充牣】滿也。（子虛）

【充屈鬱律瞋菌碨柍】皆衆聲鬱
積競出之貌。（長笛）

【列】次也。（贈答顏壹）【列】
班列也。（彈事任壹）【列】
陳也。（表陸）【列】位也。
（景福殿）【列】分解也。（書
司馬） 又詳"迾"及"烈"條。

【列列】高也。（西京）【列列】
風聲也。（嘯）

【列侯】詳"通侯"條。

【列真】謂列仙也。（魏都）【列
真】上曰神，次曰仙人，下曰真
人。（吳都）

【列錢】言金釭銜壁，行列似錢
也。（西都）

【伍】五人爲伍。（西京）【伍】

相參伍也。（公讌顏壹）

【伐】擊也。（東京）【伐】自功
曰伐。（書朱）

【如】之也。（思玄）【如】奈也。
（東京）【如】從也。（百一）
【如】辭也。（歸田）

【如脂如韋】柔弱曲也。（卜居）

【如雲】言多也。（論李）

【汜】詳"汜"條。

【汎汎】水流貌也。（思玄）【汎
汎】普愛衆也。（卜居）

【汎汎悠悠】隨流之貌。（海）

【汎淫氾豔】自放縱貌。（笙）

【汎㳿】微小貌。又云波急之聲。
（洞簫）

【汎剽】輕也。（魏都 又《樂府
曹》："剽，輕也。"並引《方
言》。）

【汛】《詩》："洒掃庭內。"毛萇曰：
"洒，灑也。"洒與汛同。（符命
楊） 案：《說文》："汛，灑也。"
段曰："汛與灑互訓而殊音，洒
則經典用爲灑之叚借。然謂
汛卽洒之叚借，則于古音尤
合。蓋洒西聲，西古音如詵
也。小顏注《東方朔傳》'洒
掃'，云洒音信，此謂卽汛字
也。" 汛與迅疾之迅一音。今
按陸士衡《演連珠》"時風夕

灑”《注》引許慎曰:“灑猶汛也。”此汛、灑互訓之徵。《寡婦賦》“供灑掃以彌載”《注》引毛萇《詩傳》曰:“灑、洒同。”此洒、灑通叚之徵。又汛通爲涵。《吳都賦》“涵泳乎其中”《注》引楊雄《方言》曰:“南楚謂汛爲涵。”則汛不作迅音矣。(字會)

【仿】相似也。(寡婦)

【仿佯】詳“逍遙”條。

【仿佛】相似,視不諟也。(甘泉)又詳“佛”條。

【仿像鬻㵡】不審之貌。(海)

【朴】木皮曰朴。(洞簫) 又詳“敲朴”及“樸”條。

【考】稽也。(西征)【考】問也。(東京)【考】校也。(魏都)【考】亦擊也。(行旅安仁壹)【考】不平也。(論劉壹)又詳“槁”條。

【戎】兵也。(東京)【戎】汝也。(贈答士衡貳)又詳“輕武戎剛”條。

【戎女】驪姬也。(幽通)

【戎首】爲兵主曰戎首。(橄鍾)

【戎馬】胡地出馬,故曰戎馬。(書司馬)

【戎輅】矛置車上邪柱之,是謂戎輅。(東京)【戎輅】戎車也。(冊)

【戎葵】蜀葵。(西京)

【亙】引也。(吳都)【亙】徑度也。(西京)

【亙】竟也。亙與緪古字通。(西都) 案:宋玉《招魂》“緪洞房些”王逸《注》:“緪,竟也。”班孟堅《答賓戲》“潛神默記;緪以年歲”《注》:“如淳曰:‘緪音亙竟之亙。’《方言》曰:‘緪,竟也。古鄧切。’晉灼曰:‘以亙爲緪。’”《說文》“亙”字下云“求亙也”。“緪”字下云“大索也。一曰急也”。俱不訓竟。梔字下云“竟也”,與此注及王逸、如淳注正合。蓋此賦之“亙”,及《招魂》、《賓戲》之“緪”,其本字皆當作“梔”也。(疏證) 又詳“洹”條。

【卉】百草總名。楚人語也。(吳都) 又詳“芔”條。

【伉】儷也。(思玄)【伉】敵也。(鸚鵡)【伉】當也。(西京)又詳“閌”條。

【伉儷】儷,偶也。伉,敵也。(詠史左)

【羽】詳“干戚羽旄”條。

【羽厄】卽羽觴也。(雜擬沈陸)

【羽林黃頭郎】習水戰者也。（上書枚貳）

【羽族】鳥也。（蜀都）

【羽旆】旌旗以羽爲飾，故云羽旆。（游覽沈壹）

【羽書】卽羽檄也。（詠史虞）

【羽隊】士負羽而爲隊也。（七命）

【羽葆】幢也。（行狀）

【羽蓋車】詳“祫輅”條。

【羽衛】負羽侍衛也。（雜擬江）

【羽檄】以雞毛系檄也。邊有警，輒露插羽以檄，急之意也。（獻詩潘）

【羽翼】佐也。（七發）　【羽翼】輔佐也。（論王）

【羽騎】騎負羽也。（羽獵）

【羽觴】作生爵形。（西京）

【羽獵】士卒負羽也。（羽獵　又《高唐》：“以應獵負羽。”）

【冰井】臺名也。（魏都）

【冰夷】馮夷也。人面而乘龍。（江）　一曰姓馮名修。華陰潼鄉隄首人，服夷石而水仙。或曰浴於河中而溺死。（思玄）馮夷，華陰人。以八月上庚日渡河溺死，天帝署爲河伯。（雪）　馮遲、太白，河伯也。（七發　《樂府陸》“夷”作“遲”。“太白”作“大禹”。胡云：“禹”當作“丙”。按：馮遲卽馮夷也。遲、夷同部，古通。）

【冰紈】紈之細密如堅冰也。（史論范叄）

【企】立也。（笙）　【企】望也。（贈答傅）　【企】舉踵也。（射雉）　【企】《毛詩》曰：“跂予望之。”企與跂同。（江）　案：止通趾。趾爲人足。《字林》、《通俗文》：“企，舉踵。”荀子《勸學篇》“吾嘗跂而望之”《注》：“跂，舉足也。”訓同企。蓋企者人之舉踵。跂從足從支。如鳥之欲飛然，像舉踵意也。《嘆逝賦》“望湯谷以企予”《注》亦云“企與跂同”。王仲宣《贈蔡子篤詩》“允企伊佇”《注》亦引《毛詩》曰：“跂予望之。鄭玄曰：跂足，可以望見之”。此企、跂通用之證。（字會）

【刓】蘇林《漢書注》曰：“刓角之刓。與剬同。（文任）　案：《說文》：“刓，剸也。”二字爲疊韻。段云：“剬當作團。團，圜也。許書無剬字”。蘇林所注《漢書》，當是刓與摶同。《說文》：“摶，以手圜之也。”手摶物使圜，與刓意正相足。“刓”又通作"玩"。《史記‧酈生傳》："項王爲人刻印，刓而不能授。"《索隱》作玩。五官反。與刓同。《漢書》作'玩'。瓚云：'項羽吝於爵賞，玩惜侯印不能以封人'"。（字會）

【刓印】印角刓也。（魏都）

【屹】高也。（魯靈光殿）

【屹崪】高貌。（江）

【屹𡼏】斷絶之貌。（南都）

【扛】橫關對舉也。扛與舡同。（西京）　案：《説文》扛訓橫關對舉。舡訓舉角。《集韻》舡或從工，則舡卽《説文》之舡。皆有舉義。故與扛可通用。《匡謬正俗》六：扛字或作舡。是也。（疏證）

【聿】自也。（贈答僧達）【聿】述也。（長楊）【聿】惟也。（幽通）【聿】遂也。（詠史謝）【聿】辭也。（江）

【聿皇】疾貌。（長笛）【聿皇】輕疾貌。（羽獵）

【聿越】豹走貌。（吳都）

【而】如也。（鵩鳥）

【而蟺】如蟬之蜕化也。或曰：蟺，相連也。（鵩鳥）

【年稔】秋穀熟也。（文貳）

【弛】絶也。（東征）【弛】懸也。釋下也。（舞）【弛】解也。（西征）【弛】廢也。（西京）

【阤】落也。（長笛）【阤】壞也。（西京）

【艾】長也。（九歌）【艾】白蒿也。（離騷）

【㤉】恨也。（思玄）【㤉】貪惜也。（琴）【㤉】貪而不施謂之㤉。（表陸）

【扢】摩也。（贈答曹肆）【扢】靡也。（蜀都）　又詳"槷"條。

【扞】衛也。（檄陳貳）

【扞絃】扞，拾也。言所以拾弦也。（論王）

【刑】法也。（西都）

【刑德】冬至爲德。夏至爲刑。（文壹）

【妜】誇也。字當作詫。（子虛）　案：顏延年《皇太子釋奠會作詩注》："莊子曰：'有孫休者，踵門而詫扁子。'"按：《莊子‧達生篇釋文》：詫，敕駕反。司馬云：告也。《後漢‧王符傳注》："詫，誇也。"蓋人以事相告者多有誇示之意，故詫字可訓告；亦可訓誇也。至妜字之本義，《説文》訓爲"少女"，與誇字無涉。特以音近詫字，故相假耳。（疏證）

【汎瀾】《漢書》：息夫躬絕命辭曰"涕泣流兮萑蘭"，瓚曰："萑蘭，涕泣闌干。"萑與汎同。（臨終）案：陸士衡《弔魏武帝文》"涕垂睫而汎瀾"，《注》亦引絕命辭臣瓚注云："萑與汎古今字同。"侯成碑："泣涕汎蘭。"是瀾、蘭亦通。（疏證）

【阡陌】南北曰阡。東西曰陌。（藉田）

【阡眠】詳"阡眠"條。

【夸】虛名也。（鵬鳥）【夸】猶美也。（洞簫）【夸】張布也。（上林）

【守宮】詳"居室"條。

【宅】詳"度"及"甲宅"條。

【再熟稻】交趾稻夏熟。農者一歲再種。（吳都）

【仲父】仲尼也。（書吳）

【刜】詳"朙"條。

【匈奴】詳"獫狁"及"北方五狄"條。

【犴】胡地野犬，似狐而小。（子虛）

【网】詳"魍魎"條。

【肋】詳"勒"條。

【芀】詳"葦苕"條。

【机】詳"樛流"條。

【因】仍也。（東京）

【自】詳"追"條。

【戍削】裁制貌也。（子虛）

【牝陣】詳"八陣"條。

【旭卉】幽昧貌。（甘泉）

【舌人】能達異方之志，象胥之官也。（東京）

【印綬】漢制：公侯紫綬，九卿青綬。（設論楊）

【血】即淚也。（書李）

【向】北出牖也。（雪）

【汗汗】廣大無際之貌。（江）

【吒】歎聲也。（游仙郭）

【异】異也。（魏都）案：異從廾，故异亦訓異。《堯典》："岳曰：异哉。"《傳》："异，已也，退也。"《廣雅·釋詁》："異，分也。"已、退亦有分義。《列子》"楊朱何以异哉"《注》："异，古異字。"是异、異通用之證。《堯典》："嶽曰：异哉。"《釋文》曰：鄭音異。謂异為異之叚借也。（字會）

【丞】善曰：《聲類》曰：丞亦拯字也。（羽獵）案：拯從丞聲。《孝經》："前疑後丞。"取輔相奉承之義。以手拯人，亦輔相人也。故通。《易·明夷》六二爻詞："用拯馬壯吉。"陸氏德明作丞。云拯救之拯。《集韻》扨、承、撜、拯、丞五形同字。《七啓》"探隱拯沈"；《注》引《難蜀父老》曰："拯民於沈溺。"《説文》曰："出溺爲拯。"此拯、丞通用之證也。《説文》"溺"作"㳛"。一説丞、登皆有上進之意。升之本義，實於上舉無涉。（字會）

【机】詳"几"條。

【匠】匠石。（洞簫）

【仳】別也。（贈答惠連）

【圭瓚】詳"瓚"條。

【缶】瓦器。秦鼓之以節樂。（上書李）

【𢸯】詳"扳"條。

【寺】尚書、御史、謁者所止，皆曰寺。（吳都　末句，《贈答公幹貳》"尚書"下多"侍御"二字；《行旅安仁貳》無"謁者"二字。）

【帆席】隨風張幔曰帆，以席爲之，故曰帆席。（海）

【舟牧】主舟官。（西京）

【冲】猶虛也。（贈答正叔壹）

【汔】謂摩近也。（七發）

【耒】手耕曲木也。（行旅安仁壹）

【后】帝也。（東京）

【后土】地也。（洞簫）

【刓】割也。（西征）

【肌】肉也。（西京）

【曵】踰也。（洞簫）

【并疆】踰田畝也。（吳都）

【价】善也。（雜詩棗）

【邛】詳"冉駹笮邛"條。

【邛州】詳"卭州"條。

【邛竹】詳"卭竹"條。

【奸】求也。干與奸同。（上書鄒）案：《説文》："奸，犯婬也。"段云："此字謂犯姦婬之罪，非卽姦字也。引申爲凡有所犯之偁。《左傳》多用此字，如二君有事，臣奸旗鼓之類。形聲中有會意。干，犯也。故奸字從干。"段意謂奸從干取義也。《書》"以干先王之誅。"《傳》："干，犯也。"《左氏·昭二十年傳》"是再奸也"《注》："奸，犯也。"《成十六年》："奸時以動。"《釋文》："奸"本作"干"。此奸干同用之徵也。（字會）

【布覆】周布四覆也。（長笛）

【拖】引也。（羽獵）

【明晦】凡草木華實榮茂謂之明，枝葉彫傷謂之晦。（雜擬江）

【圬人】塗人也。（魏都）

【扤】動也。（吳都）

【舛】乖也。（魏都）

【兇】秃山也。（吳都）

【衣裳】上曰衣。下曰裳。（魯靈
　光殿）

七　畫

【妒】害也。（誄潘肆）又詳"嫉
　妒"條。

【延】導也。（甘泉）【延】引也。
　（雜擬江）【延】及也。（羽獵）
　【延】年長也。（論秔）

【延吳】延陵季子。東門吳也。
　（西征）

【延秋】宮殿門名也。（魏都）

【延壽】館名。（長楊）

【延頸】詳"三關延頸"條。

【延露】曲名。（長笛）【延露】
　鄙曲也。（吳都）

【決】開也。（甘泉）又詳"訣"
　條。

【決拾】決，以象骨著右手巨
　指，所以鉤弦也。拾，轉捍著
　左臂也。（東京）

【戒】備也。戒，猶告也。（東京）
　【戒】警戒告語也。（書趙）
　【戒】防患曰戒。（上林）又
　詳"誡"條。

【車】或爲居。（雜詩靈運肆）
　案:《釋名·釋車》:"車，古者曰
車聲如居，言行所以居人也。
今日車聲近舍。車，舍也。行
者所處如居舍也。"是車本從
居得義得聲。《爾雅·釋草》:
"望，薢居。"《釋文》:"居"本作
"車"。《禮記·禮運》:"天子
以德爲車"《注》:"車或爲居。"
《莊子·徐無鬼》:"若乘日之
車。"《釋文》:"車"元嘉本作
"居"。是其證也。（字會）

【車駕】不敢斥天子，故但言車
　駕。（雜詩鮑壹）

【更】歷也。（長門）【更】遞也。
　（西京）

【赤】謂誅滅也。（設論楊）

【赤山】赤菫之山也。（七命）

【赤阪】土身熱之阪也。（樂府鮑）

【赤松子】赤松子者，神農時雨師
　也。（西都）

【赤岸】地名。（七發）

【赤斧】仙人名。（蜀都）

【赤疫】疫鬼惡者也。（東京）

【赤亭】定山東十餘里。（行旅靈
　運壹）

【赤城山】石色皆赤，狀似雲霞。
　（游天台山）

【赤烏】殿名也。（吳都）

【赤須】水名。（北征）

【赤瑕】赤玉也。（上林）

【赤側】以赤銅爲其郭也。(文
　壹)

【赤熛怒】詳"五帝神"條。

【赤縣中州】中國名赤縣中州也。
　(雜詩景陽　胡云: "中"當作
　"神"。)

【赤縣神州】詳"赤縣中州"條。

【赤闕】里名也。(魏都)

【赤蟻玄鷁】赤蟻若象。玄鷁若
　壺。(招魂)

【茟】詳"茀"及"咇茀"條。

【茟星】多爲除舊布新,改易君上
　也。(碑文沈)

【辰】時也。(吳都)　【辰】大辰
　也。(贈答顏叄)　【辰】龍星
　也。(雜詩蘇)　【辰】一歲日
　月十二會,所會謂之辰。(西
　征)　又詳"宸"條。

【辰星】辰星者,北方水精也。(游
　覽顏貳)

【辰星】或謂之鈎星。(景福殿)

【辰陽】地名。(九章)

【君】慶賞刑威曰君。(史論干
　貳)

【君子】詳"良人"條。

【君侯】漢列侯爲丞相之稱也。
　(贈答公幹壹)

【君遷】子如瓠。(吳都)

【沕】潛藏也。(弔文賈)　【沕】

没也。(符命司馬)

【汋漷】言衆瑞之多也。(符命
　楊)

【汋穆】微深也。(鵩鳥)

【抗】禦也。(七啟)　【抗】極也。
　(長笛)　【抗】舉也。(西京)
　【抗】高也。(牋繁)　又詳
　"炕"、"亢"二條。

【抗衡】謂對舉以爭輕重也。(檄
　陳貳)

【走】音奏。趨也。(蕪城)　案:
　張平子《思玄賦》"將往走乎八
　荒"。《注》:"善曰: 走音奏。"
　枚叔《上書諫吳王》:"走上天
　之難。"顏師古曰:"走,趨也。
　走音奏。"按:《毛詩》:"予曰有
　奔奏。"《釋文》:奏如字。本又
　作走。(疏證)　又詳"太史公
　牛馬走"條。

【良】善也。(西京)　【良】信也。
　(雜詩古詩)　【良】甚也。(哀
　傷靈運)

【良人】婦人稱夫曰良人。亦曰
　君子。(寡婦)　又詳"昭儀"
　條。

【良使】詳"昭儀"條。

【良苗】穀也。(軍戎)

【良樂】良,王良。樂,伯樂也。
　(設論班)

【良覿】謂見良人也。（雜詩靈運壹）

【尾】詳"大駕車"條。

【尾閭】水之從海水出者也。一名沃燋。在東大海之中。尾者在百川之下，故稱尾。閭者聚也。水聚族之處，故稱閭也。在扶桑之東，有一石，方圓四萬里，厚四萬里，海水注者無不燋盡，故名沃燋。（論秳又《江》引首句作"水之從海出也"。）

【宏】詳"呟"條。

【宏璉】連與璉古字通。（景福殿）案：連之本義同輦。引申同聯。《國語·楚語》"雲連徒州"《注》："連，屬也。"《廣雅·釋詁》二："連，續也。"《孟子》"連諸侯者次之"《注》："諸侯合從者也。"宏璉亦即連屬不絕意。《禮記·明堂位》："四連。"《釋文》："連"本又作"璉"。連又通聯。謝希逸《宋孝武宣貴妃誄》"聯城辭趙"，《注》引魏文帝《與鍾大理書》："不捐連城之價。"故"留連"亦作"留聯"。《琴賦》"乍留聯而扶疏"作"聯"，"留連瀾漫"作"連"。（字會）

【牢】閉也。（表曹壹）

【牢刺】牢落乖刺也。（長笛）

【牢落】善曰："牢落猶遼落也。"《洞簫賦》曰："翩連綿以牢落。"《東觀漢記》曰："第五倫自度仕宦牢落。"（魏都）案：《上林賦》"牢落陸離"。《注》："善曰：牢落猶遼落也。"《文賦》"心牢落而無偶。"《琴賦》"牢落凌厲"《注》並同。又任彥昇《爲范尚書讓吏部封侯第一表》"一何遼落"《注》："《世說》袁彥伯曰：'江山遼落，居然有萬里勢。'"皆與牢落同意。《漢書·揚雄傳注》引李奇《注》云："牢，聊也。"亦以音近爲訓。（疏證）

【步】行也。（雜擬陸）【步】徐行也。（游覽沈壹）六尺曰步。（書吳）【步】推也。（連珠）

【步叉】詳"服"條。

【步屈】詳"蚇蠖"條。

【步輿】詳"版輿"條。

【步騎】徒行爲步。乘馬爲騎。（招魂）

【步欄】長廊也。（魏都）

【貝】海螺，其色白。（好色）

【貝胄】以貝飾之。（吳都）

【貝錦】錦文。（蜀都）

【成】重也。（長笛）　【成】平也。（魏都）

【成人】女子以許嫁爲成人。（書稘）

【成竅】詳"田連成竅"條。

【告老】致仕者也。（碑文蔡貳）

【告歸】休謁之言也。（行旅玄暉叁）

【希】疏也。（詠史鮑）　【希】少也。（論陸叁）　【希】望也。（賤謝）　【希】庶也。（西征）又詳"稀"條。

【希世】隨世也。（行旅士衡壹）

【希夷】視之不見，名之曰夷。聽之不聞，名之曰希。（碑文簡栖　《論稘》下句"名"下無"之"字。）

【谷】竹溝也。（序王）　注壑曰谷。（蜀都）山水之溝名曰谷。（北征）

【序】次也。（長笛）　又詳"野"條。

【志】記也。（蜀都）　又詳"詩"條。

【含】詳"函"條。

【含利】性吐金，故名。（西京）

【含章】殿名也。（西京）

【含樞紐】詳"五帝神"條。

【含德】殿名也。（東京）

【角】邪也。（射雉）　【角】猶競也。（舞鶴）

【角端】似貊，角在鼻上，中作弓。（上林　葉本"貊"作"豹"。）

【角觝】秦名此樂爲角觝。兩兩相當，角力技藝射御，故名角觝也。（西京）

【何】問也。（論賈）　【何】據疑問所不知者曰何。（甘泉　《西京》"據"上有"謂"字。胡云：袁本、茶陵本"謂"作"諸"，是也。）

【佛】不審也。（寡婦）　【佛】違也。（論東方）　案："仿佛"字或作"坊拂"，或作"放怫"。俗作"彷彿"，或作"髣髴"。均從方弗取聲。《説文》："弗，矯也。""矯"、"弗"今作"拂"，拂與佛同用。拂通弼。《孟子》"入則無法家拂士"作"拂"。佛亦通弼。《詩》"佛時仔肩"。作"佛"。佛又通怫。《笙賦》"中佛鬱以怫愲"、《嘯賦》作"怫鬱衝流"，是也。怫又作弗。《説文》："怫，鬱也。"《瓠子歌》曰："魚弗鬱兮柏冬日"，是也。（字會）

【佛鬱】不安貌。（笙）

【否】隔也。（表曹貳）【否】不通也。（獻詩潘）【否】不也。（羽獵）【否】猶臧否也。謂善惡也。（贈答仲宣叄）

【否隔】不通也。（舞）

【坒】並也。（吳都）【坒】涌貌。（表孔）

【作】興也。（兩都序）【作】起也。（西京）【作】長也。（史論范叄）【作】生長也。（雜詩盧）

【作者七人】謂長沮、桀溺、丈人、石門、荷蕢、儀封人、楚狂接輿。（史論范肆）

【均】調也。（離騷）【均】平也。（西征）【均】長八尺。施絃以調六律五聲。（思玄）【均】古韻字也。《鶡冠子》曰：“五聲不同均。”晉灼《子虛賦注》曰：“文章叚借，可以協韻。”均與韻同。（嘯）案《國語·周語》“律所以立均出度也”《注》：“均者，均鐘木，長七尺，有弦繫之，以均鐘者，度鐘大小清濁也。漢大子樂官有之。”《思玄賦》“考治亂于律均兮”，《舊注》：“均，所均聲也。”《說文》：“均，平徧也。”平者，語平舒也。引申爲凡平舒之稱。韻者，音之平舒也。故通。然古但言聲音，而不言韻。李登尚名聲類，呂靜始名韻集耳。又均通爲袀。《吳都賦》“六軍袀服”。《注》引《左氏傳》曰：“袀服振振。”袀，同也。（字會）

【坊】別屋也。方與坊古字通。（景福殿）案：坊與防通。《禮記·經解》：“猶坊止水。”《釋水》：“坊”本又作“防”。《月令》：“完隄防。”《釋文》“防”本又作“坊”。方與防同義。方訓併船。引申之爲比方，子貢方人是也。《詩·秦風》：“百夫之防。”毛曰：“防，比也。”蓋謂假防爲方也。《史記·孔子世家》“防叔”，《古今人表》作“方叔”。坊作防，方與防通，故與坊通。又方通爲彷。《甘泉賦》“溶方皇于西清”《注》：“方皇即彷徨。觀名。”（字會）

【扶】《尚書大傳》曰：“扶寸而合。”鄭玄曰：“四指爲扶。扶音膚。”（書應肆）案：“膚”，《尚書大傳》作“扶”。《公羊·僖三十一年傳》“膚寸而合”作“膚”，《注》：“側手爲膚。”與鄭玄“四指爲扶”之義近。扶、膚音同，故古人叚借互用耳。張景陽《雜詩》"膚寸自成霖"。
《注》引《公羊傳》"膚寸而合"
云云。又引何休曰:"膚寸,四
指爲膚。"此扶、膚同用之證。
(字會)　又詳"膚"條。

【扶木】暘谷有扶木,九日居下
枝,一日居上枝。(月)【扶
木】扶桑也。葉似桑,樹長數
千丈,大二千圍,兩兩同根生,
更相依倚,故名。(思玄)

【扶光】扶桑之光也。(月)

【扶服】善曰:匍匐,手行也。扶
服與匍匐音義同。(長楊)
案:《釋名·釋言語》云:"扶,
傅也。傅近之也。""匍,手行
也。猶捕也。"《孟子》:"赤子
匍匐將入井。"匍傅近一物而
後能行也。匍扶同音同訓,故
通。《陸士衡詩》"誰謂伏事
淺"。《注》云:"服伏同。"《釋
名·釋姿容》云:"匐,伏也。伏
地行也。"伏同服,匐訓伏,故
服匐同也。《詩》:"覃實匍匐。"
《釋文》:"匐"本亦作"服"。《禮
記·檀弓》:"扶服而救之。"
《釋文》:"扶服"本作"匍匐"。
《左傳·昭二十一年》:"扶伏
而擊之。"《釋文》:"扶伏"本作
"匍匐"。《解嘲》"扶服入橐",

卽匍匐義。扶又通作飇。《恨
賦》"搖風忽起"《注》引《爾雅》
曰:"飇飆謂之飆。"飇音扶。扶
又通作榑。《説文》"叒"下曰:
"榑桑,叒木也。"《離騷》:"總
余轡乎扶桑。"扶桑卽榑桑也。
段曰:"叒木卽若木。"(字會)

【扶留】籐緣木而生。味辛可食。
(吳都)

【扶疏】四布也。(上林)

【扶搖】上行風也。(雜擬江)

【抑】止也。(思玄)【抑】按也。
(離騷　案:《離騷》本作"抑",
案也。案、按同。)

【折】折其本也。(論曹)【折】
制或爲折也。(羽獵)　案:《論
語》:"片言可以折獄者。"《釋
文》:折,之舌反。魯讀折爲
制。《廣雅·釋詁》云:"制,折
也。"折與制一聲之轉,且折中
者有裁制之義,折獄者亦有斷
制之義,故可互相通假耳。(疏
證)　又詳"短折"條。

【折枝】按摩折手,節解罷枝也。
(論劉貳)

【折風】一名別風。(西都)

【折盤】舞貌。(南都)

【折衝】折衝者,衝車所以衝突
也,敵之軍能陷破也。欲攻己

者，折還其衝車於千里之外，不敢來也。（雜詩景陽）

【折鼻】詳“修額短項大口折鼻”條。

【投】振也。（文）【投】摘也。（招魂）【投】《說文》曰：“逗，止也。”投與逗古字通。（長笛）　案：逗，通訓遲。遲，曲行也。故逗留亦謂之逗橈。投、逗一聲之轉。投之于是，亦止于是也。《漢書·匈奴傳》：“逗遛不進。”音豆。又讀與住同。（字會）

【投石】舉石以投人也。（吳都）

【投曲】投合歌曲也。（設論班）

【改】易也。（東京）【改】更也。（離騷）

【防】隄也。（軍戎）【防】瀦旁隄也。（公讌劉）　又詳“坊”、“房”二條。

【沐】洗也。（神女）【沐】休沐也。（雜詩沈壹）

【沐雨】以雨爲沐浴也。（雜詩玄暉陸）

【沐猴】獼猴也。（西征）

【沙】山名。（弔文陸）

【沙石】喻羣小也。（公讌應）

【沙門】秦言義訓勤行。趍湟盤也。（碑文簡栖）

【沙棠】如棠而黃華，赤實，其味如李而無核。生崑崙之丘。御水人食之，使不溺。（琴）

【沙鏡】似雲母。（江）

【沈】沈者，雲之重也。（上書江）【沈】謂醉冥也。（詠史顏貳）【沈】祭水曰沈。（郊廟）【沈】深也。（難）　又詳“湛”、“耽”二條。

【沈沈】深也。（魏都）【沈沈】盛也。（雜詩玄暉壹）

【沈牛】詳“潛牛”條。

【沈浮】言多也。（長楊）

【沈潛】謂地。（月）

【沃】肥美也。（西京　又《論陸貳》“美”作“善”。）【沃】灌漑也。（登樓）　又詳“浂”條。

【沃若】調柔也。（牋謝）

【沃焦】天下之大者，東海之沃焦焉。水灌之而不已。沃焦，山名，在東海南方三萬里。（江）又詳“尾閭”條。

【吹】猶然也。（海）【吹】吹者，所以通氣也。管、簫、竽、笙、塤、篪，皆以鳴吹者也。（公讌丘）

【吹蠱】卽飛蠱也。（樂府鮑）

【吟】歎也。（雜詩蘇）

【吟頌】謂謳吟歌頌。（牋陳）

【吟嘆四曲】《王昭君》、《楚妃嘆》、《楚王吟》、《王子喬》，皆古辭。(笙)

【吸】飲也。(江) 【吸】喘息也。(羽獵 胡云："喘"當作"内"。)

【狂】猶並也。(招魂) 【狂】猶遽也。(登樓)

【狂生】蠢無所鑒，謂之狂生。(哀傷任)

【狂惑】知善不行者謂之狂。知惡不改者謂之惑。(書司馬)

【妖】巧也。(上林)

【妖玩】好女也。(招魂)

【妖蠱】淑豔也。(舞)

【妙】猶微也。(贈答盧壹)

【妙聲】聲之微妙也。(洞簫)

【但】徒也。(論王) 又詳"亶觀"條。

【別】詳"離別"條。

【別風】詳"折風"條。

【別葉】詳"歸華別葉"條。

【別鶴操】商陵牧子所作也。(琴)

【冱】閉也。 【冱】凍也。(思玄) 【冱】堅也。(魏都)

【私】私所爲也。(符命楊)

【私之】猶言恩也。(雜擬江)

【私阿】竊愛爲私。所祐爲阿。(離騷)

【私覿】謂家難也。(懷舊)

【形性】流動而生物，物成生理，謂之形。形體保神，各有儀則，謂之性。(公讌顏壹)

【形神】形者生之舍也。神者生之制也。(東都)

【形容枯槁】癯瘦瘠也。(漁父)

【形氣神】形者生之舍也。氣者生之元也。神者生之制也。(論秕)

【杜】塞也。(西京)

【杜若】詳"若"條。

【杜郵】亭名，今謂之孝里。(西征)

【杜康】或云黃帝時宰人，號酒泉太守也。(樂府魏武)

【杜鵑】詳"鶗鴂"條。

【杜衡】香草也。(離騷)

【邪】僞也。(西京) 【邪】《韓詩》曰："舞則纂兮。"薛君曰："言其舞應雅樂也。"(舞) 案：陸士衡《日出東南隅行》"雅舞播幽蘭"《注》亦引《韓詩薛君章句》曰："言其舞則應雅樂也。"案：雅、邪皆從牙得聲，君雅或作君牙，是其證。邪卽雅之假借字。(疏證)

【役】謂所任也。(哀傷潘) 【役】所蒞之職也。(祖餞謝)

【劫】脅也。(舞)

【劫悟】氣相衝激也。（笙）

【判】別也。（離騷） 【判】分也。
（贈答靈運貳）

【沖】中也。（鵁鶄） 【沖】虛也。
（魏都） 【沖】童也。（臨終）

【沖漠】沖虛恬漠也。（七命）

【吳】大也。（九章） 【吳】《戰國
策》以吳爲吾。（西征） 案：
吳、吾同音，魚山卽吾山，見
《水經·濟水注》，吾、魚音通
故也。《國語·晉語》"睱豫之
吾吾。"《注》："吾吾，不敢自親
之意。吾讀如魚。"吾又通虞，
"騶虞"亦作"騶吾"。虞從吳
聲，故吾與吳同。（字會）

【吳山】自華西名山七，一曰吳
山。（西京）

【吳坂】冥零坂也。（贈答越石
壹）

【吳京】宋都吳，故曰吳京。（游
覽顏貳）

【吳娃】詳"徵舒段干吳娃傅予"
條。

【冶】妖也。（雪） 【冶】銷也。
（海）

【冶夷】妖媚之貌。（海）

【甫】始也。（陳檄貳） 又詳"梁
父"條。

【宋翟】詳"易京"條。

【宋灌郭張】皆著名樂工之姓也。
（長笛）

【弄】小曲也。（洞簫）

【弄玉】仙人名。（樂府鮑）

【秀】出也。（琴） 【秀】出貌。
（七命） 【秀】長也。（洛神）
【秀】美也。（詠史顏貳）【秀】
異也。（游天台山）

【秀士】有德行道藝者也。（連
珠）

【秀騏】良馬名也。（赭白馬）

【呈】見也。（洛神） 又詳"程"
條。

【迅】詳"駿"條。

【迅羽】鷹也。（西京）

【迅商】商風之迅疾也。（公讌宣
遠）

【忒】惡也。（檄陳壹） 【忒】差
也。（贈答仲宣叁） 【忒】變
也。（景福殿）

【灼】明也。（論李） 【灼】視也。
（琴） 【灼】盛也。（射雉）又
詳"焯爍"條。

【灼灼】光明貌也。（樂府陸）

【灼爍】豔色也。（蜀都）

【芒】稻芒也。（文） 【芒】光也。
（思玄） 【芒】鋒刃也。（七
命） 【芒】洛北大阜也。（書
應肆） 又詳"毫芒"條。

【芒芒】猶夢夢也。（歎逝）又詳"茫茫"條。【芒芒】衆多也。（補亡）

【芒種】稻麥也。（魏都）

【岑崟】山貌。（子虛）【岑崟】峻貌。（雜擬江）

【岑寂】猶高靜也。（舞鶴）

【岑嵓】危險貌。（琴）

【岑嶺五嶽】言波濤之形。（海）

【辛】謂椒薑也。（招魂）

【辛引】詳"新雉"條。

【辛夷】詳"新雉"條。

【辛楣】辛夷香草作戶楣。（九歌）

【佚】美也。（離騷）【佚】揚也。（長門）【佚】過也。佚與軼通。（蕪城）案：《說文》："軼，車相出也。"車之後者，突出于前爲軼。《禹貢》："流水入于河，泆爲滎。"《漢志》作"軼"。今按泆卽佚，泆、佚均從失字取義。《論語》："季氏樂佚遊。"皇《疏》："佚遊，出入不知節也。佚有佚出義。"《廣雅‧釋詁》三："軼，過也。"《東京賦》："軼五帝之長驅。"薛注："軼，過也。"《西都賦注》引《三倉》云："軼，從後出前也。"軼，失聲，訓同佚，故通佚。佚、軼通作逸。《漢書‧刑法志》"男

女淫佚"，與逸同。《王褒傳》"褒有軼材"，與逸同。軼又通作溢。《漢書‧地理志》"軼爲滎"，與溢同。（字會）

【阨】小也。（吳都）又詳"扼"條。

【扼】把也。（雪）【扼】搤，捉也。搤與扼古字通。（西都）案：張平子《西京賦》"搤水豹"。《注》："善曰：《說文》曰：'搤，捉也。'搤音厄。"古益、厄同部，故從益從厄者，多通用，如關隘之亦作關阨是也。搤、扼同字，或省作厄，《詩‧韓奕箋釋文》是也。一作阨，《士喪禮注釋文》是也。（疏證）

【巫山】在南郡巫縣。（江）

【巫咸】古神巫也。大荒中有靈山，巫咸從此升降。（甘泉）當殷中宗之世降下也。（離騷）

【巫峽】在信陵縣西二十里。（江）

【巫覡】在男謂之覡。在女謂之巫。（東京）楚人名巫爲靈子。（九歌）男巫亦謂之祝。（招魂）

【沛】拔也。（論陸叄）【沛】沛公。（西征）【沛】行貌。（九歌）【沛】多也。（洞簫）又

詳"黻"條。

【沛沛】行貌。（吳都）

【沛艾】作姿容貌。（東京）

【彷】詳"坊"條。

【彷彿】詳"佛"條。

【彷徉】詳"逍遙"條。

【彷徨】猶"彷彿"也。（洞簫）

【沚】渚也。（雜詩曹貳） 大渚曰沚。（行旅安仁壹 胡云："沚"當作"沜"。） 又詳"畤"條。

【岐】山名。（思玄）

【岐昌】岐昌者：岐，周所居；昌，文王名也。（雪）

【岐嶷】謂有識知也。（吳都）

【伯】長也。（書司馬）【伯】勃鞮，字伯楚也。（思玄）

【伯石】詳"石"條。

【伯夷】琴操也。（長門）

【伯仲】喻兄弟之次也。（論魏文）

【伯益】掌山澤官。（鸚鵡）

【伯勞】詳"鵙鴂"條。

【汭】水北曰汭。（贈答惠連）

　【汭】毛萇《詩傳》曰："芮，崖也。"芮與汭同。（海） 案：《説文》："汭，水相入貌。"段曰："《周禮‧職方》之汭，即《漢志‧右扶風‧汧縣》之芮水名也。《大雅》：'芮鞫之卽。'《釋文》：'芮'本亦作'汭'。毛云'水崖'。鄭云'汭之言内也'。""芮鞫之卽"，《周禮‧職方氏注》作"汭埒之卽"。《説文》："芮，芮芮草生貌。從草，内聲。讀若汭。"凡《説文》讀若之字，多通叚之字。（字會）

【肜】《左氏傳》曰："融"與"肜"古字通。（思玄） 案：《説文》："肜，船行也。"引申爲凡延長之意。《白虎通號》："融者，續也。"又《五行》："祝融者屬續也。"《笙賦》"泓宏融裔"《注》："融裔，聲長貌。"肜亦訓續。《爾雅‧釋天》："肜者相尋不絕之意。祭之明日又祭，謂之肜。"《書》"高宗肜日"，亦取連續義。《公羊‧宣八年傳》"續者何"《注》："肜者，肜肜不絕也。"肜、融音義均同，故通。《杜解左傳》則曰："融融，和也。"（字會）

【肜肜】詳"洩洩肜肜"條。

【系】連也。（幽通）【系】繼也。（東京）【系】繫也。（思玄）案：繫從毄得聲，從系取義。系、繫字通用。《易‧繫辭》通作繫，取系全易之意也。《釋名‧釋衣服》:"系，繫也。相聯繫也。"《典引》"系不得而綴也"《注》:"故易系不得連綴也。"《魏都賦》"本前修以作系"《注》亦引"易"、"系"云云。《説文》"繫"下曰:"一曰惡絮。"與系義別，後人叚繫爲系耳。《説文》:"系，縣也。"蓋系本訓縣。引申爲世系。《周禮‧瞽矇》"世帝繫"，《小史》"奠繫世"，《大傳》"繫之以姓而弗別"，皆系之叚借。(字會)

【扳】晉灼曰:"扳古攀字也。"(上林)　案:《廣雅‧釋詁》:"攀，引也。"《廣雅‧釋言》:"扳，援也。"《莊子‧馬蹄》:"可攀援而窺。"《釋文》:"攀"本作"扳"。是攀有援意。《公羊‧隱元年傳》"諸大夫扳隱而立之"《注》:"扳，引也。"是扳有引意。《禮記喪大記注》:"欲扳援。"《釋文》:"扳"本作"攀"。扳、攀通用之證也。蓋攀從反𢱭作𢱭，故亦作扳。(字會)

【扳纏】猶牽引也。(贈答靈運壹)

【余吾】水名。(長楊)

【余皇】詳"艅艎"條。

【坎】詳"轗軻"條。

【坎侯】詳"箜篌"條。

【坎廩】困極也。(九辯)

【坎壈】不遇貌也。(樂府鮑)

【局】部分也。(檄陳壹)【局】近也。(書魏文壹)　又詳"跼"條。

【局促】小見貌。(舞)

【玓瓅】明珠光也。(上林　又《舞賦》同引《説文》，少一"明"字。)　又詳"的皪"條。

【罕】羌名也。(頌楊)

【罕】網也。(西京)

【罕子】子皮。(論劉貳)

【罕徂】言希往也。(羽獵)

【汨】亂也。(七發)【汨】深水也。(補亡)

【汨柏】小波也。(海)

【汨潗】水聲也。(上林)

【汨羅】水名。(弔文賈)

【汨】去貌。(離騷)【汨】疾也。(吳都)【汨】疾貌。(七發)

【汨】淨貌。(魯靈光殿)

【汨汨】水流貌也。(七發)

【汨活】疾貌。(長笛)

【汨越】光明貌。(景福殿)

【汨湟】皆流貌也。(長笛)

【沏】摩也。(海)

【洌沲】疾貌。（海）

【泝】因也。（文）　【泝】猶因述也。（行狀）順流而下曰泝。（江）

【迆】斜也。（蕪城）　又詳"邐迆"條。

【迆涎】邐迆相連也。（海）

【芈】楚姓也。（幽通）

【芊芊】碧貌。（藉田）　青也。（高唐）　【芊芊】盛也。（游覽玄暉）　又詳"千千"條

【芊眠】遙視闇未明也。（南都）

【芊眠】詳"肝瞑"條。

【芊萰蔥蘢】皆青盛貌也。（江）

【批】擊也。（甘泉）　【批】反手擊也。（琴批同摡。）　又詳"摡"條。

【沉】詳"冘"條。

【沉溉】徐流也。（上林）

【岌岌】高也。（琴）　【岌岌】危也。（勸勵韋）

【欰】笑也。欰與蚩同。（文）案：阮嗣宗《詠懷詩》"嗷嗷今自蚩"《注》："《說文》云：'嗤，笑也。'嗤與蚩同。"蓋嗤從蚩字得聲，故通用也。《說文》無"欰"字，"欰"當是"欯"之誤。《說文》"欯"字下云："欯欯，戲笑皃。"欯、蚩皆從屮得聲，故

通。今欨字從山者，山字卽屮字之訛。（疏證）

【完】全也。（哀傷王）　【完】謂全具也。（軍戎）

【忱】誠也。（幽通）　又詳"諶"條。

【圻】界也。（論陸叁）　【圻】地圻垠也。（七發）　【圻】《埤蒼》曰："碕，曲岸頭也。"碕與圻同。（行旅靈運貳）　案：《苦熱行》"焦烟起石圻"《注》："《楚辭》曰：觸石碕而衡游。"《說文》無"碕"有"圻"。"圻"爲"垠"之重文。"垠"字下云："地垠也。"一曰岸也。是圻字本有岸義。碕從奇得聲，圻從斤得聲，奇、斤一聲之轉，故通用。（疏證）　又詳"畿"條。

【狄】詳"翟"條。

【狄鞮】西戎樂名也。（上林）

【阮】大坂也。（羽獵）　又詳"閱"條。

【巡】行也。（射雉）

【巡狩】巡者循也。狩，牧也。謂天子巡行守牧也。（東都）

【巡靖】巡狩而安之也。（符命班）

【呂】太公之氏姓也。（離騷）又詳"律呂"條。

【扚】擊手曰扚。（吳都）　【扚】
　撫手也。（長笛）　又詳“抃”
　條。

【沉沉溶溶】衆多也。（羽獵）

【沉溶淫鬻】水流谿谷之間也。
　（上林）

【亨】通也。（赭白馬）　又詳“享”
　條。

【伶】詳“靈”條。

【伶俜】單子貌。（寡婦）

【伶倫】黄帝時樂官。（琴）

【材】伎能也。（西京）　【材】身
　謂之材。（七啓）　又詳“裁”
　條。

【低】舍也。（九章　胡云作邸
　非。）　【低】屯也。（招魂）

【㤄）辭也。（舞）

【汴】水名。（文貳）

【伴】侣也。（贈答越石壹）

【玕】詳“球琳瑯玕”條。

【怡儼】寬裕貌。（長笛）

【肝膽】喻近也。（贈答盧壹）

【町】謂畎畝。（西京）

【听】笑貌。（上林）

【吮】嗽也。（洞簫）

【足】謂踏也。（上林）

【杅】詳“盂”條。

【忍】堪也。（東京）

【舛】詳“踳”條。

【汪氏國】在西海外。（思玄）

【汪濊】深貌。（難）

【身】詳“材”條。

【甸服】規方千里之内，謂之甸
　服。（誄謝）

【牡陣】詳“八陣”條。

【孝乎惟孝】美大孝之辭也。（閑
　居）。

【皁】櫪也。（赭白馬）　【皁】食
　牛馬器，以木作如槽。（上書
　鄒貳）

【住】詳“投”條。

【吾】詳“吳”條。

【吾子】相親之詞也。（贈答正叔
　貳）

【禿鶖】詳“鶖”條。

【每】貪也。（鵩鳥）

【坐】無故自捐曰坐也。（樂府
　陸）　無故自凝曰坐。（雜詩
　茂先壹）　無故自吟曰坐也。
　（雜詩景陽）

【应】詳“摺”條。

【妥帖】易施貌。（文）

【吝】惜也。（游覽鮑《行旅靈
　運玖》“吝”作“丢”。）　又詳
　“丢”條。

【没滑潕溜】疾流之貌也。（南
　都）

【抒】渫也。（兩都序）

【伸】詳"信"條。

【利】猶貪也。（上書司馬）

【卵】未乳曰卵。（西京）

【扐拂】詳"佛"條。

【甹】詳"縣"條。

【厎】與砥同。（上書鄒壹）　案：《說文》："厎，柔石也。厎或從石。"段云："按：厎者，砥之正字。後人乃謂砥爲正字。厎與砥異用，强爲分別之，過也。今字用砥而厎之本義廢矣。"按：《詩大・東》"周道如砥"。《孟子・萬章下》作"周道如厎"。《漢書・律厤志》："其道如厎。音指。"《晁錯傳》"厎厲其節"。《注》："與砥同。"皆厎、砥通用之證。（字會）

【吰】鄧展子曰《字詁》云：吰，今宏字。（檄司馬貳）　案：吰、宏均從玄聲。《說文》："宏，屋突。"段曰："宏、弘本一聲。《說文・谷部》曰：竤，谷中響也。《弓部》曰：弘，弓聲也。《水部》曰：泓，水深大也。參伍求之，蓋宏訓屋深響。"《長門賦》曰"擠玉戶以撼金鋪兮，聲噌吰而似鐘音"，取屋響意。吰、宏義同，故用同。《藉田賦》"鼓鞞硡隱以砰礚"《注》"硡與

旬音義同"，亦取深響義。又宏通作閎。《西都賦》曰："大雅宏達。"《注》引《漢書》武帝曰："司馬相如之倫，皆辨智閎達。"《攷工記》："其聲大以宏。"《月令》作"其器圜以閎"。《法言》曰："其中弘深。其外蕭揩。"弘卽宏，亦卽絃。《淮南書》有"八絃"。（字會）

【杞】枸杞。（詠懷阮）【杞】《琴操》曰："《杞梁妻歎》者，齊邑芑梁殖之妻所作也。"芑與杞同。（洞簫）　案：杞、芑同音。《說文》："杞，枸檵也。"《詩・四牡》"集於苞杞"《傳》："杞，枸檵也。"《禮記・表記》"豐水有芑"《注》"芑，枸檵也。"是杞、芑通訓之證。（字會）

【豆蔻】根似薑而大，從根中生，形似益智，皮殼小厚，核如石榴，辛且香。（吳都）

【庇】覆也。（誄謝）

【沂】水上橋也。（公讌士龍）

【迟迟】迟迟卽棲遲也。（甘泉）　案：《說文》："徲，久也。從彳，犀聲。讀若遲。"《詩・碩人傳》："瓠犀，瓠瓣。"《疏》："孫炎曰：棲，瓠中瓣也。棲與犀字異音同。"《婁壽碑》"徲徳衡

門”，“樓”作“㮆”。樓音義近
犀，迡與犀同首，迡與遲一音，
故迡通爲樓，迡通爲遲也。尼
而止之，則遲而又久也。《漢
書·楊雄傳》作“靈遲迡兮”。
遲音栖，栖卽樓。《魏都賦》
“餘糧樓畞而弗收”，《注》引蔡
邕《胡廣碑》曰：“餘糧栖於畎
畞。”《説文》：“犀，犀遲也。”
《玉篇》曰：“犀今作栖。”段曰：
“犀遲卽陳風之樓遲。”與此可
互相發明。迡亦説文遲。（字
會）

【甹】晉灼曰：“甹，古貶字也。”
（上林）　案：《説文》：“貶，損
也。”“徐本從貝作乏。”《説
文》：“甹，亟詞也。或曰俠也。”
蓋聘、娉、甹聲，一聲之轉。貶
從乏聲，反正爲乏，亦聲轉。今
按《一切經音義》十八注：“貶，
古文㝕同。”又《説文》：“㝕，傾
覆也。從寸白覆之。寸，人手
也。”白從𦥑省。杜林説目爲
貶損之貶。《段注》引《上林
賦》晉灼説，均作“㝕”。今
本《選注》作甹，疑譌字。（字
會）

【佇】立也。（吳都）　【佇】立貌。
　（離騷）　【佇】久也。謂停久
也。（教壹）【佇】宁猶積也。
佇與宁同。（遊天台）　案：《説
文》：“宁，辨積物也。”《儀禮·
聘禮注》：“既而俟于宁也。”
《疏》：“宁，門屋宁也。”《釋》：
“宮門屏之間曰宁。”《説文·
新附》：“佇，久立也。從人從
宁。”佇訓人立，宁訓積物，宁
爲人所佇立處，故通用。“佇”
又通作“貯”。《漢書·李夫人
傳》“飾新宮以延貯”，讀爲佇。
“貯”又通作“眝”。陸士衡《弔
魏武帝文》“眝美目其河望”。
《注》引《博雅》曰：“眝，視也。”
眝與貯同。宁與貯亦古今字。
“宁”，《齊風》作“著”。（字會）

【拡】詳“實”條。
【忳】憂貌。（離騷）
【侏】詳“四夷之樂”條。
【芍藥】香草也。（別）
【孚】大信也。（碑文沈）
【呀】大空貌。（西都）
【呀呷】波相吞吐之貌。（海）
【杈枒】參差貌。（魯靈光殿）
【抵】側擊也。（東京）
【扢】詳“檕”條。
【侒枝曆草】侒枝，屈軼也。曆草，
　蓂莢也。（序玕）
【沇水】出象郡而東注江，合洞庭

中。（江）

【旰】晏也。（獻詩潘）【旰】日
　晚也。（贈答玄暉肆）

【攻】攻者堅也。（魏都）

【汶汶】垢塵也。（漁父）

【抐】詳“丞”條。

【佗】詳“它”條。

【扴】詳“介”條。

【刐】詳“點”條。

【邟】詳“幽”條。

【孜】詳“孳”條。

【苣】詳“杞”條。

【杓】詳“衡”條。

【沈沈浟浟】魚籠顛倒之貌。（七
　發）

【沌沌渾渾】波相隨之貌。（七
　發）

【扱】插也。（論李）

【坒】連也。（吳都）

【冏】光也。（海）

【沆瀣】夕霞也。一曰常氣也。
　（思玄）　一曰北方夜半氣也。
　（琴）

【忨】詳“玩”條。

【姊歸】詳“子巂”條。

【旱】《鶡冠子》曰：“水激則悍，矢
　激則遠。”悍與旱同。（鵩鳥）
　案：《莊子》：“我則悍矣。”《釋
　文》：悍，胡旦反。又音旱。《春
　秋考異郵》云：“旱之言悍也。”
　（疏證）

【彤】卽赭白也。（赭白馬）　丹
　色也。（頌陸）【彤】赤也。
　（西京）

【吻】脣兩邊也。一曰口邊流離
　津液流貌。（文）【吻】口邊
　也。（蕪城）

【甬道】飛閣複道也。（西都）

【束素約素】謂圜也。（洛神）

【邑】詳“井邑”條。

【妨】害也。（文）

【妊】孕也。（論班）

【汰】水波。（南都）

【忘】失也。（歎逝）

【虯】詳“樛流”條。

【里】居也。（西京）

【汲】引水也。（江）

【岋】動也。（羽獵）

【災】害也。（招魂）

【杠】今之旒也。古以緇布爲之，
　絳繒題姓名而已，不爲畫飾。
　（挽歌陸）

【迂】遠也。（設論班）

【攸】詳“悠”條。

【劭】美也。（行旅安仁壹）

【杖】持也。（招隱左）

【阰】山名。（離騷）

【李君】李陵也。（恨）

【壯】健也。（魏都） 年德盛曰
　　壯。（離騷）

【冢羣】國名也。（勸勵羣）

【佀】滿也。（羽獵）

【佐酒】助行酒曰佐酒。（雜歌漢
　　高）

【采】詳"辨"條。

【阮生】嗣宗也。（贈答越石壹）

【岊】陬隅而山之節也。（吳都）

【抅】猶抑也。（西都）

【阯】基也。（魏都）

【扤】搖也。（長笛）

【狙】汰也。（西京）

【唏】（七發） 案：唏通爲欷。《史
　　記》："紂爲象箸，而箕子唏。"
　　唏卽欷。《說文》："欷，歔也。"
　　（字會）

八　畫

【卓犖】善曰：《西都賦》曰："卓躒
　　諸夏。"卓犖與卓躒音義同。
　　（魏都） 案：左太沖《詠史》
　　"卓犖觀羣書"《注》："孔融《薦
　　禰衡表》曰：'英才卓躒。'躒與
　　犖同。"《左氏ﾉ莊三十二年
　　傳》"圉人犖"，《公羊》作"鄧扈
　　樂"。躒正從樂聲也。所引《西
　　都賦》"卓"本作"逴"。《注》
　　云："逴音卓。"《史記·衛將軍

驃騎傳》"逴行殊遠"《索隱》：
　　"逴與卓同。"（疏證）

【卓躒】絶異也。（表孔） 又詳
　　"卓犖"條。

【虎】魚頭，身似虎。或云變而成
　　虎。（吳都）

【虎口】喻秦也。（西征）

【虎牙】詳"荆門虎牙"條。

【虎竹】漢郡國銅虎符三、竹使符
　　五也。（雜擬鮑壹）

【虎鹿魚】今海中有虎鹿魚，體皆
　　如魚，而頭似虎鹿。（江）

【虎威】宮殿門名也。（蜀都）

【虎蛟】魚身，蛇尾，有翼。其音
　　如鴛鴦。（江）

【虎路】路音落。以竹虎落此山
　　也。落，纍也。（羽獵）

【虎賁郎】詳"期門僕夜"條。

【虎澗】在鄴西南。（魏都）

【虎螭】善曰：虎螭，如虎如螭也。
　　《史記》武王曰："勉哉夫子。如
　　虎如羆。如豺如離。"徐廣曰：
　　此音義訓並與螭字同。（符命
　　班） 案：《西都賦》"挓熊螭"
　　《注》引歐陽尚書說："螭，猛獸
　　也。"《說文》"离"字下，亦引歐
　　陽喬說曰："离，猛獸也。""螭"
　　字下云："若龍而黃。""離"字
　　下云："離黃，倉庚也。"《史記》

以離與虎、羆並列，歐陽尚書以螭與虎、羆並列，其意皆以猛獸喻猛士，自當以作离者爲正。《西都賦》以螭與熊並列，《典引》以螭與虎並列，亦當作离。螭與离皆同音假借字耳。（疏證）

【青】青朡。（子虛）　【青】蒼也。（雜詩玄暉壹）　【青】靜也。（射雉）　又詳“靖”條。

【青土】青州也。（書曹壹）

【青丘】東方。（論劉壹）

【青邱】海東三百里曰青邱。（子虛）

【青岑】山名。（思玄）

【青春】喻少也。（贈答正叔壹）

【青屋】青作蓋裏曰青屋。（東京 按：“蓋”謂“車蓋”。）

【青雀舫】詳“鳧舟”條。

【青草湖】巴陵有青草湖。（江）

【青雲】言高遠也。（詠史顏貳）

【青陽】水名。（上書鄒壹）

【青鳥】鶬鶊也。（東都）

【青琴】古神女也。（上林）

【青焱】光明貌。（羽獵）

【青瑣】以青畫户邊鏤中。（西京）

【青蔑】地名。（七發）

【青蒲】以青規地曰青蒲。（文叁）

【青徼】東方。（七命）

【青骹】鷹青脛者。（西京）

【青龍遺風】良馬名也。（七啟）

【表】特也。（九歌）　【表】外也。（歎逝）　【表】顯也。（册）　【表】儀也。（符命楊）　【表】所以識正行列也。（西都）表者明也，標也。如物之標。表言標著事序，使之明白以曉主上，得盡其忠曰表。三王已前謂之敷奏，至秦並天下改爲表。總有四品：一曰章，謝恩曰章；二曰表，陳事曰表；三曰奏，劾驗政事曰奏；四曰駁，推覆平論有異事進之曰駁。六國及秦漢兼謂之上書。行此五事，至漢魏已來都曰表。進之天子稱表，進諸侯稱上疏，魏已前天子亦得上疏。（表）

【表裏】猶內外也。（樂府鮑）

【事】業也。（東京）　【事】所爲曰事。【游覽靈運壹】

【東井】一名天井。（挽歌陸）

【東方朔】東方朔是太白星精。黄帝時爲風后，堯時爲務成子，周時爲老聃，在越爲范蠡，齊爲鴟夷子，言其變化無常也。（贊夏侯）

【東西廂】殿有東西小堂也。（贈答安仁）

【東汜】暘谷謂之東汜。

【東阬】東海也。（甘泉）

【東陂】池名。（上林）

【東君】日也。（思玄）

【東京六姓】章德竇后、和熹鄧后、安思閻后、順烈梁后、桓思竇后、靈思何后。（表庚）

【東沼】暘谷也。（月）

【東武太山】皆齊之土風、謠歌、嘔吟之曲名也。（琴）

【東風】草名。（吳都）

【東宮】太子所居曰東宮。亦曰東朝。（公讌顏壹）

【東朝】詳“東宮”條。

【東晉】詳“西朝東晉”條。

【東夏】卽陽夏也。（頌陸）

【東掖西掖】洛陽宮門名也。（贈答公幹貳）

【東陵】陵名。今屬濟南。（序任）

【東第】甲第也。居帝城之東，故曰東第。（檄司馬）

【東郭㽦】海內之狡兔也。（西京）

【東歌】桀作《東歌》。（吳都）

【東楚】舊名吳爲東楚。（碑文沈）

【東鯷人】在會稽海外。分爲二十餘國。（魏都）

【東闕北闕】蕭何所立也。（西都）

【東藕】實可食。（子虛）

【來】來者自外之文也。（贈答范壹）【來】來者伸也。（南都）又詳“徠”條。

【底】著也。（文）【底】平也。（高唐）又詳“庢”條。

【奇】異也。（東京）【奇】隻不偶也。（游覽徐）

【奇相】江神謂之奇相。（江）

【奇幹】亦北狄。（序王）

【奇簳】竹名。（南都）

【兩】謂囚證也。（誄潘肆）【兩】二十四銖爲兩。（彈事任壹）又詳“百兩”條。

【兩京】東西兩京也。（樂府靈運）

【兩闈】謂東宮及中臺也。（贈答顏肆）

【兩禽】雙兔也。（樂府曹）

【兩儀】天地也。（贈答安仁）

【兩楹】賓主之位也。（雜詩景陽）

【兩闈】謂東宮及中臺也。（贈答顏叁）

【芬芬】香氣盛也。（東京）

【芬馥】色盛香散狀。（吳都）

【孟】始也。（離騷）

【孟母】孟子之母也。（閒居）

【孟門】山名。（論劉貳）

【孟浪】失志貌。【孟浪】虛誕之聲。（笙）【孟浪】猶莫絡也。不委細之意。或曰孟浪鄙野之語。（吳都）

【孟津】四瀆之長。（東京）

【孟賁】詳"賁育"條。

【屈】詳"倔"、"詘"二條。

【芙蓉】蓮華也。（游覽靈運肆）

【芙蕖】詳"蓮"條。

【金】西方也。（海）【金】金有五色，黃爲長。（長笛）

【金石土革絲木匏竹】金，鐘鎛也。石，磬也。土，塤也。革，鼓鼗也。絲，琴瑟也。木，柷敔也。匏，笙也。竹，管簫也。（東都）

【金市】詳"三市"條。

【金光】宮殿門名也。（景福殿）

【金狄】金人也。（西京）　銅人也。（西征）

【金沙河】詳"拔河"條。

【金谷水】出河南太白原，東南流歷金谷，謂之金谷水。東南流經石崇故居。（祖餞潘）

【金枝】銅鐙百二十枝。（郊廟）

【金科玉條】謂法令也。言金玉，貴之也。（符命楊）

【金郊講師】金，西方。萬物既成，殺氣之始也。故立秋出軍行師。西方爲金，故曰金郊。（七命）

【金風】西方爲秋而主金，故秋曰金風也。（雜詩景陽）

【金根】漢乘輿金根安車。五采文畫輈者，承秦制也。（藉田）

【金商】宮殿門名也。（東京）

【金張】金日磾、張湯也。（詠史左）

【金張許史】金日磾、張安世、許廣漢、史恭、史高也。（設論楊）

【金素】秋爲金而色白，故曰金素。（行旅靈運壹）

【金城】言堅也。（論賈）

【金馬門】金馬門者，宦者署門傍有銅馬，故謂之曰金馬門。（兩都序）

【金莖】銅柱也。（西都）

【金鼓】鉦也。（子虛）

【金華】殿名也。（西都）【金華】金有華采者。（吳都）

【金堤】謂以石爲邊隄。或曰言堅也。（西京）【金隄】隄名也。（子虛）

【金華舄】以金華飾舄曰金華舄。（七啟）

【金章】銅印也。（移孔）

【金壺】詳"壺"條。

【金策】錫杖也。（游天台山）

【金鉦】鐲鐃之屬。（東京）鉦，鐃也。（吳都）

【金較】黃金以飾較也。（西京）

【金蜩】金蟬也。（魏都）侍中、中常侍，冠武弁大冠，加金璫，附蟬爲文。（表任貳　按："璫"當作"璫"。）

【金錣】馬冠。高廣各五寸，上如玉華形，在馬髦前。（東京）

【金埋】猶金岊也。（七啟）

【金搖】黃金步搖也。（七啟）

【金精】詳"鸚鵡"條。

【金鉉】喻明道。能舉君之官職也。（贈答正叔壹）

【金鍾】鼎也。（文）

【金閨】卽金門也。（雜詩玄暉壹）

【金鄰國】夫南之外，有金鄰國。人衆多好獵。（吳都）

【金機】以金爲之曰金機。（七命）

【金鳳】臺名也。（魏都）

【金駕】金輅也。（游覽顏壹）

【金潭】在白石山下。金光煥然

也。（雜擬江）

【金膏】黃金之膏曰金膏。（行旅靈運玖）

【金膏】其精汋也。（江）

【金練】金甲組練也。（游覽顏叁）金組二甲也。（赭白馬）

【金錯刀】金錯刀者，佩刀。諸侯王黃金錯環。（雜詩平子）

【金鋪】門鋪首以金爲之。（蜀都）

【金鏡】喻明道也。（公讌顏貳）

【庚】道也。（補亡）

【庚寅】寅爲陽正。庚爲陰正。（離騷）

【夜光】珠璧之通稱也。梁有懸黎，楚有和璞，（西都）宋有結綠。（七啟）

【夜者】詳"昭儀"條。

【定】詳"澱"條。

【定山】在錢塘西南五十里。（行旅靈運貳）

【空】息也。（別）【空】通也。（銘陸壹）【空】廓也。（詠史左）

【空侯謠俗行】蓋亦古曲也。（琴）

【空食】猶素餐也。（游覽顏貳）

【空語】猶虛說也。（書稽）

【果】能也。（西征）【果】成也。（贈答宣遠貳）【果】猶遂也。

（贈答靈運叁）【果】木實曰果。（蜀都）【果】善曰：《方言》曰：“惈，勇也。”果與惈古字通。（魏都）　案：《爾雅》：“果，勝也。”陸德明《釋文》作“惈”。云音果。本今作果。《荀子》：“解果其冠。”楊倞注：“解果未詳。或曰：解果，陿隘也。”左思《魏都賦》曰：“風俗以鼜惈爲嬥。”鼜音下界反，惈音果。蓋鼜與解聲相近，惈與果字相通也。（疏證）

【果毅】殺敵爲果。致果爲毅。（魏都）

【門下】詳“綱紀”條。

【門子】正室謂之門子。　正室適子將代父當門者。（補亡）

【侍中】周成王常伯任侍中，殿下稱制，出卽陪乘。（藉田）【侍中】古官。或曰風后爲皇帝侍中。周時號曰常伯。秦始復故，選於諸伯。言其道德可常尊也。（碑文蔡貳）　入侍天子，故曰侍中。（史論沈貳）

【侍兒】婢也。（史論范叁）

【侍者】詳“陛下”條。

【長】常也。（魏都）【長】教誨不倦曰長。（史論干貳）

【長山】秦名天子冢曰長山（胡云：“長”字衍），漢曰陵，故通名山陵。（西征）　陵冢爲山。（誄謝）

【長平】坂名。（甘泉）

【長年】殿名也。（西都）

【長沙國】屬荆州。（雜擬謝）

【長風】遠風。（吳都）

【長信】宮名也。（哀謝）

【長使】詳“昭儀”條。

【長者】厚重自尊，謂之長者。（三都序）

【長春】宮殿門名也。（魏都）

【長琴】三尺六寸六分。五絃。（笙）

【長歌】詳“行”條。

【長都】長安也。（北征）

【長楊】宮名也。（西都）

【長鋏】劍名也。（雜詩景陽）【長鋏】長劍。楚人名劍曰長鋏（九章），身曰鋏，劍鋒有長鋏、短鋏也。（吳都）

【長駕】謂所駕者遠。（難）

【長養】詳“布薩”條。

【長離】朱鳥也。（思玄）【長離】《漢書》：“長麗前掞光耀明。”臣瓚曰：“長離，靈鳥也。”離與麗古字通。（贈答安仁）　案：《說文》：“麗，鹿旅行也。”“兩相附則爲麗。《易》曰：‘離，麗也.’麗則有偶。日月麗乎天，百果草木麗乎土。《離卦》之一陰麗二陽，是也。《士冠禮注》曰：‘古文離爲麗。’《思玄賦》“松喬高跱孰能離”，亦從附麗義。《易・否卦》“疇離祉”，訓同。《論衡・説日》引《詩》“月離于畢”作“月麗于畢”。《國策・燕策》“高漸離”，《論衡・書虚》作“麗”。又“麗”通作“攡”。《東都賦》“雨蓋棽麗”，亦作“棽攡”。（字會）

【長邁】不回之意。（吳都）

【長薄】地名。（招魂）

【長樂】宮名也。（西都）

【長壽】里名也。（魏都）

【長轂】兵車也。（史述贊范）

【長麗】詳“長離”條。

【委】積也。（甘泉）【委】任也。委，棄也。（西征）【委】任之也。（論曹）【委】安也。（行旅陶壹）【委】屬也。（思玄）【委】流所聚也。（海）【委】猶悴也。（贈答玄暉叁）【委】累也。　《楚辭》曰：“遂萎絶而離異。”萎與委古字通。（赭白馬）　案：《説文》：“萎，食牛也。”段云：“委，隨也。隨其所如曰委。委之則聚，故曰委

輸，曰委積。所輸之處亦俀委，故曰原委。”食牛者，以穀委之于牛，是萎兼委義也。《九辨》“鳳亦不貪餧而妄食”，餧亦萎義也。《爾雅・釋草》：“蓛，委葉。”《音義》：“於詭反，或於危反。字或作萎同。”此委，萎通用之證。（字會）　又詳猷條。

【委世】棄世也。（哀顔）

【委羽】北方之紘曰委羽。（上林）

【委身】猶委質也。（贈答盧壹）

【委蛇】聲長貌。　【委蛇】委曲自得之貌。（琴）

【委黄】乾腊也。（九辯）

【委虵】詳“蜲蛇”條。

【委積】少曰委，多曰積。（景福殿）

【京】大也。（東京）

【京口】丹徒之西鄉也。（游覽靈運壹）

【京兆】地絶高曰京，十億曰兆。（西京）

【京魚】大魚也。字或爲鯨。（羽獵）　案：“鯨”本作“䲔”。《爾雅・釋詁》：“京，大也。”《水經・沔水注》：“鯨，大也。”鯨、京統訓大，古通用字也。鯨爲

大魚，麞爲大麃。大凡通叚之字，多隨文增省。如山崩爲崩，《春秋》"梁山崩"是也。水湖爲溯，《江賦》"駭湖浪而相晶"是也。水湖亦叚崩爲之，鮑明遠詩"崩波不可留"是也。《吳都賦》"輻轠轢注"引馬融曰："肅霜，鳥也。馬似之。"肅霜去馬，與此一例。（字會）

【京師】京師者，天子之居也。京者何？大也。師者何？衆也。（兩都序）

【京觀】積尸封土其上，謂之京觀。（西征）

【命】呼也。（蜀都）【命】名也。命者性之始也。（西征）　凡生於天地之閒者皆曰命。（羽獵）　民受天地之中以生，所謂命。（游覽靈運陸）　命者加爵服之名。（藉田）　分於道謂之命。命者天之令。（長楊）　命者天之命也。（蕪城《論李》"天"字下有"下"字，蓋衍。）　凡尊者之言曰命。（閒居）　尊君令謂之命。（獻詩曹壹）

【命服】爵服之服也。（碑文沈）

【昏】闇也。（銘陸貳）【昏】勉也。（西京）

【昏】亂也。（雜詩玄暉壹）

【昏明】日入後漏三刻爲昏。日出前漏三刻爲明。（銘陸貳）

【昏明】謂晝夜也。（表劉）

【昏墊】昏督墊溺也。（雜詩景陽）

【昏霾】喻世亂也。（贈答顏肆）

【迎春】殿名也。（東京）

【迎風】觀名也。（贈答曹壹）

【近習】天子所親幸也。（史論沈貳）

【近智】猶小智也。（游天台山）

【孤】少而無父謂之孤。（高唐）

【孤竹】特生曰孤竹。（東京）

【孤臣】謂孤陋之臣。（東京）

【孤雲】喻貧士也。（雜詩陶貳）

【孤幹】孤生之竹也。（贈答越石壹）

【拍】拊也。（蜀都）【拍】搏壁也。（九歌）　又詳"胉"條。

【抵】至也。（史述贊班壹）　又詳"邸"條。

【披】開也。（琴）　又詳"䟻"條。

【披披】分散也。（寡婦）

【披香】殿名也。（西都）

【披離】詳"柀蔾"條。

【招】詳"韶"、"翹"二條。

【招摇】猶彷徨也　【招摇】神名。（甘泉）

【招搖】杓端有二星，一内爲矛，爲招搖。近北斗者招搖。（思玄）

【拂】至也。（東京）【拂】擊也。（思玄）【拂】戾也。（序王）【拂】蔽也。（離騷）【拂】薄也。（招魂）【拂】與弼同。（論東方）案：《孝經釋文》："左輔右弼。皮密反。本又作拂。音同。"《説文》："拂，過擊也。""弼，輔也。"二字古音同部。故《説文》"弼"字或作"㢸"，亦取音義相近。《毛詩》"佛時仔肩"《箋》訓佛爲輔，亦以佛爲弼之假借字。其偏旁互通，與此一例。【拂】去也。拂亦作弗，古字通。（公讌顔壹）案：《毛傳》"拂"作"弗"，云去也。《釋文》音拂。又下"茀厥豐草"，《釋文》：茀音弗。《韓詩》作"拂"。拂，弗也。則拂與弗通。《周易》"顛頤拂經"，《釋文》云"《子夏傳》作弗"，尤其明證。蓋拂字本弗聲也。《笙賦》中"佛鬱以怫愲"《注》："《埤蒼》曰：佛鬱，不安貌。"成公子安《嘯賦》："怫鬱衝流。"《羣經音義》引《字林》："佛鬱，心不安意。"由偏旁例推，亦通用之證。（疏證）又詳"佛"條。

【拂舞】吳舞也。（舞鶴）

【拔】出也。（海）【拔】與跋古字通。（西京）案：陳孔璋《爲袁紹檄豫州》云"而操遂承資跋扈"《注》："《毛詩》曰：'無然畔援。'鄭玄曰：'畔援猶跋扈也。'"《詩釋文》作"拔"。云蒲末反。字或作跋。（疏證）

【拔河】一名金沙河也。（碑文簡栖）

【拔刺】彎弓貌。（思玄）

【拔距】兩人以手相按，能拔引之曰拔距。（吳都）

【依】因也。（別）又詳"戾"、"儀"二條及"漪瀾"條。

【依依】盛也。（祖餞潘）【依依】思戀之貌。（寡婦）

【依帝德】詳"葛天氏之樂八闋"條。

【依違】猶徘徊也。（七啟）

【附】謂令之親附也。（難）

【附會】詳"傅會"條。

【阿】曲也。（東京）【阿】曲阿也。　阿，曲隅也。（九歌）曲景曰阿。（西都）　山下曰阿。（思玄）【阿】屋四垂也。（魯靈光殿）又詳"私阿"條。

【阿那】茂盛貌。（魯靈光殿）
【阿那】柔弱之貌。（南都）
【阿那腲腰】舒遲貌。（洞簫）
【阿房殿】秦二世造。在山之阿，故號阿房。（東京）　阿房前殿，以木蘭爲梁，磁石爲門，懷刃者止之。（西征）
【阿閣】閣有四阿，謂之阿閣。（雜詩古詩）
【阿縞】細繒也。（子虛）　齊之東阿縣繒帛所出也。（上書李）
【阿衡】阿，倚也。衡，平也。（游覽殷）
【炎】熱氣也。（詠懷阮）【炎】火也。（設論班）　又詳“掞”條。
【炎天】南方曰炎天。（贈答顏貳）
【炎火山】西海之南，其外有炎火之山。（思玄）　南荒外有火山焉，長四十里，廣四五里，其中皆生木。盡夜火燃，雖暴風雨，火不滅。（樂府鮑）
【炎風】東北曰炎風，一曰融風。一曰炎風在南海外，常有火風，夏日則蒸殺其過鳥也。（雪）
【炎景】南方火，故曰炎景。（江）

【炎暉】夏日謂之炎暉。（公讌王）
【炎靈】謂漢也。（雜詩玄暉伍）
【垂】懸也。（符命司馬）【垂】邊也。（詠史王）【垂】遠邊也。（贈答士衡壹）
【垂之和鐘叔之離磬】和離，謂次序其聲縣也。（長笛）
【垂天之罩】言罩之大，垂天之邊也。（羽獵）
【垂房】花作房生也。（高唐）
【垂棘】玉名。（西都）
【垂雞】鳥名。（高唐）
【秉】執也。（雜擬江）　又詳“炳”條。
【秉羽】猶被羽也。（軍戎）
【性】形於一謂之性。（東征）　又詳“形性”條。
【性情】性者本質也。情者外染也。（情）
【姑尤】齊東界。（樂府陸）
【姑洗】詳“太簇姑洗”條。
【姑蘇】吳臺名。吳王夫差起姑胥之臺。姑胥卽姑蘇也。（吳都）
【林】喻多也。（檄陳壹）　木叢生曰林。（西京）　竹木曰林。（七命）　又詳“纖纖”條。
【林光宮】秦二世造。（西都）

【林檎】實似赤柰,而小,味如梨。（蜀部）

【林薄】草木叢生也。（西京）

【林離】詳“四夷之樂”條。

【和】調也。（魏都）【和】靜貌。（琴）【和】棺題曰和。（祭文謝）軍之正門爲和。（東京）【和】蔡邕《琴操》曰:“昭王得瑉氏璧。”瑉,古和字。《史記》秦王曰:“和氏璧,天下共傳寶也。”（詠史盧）案:“淮南子》:“瑉氏之璧。”高誘注:“瑉,古和字。”瑉從咠字得聲,和從禾字得聲,咠與禾古音同部,故可通用。（疏證）又詳“鸞和”及“龢”條。

【和氏】喻知己也。（贈答曹壹）

【和鈞】謂王宰也。（公讌顏壹）

【和離】詳“垂之和鐘叔之離磬”條。

【刻】鏤也。（碑文簡栖）【刻】漏也。以銅盆受水分時,晝夜百刻也。（贈答越石壹）

【刻陛】斗高也。（西京“斗”同“陞”,原作“升”誤,今依胡氏改。）

【叔之離磬】詳“垂之和鐘叔之離磬”條。

【叔鮪】詳“鮪”條。

【物】禮物也。（論陸叁）【物】事也。（文）又詳“九旗”條。

【服】飾也。（離騷）【服】服事也。（哀傷顏）盛箭之器曰服。（子虛）【服】卽今步叉也。（七發）

【服事】詳“伏事”條。

【服韃】所以藏箭弩謂之服。所以盛弓謂之韃。（雜擬鮑胡云:袁本、茶陵本下句無“所以盛”三字,是也。）

【肥腯】謂畜之碩大蕃滋也。（吳都）

【肥遯】詳“飛遯”條。

【明】詳“鳴”及“昏明”條。又詳“聰明神武”條。

【明明】光也。（雜擬陸）

【明月】喻仙也。（游仙郭）又詳“隨侯之珠”條。

【明月珠旗】以明月珠綴飾旗也。（子虛）

【明光】殿名也。（西都）

【明妃】王嬙;字昭君。（恨）王明君者,以觸文帝諱改之。（樂府石）

【明表】謂明白之表儀也。（檄陳壹）

【明庶風】詳“八風”條。

【明堂】明堂象太微。（西都）明

堂者，明諸侯之尊卑也。（東都）

【明潦】謂以明水潦潦粢盛黍稷。（連珠　胡云"潦潦"當作"潦滌"。）

【於】歎辭也。（南都　《行旅士衡貳》"於"作"嗚"。）又詳"欹"條。

【於悒】啼貌也。（表曹壹）

【於菟】虎也。江淮間謂虎爲於菟（吳都），楚人謂虎班。（幽通）

【於戲】歎辭也。（論東方）

【放】至也。（洞簫）　【放】立也。（彈事任壹）　【放】依也。（連珠）　【放】令不行謂之放。（勸勵韋）

【放悲】詳"佛"條。

【析】解也。（風）　【析】中分也。（檄司馬）

【析】量也。（魏都）

【析析】風聲也。（雜詩惠連）

【析羽爲旌】謂破五色鳥羽爲之也。（高唐）

【尚】高也。（東京）　【尚】曾也。（表陸）　【尚】猶奉也。（長門）　【尚】庶幾也。（思玄）　【尚】猶也。（雜詩古詩）　【尚】上也。（公讌顏壹）

【尚子】尚子平也。（行旅靈運陸）

【尚考】猶言往時也。（序王）

【尚冠】里名也。（西征）

【尚書】卽古元凱也。（表任貳）

【羌】湟水左右，羌之所居。（檄陳叁）　【羌】（雜擬靈運）按："羌"或作"嗟"。劉淵林舊注：《爾雅》曰："嗟，楚人發語端也。"與王逸《離騷注》"羌，楚人語辭也"，其義正合。然則羌、嗟義近，故可互用。（疏證）　又詳"嗟"條。

【羌笛】詳"雙笛"條。

【羌鵾】南方有鳥曰羌鵾，黃頭赤目，五色備。（吳都）

【卷】詳"拳"、"睠"二條。

【舍】置也。（幽通）　【舍】放也。（西京）　【舍】所廢也。（書司馬）　舍者守靜無爲也。（設論班）　【舍】止也。（離騷）

【舍】二十八宿，一宿爲一舍。（游仙郭）　二十八舍，列在四方，日月行焉。起於星紀也。（雜詩惠連貳）　又詳"躔"條。

【舍信】凡師一宿爲舍，再宿爲信。（游天台山）

【周】旋也。（九歌）　【周】曲也。（雜詩玄暉柒）　【周】合也。

（離騷）【周】密也。（上書鄒
貳）　【周】至也。（幽通）

【周邵】周公、邵公也。（西征）

【周南】洛陽也。（游覽顏貳）

【周流】周匝流行也。（羽獵）

【周章】猶周流也。（九歌）【周
章】謂章皇周流也。（吳都）

【周衞】言宿衞周密也。（書司
馬）

【周魏】周，周勃。魏，魏其侯竇
嬰也。（書李）

【冽】（雜詩左）　案:《詩·四月》
"冬日烈烈"，《詩·蓼莪》"南
山烈烈"，《論語》"迅雷烈風"，
皆作烈。冽亦烈。《詩·七月》
"二之日栗烈"，《選注》引作
"二之日栗冽"。《高唐賦》"冽
風過而增悲哀"《注》引《字
林》曰:"冽，寒風也。"此即栗
烈之烈。烈又通作冽。《史
記·王莽傳》:"冽風雷雨弗
迷。"《注》:與烈通。《賈生傳》
"列士殉名"，亦用列爲烈也。
蓋冽訓水寒，洌訓水清，清則
必寒，故冽、洌亦同。（字會）

【育】生也。（思玄）【育】長也。
（贈答越石壹）　又詳"毓"條。

【育水】（冊）　案:淯，育聲。《字
林》:"淯水出酈縣西北山中，

南入漢。"《說文》:"淯水出宏
農盧氏山，東南入沔。從水，
育聲。或曰出酈山西。"《管
子·宙合》"天淯陽無計量"
《注》:"淯，古育字。"疑此育水
即淯水也。《南都賦》"淯水盪
其胸"《注》引《山海經》曰:"攻
離之山，淯水出也。"郭璞曰:
今淯水在淯陽縣南，音育。此
與灞滻之作霸產一例。沔亦
漢，入沔、入漢一也。（字會）

【育明】詳"函幽育明"條。

【承】奉也。（懷舊）【承】受也。
（贈答盧壹）　【承】續也。（招
魂）　【承】上也。（雪）　又詳
"丞"條。

【承光】臺名也。（西京）　【承光】
殿名也。（西都）

【承明】廬名。（西都）

【承明門】後宮出入之門也。（贈
答曹伍）

【承華】厩名。（東京）　【承華】
宮殿門名也。（公讌士衡）

【承露掌】承露槃仙人掌也。（雜
詩玄暉貳）

【河】南方無河，冀州凡水大小皆
謂之河。（子虛）

【河目】上下匡平而長也。（論劉
壹）

【河外】西晉謂之河外。（述德）

【河伯】詳“冰夷”條。

【河底】詳“幕”條。

【河洛】謂《河圖》、《洛書》也。（論李）

【河柳】今河旁赤莖小楊也。（七發）

【河津】一名龍門，兩傍有山，水陸不通。（雜詩玄暉叁）

【河源】崑崙之東北源，實唯河源。（雜擬江　葉本作“崑崙之東北隅，實河海源也”。）

【河激】歌名。（游覽顏叁）

【河圖】命紀也。圖天地帝王終始存亡之期，録代之矩。（文貳）

【泯】滅也。（東京）【泯】平泯也。（游天台山）

【泥泥】沾濡也。（雜詩玄暉壹）又詳“柅柅”條。

【泥滓】凡人沈於卑賤曰泥滓。（西征）

【函】容也。（公讌顏貳）【函】函谷關也。（論）

【函弘】寬大也。（吳都）

【函幽育明】皆謂珠玉光耀之狀。（吳都）

【函夏】諸夏也。（序顏）

【享】當也。（軍戎）【享】受也。（景福殿）【享】食也。（論賈）【享】杜預《左氏傳注》曰：亨，通也。亨或爲享。（論魏文）　案：《説文》：“亯，獻也。從高省。曰象進孰物形。”是享從烹取義也。《中庸》：“子孫享之。”《劉熊碑》作“亨”。《華山廟碑》：“輒過亨祭。”“享”皆作“亨”。亨者正字，烹者俗字。《左氏傳》“家衆殺而亨之”，作“亨”。亨、享義訓相承，故亨亦爲享也。（字會）又詳“珍享”條。

【刺史】即古牧伯也。（表任貳）

【注】猶屬也。（魯靈光殿）又詳“澍”條。

【制】法也。（招魂）【制】束縛也。（設論楊）又詳“折”條。

【制書】天子命令之別二曰制書。（史論范叁）

【制詔】制詔者，王之言必爲法制也。詔猶告也。（册）

【宗】衆也。（招魂）【宗】尊也。（東京）【宗】宗社也。（碑文仲寶）　又詳“祖宗”條。

【宗臣】國所宗也。（頌陸）

【宗祝】宗，宗人也。祝，接神者也。（藉田）

【波盪】摇動也。（西京）

【波羅蜜】此言到彼岸也。（碑文簡栖）

【版】邦國之圖籍也。（行旅靈渾拾）

【版輿】車名，一名步輿。方四尺，素木爲之，以皮爲襻捆之。自天子至庶人通得乘之。（閒居）

【昆】明也。（東京）　【昆】兄也。（思玄）　【昆】同也。（羽獵）案：揚子雲《甘泉賦》"樵蒸昆上"《注》："善曰：《說文》曰：'昆，同也。'昆或爲焜。字書曰：焜煌，火貌。"蓋焜字從昆字得聲，故可通用。又《甘泉賦》："紛蒙籠以棍成。"善曰："《老子》曰：'有物混成。'棍與混同。"《西都賦》"棍建章而連外屬"《注》："《方言》曰：棍，同也。音義與混同。"焜、混、棍三字皆從昆字得聲，故亦可通。（疏證）

【昆夷】西戎也。（獻詩潘）

【昆裔】皆後世也。（吳都）

【的】琴徽也。（七發）　【的】射質也。（公讌應）　又詳"約"條。

【的礫】詳"的皪"條。

【的皪】光明也。（魏都）　【的皪】善曰：《說文》曰："玓瓅，明珠光也。"玓瓅與的皪音義同。（上林）　案：張平子《思玄賦》"顏的礫以遺光"《舊注》："的礫，明貌。"按：鄭康成《詩箋》："會謂弁之縫中，飾之以玉，瓅瓅而處，狀似星也。"《釋文》："瓅音歷。本又作礫。"《說文》"礫"字下云："小石也。"與明珠光之訓不同。特以礫與瓅皆從樂字得聲，故得通用。至於的礫二字，《說文》皆無，則俗字耳。（疏證）

【芼】菜也。（七發）　又詳"冒"條。

【陒】靡也。（上林）

【陒靡】邪靡也。（子虛）

【卽事】卽此山中之事也。（游覽沈壹）　【卽事】卽此離別之意也。（雜詩靈運壹按："意"當作"事"。）

【智】旦明也。（難）　【智】與忽同。（舞）　案：揚子雲《甘泉賦》"翕赫智霍，霧集而蒙合兮"《注》"善曰：智霍，疾貌。智音忽。《羽獵賦》"蠁智如神"《注》："善曰：蠁智，疾也。智與忽同。"蓋智、忽俱從勿字得聲。故《春秋》"鄭昭

公忽"，《説文·日部》引作"智"。《論語》"仲忽"，《古今人表》作"仲智"。皆以同音假借也。（疏證）

【智霍】疾貌。（甘泉）

【甿】田民也。（吳都）【甿】古氓字。氓，人也。（論賈）案：《説文》："氓，民也。從民，亡聲，讀若盲。""甿，田民也。從田，亡聲。"甿、氓音訓均同，故通。唐諱民，石經"民"字皆改作"甿"，亦以氓、甿通訓也。《長楊賦》"遐眠爲之不安"《注》"韋昭曰：眠音萌。眠，人也。"眠卽甿。音萌者，萌亦甿。《上林賦》"以瞻萌隸"《注》亦引韋昭曰："萌，民也。"今《周禮》"甿"，淺人所改。許書《耒部》引《周禮》"興鋤利萌"作"萌"。（字會）

【毒】痛也。（鸚鵡）

【毒水】鄮石縣有銅澗，泉源沸涌，謂之毒水。（樂府鮑）

【斧依】爲斧文屏風。（彈事沈）

【斧扆】白與黑爲之斧。扆，屏風，樹之坐後也。（東京）

【武】迹也。止戈爲武。剋定禍亂曰武。（東京）【武】健也。（羽獵）又詳"輕武戎剛"及"聰明神武"條。

【武安】白起爲武安君也。（西征）

【武剛】兵車也。（七命）有革有蓋。（銘班）

【武象】象伐時用干戈也。（贊袁按：《武象》，樂也。）

【武義】宮殿門名也。（蜀都）

【武關】在洛西。（公讌沈《碑文沈》"洛西"作"析西"。）

【武庫】天子主兵器之官。（西京）

【氛】氣也。（述德）又詳"雰"條。

【氛旄】氛氣爲旄也。（思玄）

【氛氳】盛貌。（雪）

【采】五色也。（西京）

【采采】盛也。（鸚鵡）

【采采粲粲】聲也。（琴）

【采女】按：采者，擇也。以歲八月（陳云"月"下脱"筭"字。）雒陽民。遺中大夫與掖庭丞工，閱視童女，年十三以上二十以下，長壯妖絜（胡云妖當作姣。）有法相者，載入後宮。（史論范壹）

【采菱】歌名。（吳都）

【采榮】采取榮名也。（設論楊）

【並】謂兼善天下也。（書嵇）

【並夾】鉗矢者。（東京）

【並觀】言無偏也。（上書鄒貳）

【穹石】大石也。（上林）

【穹谷】深谷也。（西都）

【穹崇】高貌。（長門）

【穹隆】長曲貌。（西京）【穹隆】壟起回窵也。（上林）

【穹蒼】仰視天形，穹隆而高，其色蒼蒼，故曰穹蒼。（樂府古辭）

【穹廬】旃帳也。（長楊）

【効】驗也。（閒居）

【効駕】白已駕也。（序王）

【季】末也。（藉田）

【季子】子路也。（論劉壹）

【迕】犯也。（海）【迕】迕犯也。（詠史顏貳）【迕】觸也。善曰：曹大家以寤爲迕也。（幽通）案：《說文》：“悟，逆也。從午，吾聲。”《穆天子傳》六“于是白鹿悟棄逸出走。”《注》“悟，觸也。”悟即迕義，悟又吾聲。古書多假寤爲悟，悟形近悟，悟義同迕，故寤同迕也。《楚辭·沈江》“荆文寤而後亡”作“寤”，即其證。又悟通作忤。《史記·韓非傳》“辭言無所擊排。”《注》：“悟當爲忤，古字假借也。”悟、忤相借，故寤、迕可通。《高唐賦》“卒遇異物”《注》：“遝，遇也。觸也。”遝，迕亦聲轉。（字會）又詳“愕”條。【沓】合也。（羽獵）【沓】釜沸出也。（七發）

【雨師】畢星也。（東都）

【雨散】言衆瑞之多也。（符命楊）

【迋迋】懼也。（長門）

【岪蔚】特起貌。（魯靈光殿）

【岪鬱】山貌。（子虛）

【岨峿】岨峿，不安貌。《楚辭》曰：“吾固知其鉏鋙而難入。”（文）案：鋙即鋙字。《說文》：“鋙，鉏鋙也。”《廣韻》：“鉏鋙，不相當。”《周禮·玉人注》云“鉏牙”，亦不相當義。《齒部》“齟齬”，齒不相值也。鉏鋙蓋亦器之能相抵拒厝摩者。今字從山，以山石之岨峿不安象文也。故岨亦作砠。本賦“固崎錡而難便”《注》云“不安貌”，蓋或以山譬，或以器譬也。《說文》：“錡，鉏鋙也。”案言之曰鉏鋙，單言曰錡耳。（字會）

【糾】察也。（册）【糾】繚也。（江）

【糾紛】亂貌。（贈答越石壹）

【昊】詳“皓”條。

【昊蒼】天也。（設論班）

【玩】愛也。（贈答顏肆）【玩】猶愛弄也。（贈答越石壹）【玩】與翫古字通。（贈答士衡貳）　案：《說文》：“玩，弄也。”“翫，習厭也。”習厭則有弄義。《易‧繫辭上傳》：“所樂而玩者。”《釋文》：“鄭”作“翫”。《禮記‧樂記注》：“玩，習之久。”《釋文》：又作“翫”。《荀子‧非十二子》“而好治怪說，玩琦辭”《注》“玩與翫同。”是玩、翫通用之證。又《廣韻》：翫與玩同。”《春秋傳》曰：“翫歲而愒日。”《說文‧心部》“忨”下引《春秋傳》作“忨歲而漱日”。（字會）　又詳“刓”條。

【狙】伺候也。（西征）【狙】伺人之閒隙也。（論劉貳）【狙】犬暫齧人。（符命楊）

【宕】過也。（思玄）

【宕渠】縣名。（蜀都）

【狎】近也。（論劉貳）【狎】謂多而相排也。（舞）

【狎獵】重接貌。（西京）

【宛】死貌。（笙）【宛】縣名。（雜詩古詩）

【宛足】言馬按足緩步也。（舞）　案：宛與踠均訓屈。《東都賦》

“馬踠餘足”《注》：“踠，屈也。”淵明《始作鎮軍參軍》詩“宛轡憩通衢”《注》：“宛，屈也。”此云“宛足”，卽《東都賦》“馬踠餘足”之“踠”也。故龍蛇屈之謂蜿。《魯靈光殿賦》“虯龍騰驤以蜿蟺”，水屈之謂涴。《江賦》“洪瀾涴演而雲迴”，虹屈之謂宛。《景福殿賦》：“艴如宛虹。”（字會）

【宛虹】屈虹也。（景福殿）

【宛虹奔螭】梁上之飾也。（景福殿）

【宛湎】展轉也。（上林）

【宜】得所也。（補亡）【宜】得其所也。（雜詩古詩）【宜】宜之言義也。（東京）　又詳“儀”條。

【宜陽】韓邑也。（上書李）

【祀】祭也。（東京）　又詳“郊祀”條。

【祀姑】幡名。麾旗之屬。（吳都）

【姌嫋】長貌。（舞）　案：成公子安《嘯賦》“或冉弱而柔撓”。《注》“《說文》曰：冉弱，長貌”。《廣雅釋訓》：姌姌，弱也。又云：嫋嫋，弱也。《史記‧司馬相如傳》：“嫵媚姌嫋。”郭璞

曰：“姍嫋，細弱也。”蓋姍字从
冉得聲，嫋字从弱得聲，故皆
可通用。凡人與物之長者，每
多細弱，是訓長與訓細弱二
義，亦相因也。（疏證）

【拓】廣也。（甘泉）

【拓落】猶遼落不諧偶也。（設論
楊）

【岾】猶危也。（離騷）安臨危
曰岾。（思玄　《雜詩玄暉陸》
無“安”字。）【岾】屋檐也。
（雜詩玄暉陸）

【陂】畜也。（游天台山）【陂】
阪也。（雜詩古詩）【陂】險
也。（景福殿）【陂】傾也。
（魏都）【陂】池旁頹貌也。
（上林）又詳“陂池”條。

【陂池】江防小水也。（上林）澤
障曰陂。停水曰池。（西都）

【陂陀】長陂也。（招魂）

【泡】盛也。（洞簫）

【泡溲】盛多貌。（洞簫）

【沈】詳“回穴”條。

【沈寥】曠蕩而虛靜也。或曰沈
寥猶蕭條無雲貌也。（九辯）

【沸】水聲也。（上林）【沸】沸
或爲潰。（洞簫）案：《詩》
“畢沸檻泉”。《注》：“畢沸，泉
涌出之貌。”《左傳》：“民逃其

上曰潰。”潰，象水之突出，亦
涌出意。言民之逃上，如水之
外出也。沸、潰一音之轉，通
用字也。沸又通作弗。《上林
賦》“滭弗宓汩”，作“沸”。“滭
弗宓汩”作“弗”。《注》引司馬
彪曰：“滭弗，盛貌。”澤、沸亦
古今字。《說文》“滭”下曰：
“滭浡，灊也。”潰又通作讀。
《詩·抑傳》曰：“虹，潰也”，作
“潰”。《說文》：“訌，讀也”，作
“讀”。以讀與潰同也。虹者
訌之叚借字。（字會）

【沸汩】鼓動之貌。（甘泉）

【沸渭】不安貌。（洞簫）【沸渭】
衆盛貌。（長楊）

【沸脣】齊梁之閒，通以虜爲沸
脣。（論劉壹）

【沸潭】曲阿季子廟前井及潭常
沸也。（雪）

【沫】水高低貌。（高唐）

【沬】洒面也。（設論楊）【沫】
已也。（雜擬江）

【沫血】沫音頮。善曰：“頮，古沫
字。言流血在面，如盥頮也。”
《說文》曰：“頮，洗面也。”（書
司馬）案：顏延年《赭白馬
賦》“膺門沫赭。”《注》：“《漢
書·天馬歌》曰：‘霑赤汗，沫

流趌。'如淳曰：'沬或作頮。音
悔。'"按：《尚書·顧命》："王
乃洮頮水。"《釋文》："頮音
悔。"《説文》作"沬"，云古文作
"頮"。馬云：頮，頮面也。"（疏
證）

【沬水】出蜀西塞外，東南入江。
（江　沬，武蓋切。）【沬水】
出蜀西徼外，入於江。（難　胡
云："西"當作"廣平"。）

【泊】止也。（游覽靈運叁）又
詳"薄"、"怕"二條。

【泛】覆也。（赭白馬）又詳"氾"
條。

【油油】悦敬貌。（舞）【油油】
麻肥也。（魏都　又《補亡》：
"物始生好貌也。"）【油油】
雲行貌。（符命司馬）

【沮】止也。（西征）【沮】壞也。
（舞鶴）【沮】《山海經》曰：
"荊山漳水出焉，而東南注于
雎。"《漢書·地理志》曰："漢
中房陵東山，沮水所出，至郢
入江。"雎與沮同。（登樓）
案：《説文》"沮"字下云："水出
漢中房陵，東入江。"是正字本
當作"沮"。郭景純《江賦》"汲
引沮漳"《注》："《山海經》曰：
景山，雎水出焉，南注于沔

江。"沮與雎同。《説文》無雎
有鴡。"鴡"字下云："王鴡也。"
雎蓋鴡之或體，鴡从鳥，雎从
隹。《説文》"鳥爲長尾禽"，
"隹爲短尾禽"，俱與水名無
涉，特以皆从且字得聲，故通
用耳。（疏證）【沮】有菜澤
也。綦毋邃《孟子注》曰："澤生
草曰葅。"沮與葅同。（蜀都）
案：沮從且得聲，葅從租得聲。
《周禮·鄉師》："共茅葅。"杜
《注》："葅當爲菹，以茅爲菹，
若葵菹也。"蓋菹爲酢菜之名，
故叚沮爲菹，訓有菜之澤。本
賦"樊以菹圃"，劉注："菹，草
名也，亦名土茄。"從菹者，象
澤生之草。從沮者，象澤也。
《詩》"彼汾沮洳。"《孟子》"驅
蛇龍而放之沮"，《注疏》本作
"菹"。（字會）

【沮洳】其漸洳也。（魏都）

【沮顔】匈奴有罪，小者軋，刀刻
其面，蓋沮顔也。（論王　何
陳校"刀"改作"刃"。）

【泠泠】水聲也。【泠泠】水流貌
也。（寡婦）

【泠風】和風。所以成穀也。（文
壹）

【泠然】涼貌。（雜擬江）

【泫泫】垂貌也。（游覽惠連）

【泫沄】沸貌。（思玄）

【泄】動也。（景福殿）　【泄】出也。（笙）　又詳“洩”條。

【注】灌也。（海）

【注流】水深貌。（吳都）

【泓】下深大也。（吳都）

【泓宏】大聲也（笙）

【泓泫洞潀汨粼圓漣】皆水勢回旋之貌。（江）

【泱泱】水流貌也。（東京）　【泱泱】《毛詩》曰：“英英白雲。”毛萇曰：“英英，白雲貌。”泱與英古字通。（射雉）　案：英從央聲。《詩·白華》：“英英白雲。”《釋文》：《韓詩》作“泱泱白雲”。蓋水氣爲雲，故或從水。雲之初起，如艸之初華，故或從艸也。《西征賦》“納歸雲之鬱螉”《注》引《楚辭》曰：“望谿谷兮㴉鬱。”《思舊賦》“悲麥秀於殷墟”《注》引《尚書大傳》曰：“見麥秀之蘄蘄。”又曰“麥秀漸漸兮。禾黍油油”。翁斬或從艸，或從水，與此同例。一説英英猶翁翁。（字會）

【泱㳽】廣大貌也。（海）　【泱㳽】不明貌。（行旅玄暉伍）　【泱漭】無限域之貌。（西京）

【泱瀁】停淤也。（海）

【泌】水駛流也。（魏都）　又詳“毖”條。

【泌瀄】相摈也。（上林）

【怳】失意也。（西都）

【怳怳】失意也。（西都）

【怳惚】不自覺知之意。（神女）

【杅】詳“野”及“杅首”條。

【杅首】長首也。燕謂之杅。（魏都）

【忽】忘也。（東京）　【忽】謂忽忽然而去也。（雜詩玄暉伍）　又詳“智”條。

【忽荒】天上也。（設論班）　又詳“忽怳”條。

【忽怳】《鵩鳥賦》曰：“寥廓忽荒。”（西征）　案：《周書·王會》：“方三千里之内爲荒服。”《後漢·西羌傳注》：“荒服，在九州之外也。”言其荒忽無常，明以怳訓荒矣。《思玄賦》“追荒忽于地底兮”。《注》引《楚辭》曰：“覽方物之荒忽。”善曰：“荒忽，幽昧貌。”《湘夫人》“慌忽兮遠望”，《淮南子》曰“騖忽荒”，均用荒爲怳也。怳又作㤩。《漢書·外戚傳》“寢淫敝㤩”《注》：“古怳字。”怳又作恍。《漢書·司馬相如傳》

"芒芒悗忽"，《史記》作"恍"。
（字會）

【怫】詳"佛"條。

【怫悦】難出之貌。（文）

【怫愲煩宛】聲蘊積不安貌。（琴）

【怚】恐也。（魏都）【怚】痛也。
（風）

【怚怚】猶切切也。（登樓）

【怚怚惕惕】憂勞也。（長笛）

【枚】幹也。（洞簫）【枚】大如
箸，橫銜之，以止言語也。（吳
都）又詳"篴"條。

【枌】白榆。（西京）

【枌栱】《説文》曰："梤，複屋棟
也。"梤與枌古字通。（七命）
案：枌、梤音同形近之字。梤、
枌均從分得聲，從木得義，故
通。《西都賦》"列梤橑以布
翼"，"虹霓迴帶于梤楣"《注》
均引《説文》"複屋棟"云云。
此枌栱並偶，栱者梁上短柱，
複屋之棟，卽梁上之柱也。《説
文》枌訓枌榆，與此無涉。徒
以枌音同梤，用作梤，梤又通
爲紛。《左傳》"治絲而梤之"，
叚梤爲紛也。（字會）

【枒】末也。（上林）【枒】猶表
也。（西京）

【枉】曲也。（公讌謝）

【枉渚】地名。（九章）

【枌詣】殿名也。（西都）【枌詣】
臺名也。（西京）

【板】反也。反先王之道也。（雜
擬謝）

【板官】凡王封拜，謂之板官。（表
陸）

【板堵】一丈爲板，五板爲堵。（哀
傷張）

【板築】牆上下板築杵頭鐵沓也。
（蕪城　《表羊》"板"作"版"，
上"築"字無。又按：馬輯《三
蒼解詁》讀板爲句。任輯《三
蒼解詁》讀板築牆上下板爲
句。）

【松架】松枝可以爲架，故因謂之
架焉。（雜擬江）

【松喬】松，赤松子。喬，王喬也。
（思玄）　喬，王子喬，卽周靈
王太子晉也。（游覽魏文）

【杳】冥也。（江）【杳】深遠也。
（甘泉）【杳】深冥也。（游覽
靈運貳）【杳】杳㝮也。《廣
雅》曰："窈窕，深也。"杳與窈
同。（西都）　案：《説文》："杳，
冥也。"段注："冥，窈也。莫爲
日且冥，杳則全冥矣。"全冥故
有幽深之義。《説文》："窈，深
遠也。"《西京賦》："望窈窕之

華麗。"善《注》:"窈窕已見《西
都賦》",是善卽以杳訓窈矣。又
《周南毛詩傳》曰:"窈窕,幽閒
也。"以幽釋窈,以閒釋窕。窈
卽杳冥之謂也。又窈通作宭。
《西京賦》:"望宭嶚以徑度。"
《廣雅》曰:"窈嶚,深也。"《集
韻》"宭"同"窈"。(字會)

【杳杳】深也。(北征)

【杳冥】幽邃之貌。(魯靈光殿)

【柿】削柿也。(誄潘肆)

【徂】行也。(思舊)

【徂落】猶彫落也。(贈答韓卿)

【往】往者屈也。(南都)

【往矣】訣別之辭。(誄潘叁)

【征】飛也。(游覽沈貳)【征】
　行也。(甘泉)

【征】巡行也。　【征】稅也。(東
京)

【征伀】遑遽也。(論王)

【征僑】姓征名僑也。(甘泉)

【佩】帶也。(東京)【佩】所以
必有佩者,表德見所能也。故
循道無窮則佩環,能本道德則
佩琨。(思玄)

【侂】詳"莘"條。

【侜侜】行聲也。(招魂)

【佾】列也。《八佾》,八人爲列,
八八六十四人也。(東都)

【佗】猶堂堂立貌也。(離騷)

【佗傺】失志貌。(離騷)

【侔】等也。(雪)【侔】齊等也。
(景福殿)

【佻】偷也。(東京　案:《行旅安
仁壹》"佻"作"挑"。)　【佻】輕
也。(橄陳壹)　【佻】疾也。
(吳都)　又詳"窕"、"嬥"二
條。

【佻佻】獨行貌也。(誄顏壹)

【佳】善也。(長門)　【佳】大也。
(贈答曹肆)【佳】不敢指斥
尊者,故言佳也。(贈答玄暉
貳)

【佳人】詳"二妃"條。

【佳城】墓也。(雜詩沈叁)

【佳期】謂湘夫人也。不敢指斥
尊者,故言佳也。(九歌)

【侏】詳"離朱"條。

【侏張】詳"輈張"條。

【呰】呰也。(贈答曹壹)

【呰】啐也。(祖餞孫)一曰相謂
也。(詠史張)

【苾芾】苾馝、苾芾音義同。(上
林)　案:苾、馝一音。本《注》
引郭璞曰:"苾馝,香氣盛也。"
《詩·載芟》:"有飶其香。"故
苾或從飶。"芋",《集韻》通作
"芾"。芾,彗星也。《釋名·

釋天》:"孛星，星旁氣孛孛然也。" 茀與孛通，茀即與馞通矣。此言馞，亦言香氣孛孛然也。(字會)

【呭喢】聲出貌。(洞簫)

【咆】吼也。(招隱士)【咆】嘷也。(蜀都)

【咆勃】怒貌。(西征)

【咆哮】詳"咆烋"條。

【咆烋】咆烋猶咆哮也。自矜健之貌也。(魏都) 案:《詩·蕩》"女咆烋于中國"《箋》:"咆烋，自矜氣健之貌也。"《埤倉》:"哮唬，大怒聲。"《通俗文》:"虎聲謂之唬。"唬與哮同。《說文》:"唬，虎聲也。讀若暠。"《玉篇》呼交切，與哮音合。此云猶咆哮者，言其自矜氣健如虎耳。故同。蓋《毛傳》訓咆哮爲彭亨，鄭之述毛則易咆哮爲咆烋也。《辨亡論上》"哮闞之羣風驅"《注》引《毛詩》曰"闞如唬虎"，又哮、唬同用之徵。(字會)

【咆鴞】鈞吾山有獸，羊身人面，其口腋下，虎齒人爪，其音如嬰兒，名曰咆鴞。食人。卽饕餮也。(橄陳壹　葉本作狍鴞)

【邳】水厓也。(設論班)【邳】或謂丕。孔安國《尚書傳》曰:"丕，大也。"(景福殿) 案:李斯《上書》云:"來邳豹、公孫支於晉。"《注》:"《左氏傳》曰:'晉郤芮、丕鄭、丕豹奔秦。'"邳、丕互見，亦古人通用之證。(疏證)

【邸】傳舍也。(樂府陸)【邸】《說文》曰:"抵，觸也。"邸與抵古字通。(風) 案:氐，本也。木之根本也。《詩·節南山》"維周之氐"《傳》:"氐，本。"《爾雅·釋器》"邸謂之柢"《注》:"根柢皆物之邸。"《攷工記·玉人》:"兩圭有邸五寸以祀地。"《爾雅·釋言》:"柢，本也。"《周禮·泉府》"買者各從其抵"《注》:"抵實柢字。"《史記·司馬相如傳》"犧雙觡共抵之獸"《集解》引《漢書音義》:"抵，本也。"知邸、抵均從氐義也。因而京舍謂之邸，京師爲天下本也。推當謂之抵。推當，求得其本也。抵又通作觝。《琴賦》:"觸巖觝隈。"(字會)

【岬】憂也。(甘泉)

【岬削】言如刻畫也。(上林)

【屻然】驚懼貌。（七發）

【芝】小蓋也。（思玄　按：蓋謂車蓋。）

【芝房】芝生成房。（南都）

【芝栭】山節。方小木爲之，掌眉梁之上。一曰栭，枅上梁也。（魯靈光殿）

【芳】香貌。（離騷）【芳】德之臭也。（離騷）

【芳林】苑名。（東京）

【芳林園】詳“華林園”條。

【芳洲】香草叢生水中之處，謂之芳洲。（九歌）

【芳蘭】以喻君子。（贊袁）

【芟】殺也。（東京）【芟】晉灼曰：“發，開也。今諸本皆作芟字。”（設論班）　案：發開也之發，當作癹。《說文》：“芟，刈艸也。從艸殳。”“癹，以足蹋夷艸。從癶從殳。”《春秋傳》曰“癹夷蘊崇之”，今本《左傳》“癹”作“芟”。蓋二字皆取義於除艸，且皆从殳，故可通用。除艸者，有開通之意。晉灼《注》訓癹爲開是也。後人多見發，少見癹，故以意改之耳。（疏證）

【芮】小也。（西征）　又詳“汭”條。

【远】道也。（西京）【远】迹也。（東京）

【弧】弓也。（魏都）　又詳“天弧”條。

【弧旌】枉矢以象牙飾。（西京胡云：牙飾，當作弧也。）

【拉】頓折也。（吳都）【拉】風聲。（羽獵）又詳“摺”條。

【拉搭】飛貌。（舞）

【拊】擊也。（九歌）【拊】弓把也。（論王）

【宙】往古來今曰宙。（幽通）【宙】舟輿所極覆也。（蜀都）又詳“宇宙”條。

【岪嵾】山不齊也。（南都）

【岪嶺】高貌。（海）

【兔絲草】蔓聯草上，黃赤如金，與松蘿殊異。（雜詩古詩）

【兔窟】月所生也。（郊廟）

【兔園】梁孝王所築。（牋謝）

【所】詳“許”條。

【所天】君者臣之天也。故曰所天。（表陸）

【所天】婦人在室則父天，出則夫天。故謂夫爲所天。（寡婦）

【戔戔】委積之貌也。（東京）又詳“淺淺”條。

【牧】養也。（閒居）

【牧伯】詳“刺史”條。

【劾】舉罪曰劾。（幽通）【劾】法有罪也。（誄潘肆）

【阜】大陵曰阜。（西京）　大山，阜。（蜀都）

【阜】厚也。（銘陸壹）【阜】盛也。（赭白馬）【阜】長也。（魏都）【阜】大也。（西京）【阜】多也。（東京）　又詳“負”條。

【協】合也。（赭白馬）【協】同也。（東京）　又詳“汁”條。

【協氣】和氣也。（符命司馬）

【虯】龍無角者。（甘泉　《游覽靈運叁》引《説文》“無角”作“有角”。）　有角曰龍，無角曰虯。（離騷）　無角曰螭龍，有角曰虯龍。（景福殿）　又詳“樛流”條。

【虯蟠】謂樹如龍蛇之盤屈相糾也。（吳都）

【虯龍】詳“虯”條。

【昔】夜也。（樂府古辭）【昔】往也。（離騷）　又詳“醳”條。

【昔共工】古諸侯之强者也。（論劉壹）

【欣欣】喜也。（九歌）【欣欣】樂也。（辭陶）

【易】改也。（補亡）【易】修也。（射雉）【易】平也。（符命司馬）【易】平易也。（七發）【易】夷易也。（贈答盧叄）

【易水】水名。（雜歌荆）

【易京】京房脩易，故曰易京。猶莊周蒙人謂莊蒙及磐襄、宋翟之比也。（長笛）

【肴】葅醢也。（蜀都）　又詳“崤”條。

【肴核】詳“肴檋”條。

【肴檋】善曰：《毛詩》曰：“肴核維旅。”鄭玄曰：“肴，葅醢也。核，桃梅之屬也。”檋與核義同。（蜀都）　案：班孟堅《典引》“肴覈仁誼之林藪。”《注》：“肴覈，食也。肉曰肴，骨曰覈。”《説文》：“檋爲大車軶”，其正字當作覈。覈，實也。引伸之，凡有實之物，皆謂之覈。《説文》“骨”字下云：“肉之覈也。”蓋骨爲肉之實。故《典引注》訓覈爲骨也。馬季長《長笛賦》“精核數術”《注》：“《説文》曰：‘覈，考實事也。’核與覈古字通。”《爾雅·釋木》：“桃李醜核。”《周禮·大司徒》“其植物宜覈物”《注》：“核物，李梅之屬。”蓋果之有核，猶肉之有骨，皆爲有實之物。故或曰果核，或曰果覈，或曰果實，其義

一也。　若楅字則其同音叚借字耳。（疏證）

【肴覈】詳“肴楅”條。

【肴膾】魚肉爲肴。（招魂）　生肉爲膾。（七發）

【歧】歧路也。（舞鶴）　【歧】衆管也。　以其分別，故謂之歧。（笙）

【歧歧】飛行貌。一曰將行貌。（笙）

【歧旁】歧道旁出也。（樂府陸）

【刷】刮也。（吳都）　【刷】所以理髮謂之刷。（論稽）　【刷】猶飲也。（魏都　胡云：“刷”當作“唰”。）

【卒】終也。（東京）

【卒卒】促遽之意也。（書司馬）

【呼】呼者陽也。（招魂）

【呼子先】仙人名。（游覽沈叄）

【固】堅也。（射雉）　【固】牢固也。（東京）

【固】《左氏傳》曰：“子反請以重幣錮之。”杜預曰：“禁錮勿仕也。”錮與固通。（表曹貳）案：《説文》：“錮，鑄塞也。”“固，四塞也。”凡消鐵以窒穿穴謂之錮。《左傳》：“子反請以重幣固之。”《漢書》曰：“下錮三泉。”音義均同，以錮從固取聲取義

也。固又通痼。《漢書·王商傳》“商言有固疾”，讀作痼。固又通故。漢官掌故，唐官多作掌固。事之已然者，亦曰固也。（字會）

【奄】覆也。（論陸貳）　【奄】大也。（獻詩曹壹）　【奄】困迫也。（表李）　【奄】遽也。（舞）又詳“闇”條。

【奄奄】困也。（表李）

【奄欻】去來不定之意。（南都）

【岷】民也。（魏都）　又詳“旼”條。

【庖子】庖丁也。（七命）

【庖羲】即伏羲也。（長笛）

【胤】續也。（符命楊）　【胤】嗣也。（贈答宣遠貳）　【胤】亦曲也。（長笛　字或作“引”。）

【房】室也。（九歌）　【房】實也。（高唐）　房者，蒼神之精。（雜詩玄暉壹）　【房】與防古字通。（月）　案：《漢書·武帝紀》：“濟川王明，廢遷防陵”，“常山王勃，廢遷房陵”，一卷之中，防、房互見。《溝洫志》“宣防塞兮萬福來”，後云“自塞宣房後”，一篇之中，防、房互見。《後漢·光武帝紀注》：“防與房同。古字通。”蓋二字

皆方聲也。(疏證)

【房露】古樂曲。(月)

【罔】失志貌。(笙)【罔】憂也。(神女)【罔】結也。(九歌)【罔】誣也。(論王)

【罔兩】詳"魍魎"條。

【罔兩蜚鬼】詳"三疫鬼"條。

【罔沕】精氣失也。(招魂)

【罔浪】詳"魍魎"條

【罔然】猶惘惘然也。(東京)

【罔極】言無中正。(弔文賈)

【罔象】虛無罔象然也。(洞簫)【罔象】木石之怪。(東京)又詳"龍罔象"條。

【罔閬】詳"魍魎"條。

【股肱】臣也。(檄陳壹)

【股戰】猶股慄也。(高唐)

【昌】慶也。(蜀都)【昌】盛也。(月)【昌】熾也。(東京)【昌】當也。(文)

【冒容】仙人名。(吳都)

【昌披】衣不帶貌也。(離騷 葉本"披"作"被"。)

【昌被】詳"昌披"條。

【昌陰】里名也。(西征)

【罥】猶繫也。(西征)又詳"約"條。

【具】足也。【具】具之言俱也。(東京)案:《說文》:"俱,皆也。從人,具聲。"《詩·大叔于田》"火烈具舉"《傳》:"具,俱也。"《楚茨》"神具醉止"《箋》:"具,皆也。"《行葦》"莫遠具邇"、《桑柔》"具禍以燼"《箋》:"具猶俱也。"俱從具聲,具從俱訓,古故通。(字會)

【具爾】兄弟也。(歎逝)

【戾】止也。(閒居)【戾】轉也。(射雉)【戾】定陋也。(景福殿)

【戾戾】風舉貌。(雜擬江)

【戾莎】莎名。(上林)

【戕】卒暴之名。(海)自內害其君曰殺,自外曰戕。(魏都)

【肸】過也。(甘泉)

【肸蠁】布也。(甘泉)

【軋芴】緻密貌。(上林)

【軋盤】濤形貌。(七發)

【坱圠】芒沕也。(吳都)【坱圠】無齊限之貌。(魯靈光殿)

【坱圠】廣大貌。(甘泉)

【坻】殿基也。(景福殿)【坻】場也。蚍蜉犁鼠之場,謂之坻場。浮壤之名也。水中高地。(藉田)【坻】岸也。(南都)所以止船也。(思玄)水中小洲也。(鵩鳥)巴蜀名山堆落曰坻。(設論楊)【坻】秦謂陵阪曰坁。(高唐) 【坁】下阪道也。(上林) 【坁】《漢書音義》應劭曰:"天水有大坂曰龍坁。"(鸚鵡) 案:楊子雲《解嘲》"響若坁隤"《注》引應劭説,與此注同。宋玉《高唐賦》"臨大坁之稽水"《注》:"《説文》曰:秦謂陵阪曰坁。"《爾雅·釋水》云"小沚曰坁",與坁訓陵阪不同,特同聲通假耳。(疏證)

【坁塄鱗眴】殿基之形勢也。(西京)

【坁頽】崩聲。(吳都)

【坁隤】詳"龍阪"條。

【阻】險也。阻,依也。(東京) 【阻】恃也。(西征)

【眖】明也。(羽獵) 【眖】赤也。(西京)

【居】詳"車"條。

【居室】《百官表》:"居室爲保宮。"今守宮也。(書司馬 按:此條引《漢書·灌夫傳如淳注》。今《漢書》無之。)

【冢】詳"淢潺壽蓼"條。

【卦兆】蓍曰卦。龜曰兆。(符命楊)

【其】辭也。(行旅靈運柒)

【穸】葬下棺也。(祭文謝)

【或圍】地名。(亡娀)

【劾】疲極也。(子虛)

【府庫】官吏所止爲府。車馬器械所居曰庫。(東京)

【姓】詳"精"條。

【戗】詳"龕"條。

【帚】詳"箕帚"條。

【岱輿】詳"海中仙山"條。

【刓】謂消除其土也。(蕪城)

【咼】詳"和"條。

【罘】獸罟曰罘。(西都)

【胈】假肉也。(橄陳壹)

【券】詳"睠"條。

【朋】同門曰朋。(雜詩古詩)

【厓】詳"涯"條。

【弦】月半之名也。其形一旁曲,一旁直,若張弓弛(胡云:當作"施")弦也。(雜詩李)

【礿禘】春祭曰礿。夏祭曰禘。(寡婦)

【肪】脂在腰曰肪。(書魏文叁)

【述】滑也。(洞簫)

【炘炘】熱也。(甘泉)

【炕】舉也。炕與抗古字同。(甘泉) 案:馬季長《長笛賦》"抗浮柱"《注》引《甘泉注》曰:"抗浮注之飛榱。"直作抗。蓋炕、抗皆從亢字得聲,故可通用。然炕字《説文》訓爲乾也,與舉

字之義無涉。抗字説文訓爲
扞也,從手,亢聲,人之以手扞
物者,必高舉其手,故抗字可
訓爲舉。是抗爲正字,炕乃假
借字也。(疏證)

【㹠鶋】詳"咆鶋"條。

【㹗㹗】大怒貌。(魯靈光殿)

【狐疑】狐之爲獸,其性多疑,每
　　渡水行,且聽且渡,故疑者稱
　　狐疑。(洛神)

【狖】似狸。(西都)　露鼻,尾長
　　四五尺,居樹上,雨則以尾塞
　　鼻。(吳都)　【狖】雌也。(長
　　楊)

【弢】杜預《左氏傳注》曰:"韜,藏
　　也。"弢與韜古字通。(頌陸)
　　案:《説文》:"弢,弓衣也。"
　　"韜,劍衣也。"韜引申爲凡韜
　　藏之偁。《詩·彤弓傳》:"櫜,
　　韜也。"《釋文》:"韜,弓衣也。"
　　韜訓同弢矣。《禮記·喪大記
　　注》:"所以韜尸重形也。"《釋
　　文》:"韜"本又作"弢"。《莊子·
　　徐無鬼》:"則以金版六弢。"
　　《釋文》:"本又作六韜。"《漢
　　書·藝文志》:"六弢六篇"
　　《注》:"與韜同。"此韜、弢通用
　　之證。韜卽襓。《少儀》"加夫
　　襓與劍也。"《注》曰:"夫襓,劍

衣也。"(字會)

【扺】詳"攄扺"條。

【抱】守也。(哀傷秬)

【拚】手搏爲拚。(吳都)

【拇】手拇指也。(招魂)

【拉】摧也。(羽獵)

【抶】笞擊也。(羽獵)

【拑】以木衔其口。(誄顏壹)

【抨】詳"絣"條。

【枕】木名。(吳都)

【柟】木似水楊。(西京)

【柚】似桑而細葉。(南都)

【怦怦】諒直貌也。(九辯)

【忢忢】心所不通。(文)

【忠】厚也。(九歌)

【怪】詳"珍怪"條。

【怚】詳"庖"條。

【怖覆】謂恐怖而反覆也。(神
　　女)

【怕】無爲也。(子虛　《景福殿》
　　"怕"作"泊"。)

【怵】恐也。(西京)

【怍】慙也。(游覽靈運叄)

【快】忽忘也。(論王)

【枇杷】冬華夏實(蜀都),似斛樹
　　而長,葉子如杏。(上林)

【杬】皮厚,味近苦澀。(吳都)

【坦】大也。(西京)

【坤】順也。(哀顏)

【肺石】赤石也。(文壹)

【芰】菱也。秦人謂之薢茩。(招魂)

【芧】詳"芧"條。

【芸】香草也。(景福殿)

【茉苴】澤瀉也。臭惡之草。(論劉壹)

【芡】雞頭。(東京)

【茝】白芷。(子虛)

【昒昕】晨旦明也。(幽通)

【矹矹】健作貌。(頌王)

【宓汨】去疾也。(上林)

【阼】主階也。(藉田)

【陆】闌也。(吳都)【陆】遮鳥獸圍陣也。(長楊)

【阺】詳"坻"條。

【泆】灌也。(海　胡云："泆"當作"沃"。王念孫《讀書雜志》云："當作渂。"渂古沃字，與渁似，故譌作渁。　案：據王氏説，當有一本譌作渁者。)

【沴】謂石解散也。(江)

【淹】江別名也。(江)

【沾】溢也。(七命)

【泃】詳"枹"條。

【泗水】出魯國卞縣，至臨淮下相縣入淮。(江)

【泚】清也。(雜詩玄暉壹)

【沴】氣相傷謂之沴。沴，臨洹不

和意也。(雪)

【法】刑也。(思舊)

【泳】浮也。(符命司馬)

【泔淡】滿也。(甘泉)

【泇泇】廣大無際之貌。(江)

【泔】詳"酤"條。

【沼】池也。(招魂)

【泆】詳"佚"條。

【沂】向也。(東京)

【侈】詳"哆"條。

【佴】次也。(書司馬)

【佶】健也。(東京)

【例】詳"迾"條。

【佹】小也。(思玄)

【佽飛】掌弋射。(西都)

【侑】助也。(長笛)

【弤】釋也。(魏都)

【岷】山名。(鸚鵡)

【岠】詳"距"條。

【岝崿嶇嶺】山險峻貌。(琴)

【岬】山旁也。(吳都)

【岭嶒嶙岣】深無厓之貌。(甘泉)

【峇屹】頹貌。(西征)

【岹嵽】穿穴也。(招隱士)

【乳】胎生曰乳。(東征)

【玫瑰】火齊珠也。(西都)

【玦】玉佩也。先王所以命臣之瑞也。故與環卽還，與玦卽去

也。（九歌）

【玢豳】文理貌也。（上林）

【玭】珠也。（景福殿）

【祁祁】衆多也。（贈答正叔壹）

【姐】詳“嬃”條。

【妒】惡也。（思玄　按：妒，俗妒字。）　又詳“妒”條。

【姁嫗】和悅貌。（舞《頌王》作“嘔喻”。）

【邵】（行旅靈運壹）案：《說文》：“召，評也。”“邵，晉邑也”。然邵亦召聲，故書多通用者。《漢書·召信臣傳》召讀曰邵。《詩·甘棠》“召伯所說”。作“召”。陝以東，召公主之，《公羊·隱五年傳》作“邵公主之”。《詩·江漢》：“王命召虎。”《文選注》七十七作“邵虎”。《左氏·襄二十九年傳》：“爲之歌《周南》、《召南》。”《釋文》：“召”本作“邵”。《書》“召公”，《周書·和寤》作“邵公”。“召忽”，《公羊》作“邵忽”，是其證也。據《說文》“邵爲晉邑”，則周、召字作邵者俗。今山西絳州垣曲縣東有邵城。（字會）

【呷】吸也。（吳都）

【呵噏掩鬱】不明貌。（海）

【呱】子啼聲也。（幽通）

【咏】詳“永”條。

【咋咋】大聲也。（長笛）

【咉咽】流不通也。（魏都）

【呷涵】楚人謂相笑爲呷。南楚謂汎爲涵。（吳都）

【咀】嚼也。（思玄）

【昳昳】和也。（符命司馬）

【爭衡】謂角其輕重也。（論陸壹）

【斨】方銎斧也。（魏都）

【幸】非分而得謂之幸。（書李）

【㥄】詳“凌”條。

【啟啟】動而喜貌也。（序王）

【屈】絕也。（符命司馬）

【亟】急也。（東京）

【取】取者施行道德也。（設論班）

【岳岳】立貌。（魯靈光殿）

【昂昂】高也。（卜居）

【罙】深也。（書孫）

【㟰】亦窟之類也。（江）

【卑】柔弱也。（神女）

【兕】水牛類。（西京）

【盰】張目也。（西京）

【盰瞑】《楚辭》曰：“遠望兮盰瞑。”王逸曰：“芊眠，遙視闇未明也。”芊眠與盰瞑音義同。（南都）案：陸士衡《文賦》“清麗千眠”《注》：“千眠，光色盛貌。”陸士衡《赴洛道中作》“林薄杳阡眠”《注》：“《楚辭》曰：‘遠望兮阡眠。’”謝玄暉《和王著作八公山詩》：“仟眠起雜樹。”《注》：“《楚辭》曰：‘遠望兮仟眠。’”芉、盰、阡、仟，皆從千字得聲，故可通用。眠之正字，《説文》作“瞑”。云：“翕目也。從目冥。”冥亦聲。又陸士衡《答張士然詩》“薄暮不遑瞑”《注》：“瞑，古眠字。”《養生論》“達旦不瞑”《注》同。皆其明證。（疏證）

【到彼岸】詳“波羅蜜”條。

【盂】《韓詩外傳》曰：“君子之居也，安如覆杅。”盂與杅同，音于。（設論東方）案：杅爲盂之叚借字。《方言》曰：“盌謂之盂。”《史記·滑稽傳》：“酒一盂。”《儀禮·既夕禮》“兩敦兩杅”。《注》：“杅，盛湯漿。”《公羊傳》：“古者杅不穿。”《孫卿子》曰：“杅方而水方。”《後漢·呂強傳注》：“杅，椀屬也。亦作盂。”《説文》：“盂，飲器也。”《木部》：“杅，木也。可屈爲杅者。”皆盂、杅通訓之證。盂其本字。（字會）

【枝】水別於他水，入於大水及海者，命曰枝。（海　葉本“枝”作“岐”。）

【直事】若今之當直也。（魏都）

【帖】服也。静也。（文）

【使鬼物】詳“隱淪”條。

【供】詳“龔”條。

【孥】子也。（書孔）

【囹圄】所以守禁繫者。秦曰囹圄，漢曰獄。（哀傷秬）

【盲風】疾風。（公讌宣遠）

【官度水】詳“鴻溝”條。

【典】法也。（符命班）

【奉義】猶慕義也。（行旅江）

【乖舛】不齊也。（西征）

【治氣】謂道裏也。（幽通）

【拖】曳也。（西都）

【始】始者謂王道興衰之所由。（序卜）

【拙】鈍也。（離騷）

【呴】嘷也。（江）

【袂】書衣也。（贈答靈運叁）

【侗】詳“洞”條。

【委羽】北方山名也。（雜擬謝）

九　畫

【洞】疾貌。（連珠）【洞】疾流也。（西都）【洞】深也。（詠史顏貳）【洞】達也。（魏都）【洞】洞者通也。（洞簫）案：《荀子》：“朱絃而通越也。”楊

俍注："《史記》作洞越。"《釋
名・釋言》："通，洞也。無所
不貫洞也。"皆洞、通互用之
證。（疏證）

【洞穴】禹穴也。（羽獵）　又詳
"洞壑"條。

【洞庭】太湖也。（九歌）

【洞庭穴道】太湖中有苞山，山洞
有洞庭穴道。（江）

【洞壑】深且通也。（西京　葉本
作"洞穴"。）

【洞簫】長簫無底也。（蜀都）
亦謂之參差。　洞者通也。
簫，肅也。言其聲肅肅然清也。
大者二十三管，長三尺四寸。
小者十六管。（洞簫）

【津】潤也。（江）　【津】液也。
（行旅沈貳）

【津】濟渡處也。（行旅顏壹）

【洫】城池也。廣八尺，深八尺，
謂之洫。（西京）　又詳"遂"、
"減"二條。

【洔】水枝成洔。洔，小渚也。（海）
又詳"時"、"沚"二條。

【泉】流行如泉，故曰泉。（文壹）

【泉陽】即陽泉，益州縣。（江）

【洩】歇也。（赭白馬）　【洩】鄭
玄《毛詩箋》曰："泄出也。"
（笙）　案：泄、洩同音。洩、泄

均訓漏、訓發、訓散。《莊子・
人間世》："小枝泄。"《釋文》引
《崔注》："泄洩同。"《左氏・哀
二年傳》"洩庸"，《漢書・董仲
舒傳》作"泄庸"。《詩・板》"無
然泄泄"，《説文・言部》作"無
然詍詍"，《爾雅・釋訓》作"洩
洩"。是其證也。泄又通作渫。
《江賦》："渫之以尾閭。"（字
會）

【洩洩肜肜】和也。（思玄）

【泄泄淫淫】飛貌。（海）

【洗削】謂作刀劍削。（西京）

【洗馬】《漢書》曰："太子屬官有
先馬。"如淳曰："前驅也。先或
作洗。"（贈答士衡貳）案：《儀
禮・大射儀》"先首"《注》：
"先猶前也。"《荀子・正論》
"諸侯持輪扶輿先馬"《注》：
"先馬，導馬也。"《易・繫辭
上傳》："聖人以此先心。"《集
解》引韓康伯："先讀爲洗。"此
其證也。又洗同洒。潘安仁
《爲賈謐作贈陸機詩》"吾子洗
然"《注》引《莊子》曰："庚桑
子之始來也，吾洒然異之。"以
先、西音類也，故先亦通西。又
洗通作瘯。《説文》："瘯，寒病
也。"段曰："《素問》、《靈樞》、

《本帅》言洗洗洒洒者，其訓皆寒。皆瘁之叚借。古辛聲、先聲、西聲同在真文一類。"(字會)

【洶洶】涌也。（高唐）

【洶洶旭旭】鼓動之聲也。或曰勇貌也。（羽獵）

【洶洶礚礚】皆水聲也。（吳都）

【洶涌】跳起也。（上林）

【洛】《漢書》："廣漢郡雒縣有漳山，雒水所出，入湔。"雒與洛通。（江） 案：《說文》："洛水出左馮翊歸德北夷界中，東南入渭。"段曰："雍州洛水，豫州雒水，本自分別。魏改雒爲洛，而又妄言漢變洛爲雒。"今按：洛、雒古人通用字，非魏改也。《易·繫辭》："洛出書。"《釋文》："洛，王肅本作雒。"王肅魏人，其不改爲洛也明甚。《詩》"瞻彼洛矣"《傳》"洛，宗周。"其不變爲雒也亦明甚。《書·禹貢》"浮于洛"，《史記·夏本紀》作"浮于雒"。《爾雅·釋鳥》"伊洛而南"，《周禮·內司服注》作"伊雒而南"。今雍州、豫州之洛，通作洛，洛行而雒廢矣。廣漢之綿湔雒在蜀境，非雍州。此賦洛沬統偁，定指蜀境之雒，《注》所引不誣也。（字會）

【洛下】姓有洛下。（史論班）

【洛水】在洛陽城南七里。（此條失注）

【洋洋】大也。（思玄）【洋洋】無所歸貌。（西都） 莊敬貌。（舞）

【洋溢】言廣大也。（南都）

【洒】灑也。（符命司馬）【洒】滌也。（雜詩玄暉壹） 又詳"汛"及"洗馬"條。

【洒如】肅敬也。（贈答安仁）

【派】流也。（符命司馬） 水別流爲派。（吳都）

【洪】池名。（西都） 又詳"鴻"條。

【洪流】以喻亂也。（贈答越石壹）

【洪涯】三皇時伎人。（西京）

【洪鈞】天也。（贈答張）

【洪頤】旌名。或曰旌旐布也。（甘泉）

【汧】漂也。（七發）【汧】縣名。（獻詩潘）

【郁】毛萇《詩傳》曰："燠，煖也。"郁與燠古字通。（論劉貳） 案：《閒居賦》"梅杏郁棣之屬"《注》："郁與薁音義同"。燠或作奥。《說文》:“燠,熱在中也。”《洪範》“庶徵”,曰燠曰寒,古多叚奥爲之。奥形近薁,薁同郁,故郁通燠也。郁、薁、燠皆音同之字。《聖主得賢臣頌》:“去卑澳污濼而升本朝。”張宴曰:“奥,幽也。”如淳曰:“澳音郁。”是其證。又澳通爲隩。《說文》:“澳,隈厓也。”“隩,水隈厓也。”又作奥。《毛詩》“瞻彼淇奥”,叚奥爲澳也。(字會)

【郁夷】詳“威夷”條。

【郁捋】口循孔貌。(笙)

【郁毓】盛多也。(蜀都)

【郊】郭外曰郊。(郊祀)【郊】王國百里曰郊。(西都)

【郊甸】五十里爲之郊。百里爲甸師。(西京　胡云:袁本、茶陵本“之”作“近”,是。)

【郊祀】祭天曰郊。郊者,言神交接也。祭地曰祀。祀者,敬祭神明也。(郊祀)

【郊虞】掌山澤之官也。(序王)

【降】疲退也。(長笛)【降】謂臨幸也。(藉田)

【庠】詳“學校庠序”條。

【庠序】平帝立學官,鄉曰庠,聚曰序。(文武)

【軌】法也。(歸田)【軌】迹也。(東京)車迹曰軌。(懷舊)【軌】車轍也。(西京)【軌】謂轍也。(贈答士衡壹)【軌】《尚書》曰:“寇賊姦宄。”軌與宄古字通。(論陸貳)案:《說文》:“宄,姦也。讀若軌。”凡《說文》讀若之字,多通叚。軌、宄均從九聲。《詩・民勞箋》:“輕爲姦宄。”《釋文》:“宄”本作“軌”。《書・舜典》“寇賊姦宄”,《史記・五帝紀》作“寇賊姦軌”。《左傳》“臣聞在外爲姦,在內爲軌”《注》:“軌亦作宄。”是經史多假軌爲宄也。軌之本義訓車迹。(字會)

【宣】猶發也。(東京)【宣】明也。(文)時耕曰宣。(史論干貳)

【宣化】闥名也。(魏都)

【宣平】長安出北頭第一城門名。(西征)

【宣尼】漢平追謚孔子爲宣尼公也。(論劉壹)

【宣曲】宮名也。(上林)

【宣明】殿名也。(東京)【宣明】宮殿門名也。(魏都)【宣明】里名也。(西征)

【宣室】殿名也。（西都）　【宣室】未央前正室也。（文貳）

【宣春】宮名也。（上林）

【峙】住也。　水中有土曰峙。（西京）　【峙】止也。（魯靈光殿）　【峙】《思玄賦》曰：“松喬高峙孰能離。”徐爰《射雉賦注》曰：“峙，立也。”（閒居）案：張平子《西京賦》：“峙遊極於浮柱。”薛綜《注》：“峙，猶置也。”王文考《魯靈光殿賦》“屹山峙以紆鬱”《注》：“善曰：《廣雅》曰：‘峙，止也。’”凡物之立者置於此，即止於此。三者之訓，本屬相因。蓋峙、跱皆寺聲，故義亦相近。《一切經音義》一引《字詁》古文“峙”，今文作“跱”。此峙、跱通用之證。（疏證）又詳“跱”、“時”二條。

【妍】好也，慧也。（文）

【妍蚩】猶美惡也。（雜擬江）

【姬】周姓也。（東京）　【姬】眾妾之總稱也。（七發）

【姬滿】姬滿者，姬，周姓；滿，穆王名也。（雪）

【姦】邪也。（西京）

【姦宄】寇賊在外曰姦，在內曰宄。或曰竊寶曰宄。（西京）

【孩】詳“薮”條。

【孩提】謂二三歲之間，始孩笑可提抱者。（寡婦）

【迢遞】遠貌。（吳都）

【迢嶢倚儺】殿形也。（魯靈光殿）

【迫】附也。（離騷）　又詳“舶”條。

【建】立也。（思玄）　又詳“犍”條。

【建木】在廣都西。（思玄）　神人之丘有建木，百仞無枝。（游天台山）

【建功德】詳“葛天氏之樂八闋”條。

【建春】洛陽縣東城門名也。（誄謝）

【建章】宮名也。（西都）

【建城】觀名也。（景福殿）

【建華冠】郊視舞者之所冠。（東都）

【建陽】里名也。（西征）　【建陽】宮殿門名也。（景福殿）

【律令】律者，法也。始造律時，主所制曰令。（檄陳壹）

【律谷】黍谷也。吹律以暖之，故曰律谷。（誄謝）

【律呂】律，十二律也。（思玄）十二，陽六爲律，陰六爲呂。律者，黃帝之所作也。六律、六呂各有管，故曰十二箭。（長笛“箭”原作“籬”，今依胡校。）

【侵】詳“寖”條。

【侵淫】漸進也。（風）

【保】安也。（史述贊班壹）【保】養也。（符命班）【保】猶衣也。（東京）【保】太保也。（公讌顏）

【保母】安其居處者也。（七發）

【保真】守玄默也。（行旅陶壹）

【保靈】詳“昭儀”條。

【俄】傾也。（誅謝）【俄】有傾也。（雪）【俄】俄者須臾之間。（江）【俄】卬也。（羽獵）【俄】邪也。（鷦鷯《歸田》：“俄，斜也。”蓋斜與邪通。）

【信】信讀曰申。（吳都）案：“申”通作“伸”。古文“伸”作“信”。《廣雅·釋詁四》：“申，伸也。”《易·繫辭》“引而伸之”，《釋文》本“伸”作“信”。《儀禮·士相見禮》“君子欠伸”《注》：“古文伸作信。”《禮記·儒行》“竟信其志”《注》：“信讀如屈伸之字。”《魏都賦》“信其果毅”《注》亦引鄭玄《禮記注》曰：“信讀如屈伸之伸。”叚借字也。《北征賦》“行止屈申”《注》引《家語》孔子

曰：“可以屈則屈，可以伸則伸。”乃“申”通作“伸”之證，其本字祇作“申”。（字會）又詳“訊”條。

【信使】誠信之使也。（檄司馬）

【信都之棗】御棗也。（魏都）。

【信陽】卽信陵之陽也。建平郡有信陵縣。（江）

【便門】橋名也。（西征）

【便房】冢壙中室也。（哀傷張）

【便姍】詳“婆娑”條。

【便姍嫳屑】衣服婆娑貌也。（上林）

【便娟】好貌。（樂府靈運）【便娟】《楚辭》曰：“嫋娟佮竹。”王逸曰：“嫋娟，好貌。”（雪）案：張平子《南都賦》“偠紹便娟”《注》：“便娟則嬋娟也。”成公子安《嘯賦》“蔭修竹之嬋蜎”《注》：“《楚辭》曰：嫋娟之修竹。”左太沖《吳都賦》“檀欒嬋蜎”《注》：“善曰：嬋娟，言竹妍雅也。”嫋字從便字得聲，娟與蜎俱從員字得聲，嬋、嫋二字音又與便、嫋二字音近，故皆可通。（疏證）

【便娟縈盈】雪迴委之貌。（雪）

【便蜎】卽蜎蠉，白公時人。蜎子名淵。其一人也。（七發）

【便姍】詳"婆娑"條。

【便嬛】輕利也。(上林) 【便嬛】《淮南子》曰："雖有鈞鍼芳餌，加以詹何、便嬛之妙，猶不能與罔罟爭得也。" 又引《七發》曰："娟嬛、詹何之倫。"然便嬛即娟嬛也。(書應肆) 案："《七發》"便娟、詹何之徒"《注》引《淮南子》作"娟嬛"，引高誘《注》"娟嬛，白公時人"，並《七略》曰"娟子，名淵。楚人也"云。三文雖殊，其一人也。蓋便、娟、嬛三字一音。便娟系雙聲疊韻之字。《雪賦》"初便娟于墀廡"，《南都賦》"偓佺便娟"，《上林賦》"便嬛綽約"，均互訓連用。故古人或叚便為娟，叚娟為便耳。又嬛通作蟬，娟通作蜎。《嘯賦》"蔭修竹之蟬蜎"《注》引《楚辭》曰"嬋娟之修竹"，此與"太宰嚭"之作"伯喜"，或作"帛否"一例。《廣絕交論注》："吳子使太宰嚭請尋盟。"然本或作"伯喜"，或作"帛否"，或作"太宰嚭"，字雖不同，其人一也。(字會)

【促】詳"鶖"及"遒促"條。

【促管】謂笛也。(行旅靈運捌)

【促訾慓斯】承顏色也。(卜居)

【促織】《春秋考異郵》曰："立秋趣織鳴。"宋均曰："趣織，蟋蟀也。立秋女功急，故趣之。"(雜詩古詩) 案：《漢書·高帝紀下》："因趣丞相，即定行封。"《成帝紀》："督趣逐捕。"《注》："趣讀曰促。"《史記·陳涉世家》"趣趙兵亟入關"《集解》："趣，謂催促也。" 趣、促音轉，故用同。促亦作趗。《爾雅·釋蟲注》："今促織也。"《釋文》："促本作趗。" 趣又通趨。《漢書·賈誼傳》"趣中肆夏"，趣讀曰趨。趨又通促。《莊子·外物》"修上而趨下"，用趨為促也。(字會) 又詳"蟋蟀"及"莎雞"條。

【俊】《尚書》曰："畯民用康。"畯與俊同。(贈答韓卿) 案：畯從俊得義、得聲。《說文》："畯，農夫也。從田，夋聲。"《爾雅·釋言》："畯，農夫也。"《釋文》："畯，主田大夫嗇夫也。"《詩·七月傳》："田畯，田大夫也。"《疏》："選俊人主田，謂之田畯。"是畯從俊訓也。《詩·甫田釋文》："畯本作俊。"陸士衡"長安有狹邪行"《注》引《尚書》作"俊民用章"。此作"畯"，或善別有所見與？俊又通作儁。曹子建《責躬詩》："濟濟儁乂。"俊又叚作舜。"帝舜"，《山海經》作"帝俊"。（字會）又詳"英俊豪傑"條。

【俋】《說文》曰："好也。"與娧同。（神女）案:《方言》："娧，好也。"《說文》："娧，好也。"《詩》"舒而脫脫兮"。《傳》曰："脫脫，舒貌。"段曰："脫即娧之叚借，娧謂舒徐之好也。"今按俋亦娧之叚借字，故與娧同。俋、娧均兌聲。俋又訓可，可亦好意也。說文曰"娧，好也"，此引作俋，或善所見本有異。（字會）

【侲子】詳"侲僮"條。

【侲僮】侲之言善。善僮，幼子也。（西京）大儺，選中黃門子弟十歲以上十二以下百二十人爲侲子。（東京）

【俠】詳"任俠"條。

【俠棟】棟相俠也。（吳都）

【徇】循也。（西都）【徇】從也。（游覽靈運叁《贈答士龍叁》作"循"同。）【徇】亡身從物曰徇，夸物示人亦曰徇。（吳都）曲身從物曰徇。（鵩鳥）【徇】求也。【徇】營也。

（吳都）案:《贈答宣遠貳》"徇"作"殉"，《書司馬》作"徇"。）

【恢】大也。（長楊）又詳"絃"條。

【恢台】詳"恢炱"條。

【恢炱】廣大貌。《楚辭》曰："收恢台之孟夏兮。"炱與台古字通。（舞）案:炱從台音。《說文》："炱，炱煤，黑色也。"恢台者，盛夏朱明之景，故從火，叚炱煤之字爲之。恢從灰，炱從台，二體均古滋乳字。《呂氏春秋》曰："嚮者炱煤入甑中。"高誘曰："炱讀作臺。"是其證也。（字會）

【思】願也。（序王）【思】悲也。（勸勵張）

【思忠】里名也。（魏都）

【思婦】鳥名。（高唐）

【思歸引】《思歸引》者，衞女之所作也。（長笛）

【珊珊】聲也。（神女）

【珊瑚】珠也。（西都）珊瑚樹，赤色，有枝無葉。（吳都）

【玲瓏】明貌。（吳都）【玲瓏】明見貌也。（雜詩玄暉貳）【玲瓏】玉聲也。（東都）

【珉】石次玉也。【珉】玉名也。

（西都）【珉】石之美者。（贈
答正叔壹）

【珍】重也。（行旅沈貳）【珍】
貴也。（東京）【珍】寶也。
（贈答盧壹）【珍】八珍也。
（東都） 今時美物曰珍。（樂
府曹） 美故喻於玉也。（南
都）

【珍池】山下之池。或曰琳池也。
（羽獵）

【珍怪】金玉爲珍。詭異爲怪。
（招魂）

【珍享】獻珍物曰珍。獻食物曰
享。（羽獵）

【秋】日行西陸謂之秋。（雜詩景
陽）【秋】猶時也。（七啓）
【秋】歲以秋爲功畢，故以喻時
之要也。（表諸葛） 秋之言
湫也。湫者，憂悲之狀也。（西
京）【秋】就也。言萬物就成
也。（秋興） 又詳“肅”、“噍”
二條。

【秋引】商聲也。（月）

【秋河】天漢也。（贈答玄暉叄）

【秋駕】法駕也。（七命）

【秋暉】喻老成也。（贈答士衡壹）

【秔】不黏稻也。（長楊）【秔】
秈也。（南都） 稻屬。（此條
失注）

【科】坎也。（江）【科】條也。
（牋吳叄）

【柿】赤實。（南都）

【枰】平仲。（上林）【枰】投博
謂之枰。（論韋） 又詳“辨”
條。

【枸杞】詳“杞”條。

【枸桹】直而高，用與栟櫚同。（吳
都）

【柚】碧樹，冬生。《列子》：“吳越
之國，有木焉，其名曰欒。”欒
卽柚字也。（贈答玄暉肆）
案：由與繇通，故柚與欒通。
欒，許慎以爲崑崙國之長木。
“柚”下曰：“條也，似橙而酢。”
《列子》曰：“吳楚之國，有大木
焉，其名爲欒。碧樹而冬生，
實丹而味酸。食其皮汁，已憤
厥之疾。”卽許所云似橙而酢
之柚，許特重出柚字耳。“柚”，
《山海經》、《爾雅》皆作“欒”，
是其證。（字會） 又詳“橘
柚”條。

【柚梧】竹名。（吳都）

【柴扉】卽荆扉也。（贈答范壹）

【柴虒】不齊也。（甘泉）

【柴桑】豫章郡縣名也。（江）

【相】視也。（東京）【相】助也。
（幽通）【相】質也。（論劉壹）

【相土】契孫也。（獻詩曹壹）

【相羊】詳"須臾相羊"條。

【相佯】無依據之貌。（雜詩陶貳）又詳"逍遥"條。

【相恩】材理堅邪，斫之則文，可作器。實如珊瑚，歷年不變。（吳都）

【相歐】相擊也。（海）

【紅】赤色也。（招魂）又詳"工"條。

【苦】急也。（文）【苦】善曰：《周禮》曰："辨其苦良而買之。"鄭玄曰："苦讀曰盬。"（西京）案：苦盬均古聲。《説文》："苦，大苦苓也。從草古聲。""盬，河東鹽池。袤五十一里，廣一里，周百十六里。從鹽省古聲。"《史記·平準書》"鐵器苦惡價貴"《索隱》："凡病之器云苦窳。"《詩·鴇羽疏》："盬爲不攻牢、不堅緻之意也。"是盬即苦義。又云"盬與蠱字異義同。"《易》："風之蠱。"蠱訓物壞，與苦同訓，故亦通也。《史記·五帝紀》："器皆不苦窳。"音古，麤也，讀如盬。凡漢人稱讀如讀曰之字，多通假。（字會）

【苦雨】爲人所患苦也。（贈答士衡肆）

【苧】三棱。（上林　胡云："苧"當作"苧"。【苧】麻屬，可以爲索。（南都）

【茀】太古蔽膝之象。（公讌范）【茀】慧星也。《穀梁傳》曰："星孛入北斗。"孛之爲言猶茀也。（符命楊）案："孛"，《集韻》通作"茀"。《釋名·釋天》："孛，星旁氣孛孛然也。"蓋茀訓草穢塞路，與孛之穢天意合。《史記·武帝紀》："有星茀于東井。"《漢書·息夫躬傳》"角星茀於河鼓"《注》："讀與孛同，布内反。"是其證。孛又通勃。《説文》"孛"下："《論語》曰：'色孛如也。'"今《鄉黨篇》作"勃"。（字會）又詳"紱"、"戲"二條。

【茅土】天子社，東方青，南方赤，西方白，北方黑，上冒以黃土。將封諸侯，各取方土，苴以白茅。（書李　《史論范叁注》無"將"字，蓋脱去。）

【茅茨】蓋屋也。（東京）

【苞】本也。（行旅安仁壹）【苞】植也。（論曹）【苞】蔽。（子虛　胡云："蔽"當作"麃"。）

【苞幷】叢生也。（高唐）

【苞苴】裹魚肉者也。或以葦，或以茅。（論劉貳）

【苞筍】冬筍。（吳都）

【苞蒲】夷種也。（難）

【英】美也。（琴）【英】謂華也。（上林）【英】鮮明也。（贈答安仁）

【英英】詳"泱泱"條。

【英六】國名也。（思玄）

【英名】英者雄果之目。名者聲聞之稱。（射雉）

【英俊豪傑】智過萬人謂之英，千人謂之俊。智過百人謂之傑，十人謂之豪。（西都） 立德蹈禮謂之英。（哀傷任）

【英藺】藺相如也。（西征）

【苹苹】草貌。（高唐）

【苹縈】廻旋之貌。（長笛）

【炳】明也。（西都）【炳】丹青色也。（公讌顏貳）【炳】《古詩》："何不秉燭遊。""秉"或作"炳"。（書魏文） 案：秉與柄同義。《說文》："柄，柯也。從木，丙聲。""棅，柄或從秉。"《周禮・鼓人注》："無舌有秉。"《釋文》："秉"本作"柄"。炳與柄音形均近，柄作秉，故炳或爲秉。《詩・大田》："秉畀炎火。"《釋文》："秉"，《韓詩》作"卜"。然曰畀之炎火，則亦炳然有光意也。《漢書・五行志》"殺生之秉"，以秉爲柄也。此注疑是秉作柄，後人通易爲炳耳。（字會）

【炳炳麟麟】麟麟，光明也。麟與燐古字同。（符命楊） 案：麟與燐異訓，均從粦聲。《說文》："麟，大牝鹿也。從鹿，粦聲。"燐訓火光。本文"炳麟"，亦取光耀意，故同。（字會）

【拯】濟也。（思玄） 出溺爲拯。（雜擬謝）

【拯】上舉也。（羽獵） 又詳"丞"條。

【炯】明也。《楚辭》曰"彼堯舜之耿介"，王逸曰："耿，光也。"耿與炯同。（行旅顏叁） 案：《詩・柏舟》"耿耿不寐"，《楚詞注》引作"炯炯不寐"。《說文》："炯，光也。""耿，炯省聲。杜林說：耿，光也。"耿與炯同聲，又皆訓光，故互通也。（疏證）

【炯晃】光明也。（游天台山）

【括】至也。（雜擬謝）【括】結囊也。（論賈）【括】量也。（碑文蔡）【括】約束也。（贈答越石壹）【括】箭括。衝弦

者。（西京　"銜"本作"御"。"括"下本有"之"字。今依陳、胡校改。）　矢末曰括。括，會也，與箭會同也。（贈答士衡捌）

【括螻】南楚謂螻蛄爲括螻。（洞簫）

【挐】引也。　【挐】捽也。（長笛）　【挐】亂也。（吳都）

【挐攫】惶遽也。（羽獵）　【挐攫】相搏著也。（西京　又《魯靈光殿》作"攫挐"。）

【挑】相呼也。　【挑】挑敵求戰也。古謂之致師。（書司馬）　【挑】掘也。（長笛）　【挑】嬈也。（七發）　又詳"窕"條。

【按】抑按也。（文）　【按】按次第也。（子虛）　【按】徐也。（招魂）

【咽】嗌也。（設論楊）　【咽】憂不能息也。（寡婦）

【哆】張口也。音侈。（論劉壹）案：侈訓大、訓多，有張大自多之意。《史記・晉世家》"魏侈"，《趙世家》作"魏哆"。侈、哆雙聲疊韻。《詩・巷伯》"哆兮侈兮。"又《西京賦》"心奓體忕"《注》："善曰：《聲類》曰：'奓，侈字也。'"亦從張大自多取意。《東京賦》"臣濟奓以陵君"，《注》："度于奢侈，謂僭也。"《左氏傳》：萇弘曰："毛得以濟侈于王都。"《文選》"侈"均作"奓"。"侈"又通作"移"。《攷工記》："飾車欲侈。"故書侈爲移。《少牢饋食禮》"移袂"，叚移爲侈也。（字會）

【哆嗎】詳"邌眜戚施"條。

【咬】詳"哇咬"條。

【咬咬】鳥鳴也。（鸚鵡）

【哇】邪也。（雜擬謝）　【哇】謳也。（七命）

【哇咬】哇，諂聲也。咬，淫聲也。（舞）

【竿】箭幹也。（樂府鮑）　【竿】木挺也。（贈答越石壹）

【垣】詳"洹"及"墉垣"條。

【重】多也。（東京）　【重】威重也。（書阮）

【重】難也。（檄司馬）　【重】晉文公重耳也。（幽通）　又詳"輕重"條。

【重爻】易爻也。（魏都）

【重玄】天也。（頌陸）

【重光】日也。（連珠）　【重光】日月也。（公讌士龍）

【重邱】縣名。（長笛）

【重坐】廊廡上級下級皆可坐，故曰重坐。（上林）

【重桴】重棟也。在內謂之雙枚，在外謂之重桴。（景福殿）

【重瘖】瘖古陰字。重陰，地下也。（思玄）案：《說文》：“瘖，口不能言也。”《廣雅·釋言》：“陰，闇也。”《家語·本命》：“羣生閉藏乎陰。”闇者閉門也。閉門斯陰闇矣。闇與瘖音形均近，門閉則不能見，口閉則不能言，故瘖即古陰字也。《禮記·祭義》：“夏后氏祭其闇。殷人祭其陽。”闇與陽對舉，即叚闇爲陰也。《史記·魯世家》：“乃有亮闇三年不言。”義與陰同。陰宜作霒。（字會）

【重屋】重棟也。（東京）

【重軒鏤檻】檻，闌也。皆刻畫。又以大板廣四五尺，加漆澤焉，重置中闌闌上，名曰軒。（西京）

【重溟】謂海也。（游天台山）

【重淵】九重之淵也。（弔文陸）

【重陰】地下也。（思玄）又詳“重瘖”條。

【重較】車耳重較。文官青，武官赤。一曰車蕃上重起如牛角也。（西京）

【重輕】重爲母。輕爲子。（史論范貳）

【重器】神器也。（史論范貳）

【重繭】累胝也。（幽通）

【重璧之臺】穆王爲盛姬築也。（雪）

【重壤】地也。（琴）

【重巘】謂山形如累巘。巘曰甗，山狀似之，因以名也。（長笛）

【南斗】主爵禄。其宿六星。（吳都）

【南皮】縣名。（雜擬謝）

【南平】里名也。（西征）

【南服】南方五服也。（祖餞謝）

【南風】長養之風也。（歸田）

【南音】徵引也。南國之音也。（吳都）

【南荊】即《荊豔》，楚舞也。（琴）

【南國】謂江南也。（雜詩曹貳）

【南裔】謂交趾也。（贈答士衡伍）

【南蘭】縣名。（碑文沈）

【南籥】以樂舞也。（長笛）又詳“象簡南籥”條。

【封】大也。（西京）【封】厚也。（論李）【封】疆也。（論陸叁）【封】積土爲封限也。（西都）聚土曰封。（甘泉）

【封父】古諸侯也。（雜歌劉）

【封豕】大豬。（上林 《論劉壹》
　　“豬”作“豯”。）

【封巒】觀名也。（甘泉）

【春】春之言偆也。偆者，喜樂之
　　貌也。（西京）

【春王園】詳“春王圃”條。

【春王圃】（東京） 洛陽宮有春
　　王園。（贈答士衡柒）

【春正】春者天之所爲也。正者
　　王之所爲也。（東都）

【春宮】東方青帝舍也。（離騷）

【春清】詳“清酒”條。

【春華】喻少也。（祖餞潘）

【春穀】縣名。（雜詩玄暉肆）

【度】法也。（東京）【度】心能
　　制義曰度。（史論干貳）【度】
　　居也。（符命班 小學彙函本
　　《方言》校語云：度與宅古通
　　用。） 又詳“卿”條。

【度曲】歌終更授其次，謂之度
　　曲。（西京）

【飛】《史記》曰：“大雒生非子，非
　　子居大邱。”非與飛古字通。
　　（贈答盧貳）案：《說文》：“飛，
　　鳥翥也。”“非，違也。從飛下
　　翄，取其相背。”非與飛古音同
　　部，而義復相近，故可假借。飛
　　又通作蜚。《史記》：“楚莊王
　　曰：‘有鳥三年不蜚，蜚乃沖

天。’”蜚與飛同。《子虛賦》：
　　“蜚襳垂髾。”善曰：“蜚，古飛
　　字也。”《上林賦》云：“椎蜚
　　廉。”《注》：“郭璞曰：飛廉，龍
　　雀也。”又云：“櫟蜚遽。”《注》
　　引張楫曰：“飛遽，天上神獸
　　也。”《封禪文》：“蜚英聲”
　　《注》：“蜚，古飛字也。”蓋蜚字
　　從非字得聲，故亦與飛字通
　　用耳。（疏證） 又詳“蜚”條。

【飛生】詳“飛鸓”條。

【飛沈】言殊隔也。（樂府陸）

【飛翔】殿名也。（西都）

【飛兔騕褭】古之駿馬。（東京）

【飛狐】在代郡西南，塞名。（詠史
　　虞）

【飛蛾】善拂鐙火。（雜詩景陽）

【飛黃】如狐，背上有角，乘之壽
　　三千歲。（赭白馬）

【飛雲蓋海】吳樓船之有名者，皆
　　雕鏤采畫，有軒檻華檻之船
　　也。（吳都）

【飛梁】浮道之橋。（魏都）

【飛軨】如今窗車也。（七發）
　　【飛軨】以緹紬，廣八尺（胡
　　云：當作“八寸”），長挂地。畫
　　左青龍，右白虎，繫軸頭。（東
　　京）

【飛燕】漢文帝之良馬也。（樂府

靈運）

【飛廉】風伯也。（羽獵）【飛廉】館名。（西都）

【飛甍舛互】言室屋之多，相連下之貌。（吳都）

【飛鸓】飛鼠，其狀如兔而鼠首，以其髯飛。鸓，鼯鼠，毛紫赤色。（上林）

【飛遁】遁，卦名也。上九曰：“飛遁無不利。”謂去而遷也。九師道訓曰：“遁而能飛，吉孰大焉。”此筮得《遁》之《咸》，其《遁》卦《艮》下《乾》上。上九爻辭云：“飛遁最在卦上，矰繳所不及。”遁之最美，故名飛遁。（思玄）案：謝靈運《入華子岡詩》“亦棲肥遯賢”《注》引《周易》曰“肥遯無不利”，與今本合。蓋肥、飛本同部也。說文“遯”字下云：“逃也。”“遁”字下云：“遷也。一曰逃也。”是二字之訓本同。且盾聲、豚聲同部，故亦可通也。（疏證）

【飛龍】鳥名。（西京）【飛龍】漢房中樂章也。（琴）

【飛轡縣景】皆謂日也。日有御，故云轡也。（連珠）

【飛閣】突出方木也。（西京）

【飛鸓】狀如小狐。（西京）鸓

大如猿，肉翼，若蝙蝠。其飛善從高集下，食火煙，聲如人號。一名飛生，飛生子故也。（吳都）

【飛鱗】詳“文鰩”條。

【背】倍也。（招魂）案：《說文》：“倍，反也。”“北，乖也。從二人相背”。倍、背義本同。《中庸》“爲下不倍”，《緇衣》“信以結之，則民不倍”，《論語》“斯遠鄙倍”，與背一義也。倍之或體作偝。《坊記》、《投壺》、《荀卿子》多作偝。又引申之爲加倍之倍。此注蓋以加倍之倍釋背字耳。倍又通陪。《漢書·地理志》“至於倍尾”，讀曰陪。倍本作培。《左傳》：“祝鮀曰：‘分魯土田倍敦。’”《說文》曰：“培敦土田山川也。”（字會）

【界】疆也。（論陸叁）又詳“介”條。

【界休】縣名。（碑文蔡壹）

【俞】然也。（羽獵）

【俞兒】登山之神。（吳都）

【俞跗】《史記》：中庶子謂扁鵲曰：“臣聞上古之時，醫有俞跗，醫病不以湯液。”跗音附。（設論楊）案：《天官·疾醫》

注》:"岐伯、榆柎,則兼彼數術者。"《釋文》:"榆,羊朱反。本亦作俞。柎,劉音附,徐音鈇。岐伯、榆柎,皆黃帝時醫人。"蓋榆從俞字得聲,柎、跗皆從付字得聲,故可通用。(疏證)又詳"盧跗"條。

【奕】圍棊。自關而東,齊晉之閒,謂之奕。(論韋)

【奕奕】盛也。(琴)　【奕奕】光明貌也。　【奕奕】舞形也。(東京)自關而西,凡美容謂之奕奕。(贈答士衡壹)　【奕奕】輕靡之貌。(吳都)

【計】謀也。(離騷)

【計然】文子者,姓辛,葵丘濮上人也。稱曰計然。(表曹貳)研,范蠡之師計然之名也。(設論班)

【訃】《禮記》曰:"凡赴于其君,云某臣死。"鄭玄曰:"訃或作赴,至也。"(誄顏)　案:《説文》:"赴,趨也。"段曰:"今文赴作訃。古文訃告字,祇作赴。《雜記》作訃,不作赴。《禮記》多用今文也。《左傳》作赴者,左邱明《春秋傳》用古文,故與古文同也。"《儀禮‧既夕記》"赴曰"《注》:"赴,走告也。"故或

從走,或從言。從卜者,其聲也。孔德璋《北山移文》"悲無人以赴弔",《注》亦引《禮記》曰"凡訃于其君"云云。此其證也。(字會)

【幽】遠也。(公讌應)【幽】闇也。(東京)

【幽】猶夜也。(景福殿)

【幽州】東北曰幽州。(江)

【幽若】若,杜若也。若稱幽若,猶蘭曰幽蘭也。(七啓)

【幽流】謂伏溝,從地下流通於河也。(東京)

【幽明】天曰明。地曰幽。(贈答顏肆)

【幽昧】不明也。(離騷)

【幽屏】謂生處也。(吳都)

【幽叟】圯上老人也。(詠史謝)

【幽都】地下后土所治也。地上幽冥,故曰幽都。(招魂)

【幽捷】喻法藏也。(碑文簡栖)

【幽輣】車聲也。(羽獵)

【幽蹊】山徑曰幽蹊。(行旅玄暉貳)

【皇】大也。(東京)【皇】天也。(頌王)　【皇】天神也。(序顏)　【皇】美也。(勸勵韋)　【皇】皇考也。(離騷)　【皇】皇之言暀也。(哀潘)　【皇】皇者,

煌煌也。（西京） 明者曰皇也。（七發）

【皇皇】美貌也。（九歌） 【皇皇】盛也。（史述贊班貳）

【皇士】美士也。（勸勵韋）

【皇后夫人】漢興，因秦之稱號，正嫡稱皇后，妾皆稱夫人。（史論范）

【皇穹】天也。（寡婦）

【皇帝】道機合者稱皇。德象天地爲帝。（西都）

【皇戚】皇家之戚也。（公讌顏貳）

【皇極】大中也。（史論干貳）

【皇輿】君車也。（羽獵） 【皇輿】以喻國也。（離騷）

【威】畏也。（東京）【威】猶葳蕤也。（甘泉）

【威夷】險也。（西征） 【威夷】《韓詩》曰:“周道倭夷。”（琴） 案: 倭威、遲夷一聲，故或作威夷，或作倭夷，亦作威遲。《詩》:“周道倭遲。”《傳》曰:“倭遲，歷遠之貌。”倭，于爲切，與威字一聲。又作郁夷。顏延年《北使洛詩》“威遲良馬煩”《注》引《韓詩》曰:“周道倭遲。”《秋胡詩》“行路正威遲”《注》引《毛詩》曰“周道倭遲”。又引《韓詩》曰“周道威夷”。威倭互引，音義同。《顏詩注》引《韓詩》作倭遲者，遲或夷之誤也。此賦注引《韓詩》作倭夷者，倭或威之誤也。《秋胡詩》注引不誤。（字會）

【威弧】詳“天弧”條。

【威紆】威夷紆餘，流長之貌也。（雜詩玄暉肆）

【威遲】詳“威夷”條。

【威蕤】羽貌。（東京）

【奔】猶赴也。（舞鶴） 【奔】落也。謝靈運《入彭蠡湖口詩》曰:“圻岸屢崩。”奔與崩同也。（行旅靈運肆） 案:《說文》:“崩，山壞也。”引申凡壞皆曰崩。奔訓奔馳。《詩·大雅》“予曰有奔走”，是也。凡馳者必奔。奔有蹎踣之象，故奔、崩義同。《吕覽貴因》“賢者出走命曰崩”，是其證也。奔又通爲賁。《詩》“鶉之奔奔”，《禮記·表記》引作“賁賁”。奔又通爲本，《毛詩》“予曰有本走”，陸德明本如是。（字會）

【奔走先後】四輔之職也。（離騷）

【奔觸】唐突也。（西京）

【奔騰】羣走貌也。（上林）

【匍匐】手行也。（長楊）　又詳
　“蒲伏”及“扶服”條。

【音】情發於聲，聲成文謂之音。
　聲成文者，宮商上下相應也。
　（序卜）　又詳“聲音”條。

【音息】音問消息也。（贈答士衡
　捌）

【音樂】感於物而動，故形於
　聲。聲相應，故生變。變成方
　謂之音。比音而樂之，及干戚
　羽旄，謂之樂。（音樂）

【咸】詳“函”條。

【咸池】天池也。（九歌　又《贈
　答曹伍》下“池”字作“神”。）
　主五穀。（景福殿）

【咸池雲門】黃帝樂曰《咸池》（東
　京），曰《雲門》。（蜀都）

【革】戒也。（贊袁）　又詳“金石
　土革絲木匏竹”條。

【革正朔】革正朔者，更以十三月
　爲正，平旦爲朔也。（上林）

【畋】取獸曰畋。（藉田）　【畋】
　孔安國《尚書傳》曰：“田，獵
　也。”田與畋同。（西京）　案：
　《詩》“叔于田”《疏》：“田者，獵
　之別名。以取禽于田，因名曰
　田。”《書·無逸》：“不敢盤於
　遊田。”《疏》曰：“田謂田獵。”
　《易·恒》“田無禽”《疏》：“田

者，田獵也。”《周禮·州長》
“而師田行役之事”《疏》：“田
謂田獵。”畋本從田取義也。
又田通爲闐。《景福殿賦》：“騈
田胥附。”《笙賦》：“騈田獵
攦。”騈田卽騈闐。（字會）

【昭】明也。（東京　又《東京》：
　“招，明也。”胡云“明字蓋誤”，
　今從之。）又詳“韶”條。

【昭昭】光明貌也。（行旅陶貳）

【昭陽】舍名。（西都）

【昭儀】昭儀，位視丞相。婕妤，
　視上卿。娙娥，視中二千石。
　傛華，視真二千石。美人，視
　二千石。八子，視千石。充
　依，視千石。七子，視八百石。
　良人，視七百石。長使，視六
　百石。少使，視四百石。五官，
　視三百石。順常，視二百石。
　無涓、共和、娛靈、保靈、良使、
　夜者，皆視百石。（西都）

【昭穆】父爲昭，子爲穆，孫復爲
　昭。昭穆，父子之迭號，千祀
　而一也。（公讌顏壹）

【昨】隔日也。（哀傷潘）

【冠】覆也。（東京）

【冠帶】冠帶猶縉紳，謂吏人也。
　（西京）

【冠族之家】古者命士已上，皆有

冠冕，謂之冠族之家。（令
《彈事沈》末句作“故謂之冠
族”。）

【冠纓】組綦小者爲冠纓。（表孔）

【風】俗也。（魏都）【風】風也，
教也。（序卜）【風】聲也。
（祭文王）【風】采也。采聽
商旅之言也。（彈事沈）風者，
天子號令。（東京）風者汛
也，爲能汛博萬物。一曰放也，
動氣放散。或曰陰陽偏則風，
蓋陰陽擊發氣也。風者，天
地之使也。陰陽散爲風，風氣
無根也。風漂物者也。風之
所漂，不辟貴賤美惡。陰陽
怒而爲風。大塊噫氣，其名
爲風。（風）

【風穴】風所從出。（論劉壹）

【風仙】列子禦風泠然者，風仙
也。（琴）

【風后】黃帝三公也。（東京）
又詳“東方朔”條。

【風伯】箕星也。（東都）

【風師】箕星也。主簸揚（“揚”本
作“物”，依胡校改），能致風氣
也。（思玄）

【風涼】詳“福地”條。

【風俗】人有剛柔緩急，音聲不
同，繫水土之風氣，故謂之風。

好惡取舍，動靜嗜欲，故謂之
俗。（東都）

【風連】藥名。（蜀都）

【風偃】言衆瑞之多也。（符命
楊）

【風篁】風吹篁也。（月）

【風塵】以喻汙辱也。（史論干
貳）

【虹】詳“螮蝀”條。

【虹洞】詳“鴻洞”條。

【虹蜺】邪陰之氣也。（雜詩玄暉
壹）

【厖】雜也。（論王）

【厖眉】蒼眉也。（思玄）

【厖鴻】未分之象。（思玄）又
詳“歸罪厖鴻”條。

【若】如也。（東京）【若】辭也。
（游天台山）【若】預及之辭
也。（符命楊）【若】蹹足貌。
（上林）【若】杜若。（南都）

【若人】若此之人也。（書曹壹）

【若士】仙人名。（琴）

【若木】在建木西。（思玄）【若
木】在崑崙西極。（離騷）灰
野之山，有赤樹青葉，名曰若
木，日之所入處。或曰若木末
有十日，其華照下地。（月）

【若水】出廣平徼外，出旄牛，入
江。（難　胡云：“出廣平徼

外，出斿牛"當作"出斿牛·徼外"。)

【若林】言多也。（東京）

【若英】若木之英也。（月）

【映】日陰曰映。（哀傷王）【映】
猶蔽也。（游覽顏壹）

【負】性忮也。（魏都）【負】忮
也。　負之言背也。（東京）
【負】猶累也。（上書李）【負】
受貸不償。然受恩不報亦謂
之負也。（臨終）【負】《西
京賦》曰："百物殷阜。"薛綜
《注》曰："殷，盛；阜，大也。"
負與阜同。（碑文沈）　案：《說
文》："負，忮也。從人守貝，
有所恃也。"有貝則殷盛阜大
矣。阜訓大陸，引申爲凡多、
凡厚、凡大之偁。《秦風傳》曰：
"阜，大也。"《鄭風傳》曰："阜，
盛也。"《國語注》曰："阜，厚
也。"負、阜蓋同音通用字也。
（字會）

【首】向也。（神女）【首】頭也。
（離騷）

【首途】猶首路也。（碑文沈）

【首鼠】一前一卻也。（碑文沈）

【首鎧】詳"冑"條。

【叛】亂也。（蜀都）【叛】猶煥
也。（西京）

【叛衍】何貴何賤，是謂叛衍。（蜀
都）

【叛換】猶咨睢也。（魏都）

【帝】天也。（碑文沈）【帝】天
帝也。（離騷）又詳"皇帝"條。

【帝子】詳"二妃"條。

【帝女之桑】出宣山，其枝四衢。
（南都）

【帝休迷穀】少室之山，其上有木
焉，名曰帝休。葉茂，狀如楊，其
枝五衢。黃花，黑實。服者不怒。
南山之首山曰鵲山，有木焉，其
狀如穀而黑，其花四照。其名迷
穀，佩之不迷。（碑文簡栖）

【帝江】其狀如黃囊，其文丹，六
足四翼，渾沌無面目。是識歌
舞。（序王）

【帝庭】謂太微宮也。（月）

【帝室】猶言王室也。（魏都）

【帝魁】黃帝子孫。佳已感龍生。
（東京）

【帝臺】神名。（赭白馬）

【亭】定也。（行旅靈運陸）　又
詳"停"條。

【亭亭】迥貌。（游覽惠連）【亭
亭】遠也。（長門《雜詩魏文》：
"亭亭，迥遠無依之貌也。"）

【亭亭苕苕】高也。（西京）

【亭午】日中曰亭午。（游天台

山）

【亭毒】亭謂品其形。毒謂成其質。（論劉壹）

【芔】猶勃也。芔古卉字。（上林）案：《思玄賦》"百芔含葩"《注》引《毛詩傳》："芔，草也。"又"卉既凋而復育"《舊注》："卉，草木凡名也。"芔、卉均訓草矣。《漢書·司馬相如傳上》"芔然興道而遷義"《注》："芔然猶歘然也。"本賦張揖《注》："芔歙，走相追貌。"葉樹藩云："芔歙卽歘吸之誤。"按：張《注》從草上之風必偃取義也。芔非歘字之誤。芔又作蓾。《史記·司馬相如傳》："瀏蒞芔吸。"《索隱》云："古卉字。"《正義》作"瀏蒞蓾吸。"（字會）

【盈】滿也。（射雉）　又詳"贏"、"籯"二條。

【盈盈】容也。（雜詩古詩）

【盈瑱】盈尺之玉也。（雜擬江）

【夛】豐也。（射雉）　又詳"哆"條。

【夛靡】奢放也。（西京）

【眇】視也。（東京）【眇】眺也。（招魂）

【眇】微也。（赭白馬）【眇】莫也。（魯靈光殿）

【眇眇】遠也。（思玄）【眇眇】好貌。（九歌）

【眇默】遠貌。（碑文仲寶）

【胡】何也。（東京）

【胡桃】西域之桃也。（閒居）

【胡秦】猶胡越也。（雜詩蘇）

【胡繩】香草也。（離騷）

【弭】安也。（歎逝）【弭】息也。（贈答惠連）【弭】止也。【弭】忘也。（雜擬江）

【弭】猶低也。（子虛）　【弭】弓末象弭，以象飾之也。（吳都　又《雜擬鮑壹》："弭，弓之末弰者以象骨飾之。"）

【食】食者干歷之也。（上書鄒貳）

【食毒鹿】兩頭，主食毒草。（蜀都）

【食葛】蔓生，與山葛同。根特大，美於芋也。（吳都）

【衍】益也。（長笛）【衍】溢也。（琴）【衍】布也。（東京）

【衍】申布也。【衍】蔓也。下平曰衍。（西京）【衍】無崖岸也。（甘泉）【衍】散也。（七發）【衍】天竺言衍。此言乘。（碑文簡栖）　又詳"㝗"條。

【衍漾】游衍漂漾也。（游覽顏叁）

【美】好也。（樂府陸）

【美人】謂懷王也。（離騷）　又詳"昭儀"條。

【盾】招搖第九星，名爲盾。（西京）　又詳"廠"條。

【祇】是也。（東京）【祇】適也。（《子虛》"祇"作"秖"非。）【祇】地祇也。（序顏）　又詳"神祇"條。

【係】繫也。（長楊）

【係蹄】獸絆也。（橄陳貳）

【厎】礩止也。厎或爲底，古字也。（七發）　案：《説文》："厎，礩止也。""底，下也。"《玉篇》曰："底，止也，下也。"《廣韻》曰："底，下也，止也。"最下則有厎止義，至、氏亦聲轉，古故通。《左氏傳·昭元年》："勿使有所壅閉湫底。"服《注》："底，止也。"杜《注》："底，滯也。"《楚語》"夫民氣，縱則底，底則滯。"《注》："底，箸也。"與厎訓礩止合。又厎爲底礩本字，俗作室。（字會）

【枹】鼓椎也。（西征）【枹】音附。（洞簫）案：枹與桴通，故音附。《説文》："枹，鼓柄也。"

《西征賦》"砰揚桴以振塵"《注》引《楚辭》曰"揚桴兮擊鼓"，又引《左氏傳》曰："援枹而鼓。"《説文》曰："枹，鼓椎也。"桴、枹兩引，通用字也。《解嘲》"叔孫通起於枹鼓之間"作"枹"。王元長《三月三日曲水詩序》"稀鳴桴於砥路"《注》引《説文》曰"桴，鼓柄也"，作"桴"。此通用之證。至桴之本義，則訓棟，借爲鼓柄字耳。又桴通爲泭。《論語》："乘桴浮於海。"段桴爲泭也。（字會）

【砌】阤也。（西都）　又詳"切"條。

【流】下也。（秋興）【流】放也。（論魏文）【流】行也。（上書鄒壹）【流】水行也。（長笛）【流】猶枝也。（西都）【流】演也。（符命班）　均衆謂之流。（此條失注　《七命》作："齊顏色，均衆寡，謂之流。"此蓋脱。）

【流丹】流丹者，石芝赤精，蓋石流黄之類也。（游仙郭）

【流沙】沙流如水也。（離騷）

【流波】目視貌。（神女）

【流盼】轉眼貌也。（西京）

【流俗】失俗也。（雜詩景陽）

【流星】言疾也。（牋陳）

【流黃】土精。（吳都）

【流精】崑崙山之闕也。（銘陸）

【流漂滌蕩】謂除之也。（符命楊）

【流隸】流移賤隸也。（論班）

【流蘇】五采毛雜之以爲馬飾而垂之。（東京）

【流離】涕垂貌。（長門）【流離】放散也。（上林）

【流離爛漫】分散遠貌。（魯靈光殿）

【流議】猶餘論也。（論東方）

【坓】蟻冢也。（軍戎）

【峱峴】高貌。（海）

【爰】易也。（文壹）【爰】于是也。（思玄）

【宦】仕也。（詠史左）

【宦者】宦者，養也。養閹人使其看宮人。（史論范叁）

【侯】何也。（符命司馬）

【侯桃】山桃，子如麻子。（南都）

【胥】相也。（東京）【胥】多智也。（行旅靈運陸）

【胥母】山名。（七發）

【匈隱匈磕】濤形貌。（七發）

【匋磕】水聲也。（上林）

【陌】道也。（雜詩沈肆）　又詳"阡陌"條。

【禺】番禺也。其地人便水。（吳都）。

【禺禺魚】皮有毛，黃地黑文。（上林）

【香】詳"薌"條。

【香茅】草名。（吳都）

【垝】最高危限之處也。（雜詩玄暉伍）

【峱巍嶵嵬】殿形也。（魯靈光殿）

【洌】清也。（長笛）【洌】清澄貌。（東京）

【洌】寒也。（雜詩盧）　又詳"洌"條。

【貞】正也。（幽通）【貞】誠也。（思玄）

【芨】草舍也。（史論干貳）

【芨萐】草名。（甘泉）

【芨釩】枝葉盤紆也。（招隱士）

【柩路】詳"蜃車"條。

【柩輅】載柩車也。（誄潘叁）

【紈】素也。（藉田）

【紈牛】小牛也。（序王　孫云"紈"當作"紈"。）

【昬】冥也。（雪）

【昬昬】目所不見。（文）

【段干】詳"徵舒段干吳娃傅予"條。

【叚生】干木也。（述祖德）

【契】問也。　【契】灼其龜也。（冊）　【契】約也。（歎逝）　【契】大約也。（祖餞孫）

【契闊】勤苦也。（贈答士衡拾）

【狡】急也。（洞簫）　【狡】疾也。（西都）　【狡】滑也。（北征）

【苟】誠也。（幽通）

【眉】詳“麋”條。

【眉壽】毫眉也。（南都）

【宥】赦也。（表陸）　【宥】寬也。（公讌謝）

【奏】進也。（西京）　又詳“表”、“走”二條。

【姝】好也。　【姝】美色也。（神女）

【昧】早也。（東京）　【昧】早旦也。（難）　【昧】昧爽也。（文參）　【昧】冒也。　【昧】目不明也。（吳都　按：“昧”當作“眛”，今《說文》正作“眛”。）　【昧】闇也。（詠史顏壹）

【昧旦】清晨也。（吳都）

【昧莫】廣大貌。（吳都）

【陊】落也。（西京）　【陊】小山也。（長笛）

【胄】緒也。（幽通）　（胄）長子也。謂卿大夫子弟也。（詠史左）　【胄】兜鍪。亦謂之鞻

鍪。亦謂之首鎧。（長楊）

【面】前也。（閒居）　【面】向也。（詠懷阮）

【前脩】謂前賢也。（魏都）

【前殿】正殿也。諸宮皆有之。（甘泉）

【前驅】如今導引也。（藉田）

【扃】關也。（西京）　【扃】外閉之關也。（南都《行旅顏貳》作“門之關也”。）

【扁】詳“楄”條。

【扁鵲】詳“盧跗”條。

【苗】詳“蓄”條。

【苗山】楚山也。（七發）

【苗松】苗山之松。（七發）

【苗裔】苗，胤也。裔，末也。（離騷）

【祈】求也。（東京）　【祈】禱也。（海）

【祈年宮】秦穆公所造。（遊覽沈參）

【朏】月未成光。（月）　【朏】明也。月三日明生之名。（公讌顏壹）

【朏明】日出湯谷。（《月》及《思玄》“湯”並作“暘”），浴於咸池，拂於扶桑，爰始將行，是謂朏明。（離騷）

【朏魄雙交】謂三日也。凡朏魄

之交,皆在月三日之夕。今月
未夕,故以前之交,唯止有二,
故曰雙也。(公讌顔壹)

【勑】正也。(牋吳壹) 【勑】整
也。(東京 《思玄》作"敕"。)

【柔】弱也。(洛神) 【柔】安也。
(東京)

【柔祇】地也。(月)

【枳】似橘。(西京)

【枳棘】以喻殘賊也。(檄陳貳)

【矜】寒貌。(思玄) 【矜】憐也。
(長楊) 【矜】謂自尊大也。
(東都) 自賢曰矜。(吳都)
【矜】急也。(連珠)

【矜矜】戒懼也。(勸勵韋)

【苛】煩也。(西征) 【苛】猶虐
也。(詠史謝) 苛者切也。
(樂府陸)

【苛繂】煩數貌。(舞)

【袀】同也。(吳都) 又詳"均"
及"袀服"條。

【袀服】黑服也。(閑居 胡云:
《漢書輿服志》引《吳都》作
"袀,卑服也"。)

【星奔】言疾也。(贈答越石壹)

【星離】詳"電布星離"條。

【突】唐突也。(魯靈光殿)

【突扤】高貌。(海)

【突梯滑稽】轉隨俗也。(卜居)

【殃】咎也。(幽通) 【殃】禍也。
(招魂) 【殃】禍惡也。(北征)

【洽】合也。(游覽顔叁) 【洽】
霑也。(東京)

【指】語也。(離騷)

【指南】指南車也。(吳都)

【故】舊也。(招魂) 【故】古也。
(招魂) 【故】謀也。(景福殿)
【故】災也。(哀傷王) 【故】
災禍也。(行旅正叔) 又詳
"固"條。

【故安之栗】御栗也。

【脉】理也。(東京) 又詳"鷖"
條。

【咨】詳"齋諮"條。

【咨諏】訪問於善爲咨。咨事爲
諏。(表諸葛)

【怠】懈也。(東京) 【怠】倦也。
(子虛)

【垠】水厓也。(海) 又詳"畿"
條。

【垠堮】端崖也。(七命) 又詳
"垠鍔"條。

【垠鄂】詳"垠鍔"條。

【垠鍔】善曰:《淮南子》曰:"出於
無垠鄂之門。"許慎曰:"垠鍔,
端崖也。"(西京) 案: 張景
陽《七命》"旌拂霄垆,軌出蒼
垠"。《注》:"許慎《淮南子注》

曰：'垠堮，端崖也。'"《甘泉賦》"紛披麗其無鄂"、何平叔《景福殿賦》"肅抵鄂之鏘鏘"《注》並云："鄂，垠鄂也。"《說文》無"堮"而有"鄂"，"鄂"字下云"江夏縣"，亦無端崖之義。司馬彪《莊子注》云："鍔，劍棱也。"引伸之，凡物之有崖岸棱角者，皆謂之鍔。是鍔爲正字，堮、鄂皆假借字也。（疏證）

【斾】前軍也。（東京）【斾】旌旗之垂者。（游覽沈壹）

【奎踽】開足也。（西京）

【奎婁分野】魯地，奎婁之分野。（魯靈光殿）

【柱】枝也。【柱】枅上方木。（魯靈光殿）

【勃】盛貌。（長笛）　又詳"茀"條。

【勃盧】越王之矛曰勃盧。（吳都）

【勃鞮】詳"伯"條。

【勃鬱煩冤】風迴旋之貌。（風）

【挂】懸也。（哀傷秘　《離騷》作"絓"同。）又詳"罣"條。

【紀】節也。（七命）【紀】世也。（幽通）【紀】本紀也。（符命楊）【紀】記也，錄也。（東京）【紀】綱紀也。（文）

【紀皓】紀，紀信。皓，四皓也。（幽通）

【勉】强也。（離騷）　又詳"勔"條。

【待詔】諸以材術見知，直於承明，待詔卽見，故曰待詔'。（甘泉）

【待獲】射者舉旌以獲也。（七命胡云：何校"射"上添"待"字，"者"上添"中"字，是也。）

【杞杞】盛也。善曰：《毛詩》曰："維葉泥泥。"（蜀都）　案：《易·震》："震泥遂。"虞注："坤土得雨爲泥。"杞訓本，又訓夔柄，同櫃。《易·繫》："於金杞。"義本各殊，因均尼聲，故用同。《甘泉賦》"夫何旟旐郅偈之旖旎也"《注》："旖旎，旍繆之形也。"此言杞杞、泥泥者，亦象莖葉之形耳。（字會）

【要】屈也。（洛神）【要】邀也。（西征）

【要眇】好貌。（九歌）　又詳"幼妙"條。

【要紹】曲貌。（魯靈光殿）【要紹】謂娟嬋作姿容也。（西京）

【苊虎】不齊也。（上林）

【苊薑】子薑。（上林）

【約】屈也。（招魂）【約】美也。

（七命）【約】儉也。（文）

【約】《字書》曰："約亦的字也。"的，琴徽也。（七發）案：約、的均從勺聲，故同。《考工記·弓人》"不皆爲約繳之繳"《疏》："約謂絲膠橫纏之，今之弓猶然。"與的訓琴徽之義合。《射雉賦》"首葯綠素"《注》："《方言》曰：'葯，纏也。'猶纏裹也。"《西征賦》"貫腮蔤尾"《注》："蔤猶繫也，音的。"《魯靈光殿賦》"綠房紫菂"《注》："菂與芍同，音的。"《文選》"的皪"亦作"玓瓅"。此皆勺聲通叚之字。（字會）

【約素】詳"束素約素"條。

【迭】代也。（西都）【迭】更也。（西京）【迭】互也。（勸勵韋）又詳"軼"條。

【迤】邪也。（東京）

【迤𪩘】邪平之貌。（洞簫）

【俛】俯也。（西都）

【俛仰】伏也。（論李）

【俑】俑或謂偶。偶，刻木以象人形。（祭文謝）案：《説文》："偶，桐人也。"段云："《禮記》、《孟子》之俑，偶人也。俑即偶之叚借字，叚借之義行而本義廢矣。"蓋"偶從禺，亦作寓，偶者寓也，寓于木之人也。"俑訓痛，"與心部之恫音義同"。《廣韻》引《埤倉説》："木人送葬，設關而能跳踊，故名之俑。"此俑叚爲偶之自來。《解嘲》"遇時之容"《注》："遇時，偶暫得容也。"本遇多爲偶，蓋不期而遇者，偶然而遇之謂，益可信偶之爲寓也。後更叚偶爲射耦、嘉耦、怨耦之字矣。（字會）

【俑木】送人葬也。（祭文謝）

【施】猶布也。（閒居）【施】行也。（詠史王）又詳"馳"條。

【施靡】相連貌。（甘泉）

【紆】垂也。（東京）【紆】回也。（高唐）【紆】縈也。（行旅玄暉貳）【紆】屈也。（北征《長楊注》："紆，詘也。"詘同屈。）

【紆譎】曲折也。（甘泉）

【洿】漫也。（嘯）【洿】濁水不流也。（南都）又詳"汙"條。

【昶】通也。與暢同。（琴）案：枚叔《七發》"使師堂操暢"《注》："《琴道》曰堯暢達則兼善天下，無不通暢，故謂之暢。"《廣雅》："昶，通也。"此昶、暢通用之證。（疏證）

【持】扶也。（東京）又詳"恃"條。

【持方】受命者名也。（論劉貳）

【洛】東都也。（古辭古詩）

【洛水】出漳山。（江　《洛神》作“洛水出洛山”。）

【洛神】宓妃也。宓羲氏之女，溺死洛水爲神也。（洛神）亦謂之靈妃。（游仙郭）

【冒】覆也。（雪）【冒】蒙也。（贈答士龍叁）【冒】犯也。（吳都）【冒】貪也。（論李）【冒】《禮記注》曰：“芼，菜也。”謂以菜調和之也。冒與芼古字通。（七發）　案：《説文》：“冒，蒙而前也。”《書》：“怙冒，覆也。”取覆冒之意。“芼”，《説文》云“草覆蔓也。”《禮記》：“羹芼葅醢。”肉謂之羹，菜謂之芼，取覆冒于上之義也。引申爲擇爲擇耳。冒、芼音轉。芼又通作覒。《詩·關雎》：“左右芼之。”《毛傳》曰：“芼，擇也”。《説文》：“覒，擇也”。《玉篇》引《詩》作“左右覒之”。冒又作媚。《大學》：“媚疾以惡之。”《尚書》祇作冒。（字會）

【姣】好也。（射雉）【姣】大也。（思玄）　又詳“嬌”條。

【柎】詳“跗”、“趺”二條。

【衿】衣交領也。（魏都　《贈答

僧達》“衿”作“襟”。）【衿】猶前也。（贈答士衡陸）

【柞】櫟也。（長笛）

【柞】詳“蹉”條。

【柢】下本也。（上書鄒貳）　又詳“邸”條。

【省】視也。　【省】察也。（東京）

【柝】《周禮》曰：“凡軍事聚櫓。”鄭玄曰：“擊櫓，兩木相敲行夜時也。”櫓與柝同。（行狀）　案：《説文》：“櫓，行夜所擊木也。”九家易曰：“柝者，兩木相擊以行夜也。”《孟子》“抱關擊柝”，亦取擊柝行夜義。《西京賦》“城尉不弛柝”《注》引鄭玄《周禮注》曰：“櫓，戒夜者所擊木也。”此柝、櫓同用之證。《莊子》：“其猶橐籥乎？”橐籥所以出氣，行夜之櫓，亦空其中而擊使出聲也。橐亦作託。《吕覽》：“盛吾頭於笥中奉以託。”託者橐之叚借字。（字會）

【姜】齊姓也。（幽通）

【峙嶇】詳“躑躅”條。

【𡚽】折傷也。（吳都）

【炱煤】煙塵也。（樂府陸）

【𨺅】詳“疏”條。

【𩵋】詳“毛𩵋豚胎”條。

【珂】詳“珹”條。

【宋】詳"淼溔壽夢"條。

【洟】鼻液也。（長笛）

【胃脯】今大官以十日作沸湯煑羊胃，以末椒薑坋之訖，曝使燥者也。（西京 胡云："日"當作"月"。）

【韭】其華謂之菁。（南都）

【俚】鄙也。（魏都）

【袵席】乃單席也。（牋謝 胡云："席乃"二字不當有。）

【恇】恐也。（碑文仲寶）

【冨】詳"偪"條。

【罜麗】小網。（西京）

【恃】怙也。（離騷）

【籽】詳"耘籽"條。

【哂】笑也。（游天台山）

【眄】視也。（詠史左）

【急】要也。（游覽顏壹）

【垓】重也。（符命司馬）

【俘】伐國取人曰俘。（獻詩潘）

【枯】詳"砧"條。

【怨曠歌】王昭君所作也。（琴）

【拱】兩手曰拱。（恨）

【袂】詳"襻"條。

【炫】光也。（長門）

【竽】詳"吹"條。

【疧】病也。（西征）

【迪】蹈也。（贈答士衡壹）

【咫】八寸曰咫。（長楊）

【迷穀】詳"帝休迷穀"條。

【恍】詳"忽怳"條。

【迮】迫也。（歎逝）

【柳】興棺之車，其蓋曰柳。柳，聚也，衆飾之所聚也。（挽歌陸）

【娀】詳"芟"條。

【迣】詳"逷"條。

【盼】動貌也。（詠史左）

【洔】仍也。（舞鶴）

【硫磕】雷聲。（思玄）

【政駿】劉子政、劉子駿也。（西征）

【姚】詳"佻"條。

【帥】聚也。（甘泉）

【敏】笑貌。（琴）

【矼】詳"工"條。

【牲牷】色純曰牲。體完曰牷。（此條失注）

【柍】中央也。（魏都）

【毗】輔也。（贈答正叔貳）

【娃】吳俗謂好女爲娃。（吳都）

【禹餘糧】生東海池澤。（江）

【眩曜】惑亂貌。（景福殿）

【曷旦】詳"鳱鴠"條。

【郄】詳"隙"條。

【巽】詳"遜"條。

【俗】詳"風俗"條。

【玷】詳"點"條。

【兗】詳"忽怳"條。

【拮】擊也。（長楊）

【苔蘚】一名綠錢。（雜詩沈叄）
【瓨】至也。（甘泉）
【穽】坑也。（西征）
【胈】身中小毛也。（難）
【卻】返也。（銘陸壹）
【恬】靜也。（西征）
【染】擩也。（子虛）
【後旌】猶後乘也。（游覽江）
【枵然】大貌。（行旅靈運壹）
【珋】石之有光者。（江）
【巷伯】內小臣也。（史論范叄）
【茖】草之茖也。一曰陵茖。（文）
【炤】明也。（西都）
【翃】詳"翻翃"條。
【衯衯裶裶】皆衣長貌也。（子虛）
【砅】水激巖之聲也。（江）
【囿】今之苑。（兩都序）
【佂攘】遽惶也。（九辯）
【崋崒】山貌。（子虛）
【亮】明也。（行旅靈運柒）
【姣】好也。（思玄）
【胗】脣瘍也。（風）
【屏風】水葵也。（招魂）
【剄】以刀割頸曰剄。（書李）
【拾】更也。（幽通）
【陋】小也。（東京）
【洮湖】陽羨有洮湖。（江）
【砏汃輣軋】波相激之聲也。（南都）
【殆】近也。（上林）
【紉】索也。（離騷）
【祊】廟門內之祭也。（論陸壹）
【柚】今江東人呼柚爲軸。（西征）又詳"杼"條。
【酋】羌胡名大師爲酋。（書丘胡云:"師"當作"帥"。）
【酋渠】皆豪帥也。（吳都）
【耇】耇者，老人面色如耇也。（勸勵韋）
【突】複室也。（招魂）
【昴】昴者西方白虎之宿也。（贈答士衡貳）
【洵】信也。（魏都）
【砐硪】搖動貌。（江）
【柲】猶柄也。（甘泉）
【剌】戾也。剌，邪也。（南都）
【則】法也。（東京）
【洎】及也。（東京）
【洙泗】魯水名也。（論李）
【陔】隴也。（補亡）
【俟】候也。（幽通）
【厚朴】藥名。（上林）
【昵】近也。（雪）
【拮】詳"揭"條。
【范蠡】詳"東方朔"條。
【荂】詳"旉"條。
【苑】詳"蘊"條。
【苑囿】有木曰苑。有草曰囿。

（吳都）

【崀飛】箭名也。凡箭三鐮謂之羊頭。三鐮長六尺謂之飛崀。鐮，稜也。（閒居）

【茂】盛也。（離騷）

【茂林】山種棗栗，名曰茂林。（秋興）

【帟】平帳也。（蜀都）　【帟】在幕若幄中坐上承塵也，皆以繒爲之。（序王）

【弇】《毛詩》：“有渰淒淒。”云渰與弇同。音奄。（雜詩景陽）案：《說文》：“渰，雨雲貌。”《詩·大田》：“有渰淒淒。”《釋文》：“渰”本作“弇”。蓋古或省水而爲之也。渰者本字，弇者省文字。《漢書》作“甗”，奄、弇字多同故也。（字會）

【衍衍】寬饒之貌也。（魏都）

【畎澮】一畮之間，廣尺深尺曰畎。廣二尋深二仞曰澮。（論稬）

【糾繆】糾，兩合繩。繆，三合繩。一曰。糾，絞也；繆，索也。（鵩鳥《設論楊》“繆”作“墨”。又云“糾，三合繩也”，三蓋兩之譌。二股謂之糾，三股爲之繆。（長笛）

【苓】古蓮字也。（七發）　案：曹子建《七啓》“寒芳苓之巢龜”《注》：“《史記》曰：‘有神龜，在江南嘉林中，常巢於芳蓮之上。’苓與蓮同。”蓋苓、蓮二字，本一聲之轉耳。（疏證）

【斫】詳“斲”條。

【罠】麋網。（吳都）　【罠】兔罟也。（七命）

【咮】鳥口也。（射雉）

【奂】分散貌。（琴）

【洹】杜預《左氏傳注》曰：“洹水出汲郡。”汲卽衛地也。洹或爲圜，洹音垣。（魏都）　案：洹、圜一音，圜義近垣。《風俗通》：“圜，援也。從口，袁聲。”《釋名·釋宮室》：“垣，援也。人所依阻以爲援衛也。”洹音形近垣，圜垣同義，故洹或爲圜。本注：“洹水出汲郡。”《說文》：“洹水在齊魯間。”段云：“當在晉衛間。”晉衛之地，魏所有也。改垣作洹以此。又垣通亘。《西京賦》“繚垣綿聯”《注》：“善曰：今并以亘爲垣。”（字會）

【赴】詳“訃”條。

【披】詳“𤴆”條。

【挍】《周禮》：“六厩成挍。挍有左右。”（蜀都）　案：《周禮·校人》作"校"。校、挍均從交聲。《廣雅‧釋詁》："挍，度也。"《釋詁》四："挍，教也。"《孟子‧滕文公》"夏曰校。"《史記‧儒林傳》作"夏曰挍"。《正義》："挍，教也。"《史記‧平準書》："貫朽而不校。"《集解》引如淳："校，數也。"卽校度義。蓋從木者，取校以木相貫穿爲欄也。防閑亦有教義，故從木之校訓教。從手者，取考挍挍度之意也。考挍、挍度，亦有教義，故從手之挍亦訓教。《羽獵賦》"故聊因挍獵"，作"挍"；《長楊賦》"校武票禽"作"校"。（字會）

【哉生魄】十六日明消而魄生。（游仙郭）

【姽】靖好貌。（神女　胡云：袁本、茶陵本作"姽，閑體行也"，是也。）

【窀穸】窀，厚也。穸，夜也。厚夜，長夜。謂葬埋也。（哀顏）

【毖】與泌同。（魏都）　案：《說文》："泌者，俠流也。"俠者，串也。《陳風》："泌之洋洋。"《毛傳》曰："泌，泉水也。"泌與毖同。《詩‧泉水》"毖彼泉水"，《韓詩》作"祕彼泉水"。毛

曰："泉水始出，毖然流也。"毖卽泌之叚借字。《上林賦》曰："偪側泌瀄。"司馬彪曰："泌瀄，相楔也。"俱狀水出俠流之貌，故毖、泌字通。（字會）

【俈】與嚳同。（西征）　案：《集韻》："俈通作嚳。"《山海經‧海外南經》"狄山帝嚳葬于陰"《注》："嚳，堯父，號高辛。"《禮記‧祭法》："帝嚳。"《史記‧三代世表》、《封禪書》、《管子‧侈靡》、《武梁祠堂畫像》作"帝俈"。嚳從告聲，故用同。（字會）

【胉】《周禮》曰："飲食之豆，其實豚胉。"杜子春曰："以胉爲膊，謂脅也。"（東京）　案：尃、白一音，故薄、泊之字，古多通用。《釋名‧釋飲食》："膊，迫也。薄椓肉，迫著物使燥也。"《周禮‧醢人》"豚拍魚醢"《注》："膊謂脅也。或曰：豚拍，肩也。今河閒名豚脅，聲如鍛鎛，亦以拍、鎛音近也。"《儀禮》"兩胉"，今文作"迫"，《周官》作"拍"。鄭大夫、杜子春皆謂"拍"與"胉"通也。拍與胉同字，故胉與膊可通。（字會）

【室】詳"有室"條。

【柄】詳"炳"條。

【柘】藷蔗也。（招魂）　案：司馬長卿《子虛賦》"諸柘巴且"《注》："張揖曰：諸柘，甘柘也。"張平子《南都賦》"諸蔗薑䪤"《注》："《漢書音義》曰：藷聲，甘柘也。"左太沖《蜀都賦》："甘蔗辛薑。"蓋柘字蔗石，蔗字庶聲，石與庶古音同部，故通（疏證）

【柤】詳"龕"條。

【柧】詳"觚"條。

【羑】詳"羑"條。

【郇】《漢書》右扶風栒縣有鄃鄉。栒與郇同。（北征）　案：《國語·晉語》"師退次于郇"《注》："郇，晉地。"《説文》："郇，周文王子所封國。"《左傳》：富辰曰："郇，文之昭也。"左傳曰"軍于郇"，曰"盟于郇"，曰"必居郇瑕氏之地"，皆作郇。《漢書·地理上》"右扶風栒邑"《注》："讀與荀同。"《詩》"郇伯"，《周書·王會》作"荀伯"。蓋郇、栒均從旬，故郇或作荀，栒亦同荀也。《後漢書》"鄧禹引軍屯栒邑"，即《漢·地理志》右扶風之栒邑，與晉地郇別。晉地之郇，當在今山西蒲州府臨晉縣東北。以均旬音，故云栒與郇同。（字會）

【洲】詳"淥"條。

【冄】詳"勝"條。

【牰】詳"牭"條。

【哀】猶愛也。（雜擬劉）

【俙】感同之意也。（符命司馬）

【栧】詳"欜"及"槎枿"條。

【峛崺】邪道也。（甘泉）

【斿】旌旗之斿。（東京　又《游覽顏叄》下"斿"作"旒"。）

【罝】網也。（西京）

【疥】瘯也。（好色）

【柙】香木名。（南都）

【鳧舟】舟爲鳧形制。今吳之青雀舫，此其遺象也。（七命）

【恂恂】溫恭之貌。（行狀）

【述職】述職者，述其所職也。（論陸叄）

【剫】餘也。（魏都）

【耶溪】若耶之溪也。（七命）

【洧槃】水名。（離騷）

【垢】滓也。（述德）

【洄】與回同。（七發）　案：回從水旋轉取義。《説文》："回，轉也。"段云："淵，回水也。故顏回字子淵。"據此則回、洄一字。回又通作佪。《九章》

"欲儃佪以干傺",又曰"入溆浦余儃佪"。回古作𡨋。《説文》:"袞,𡨋也。今回字。"𡨋亦作𡩋(字會)

【㚷】詳"劙"條。

【恑】詳"詭"條。

【殺】矛也。吴越以矛爲鏦。(吴都)

【狡】狡猾也。(彈事任壹)

十 畫

【息】止也。(東京)【息】休也。(西京)【息】喘也。(樂府鮑)【息】歎息也。(長門)【息】生也。(七發)

【訊】問也。(西征) 訊者三日復問知之。與前辭同不也。(哀傷嵇)【訊】與信通。(雜擬王) 案:《説文》:"信,誠也。從人言會意。""訊,問也。從言,卂聲。"《詩·皇皇者華箋》:"中和謂忠信也。"《疏》:"于文人言爲信。"訊問者,必叚人言,故用同。《左氏·定元年傳》"以自信也"《疏》:"信,明也。"自信卽自訊問意。信音同卂,音同者得相通叚。(字會)

【訊譖】如其事曰訊。加誣曰譖。(西征 案:"訊"當作"訴"。)

【悟】覺也。(游天台山)【悟】心解也。(游覽叔源) 又詳"晤"條。

【悪】慙也。(哀傷嵇) 心慙曰悪。(符命司馬) 小愧爲悪。(思玄)

【恕】《聲類》曰:"恕,人心度物也。"(論嵇) 案:恕、庶同音。《釋言》曰:"庶幾,尚也。人心度物而冀幸之,有庶幾之意焉。"恕、庶義訓相承,故恕亦借爲庶字也。(字會)

【被】覆也。(東京)【被】加也。(游覽叔源)【被】及也。(西都) 在背曰被。(九章)

【被】猶衣也。(挽歌陸)

【被班文】漢虎賁騎,皆虎文單衣也。(上林)

【被練】練爲甲衺曰被鍊。(魏都《雜詩玄暉伍》引馬融曰:"被練爲甲裏也"。)

【被麗】分散貌。(甘泉)

【淩】冰也。(思玄)【淩】杜預《左氏傳注》曰:"陵,侮也。"謂輕易之。(贈答范貳) 案:淩、凌、陵皆夌字之引申。《説文》:"陵,大阜也。""夌,越也。"今字概作陵。《廣雅》:"陵,侮

也。”《呂覽・不侵》“立千乘之
義而不可凌”《注》:“凌，侮。”
《一切經音義》三引《三倉》:
“凌，侵凌也。”《列子・力命》
“凌誶”《釋文》:“誶謂好陵晉
辱人也。”《難蜀父老》“反衰世
之陵夷”《注》:“陵夷即凌遲。”
《史記・秦始皇紀》“陵水經
地”《正義》曰:“陵作凌。”是通
用之證也。陵又通作憐。《西
京賦》“百獸憐遽”《注》:“憐
猶怖也。善曰:《羽獵賦》曰:
‘虎豹之陵遽。’”憐音陵。（字
會）

【凌兢】恐懼貌也。（甘泉）

【淒】寒風也。（景福殿）【淒】
冷也。（思舊）

【淒淒凜凜】寒也。（寡婦）

【栗】栗姬也。（幽通）【栗】謹
敬也。（子虛）又詳“慄”條。

【挈】匹也。（論賈）【挈】猶提
也。（文）【挈】絕也。（符命
司馬）

【挈皋】詳“皋”條。

【挈楗】順滑澤也。（卜居）

【倭夷】詳“威夷”條。

【倭傀】醜女。（論王）

【倭遲】歷遠貌。（別）又詳“威
夷”條。

【倡】樂也。謂作妓者。（古辭古
詩《弔文陸》作“謂作伎人
也”。）又詳“唱”條。

【倦】極也。（西征）

【倦世】倦於人間之世也。（七啟）

【挹】損也。（書朱）【挹】斟也。
（游天台山）【挹】酙也。猶
今言酌也。（游覽靈運玖）

【挹抐撎攎】言中制也。（洞簫）

【振】自也。（魏都）【振】拔也。
（子虛）【振】救也。（長楊）
【振】奮也。（甘泉）【振】猶
掉也。（西京）【振】收也。
（誅顏壹）【振】《新序》曰:
“古者振衣而起。”杜預《左氏
傳注》曰:“振，整也。”(招隱陸)
案: 振、整同音同義。《左氏・
隱五年傳》“入而振旅”《注》:
“振，整也。”《穀梁・莊八年
傳》“入曰整旅”。作整。《荀子
・正論》“莫不振動從俗，以
化順之”《注》:“振與震同。”
《易・恆》:“振恆。”《釋文》:
“振”，張注本作“震”。震亦辰
音也。《上林賦》“盤石振崖”
《注》:“李奇曰: 振，整也。”《高
唐賦》“振陳礚礚”《注》亦引李
奇曰:“振，整也。”則裖通乎振
矣。（字會）

【振旅】入曰振旅，兵事以嚴終也。（魏都）　兵入曰振旅，言整衆也。（牋任貳）

【振鷺】喻賢也。（符命楊　胡云："賢"下脱"人"字。）　又詳"鷺鷥"條。

【狼】似犬，銳頭白頰。（西都）

【狼戾】乖背也。（長笛）

【狼跋】詳"狼狽"條。

【狼狽】《文字集略》曰："狼狽猶狼跋也。"荀悦《漢紀論》曰："周勃狼狽失據，塊然囚執。"（西征）　案：李令伯《陳情事表》"臣之進退，實爲狼狽"《注》："《孔叢子》：孔子曰：'吾於狼狽，見聖人之志。'"按：《爾雅》"跋，獵也"《注》："《詩》曰：狼跋其胡。"《釋文》：跋，蒲末反。郭音貝。蓋狽从貝字得聲，跋从犮字得聲，貝與犮一聲之轉，故可通用耳。（疏證）

【狼腸人】夜嗅金，知其良不。（吳都）

【高】遠也。上也。（雜詩古詩）

【高下】不平貌。（吳都）

【高丘】楚山也。（離騷）

【高光】宮名也。（甘泉）　【高光】漢高祖及光武也。（史記干壹）

【高昌】觀名也。（景福殿）

【高明】謂天。（月）　【高明】謂日月也。（弔文陸）

【高車】其蓋高，立載之車也。（雜詩沈叁）

【高松】喻守節而不移也。（贈答顏叁）

【高唐】雲夢中之臺也。（高唐）

【高眶】深瞳子也。（西京）

【高軒】堂左右長廊之有窗者。（蜀都　又《琴賦》："軒，長廊之有窗者。"《七命》："軒，長廊之牎也。"《樂府陸》："軒，長窗也"。《雜詩沈肆》："軒，長廊也。"）

【高梯】喻尊位也。（公讌應）

【高頊】高，高陽氏也。頊，帝顓頊也。（幽通）

【高張】琴欲高張。瑟欲下聲。（詠史顏壹）

【高闕】山名。（銘班）

【㴬】漁池也。（長笛）

【㴬陽】㴬陽者，江埼名也。近附郢。（九歌）

【畝】二百四十步爲畝，十二畝爲畹，五十畝爲畦。（離騷）

【畝丘】丘有隴界，如田畝。（高唐）

【氣】氣者，五藏之使候。（高唐）

又詳"形氣神"條。

【氣出精列】古《相和歌》十八曲，《氣出》，《精列》二。（長笛）

【荔】馬荔（子虛） 【荔】草似蒲。（西京）

【荔枝】樹高五六丈（蜀都） 葉綠，實赤，肉正白。（吳都） 大如雞子，皮龕，剝去皮肌，如雞子中黃，味甘多酢少。（上林）

【軒】舉也。（海） 【軒】飛貌。（詠史顏貳）

【軒】起望也。（射雉） 【軒】楯下板也。（景福殿 《上林》"板"作"版"。《雜詩曹貳》"楯"作"檻"。） 【軒】樓板也。（西都） 【軒】大夫車也。（舞鶴） 又詳"獻"及"皮軒"、"高軒"二條。

【軒于】猶。（子虛）

【軒宮】軒轅之宮。（月）

【軒輬】皆輕車名也。（招魂）

【軒懸】詳"宮懸"條。

【軒檻】所以開明也。（蜀都） 【軒檻】殿上欄，軒上板也。（登樓）

【軒轅】軒轅者，帝妃之舍。（月） 【軒轅】龍體，主后姬。（贈答士龍壹） 【軒轅】黃龍體前大星，女主象也。（哀顏）

【珥】瑱也。（上書李） 【珥】珠在耳也。（七發） 【珥】猶插也。（秋興）

【珥筆】戴筆也。（表曹貳）

【袞】卷龍衣也。（東都）

【袞司】三公也。（碑文仲寶）

【袞龍】九章衣也。（論韋）

【弱水】在崑崙之下，其水不勝鴻毛。（思玄）

【弱冠】人生二十日弱冠。（思玄）

【素】本也。（洞簫） 【素】質也。（幽通） 【素】猶實也。（贈答靈運壹） 【素】故也。（歎逝） 【素】昔也。（寡婦） 【素】預也。（獻詩潘） 【素】樸也。（行狀） 【素】樸素也。凡物無飾曰素。（公讌士龍） 【素】雅素也。（論劉貳） 書縑曰素。（文） 生帛謂之素。（樂府古辭） 又詳"黃素"條。

【素女】黃帝時方術之女。黃帝使素女鼓五十絃瑟。（思玄）

【素支】詳"玄蹄素支"條。

【素祇】白帝子也。（文壹）

【素秋】喻老也。（贈答正叔壹） 秋爲白藏，故云素秋。（勸勵韋）

【素柰】白柰。（蜀都）

【素軒】猶素車也。（哀顏）

【素絲】喻德也。（贈答郭）

【素蜺】喻美麗也。（舞）

【素雌】詳"玄猨素雌"條。

【素謁】貧素之謁也。（移孔）

【素餐尸祿】素餐者質。《贈答傅》作"何謂素餐？素者質也"。）人但有質朴，而無治民之材，名曰素餐。尸祿者，頗有所知，善惡不言，默然不語，苟欲得祿而已，譬若尸焉。（獻詩潘）

【耽】善曰：《漢書》："客謂陳涉曰：'夥，涉之爲王沈沈者！'"應劭曰："沈沈，宮室深邃之貌。"沈長含切，與耽音義同。（魏都）案：班孟堅《答賓戲》"浮英華，湛道德"，《注》："湛，古沈字，字或爲耽，於義雖同，非古文也。"按：《詩序》："沈緬淫液。"釋字：沈如字，直林反。字或作耽，都南反。沈、耽皆從冘字得聲，故可通用。（疏證）

【耽耽】深也。（西京）【耽耽】樹陰重貌。（吳都）

【眠】音萌。萌，人也。（長楊）案：張孟陽《七哀詩》"萌隸營農圃"《注》："司馬相如《上林賦》曰：'地可墾闢，悉爲農郊，以贍萌隸。'"《注》：韋昭曰："萌，

民也。"《呂覽》："高義比于賓萌。"高誘注："萌，民也。"漢《成陽靈臺碑》："以育苗萌。"《説文》"民"字下云："衆萌也。""勎"字下引《周禮》"以興勎利萌"。今本《周禮》"萌"作"甿"，蓋民、甿萌一聲之轉。故韋昭卽訓萌爲民人也。《説文》無眠字而有氓字，云衆民也。氓與民、萌亦一聲之轉，若眠則後出之俗字耳。（疏證）又詳"甿"條。

【烏】安也。（吳都）【烏】猶於，何也。（符命楊）【烏】純黑而反哺者烏也。（補亡 《贈答盧壹》作"純黑而反哺者謂之烏"。）

【烏弋】近日所入。（長楊）

【烏有先生】烏有此事也。（子虛）

【烏賊魚】腹中有藥。（吳都 胡云：袁本、茶陵本、作"烏賊，魚中藥"。）

【烏扇】詳"射干"條。

【烏蓮】詳"射干"條。

【烏滸】南夷別名。（吳都）

【鬯】通也。與暢同。（羽獵）案：《禮記·曲禮下》"凡摯天子鬯"《疏》："鬯者，釀黑黍爲酒。其氣芬芳調暢。"《漢書·

律曆志上》"靡不條鬯該成",
《郊祀志上》"艸木鬯茂",《注》
皆云"鬯與暢同"。《禮記·王
制》"賜圭瓚,然後爲鬯。未賜
圭瓚,則資鬯于天子",《白虎
通·考黜篇》均引作"暢",是
其徵也。(字會)

【蚩】侮也。(西京) 【蚩】亂也。
(論陸貳)

【蚩】癡也。騃也。(文) 案:
《說文》:"蚩,蟲也。""癡,不慧
也。"段云:"蚩,叚借爲氓之蚩
蚩之蚩。"《毛傳》:"蚩蚩,敦厚
之貌。"《玉篇》:"蚩,癡也。"
《釋名·釋姿容》:"蚩,癡也。"
此謂毛詩叚蚩爲癡也。蚩亦通
嗤。阮籍《詠懷詩》"嗷嗷今自
蚩"《注》引《說文》曰:"嗤,笑
也。"嗤與蚩同。(字會) 又
詳"吷"條。

【旁】四方也。(東京) 【旁】非
一方也。(表孔)

【旁唐】言磅礴也。善曰:宋玉
《笛賦》曰:"其處磅磄千仞。"
(上林) 案:馬季長《長笛賦》
"駢田磅唐"《注》:"磅唐,廣
大盤礴也。"說文旁字訓溥,有
廣義。唐字訓大言,有大義。
故旁唐可訓廣大。磅從旁得
聲,磄從唐得聲,故通可用。
(疏證)

【旁魄】旁魄,取寬大之意。善曰:
《莊子》曰:"將旁礴萬物以爲
一。"司馬彪曰:"旁礴猶混同
也。"礴與魄同。(吳都) 案:
司馬長卿《封禪文》"旁魄四
塞"《注》:"張揖曰:旁魄,布衍
也。魄音薄。"郭景純《江賦》
"荆門闕竦而磐礴"《注》:"磐
礴,廣大貌。"陸士衡《挽歌詩》
"旁薄立四極"《注》:"太玄經》
曰:'地旁薄而向乎上。'" 蓋
薄、魄一聲之轉,礴字又從薄
字得聲,故可互相通假也。(疏
證)

【旁薄】詳"旁魄"條。

【旁礴】猶混同也。(吳都) 又
詳"旁魄"條。

【脅】敛也。(長門)

【脅肩】悚體也。(設論楊)

【脅息】脅息猶翕息也。(高唐)
案:脅息,縮氣也。楊子雲《解
嘲》"翕肩蹐背"《注》:"《孟子》
曰:'脅肩諂笑。' 劉熙曰:脅
肩,悚體也。"據此,以脅肩解
翕肩,則脅與翕古字本通。《淮
南子》:"開閉張歙。" 高誘注:
"歙讀脅也。"蓋脅、翕本一聲

之轉，歆字從翕字得聲，故可通用。脅與縮亦一聲之轉，故脅可訓縮耳。（疏證）

【般】布也。（甘泉）　【般】久也。（弔文賈）　【般】虎皮也。《上林賦》曰：“被班文。”般與班古字通。（西京）　案：《羽獵賦》“屢般首”《注》：“般音班。般首，虎之頭也。”任彥昇《王文憲集序》“增班劍六十人”《注》：“《漢官儀》曰：班劍者，以虎皮飾之。”司馬長卿《封禪文》“般般之獸”《注》：“謂騶虞也。”《春秋考異》郵曰：“虎班文者，陰陽雜也。”班亦或作斑。《七啟》云：“拉虎摧斑。”《注》：“斑，虎文也。”（疏證）又詳“頒”條。

【般鼓】舞人更遞蹈之而爲舞節。（舞）

【般爾】般，魯般。爾，王爾。皆古之巧者也。（西京）

【般獸】虎斑文者陰陽雜也。（符命司馬）

【財】貨也。（魏都）　【財】與纏同。（羽獵）案：《荀子》“口耳之閒則四寸耳”《注》：“韓侍郎云：‘則’當爲‘財’，與纏同。”《史記·孝文紀》“遺財足”《索

隱》：“財與纏同。”亦假財爲纏之證。（疏證）　又詳“裁”條。

【草】草創也。（文叄）【草】物名也。（思玄）　【草】南楚之閒謂之莽。（西京《行旅士衡貳》無“之閒”二字。）

【草蟲】常羊也。（雜詩魏文）

【荊州】楚故都。（南都）

【荊南】荊者，非無東西也。而謂之南，其南者多也。（魏都）

【荊棘】以喻小人。（贊袁）

【荊飛】荊之依飛也。（江）

【荊門虎牙】荊州郡西，沂江六十里，南岸有山，名曰荊門。北岸有山，名曰虎牙。二山相對，楚之西塞也。（江）

【員】詳“圓”條。

【員嶠】詳“海中仙山”條。

【殷】猶震也。（上林）【殷】盛也。（西京）

【殷】衆也。（魏都）【殷】深也。（歎逝）　【殷】憂也。（贈答顏貳）

【殷殷】雷也。（長門）　又詳“隱隱”條。

【殷殷軫軫】盛也。（羽獵）

【殷轔】言盛多也。（甘泉）

【泰】通也。（表劉）　【泰】奢也。（笙）　【泰】自縱泰也。（贈答

盧壹）

【泰玄】謂道也。（贈答叔夜）

【泰貞】太極之氣也。（舞）

【泰階】泰階者，天之三階也。上階上星爲天子，下星爲女主。中階上星爲諸侯三公，下星爲卿大夫。下階上星爲元士，下星爲庶人。三階平則陰陽和，風雨時，歲大登，民人息，天下平，是謂太平。（魏都）

【泰樂】泰古之樂也。（東都）

【能】詳“台”條。

【能仁】詳“釋迦牟尼”條。

【晏】晚也。（贈答盧貳）　無雲之處謂之晏。（羽獵）

【晏衍】邪聲也。（長楊）　又詳“案衍”條。

【晏駕】凡初崩爲晏駕者，臣子之心，猶謂宮車晏駕而晚出也。（恨）

【馬市】詳“三市”條。

【馬明先生】仙人名。（琴）

【馬法】司馬穰苴之法也。（符命楊）

【馬銜】其狀馬首，一角而龍形。（海）

【浹】徧也。（東京）　【浹】周也。（贈答顏壹）　【浹】洽也。（游覽顏壹）

【浹辰】十二日也。（表劉）

【浹溓】水澇溓也。（江）

【浪】猶鼓也。（移孔）　【浪】猶放也。（雜擬江）

【浪浪】流貌也。（離騷）　【浪浪】淚下貌。（洛神）

【浪井】浪井者，弗鑿而成。（魏都）

【浮】過也。（長楊）　【浮】高也。（甘泉）　【浮】行也。（公讌謝）　【浮】罸也。（閒居）

【浮】輕也。（游覽殷）　順流曰浮。（論陸壹）

【浮沈】猶盛衰也。（贈答僧達）

【浮沮陣】詳“八陣”條。

【浮堦】飛陛也。（景福殿）

【浮景】流景也。（甘泉）

【浮雲之蔽白日】以喩邪佞之毀忠良。（雜詩古詩）

【浮惰】浮名惰懈也。（雜詩沈壹）

【浮箭】謂水漏刻。（七命）

【浮賤】浮名微賤也。（雜擬江）

【浮梁】詳“造舟”條。

【浮騰】跳躍貌。（舞）

【涉】渡也。（離騷）

【涉江】歌名。（招魂）

【涉血】《春秋合誠圖》曰：“戰龍門之下，涉血相創。”如淳《漢書注》曰：“殺血澇沱爲喋血。”

涉與喋同。（書邱）　案：《史記・孝文紀》"喋血京師"《索隱》引《廣雅》："喋，履也。"《魏豹彭越傳索隱》："喋猶踐也。"涉亦踐履之義。《詩》："大夫跋涉。"《穀梁・襄二十七年傳》"與之涉公事矣"《疏》引徐邈："涉猶歷也。"歷涉即踐履也，同音同義，故通用。蓋喋與蹀近，故訓爲履涉。其通作唼者，唼訓水鳥食，唼血猶吮血。（字會）

【娩】跳也。生子二人俱出爲娩。齊人謂生子曰娩。（思玄）

【校】考也。（長楊）　又詳"挍"及"學校庠序"條。

【校讐】一人讀書校其上下得繆誤爲校。一人持本，一人讀書，若怨家相對爲讐。（魏都）

【校獵】以五校兵出獵也。（上林）一曰合軍聚衆有幡校也。（七命）

【桂父】仙人名。（吳都）

【桂竹】大者圍二尺，長四五丈。（吳都）

【桂林】詳"鬱林"條。

【桂林八樹】在番禺東。（上林）

【桂宮】宮名也。（西都）

【桂酒】切桂以置酒中也。（九歌）

【桂海】南海有桂，故曰桂海。（雜擬江）

【桂棟】以桂木爲屋棟。（九歌）

【桐柏】山名。（行旅江）

【桐版】詳"閭風"條。

【峻】高也。（西都）　【峭】《廣雅》曰："峭，急也。"峻與峭同。（論王）　案：峻與峭同訓。《國語・晉語》"高山峻原"《注》："峻，峭也。"《漢書・杜延年傳》"吏爲峻詆"《注》："峻謂峭刻也。"《說文》："陵，高也。""陖，陗高也。""陗，陵也。"凡高曰峻，凡斗直者曰陗，陵謂斗直而高也。峻或陵省，峻峭互訓，故用同。《長笛賦》"膺陗阤"《注》引《淮南子》曰："岸陗者必阤。"許慎曰："陗，峻也。"亦峻、峭同訓之證。峭作陗者，亦如嶮之作險，岨之作阻，峒之作隝耳。（字會）　又詳"駿"條。

【峻隅】城隅也。（蕪城）

【峴】山嶺小高也。峴與現同。（游覽靈運玖）　案：《玉篇》引《倉頡》："現，大阪在壁西山。"《聲類》："峴訓山嶺小高。"山嶺小高，與大阪意略近，現、峴均從見得聲，故通。又三輔人

謂三阪曰衍,衍與現、峴一聲
之轉故也。“現”,《玉篇》作
“垷。”(字會)

【茫茫】廣大貌也。(詠懷阮)
【茫茫】遠也。(魏都)　【茫
茫】草木彌遠容貌也。(雜詩
古詩)　【茫茫】《毛詩》曰:“洪
水茫茫。”《莊子》曰:“芒乎何
之?”(行旅靈運陸)　案:《説
文》:“芒,草耑。從草,亡聲。”
由草耑之意而引申之,故或訓
芒昧,或訓芒迷。《吕覽・應
同》“與元同氣”《注》:“芒芒昧
昧,廣大之貌。”《歎逝賦》“何
視天之芒芒”《注》:“芒芒猶夢
夢也。”《詩・烈祖》“宅殷土芒
芒”,《魏書・崔宏傳》作“宅殷
土茫茫。”《長發》“洪水芒芒”,
《御覽》五百二十八作“洪水茫
茫。”《史記・魏世家》“丈人芒
然”,《司馬相如傳》“芒然而
思”,均讀作茫。《漢書》同。
(字會)

【窈】深遠也。(長門)　又詳“杳”
條。

【窈窕】好貌。(九歌)　【窈窕】
貞專貌。　【窈窕】幽閒也。
(詠史顏)　【窈窕】深也。(西
都　陳云:“窕”當作“窱”。)

【窈窱】深遠也。(魏都)
【窈藹】深遠貌。(雜擬江)
【窆】葬下棺也。(誄顏貳)
【旅】客也。(思玄)　【旅】客舍
也。(游覽靈運肆)　【旅】猶
處也。(西征)　【旅】五百人
也。(書吳)　又詳“旅”條。
【旅楹】韋也。(魏都)
【旄】旄牛也,其狀如牛而四節
毛。(上林)　牛旄,旄牛,尾
赤色者也。(東京　《七命》
“旄”作“氂”。)　又詳“干戚羽
旄”及“雲氂”條。
【旄邱】詳“堥邱”條。
【斿】之也。　【斿】謂旒也。(西
京)　【斿】旌旗也。(樂府陸)
又詳“九旗”條。
【宸】屋宇也。(景福殿)　【宸】
天地之交宇也。(東都)　【宸】
北辰,以喻帝位也。(雜詩玄
暉壹)　【宸】與辰同。(序王)
案:宸從辰得聲。宸訓屋霤,
辰訓辰極,義本別。然《論語
・爲政》“譬如北辰,居其所而
衆星共之”,明以北辰喻君矣。
謝玄暉《齊敬皇后哀策文》“宸
居長往”《注》引《典引》曰“宸
居其域”,又引蔡邕曰“如北辰
居其所也”。通俗文字以宸爲

君居之處，故曰宸衷，曰楓宸。《廣韻》："宸，屋宇。天子所居。" 顏延年《侍遊曲阿後湖作》"春方動宸駕"《注》："《論語》：'爲政以德，譬如北辰。'故謂天子爲宸也。" 此其證。（字會）

【宸極】喻帝位也。（表劉）

【宸網】天畢也。（雜擬江）

【容】宜也。（設論班）【容】謂幨車也。（誄謝）

【容容】雲貌。（九歌）

【容光】小隙也。（公讌顏貳）

【容成公】仙人名。（游仙郭）

【容車】婦人所載小車也。其蓋施帷，所以隱蔽其形容也。（誄謝）

【容彭】容成公、彭祖也。（論劉壹）

【容與】寬裕貌。（洞簫）【容與】游戲貌。（離騷）又詳"翱翔容與"條。

【容裔】《楚辭》曰："儵忽兮容裔。"（雜擬江）案：張平子《東京賦》："紛焱悠以容裔。"薛綜注："容裔，高低之貌。" 宋玉《高唐賦》"洪波淫淫之溶𣿰"《注》："溶𣿰猶蕩動也。"溶從容字得聲，𣿰從裔字得聲，故可通用。（疏證）

【案衍】窊下也。（子虛）【案衍】（笙）案：揚子雲《長楊賦》"抑止絲竹晏衍之樂"《注》："善曰：晏衍，邪聲也。"嵇叔夜《琴賦》"案衍陸離"《注》："案衍，不平貌。"《上林賦》曰："陰淫案衍之音。"《司馬相如傳》："案衍壇曼。" 司馬彪注："案衍，窊下也。"晏、案皆安聲，故通。（疏證）

【紛】盛貌。（離騷）【紛】盛也。（東京）【紛】亂也。（北征）【紛】猶雜也。（西京）【紛】旗旒也。（羽獵）又詳"菜"及"枌枑"條。

【紛紛】構譖意也。（弔文賈）

【紛紛擾擾】亂也。（神女）

【紛文斐尾】文采貌。（琴）

【紛屯澹淡】憒𣯛煩悶之貌也。（七發）

【紛泊】飛薄也。（蜀都）

【紛挐】相著牽引也。（舞）

【紛猋】飛揚貌。（舞）

【紛紜】衆多貌。（論王）【紛紜】亂貌。（文）

【紛葩】衆多貌。（長笛）【紛葩】開張貌。（琴）【紛葩】謂舒張賫物使覆映也。（吳都）

【紛溶罺蔘】詳"紛溶簡蔘"條。

【紛溶簡蔘】郭璞曰:"紛溶簡蔘,
支竦擢也。"簡音蕭,蔘音森。
（上林）　案: 王伯厚《困學紀
聞》:"《輪人注》'罺讀爲紛容
罺蔘之罺',《疏》云'今檢未
得',愚謂卽《上林賦》'紛溶簡
蔘。'"按: 王說是也。張平子
《西京賦》:"鬱蓊薆蔚,橚爽櫹
槮。"薛綜注:"皆草木盛貌
也。"善曰:"櫹音蕭,槮音森。"
蓋簡字、罺字從削字得聲,橚
字從蕭字得聲,削與蕭一聲之
轉。蔘字、槮字皆從參字得
聲。並字異而義同。（疏證）

【紛綸】亂貌。（符命司馬）

【紛濁】喻代亂也。（登樓）

【紛糅】蓬茸也。（九辯）

【紒】張揖《上林賦注》曰:"紒,鬢
後垂也。"紒卽髻字也。《千字
正文》引此爲髻字。（論李）
案:《說文》:"髻,簪結也。"曹
憲注《廣雅》曰:"《說文》'髻'
卽籀文'髻'字也。"髻卽今文
禮紒字。《一切經音義》十一:
"髻古文作髻。"鄭康成《士冠
禮注》:"紒,結髮。古文紒爲
結。"《招魂》"激楚之結"《注》:
"結,頭髻也。"結、髻均吉聲,

結爲本字。髻、紒或從髟或從
系,所謂形近者義亦同也。髻
卽髻,紒卽髻,故紒、髻字通。
（字會）　又詳"結"條。

【純】文也。（羽獵）　【純】專也。
（七發）

【純粹】至美曰純。齊同曰粹。
（離騷）

【純鉤】詳"五寶劍"條。

【追】隨也。（離騷）　【追】《上林
賦》:"激堆碕。"郭璞曰:"沙堆
也。都回切。"追亦堆字,今爲
追,古字叚借之也。（七發）
案: 堆、自音義皆同。堆篆文
作自。《說文》:"自,小𨸏也。
凡自之屬皆從自。"《爾雅・釋
水注釋文》:"堆字或作雁,又
作塸。"《儀禮・士冠禮注》:"追
猶堆也。"《周禮・天官・追師
注》作"堆"。《運命論》:"堆出
於岸。"此皆追、堆通用之證。
又崖通爲隁。《說文》:"崖,高
也。"《玉篇》曰:"亦作隁。"《說
文・自部》曰:"隁隗,高也。"堆
亦作魁。《國語・周語》:"夫
高山而蕩以爲魁陵糞土。"賈
逵、韋昭皆曰:"小𨸏曰魁。"卽
許書之自。（字會）

【逆】逆刺也。（贊夏侯）

【逆折】旋回也。（上林）

【逆曳】不得順道而行也。（弔文賈）

【時命】時君之命也。（樂府陸）

【時暗】未顯見時也。（設論班）

【冥】昧也。（游天台山）【冥】闇也。（魏都）【冥】夜也。（雜詩仲宣）【冥】幽冥也。（雜擬江）【冥】窈也。（思玄）【冥】玄默也。（游仙郭）

【冥冥】闇昧貌。（雜擬江）【冥冥】幽昧也。（寡婦）

【冥眴】昏亂之貌。（甘泉）

【消】鑠也。（長笛）【消】滅也。（七發）【消】不見也。（東京）又詳“痟”條。

【凋】落也。（思玄）【凋】半傷也。（海）

【桑末】木名。（思玄）

【桑飛】詳“鷦鷯”條。

【桑扈】隱士也。（九章）

【桑榆】言日晚也。（詠史顏）【桑榆】日所入也。（序王）

【桁】梁上所施也。（景福殿）又詳“衡”條。

【核】桃梅之屬。（蜀都）又詳“覈”條。

【秦】木名。【秦】香草也。（風）

【秦青】詳“薛談秦青”條。

【秦青方堙】秦青，秦牙、管青。方堙，九方堙也。皆古之善相馬者也。（七命）

【秦稽】秦望山，會稽山也。（碑文沈）

【蚌】似車螯，潔白如玉。（江）【蚌】蜃也。蛤也。（雪）又詳“蜯”條。

【蚌蛤】望實晦虛。（吳都）

【眙】視也。（吳都）【眙】驚也。（西都）

【眝】長眙也。（弔文陸）【眝】視也。（弔文陸）又詳“佇”條。

【珠服】珠襦之屬，以珠飾之也。（吳都）

【珠貝】素質紅裏，謂之珠貝。（蜀都）

【珠翠】珠柱也。採珠人以珠肉作鮓也。（七啟）

【珠櫳】以珠飾疏也。（雜詩鮑貳）

【珩】聽行也。【珩】佩玉。所以節行。（思玄）又詳“衡”條。

【珩珮】珮有珩璜琚瑀。（哀顏）

【珩紘綖綖】維持冠者曰珩。纓從下上者曰紘。冠之垂者曰綖。冠上覆者曰綖。（東京）

【峭】急也。（論王）【峭】高也。（行旅靈運貳）又詳“峻”條。

【峭格周施】謂張網周遍。（吳都）

【峭蒨】鮮明貌。（招隱左）

【秩】常也。（南都）　【秩】序也。
（東京）　【秩】禄廩也。（赭白
馬）

【莪莪】高也。（舞）　【莪莪】高
大也。（西京）　【莪莪】容也。
莪與娥同，古字通。（詠史左）
案：司馬長卿《上林賦》“南山
莪莪”，《注》：“善曰：莪音娥。”
何休《公羊傳注》：“《詩》云：
‘奉璋峨峨。’”《釋文》：“峨，五
多反。本又作娥。”莪正字，娥
叚借字。蓋莪、娥俱從我字得
聲也。（疏證）

【峨眉】山名。（蜀都）

【徒】空也。（書李）　【徒】步也。
（上林）　【徒】衆也。（西京）

【徒隸】詳“隸”條。

【倉庚】詳“鶬鶊”條。

【倉廩】穀藏曰倉。（吳都）　米
藏曰廩。（藉田）

【悍】戾也。（射雉）　【悍】勇也。
（西京）　又詳“旱”條。

【致】極也。（長笛）　【致】會也。
（論班）　【致】猶化也。（贈答
盧壹）　【致】送詣也。（雜詩
古詩）　【致】送也。　【致】致之
言至也。（東京）　案：致從至
聲，致訓至，古通用。《儀禮·
聘禮》“卿致館”《注》：“致，
至也。”《中庸》“其次致曲”
《注》：“至也。”《廣雅·釋詁》
一：“致，至也。”《甘泉賦》“撠
北極之嶟嶟”《注》：“撠，至
也。”以撠與致均至聲也。司
馬長卿《喻巴蜀文》“山川阻
深，不能自致”《注》引鄭玄《禮
記注》：“致之言至也。”致亦通
緻。《周禮》：“稹理而堅。”鄭
云：“稹，致也。”致今之緻字。
致亦通質。《曲禮》“獻田宅
者，操書致用”，致爲質也。
（字會）

【致師】詳“挑”條。

【徑】過也。（招魂）　【徑】度也。
（西京）　【徑】直也。（上書枚
壹）　【徑】邪道也。（東征）
【徑】路也。（月）

【徑廷】激過之辭也。（論劉壹
胡云：“過”當作“過”。）

【徑廣】南北爲徑。東西爲廣。
（西京）

【徑營】直行爲徑。周行爲營。
（魏都）

【徑駿】詳”騏驎徑駿”條。

【修】善也。（思玄）　【修】長也。
【修】治也。（東京）　【修】爲

也。（西京）【修】飾也。（九歌）

【修芊】仙人名。（琴）

【修成】里名也。（西征）

【修門】郢城門也。（招魂）

【修頟短項大口折鼻】皆魚形。（西京）

【值】當也。（公讌顏貳）又詳“植”條。

【倬】絶也。（魏都）【倬】大也。（西征）

【性】猶繆也。（設論楊）【性】用心并誤也。（魏都）

【悔】恨也。（離騷）【悔】悔當爲誨。（連珠）案:《周易》:“慢藏誨盗。”《釋文》:誨如字，教也。虞作悔，謂悔恨。下文冶容誨淫”，可以例推。則士衡所云，正用仲翔本。古誨、悔通。《論語》:“吾未嘗無誨焉。”《釋文》:“魯讀爲悔”，是也。（疏證）

【悁】含怒也。（洞簫）

【悁悁】忿恨也。（思玄）

【砥】石名也。（招魂）【砥】磨石也。（上書鄒貳）又詳“厎”條。

【砥柱】山名。在水如柱然。（高唐）

【砥室】言内卧之室，以砥石爲壁。（招魂）

【宰】治也。（樂府曹）【宰】主也。（雜擬江）

【宵】化也。（洛神）【宵】小也。（雜擬江）

【家】婦謂之家。（離騷）

【家臣】詳“陪臣”條。

【宴】安也。（序皇甫）又詳“飫宴”條。

【宫人】詳“孺子”條。

【宫懸】四面也。（東京）軒懸，去一面也。（册）懸，鐘架也。（長笛）

【納】藏也。（琴）【納】内也。（東京）

【納言】闥名也。（魏都）【納言】如今尚書官，王之喉舌也。（魏都）

【納陛】謂鑿殿基際爲陛，不使露也。尊者不欲露而升陛，故内之霤也。（册）

【紘】維也。（臨終）【紘】罘之網也。（西都　胡云:“網”當作“綱”。）【紘】張也。（設論班　胡曰:陳云“紘，恢誤”，是也。）又詳“吰”及“珩紘紞綖”條。

【紓】除也。（西征）【紓】曲也。

（月）

【旄】旗也。畫龍蛇為旄。（離騷）
又詳“九旗”條。

【旄魚須】旄魚須者，以魚須為柄
也。（吳都）

【眩】亂也。（西京）【眩】惑也。
（南都）又詳“眴”條。

【眩眩】目不明也。（思玄）

【捎】殺也。（東京）【捎】拂也。
（羽獵）又詳“箾”條。

【挫】折也。（西都）【挫】捉也。
（招魂）

【挺】拔也。（西征）【挺】出也。
（游天台山）

【挺】援也。（雪）

【挺穟】草莖也。（射雉）

【起】飛也。（雜詩玄暉伍）

【起伏】猶偃伏也。（行旅顏叁）

【迹】功業也。（弔文陸）【迹】
行迹，謂功績也。（公讌顏壹）

【拳】力也。（誄顏壹）【拳】李
登《聲類》云：“拳或作捲。”拳
者，弩弓也。（書司馬）案：潘
安仁《閑居賦》“谿子巨黍，異
豢同機”《注》：“《漢書音義》：
張晏曰：連弩三十豢共一臂。
然豢，弩弓也。李奇曰：豢，弓
也。《字林》曰：豢音卷。”揚子
雲《羽獵賦》“距連卷”《注》：

“張晏曰：連卷，木也。善曰：
卷音拳。”蓋捲字卷聲，卷字关
聲，而拳、豢二字亦关聲，故互
相假借耳。（疏證）又詳
“權”、“豢”二條。

【拳拳】捧持之貌。（書司馬）

【茹】食也。（游天台山）【茹】
柔耎也。（離騷）【茹】菜之
總名也。（七發）

【迴】旋也。（離騷）【迴】曲也。
（東京）【迴】邪也。（幽通）
【迴】遟也。（南都）

【迴穴】凡事不能定者曰迴穴。
（風）

【迴眺冥蒙】謂洲渚深奧之貌。
（吳都）

【迴翔】水復流也。（七發）

【迴掌】言疾也。（樂府鮑）

【剖】猶破也。（海）【剖】析也。
（七命）

【剡】銳也。（長笛）又詳“掞”
條。

【剡剡】光明貌也。（離騷）

【圃】博也。（東都）又詳“苑圃”
條。

【祚】報也。（東京）【祚】位也。
（東都）【祚】禄也。（西都）

【祛】去也。（游覽殷）

【祕】密也。（閑居）【祕】閉也。

（行旅靈運玖）【祕】神也。
（魯靈光殿）

【祕書省】亦爲祕閣。（贈答士衡柒）

【祕書郎】掌中外三閣經書。（表陸）

【祕閣】即尚書省也。（贈答士衡叁）

【祖】始也。（西征）【祖】法也。（史論沈壹）　祖者宗習之謂也。（序皇甫）　祖者，行犯軷之祭也。（詠史張）【祖】道神也。黄帝之子，好遠遊，死道路。故祀以爲道神，以求道路之福（祖餞謝）

【祖江】人名也。（思玄）

【祖宗】始受命爲祖，繼中爲宗，皆不毀廟之稱也。（符命班）

【祝】斷也。（雜詩景陽）　又詳"宗祝"及"巫覡"條。

【祝髮】祝，斷也。（雜詩景陽）

【神】兵與敵變化而取勝者謂之神。（表曹壹）　又詳"形神"及"形氣神"並"聰明神武"條。

【神仙】殿名也。（西都）【神仙】詳"隱淪"條。

【神光】宮名也（羽獵）

【神池】昆明池中有神池，通白鹿原。（西都）

【神明】臺名也。（羽獵）

【神州】崑崙東南地方五千里，名曰神州，中有五嶽地圖，帝王居之。（書孫）

【神祇】衆靈之通稱。（海）　天神曰神。地神曰祇。（東都）

【神虎】宮殿門名也。　【神虎】金獸也。（東京）

【神理】猶神道也。（序王）

【神雀】大如雞，班文。（羽獵）

【神皋】接神之聲。或曰皋，局也。謂神明之界局也。（西京）

【神荼鬱壘】上古時神昆弟二人。性能執鬼。（東京）

【神器】天子璽也。（東京　又《表劉》："神器，天子璽符，服御之物也。"）

【神農】有神人，右耳蒼色，大肩，駕六龍出輔，號曰神農。（洛神）

【神龍】殿名也。（吳都）

【袪】舉也。（西都）【袪】開散也。（游覽惠連）【袪】袂也。（思玄）

【狹】陋也。（東京）【狹】猶帶也。（登樓）又詳"峽"條。

【涓】擇也。（魏都）

【涓涓】清新之色。（射雉）

【涓子】仙人名。（琴）

【涓流】小流也。（海）

【涓澮】小流也。（江）

【浩】大也。（九歌）

【浩浩】廣大貌也。（七發）

【浩蕩】浩猶浩浩，蕩猶蕩蕩，無
思慮貌也。（離騷）

【浸】潤也。（東京）【浸】可以
爲陂，灌漑者也。（西征）

【浸淫】漸進之貌。（上林）【浸
淫】猶漸冉相親附之意。（洞
簫）

【浸潭】漸漬也。隨波之貌。（魏
都）

【海水】喻萬民。（符命楊）

【海月】大如鏡，白色正圓，其柱
如搔頭。（江）

【海中仙山】渤海之中（《思玄》
作“渤海之東”） 有大壑，其
中有山。一曰岱輿，二曰員嶠，
三曰方壺，四曰瀛洲，五曰蓬
萊。（西都）

【海苔】生海水中，正青，狀如亂
髮。（吳都）

【海若】海神也。 （西京）海神名
也。（游覽顏叄）

【海隅】東方爲海隅。 （書曹壹）

【海浦】四瀆之口。（西京）

【海渟】言衆瑞之多也。（符命楊）

【海童】海神童也。（吳都）

【海陵】縣名。（上書枚貳）

【海豨】豕頭魚身，長九尺。（江）

【海藻】海苔，生研石上。（江）

【海鱗】大魚。（西京）

【海鷗】詳“江鷗”條。

【浙右】江水東至會稽山陰爲浙
右。（移孔 胡云：“右”當作
“江”。）

【浙江】詳“浙右”條。

【茝】香草也。（思玄）

【茝若】殿名也。（西都）

【芺】茅始生也。（公讌丘） 凡
草之初生，通名曰芺。（游仙
郭）【芺】《大戴禮·夏小正》
曰：“正月柳稊。”稊者發孚也。
芺與稊音義同。（游覽靈運壹）
案：劉越石《勸進表》“則所謂
生繁華於枯芺”《注》：“《易》
曰：‘枯楊生稊。’王弼曰：‘稊
者楊之秀。’”稊與芺通，徒奚
切。按《周易釋文》：“稊，徒稽
反。鄭作芺。”尤稊、芺通用之
證。（疏證）

【荒】大也。 （公讌士衡） 【荒】
遠也。 （離騷） 【荒】荒服也。
（勸勵韋） 【荒】廢也。（景福
殿）【荒】廢亂也。 （詠史顏
貳）【荒】蕪也。（招隱左）
【荒】 欲明貌。（長門） 【荒】

蒙也。（挽歌陸） 又詳"龍荒"條。

【荒忽】幽昧貌。（思玄）

【茸】推也。 【茸】細毛也。（書司馬）【茸】草貌。蒲華亦謂之茸。（游覽靈運捌） 又詳"蓊茸"及"秏茸"條。

【茨】稷也。（招魂） 【茨】覆也。（頌王）【茨】蒺苦也。（贈答顏肆） 屋以草蓋曰茨。（書應肆）【茨】蓋也。（碑文簡栖）

【荃】香草也。（長門） 【荃】以諭君也。（離騷）

【荃壁】以荃草飾室壁。（九歌）

【郢】楚別邑也。（雜擬謝） 又詳"鄢郢"及"蜀琴郢曲"條。

【陗】峻也。（長笛） 又詳"峻"條。

【除】樓階也。（登樓） 四月爲除。除陳生新曰除。（詠史顏）【除】凡言除者,除故官就新官也。〔閒居〕

【畛】舊田有徑路也。（吳都）【畛】界也。一曰井田閒陌也。（詠懷阮）【畛】疆也。（論陸叄）

【娛】戲也。（上林） 【娛】樂也。（西京） 又詳"虞"條。

【娛靈】詳"昭儀"條。

【晃】詳"曋"條。

【晃采】玉名。（上林）

【耘】除草也。（東都）

【耘耔】耘,去草也。耔,壅本也。（東京）

【朔】北也。（西京） 【朔】月一日始也。（游仙郭）

【朔方】郡名。（樂府鮑）

【朔管】羌笛也。 管十二月位,在北方,故云朔。（月）

【躬】體也。（難） 【躬】猶身也。（東京）

【豈】非也。（東京） 【豈】冀也。（雜詩曹壹） 又詳"闔"條。

【唬】詳"呴哮"條。

【唬闞】虎怒也。（七啟）

【烈】詳"列"條。

【烈烈】威武之盛烈烈然也。（獻詩曹壹）

【烈缺】閃隙也。（羽獵）

【班】還也。（牋任貳） 【班】分也。（景福殿） 【班】次也。（魏都） 【班】位次也。（東京） 【班】大貌。（離騷） 又詳"般"、"頒"二條。

【班如】槃桓不進也。（連珠）

【班妾】班婕好也。（景福殿）

【班劍】班劍者,以虎皮飾之。（序

【栽】植也。（東京）凡蒔草謂
　之栽。（行旅安仁貳）

【師】長也。（藉田）

【師師】謂相師法也。（東京　又
　《序陸》："師師，相尊法也。"）

【師門】仙人名。（吳都）

【師堂】樂師也。孔子學鼓琴於
　師堂子京。（七發）

【師摯】詳"琴摯"條。

【奚】何也。（論劉貳）

【奚斯】良馬名也。（赭白馬）

【奚鼠】詳"鼯駒"條。

【夏】水名。（碑文沈）【夏】大
　屋也。（招魂）《書應》："夏"
　上有"大"字。）【夏】日行南
　陸謂之夏。（贈答士衡肆）
　【夏】潁川南陽，夏人之居也。
　故至今謂之夏。（序任）

【夏首】水口也。（銘陸壹）

【夏育】詳"賁育"條。

【夏楚】夏，榎也。楚，荆也。（論
　劉貳）又詳"櫬楚"條。

【夏載】謂夏后之四載：水乘舟、
　陸乘車、泥乘輴、山乘樏也。
　（游覽顏壹）

【倚】依也。（招魂）【倚】因也。
　（鵩鳥）

【格】木長貌。（上林）【格】量

度也。（蕪城）

【原】本也。（洞簫）高平曰原。
　（離騷）

【耕父】處豐山，常游清泠之淵，
　出入有光。（東京）

【耕根車】詳"農輿"條。

【射干】香草也。（上林）【射干】
　一名烏扇。江東呼爲烏蓮。
　（高唐）【射干】似狐，能緣
　木。（子虛）

【射宮】射宮謂辟雍。（東京）

【射筒竹】細小通長，長丈餘，亦
　無節，可以爲射筒。（此條失
　注）

【射熊】館名。（長楊）

【射影】詳"蜮"條。

【留】止也。【留】待也。（九歌）

【留夷】香草也。（離騷）又詳
　"新雉"條。

【留荑】詳"新雉"條。

【乘】登也。（詠史虞）【乘】升
　也。（游覽魏文）【乘】因也。
　（雜詩玄暉壹）【乘】覆也。
　（行旅正叔）【乘】陵也。（雜
　詩何）【乘】守也。（雜擬鮑
　壹）又詳"衍"及"雙乘"條。

【乘石】王所登上車之石也。（牋
　任貳）

【乘旦】詳"囂膝乘旦"條。

【乘黃】乘黃者，似狐，其背有兩角。（序王）

【乘輿】天子至尊，不敢渫瀆言之，故託於乘輿也。（西都）

【乘蹻】蹻道有三法：一曰龍蹻，二曰氣蹻，三曰鹿盧蹻。（海）

【皋】高也。（西京）　水田曰皋。（秋興）【皋】澤也。（上林）澤曲曰皋。（游覽靈運壹）【皋】挈皋也。積柴於挈皋頭，置牲玉於其上，舉而燒之，欲近天也。（甘泉）　又詳“韶”及“神皋”條。

【皋禽】鶴也。（月）

【展】申也。（長楊）【展】舒也。（雜擬江）

【展】轉也。（樂府古辭）【展】整也。（西京）【展】省視也。（哀謝）

【展季】柳下惠也。（述祖德）

【展幹】具視也。（序王）

【展轉】《字書》曰：輾亦展字也。（樂府古辭）　案：《廣雅・釋訓》：“展轉，反側也。”《楚辭・惜賢》“憂心展轉”《注》：“展轉，不寤貌。”《詩・關雎》“輾轉反側”《箋》：“臥而不周曰輾。”《釋文》：“輾本作展。”《詩・澤陂》“輾轉伏枕”，《韓詩》作“展轉伏枕”。是展、輾通用之徵也。《説文》作“𨄔”。（字會）

【鬼方】遠國名。（論王）【鬼方】於漢則先零、戎是也。（頌楊）　又詳“獫狁”及“鬼區”條。

【鬼區】卽鬼方也。鬼方，遠方也。（符命班）

【鬼谷】鬼谷之名，隱者通號也。（遊仙郭）

【鬼脈】詳“脈”條。

【芻狗】結芻爲狗也。（贈答越石壹）

【芻蕘】芻，馬草也。蕘，草薪也。（長楊）

【殉】以人從葬爲殉。（寡婦）　又詳“徇”條。

【晃】明也。（秋興）【晃】暉也。（江）　又詳“熀”條。

【真】猶正也。（雜詩古詩）【真】本心也。（雜詩陶壹）【真】仙人變形也。（江）

【真人】得天地之道，故謂之真人。（南都）

【真定之梨】御梨也。（此條失注）

【真際】實際也。（碑文簡栖）

【索】求也。（羽獵）【索】取也。

（離騷）【索】盡貌。（歎逝）
【索】盡也。（秋興）【索】散
也。（恨）

【唐】道也。（甘泉）【唐】庭也。
（西都）【唐】猶蕩也。（七發）

【唐生】唐舉也。（歸田）

【屑】碎也。（思玄）【屑】糜屑
也。（西京）

【屑】顧也。（行旅靈運肆）

【屑屑】不靜也。（閒居）

【耆】老也。（西京）【耆】音嗜。
（羽獵）　案：耆訓老，叚借爲
嗜。《廣雅・釋詁》二："嗜，貪
也。"《禮記・王制》"嗜欲不
同"，《周禮・大行人注》作"耆
慾不同"。《荀子・非十二子》：
"無廉恥而耆飲食"《注》："耆
與嗜同。"蓋嗜從耆聲，形聲均
同之字也。《祭統》"興舊耆
欲"作"耆"。《漢書・景帝紀》
"減耆欲"《注》："讀曰嗜。"嗜、
耆蓋通用。（字會）　又詳"薄
耆"條。

【耆山】耆闍崛山也。（碑文簡栖）

【耆童】老童也。顓頊之子。（琴）

【耆頭】詳"薄耆"條。

【耆龜】耆，老也。龜之老者神。
（西京）

【威】滅也。（史論范壹）　案：《左
傳・昭元年》："《詩》曰：'赫赫
宗周，褒姒滅之。'"《釋文》：
"滅"如字，《詩》作"威"。《古文
尚書》"滅"皆作"威"。《說文》：
滅，妻也。"妻，火餘也。""威，
滅也。從火戌。火死于戌，故
陽氣至戌而盡。《詩》：'赫赫宗
周，褒姒威之。'"是滅與威義
同，聲亦同，故通用也。（疏證）

【兼】倍也。　【兼】猶信也。（西
京）

【兼并】謂大家役小民，富者兼役
平民也。（雜詩平子）

【兼金】價兼倍於常者曰兼金。
（贈答士衡玖）

【兼秋】猶三秋也。（行旅鮑）

【兼巷】踰里閭也。（吳都）

【兼清】詳"清酒"條。

【珪璋】喻仙也。（游仙郭）【珪
璋】玉之妙好彫鏤者。（史述
贊班貳）

【浚】深也。（贈答玄暉貳）【浚】
大也。（公讌顏貳）【浚】取
也。（史論干貳）

【差】擇也。（高唐）【差】過也。
（離騷）

【茲】此也。（東京）【茲】年也。
（雜詩古詩）

【茲白】茲白者，若馬，鋸齒，食虎

豹。（序王）

【剞】曲刀也。（甘泉）

【剞劂】曲刀也。（魏都）

【孫】順也。（論李）

【孫竹】竹根之末生者也。（琴
　下“竹”字原作“枝”，“末”原作
　“未”，今依胡校。）

【秣】粟也。（西征）　以粟飯馬
　曰秣。（赭白馬）【秣】養也。
　（贈答叔夜）

【秣陵】楚武王所置，名爲金陵。
　秦始皇時，望氣者云金陵有王
　者氣，故斷連崗，改名秣陵。
　（樂府玄暉）

【虔】殺也。（魏都）【虔】敬也。
　（西京）

【矩】方也。（思玄）　又詳“規矩”
　條。

【殊】猶絕也。（琴）【殊】大也。
　（西京）

【殊榛】異梀也。（上林）

【殊類】異類也。（樂府石）

【埃】塵也。（西都）

【埃塵】言輕也。（詠史左）

【倜儻】猶非常也。（子虛）　又
　詳“倜儻”條。

【倜儻瑰詭】皆謂非常詭異之事。
　（吳都）

【栧】楫也。（西京　《贈答惠連》

“栧”作“檝”，《碑文簡栖》“栧”
作“枻”，並同。）【栧】船傍
板。（九歌）

【栧女】鼓栧之女。（西京）

【衄】折挫也。（彈事任壹）【衄】
　猶挫折也。（表曹壹）

【涌裔】行貌也。（七發）

【涌醴】醴泉涌出也。（甘泉）

【貢】獻也。（雜擬古詩）【貢】
　潰也。（幽通）

【耿】明也。（離騷）【耿】光也。
　（行旅顏叁）　又詳“炯”條。

【耿耿】光也。（贈答玄暉叁）

【耿介】專一也。（射雉）

【庭】猶正也。（西京）【庭】朝
　廷。（東京　胡云：袁本、茶陵
　本“廷”作“也”，是也。）

【特】獨也。（藉田）　又詳“跱”
　條。

【衰】差也。（長笛）【衰】老也。
　（東京）【衰】懈也。（九章）

【砯宕】舟擊水貌。（吳都）

【砯磅】水聲也。（上林）

【砯磕】大聲也。（甘泉）

【衷】衷也者，適也。（景福殿）
　【衷】中也。（獻詩曹壹）【衷】
　謂中心也。一曰別外之辭也。
　（詠史顏貳）

【娥】秦晉之閒，美貌謂之娥。

（別）　又詳“羲羲”條。

【娥娥】美也。（雜詩古詩）

【娥月】姮娥掩月，故曰娥月。
（祭文王　按：“掩”，疑當作
“奔”。）

【娟】詳“嫚嫚”條。

【娟嬛】詳“便嬛”條。

【秬】黑黍。一稃二米。（南都）

【秬鬯】黑黍曰秬，釀以鬯草也。
（甘泉）

【冢土】大社也。（册）

【冢宰】今之尚書令，古之冢宰。
（碑文仲寶）

【眚】病也。（東京）【眚】過也。
（獻詩潘）

【埏】墓壙也。（哀傷潘　又《哀
潘》“壙”作“隧”。）

【埏埴】埏，和也。埴，土也。謂和
土以爲器也。（西征）　埏，杼
也。埴，土爲也。（長笛）　埏
埴爲器曰甄陶。（景福殿）

【栒】詳“郇”條。

【栒虡】詳“崇牙”條。

【株】詳“離朱”條。

【株離】詳“四夷之樂”條。

【哮赫】大怒也。（洞簫）

【哮呷吰唤躋躓連絕溷殄沌兮】
言其聲之大，哮呷吰唤，或躋
或躓，時連時絕，溷然相亂，殄

沌不分也。（洞簫）

【剛】詳“輕武戎剛”條。

【剛罫】弩失鏃也。以鐵爲之，形
如十字，各長三寸，方似罔罫，
故曰罫也。（射雉）

【髟】髮垂而髟。一曰白黑髮雜
而髟。（秋興）　【髟】髳髦也。
（長笛）

【唊】小兒啼聲曰唊。一曰歜聲
也。（勸勵韋）

【倒景】倒景氣去地四千里，其景
皆倒在下。（思玄）

【蚑】徐行。凡生類之行皆曰蚑。
（洞簫　《七命》“徐行”作“行
也”。）凡生之類行皆曰蚑。
（琴）

【軧】車轄也。（甘泉）　韓楚之
間，輪謂之軧。（雜詩玄暉壹）

【桃榔】木中有屑如麫，可食。（蜀
都）

【歛】歇也。（西京　案：《東都》
“歇”作“啜”非。）

【剔】《説文》曰：“惕，驚也。”剔與
惕古字通。（射雉）　案：剔者
鬎之省文字。《集韻》：“剔古作
劈。”《後漢書·王渙傳》“糾剔
姦盗”《注》：“剔與逖通。”《一
切經音義》十三：“惕古文狄
同。”則知狄、易同音，狄、逖、

剺三字同音同形，惕、剔亦以音近形近而通用也。《通俗文》："去骨曰剔。去人之骨，有不驚惕者乎"？義又相屬矣。（字會）

【苟】詳"郇"條。

【桀】詳"濼"條。

【桃笙】桃枝簟也。吳人謂簟爲笙。（吳都）

【栬】詳"植"條。

【陝】詳"峽"條。

【陟】升也。（東京）

【郟鄏】今河南也。（論李）

【陛下】陛，升堂之階。王者必有執兵陳於階陛之側，臣與至尊言，不敢指斥，故呼在陛者而告之，因卑以達尊之意也。若稱殿下、閣下、侍者、執事，皆此類也。（獻詩曹表　《書李注》作"及羣臣庶士，相與言殿下、閣下、足下、侍者、執事之屬，皆此類也"。）

【酒泉太守】詳"杜康"條。

【娙娥】詳"昭儀"條。

【砧】木質也。（雜詩惠連貳）案：《爾雅·釋宮篇》作"椹謂之榩。"《注》："斫木櫍也。"《釋文》："椹本或作砧同。張林反。"《玉篇》"椹"字重文作

"枮"。蓋椹字甚聲，砧字、枮字皆占聲，甚與占本同部也。（疏證）

【脉】詳"驀"條。

【眦】目匡也。（西京　《詠史盧》"匡"作"眶"。）

【紃】詳"繰紃觕"條。

【絃】詳"珩紞絃綖"條。

【脈】俗謂點爲鬼脈。（射雉）又詳"驀"條。

【淳溔】沸涌貌也。（海）

【豨】南楚人謂豬爲豨。（吳都）

【洌】詳"倏胂倩洌"條。

【浥】溼也。（行旅靈運玖）

【狷】急也。（射雉）

【翅】翼也。（鸚鵡）

【捐】棄也。（西京）

【涕】自眼出曰涕。（長門）

【猲猲】犬吠也。（九辯）

【沖瀜沆瀁】深廣之貌。（海）

【蚊】詳"蚋"條。

【浦】水厓也。（上林）

【悄悄】憂貌。（月）

【紊】亂也。（論陸壹）

【祖】詳"宣觀"條。

【莦茸】皆草花也。（江）

【袨服】黑服也。（序陸）【袨服】謂盛服也。（蜀都）【袨服】大盛玄黃服也。（上書鄒壹）

【奉】詳“械”條。

【悅】樂也。（東京）

【倜儻】卓異也。（赭白馬《符命馬》“俶”作“倜”同。）

【倩】詳“倏眗倩洌”條。

【唏】哀而不泣曰唏。（思玄）

【倮】詳“果”條。

【祐】助也。（思玄）

【茗藐】高貌。（七命）

【悛】改也。（公讌顏壹）

【挈】糅也。（招魂）

【桎】詳“械”條。

【倛醜】請雨土人也。（書應叄）

【恁】思也。（符命班）

【併】詳“駢”條。

【悃】誠信也。（頌王）

【悃悃款款】志純一也。（卜居）

【倍】詳“背”條。

【針】詳“箴”條。

【辱】汙也。（頌王）

【珹】老鵰化西海爲珹。已裁割若馬勒者謂之珂。珹者珂之本璞也。（吳都）

【柄】斗也。（西京）

【畜】詳“稸”條。

【退斁】幽邃貌。（景福殿）

【脩芒】謂北芒嶺也。（行旅安仁壹）

【隼】小鷹也。（西京）　鷙擊之鳥，通呼曰隼。（秋興）

【荏苒】猶漸也。（哀傷潘）

【租】稅也。（閒居）

【徐衍】周之末世人也。（上書鄒貳）

【病愧】謂罪苦也。（祖餞曹　胡云：“苦也”當作“咎之”，此引表，記《注》。）

【笫】簀也。（彈事沈）

【骨都】匈奴侯也。（詠史虞）

【骨肉之親】父母之於子也，子之於父母也，此之謂骨肉之親。（詠史左）

【蚤】詳“瑤”條。

【舑舕】吐舌之貌。（魯靈光殿）

【峻】山長貌。（甘泉）

【峪】望山谷芊芊青也。（高唐葉本“峪”誤作“俗”。）

【託】寄也。（思玄）

【茵】蓐也（西都）　車中蓐也。（西征）

【畔換】跋扈也。（史述贊班貳）

【訖】止也。（詠懷阮）

【眩眩】風聲也。（風）

【訓】教也。（東京）

【捕】取也。（連珠）

【欨】詳“戁”條。

【軔】車輪謂之軔。軔，支輪木也。（懷舊）

【娛】戲也。（招魂）

【蝦江】似蟹而小，十二脚。（江）

【衾裯】衾，被也。裯，單被也。（寡婦　又《贈答曹伍》：“裯，牀帳也。”裯與幬同。）

【桃蟲】詳“鷦鷯”條。

【晉野】謂師曠。以曠晉人，字子野也。（笙）

【狸】殺也。（上書鄒貳）

【眸】詳“倏眸倩洌”條。

【垺】等也。（游覽顏壹）【捋】取也。（琴）

【劋】割也。（長楊）

【悈愲】困苦也。（贈答司馬）

【豹】形如虎而圓文。（長楊）

【豺狼】以喻小人也。（贈答曹伍）

【雁】詳“追”條。

【姓】詳“莘”條。

【烟烟煴煴】陰陽和一相扶貌也。（符命班）

【蚋】秦謂之蚋，楚謂之蚊。（上書枚貳）

【袁山】即樊山也。（雜詩玄暉伍）

【捘】推之也。（長笛）

【書幣】古人相遺幣，必書之於刺，故曰書幣。（雜擬袁壹）

【隙】詳“隙”條。

【悒】於悒也。（長門）

【狿】猨屬。（南都）

【料】量也。（西征）

【城門校尉】掌京師城門屯兵。（碑文沈）

【捉】搤也。（西都）

【挽歌】挽歌者，高帝召田橫至尸鄉，自殺，從者不敢哭，而不勝哀，故爲此歌，以寄哀音焉。（挽歌）

【舫】併舟也。（軍戎）【舫】與方同。（贈答仲宣壹）　案：王仲宣《從軍詩》“連舫踰萬艘”《注》：“《説文》曰：‘舫，併舟也。’”王仲宣《七哀詩》“方舟溯大江”《注》：“《爾雅》曰：‘大夫方舟。’郭璞曰：‘併兩船也。’”顏延年《宋文皇帝元皇后哀策文》“方江泳漢”《注》：“《毛詩》曰：‘江之永矣。不可方思。’毛萇曰：‘方，泭也。’”今本《説文》“舫”字下云：“船師也。”“方”字下云：“併船也。”蓋方是正字，舫乃同聲假借字耳。（疏證）

【邰】詳“隙”條。

【狻】狻猊也。一曰師子也。（西京）

【庲】詳“屏”條。

【痁】瘧疾也。（誄顏貳）

【閃屍】暫見之貌。（海）

【脆】少臾易斷也。(魏都)　【脆】弱也。(七發)

【朓】猶條達也。(哀顏)　晦而月見西方謂之朓,朓則王侯奢也。(月)

【廫俽巧老】深空之貌。(長笛)

【瓞】小瓜謂之瓞。(行旅安仁壹)

【胷】猶前也。(魏都)

【敛】隔也。(魏都)

【栠】蘖顩而曲也。(景福殿)

【扇】布也。(射雉)

【陵】陡也。(西京)　又詳"峻"條。

【朒】朔而月見東方,縮朒然。(月)

【凍】冷也。(魏都)

【䂣】箭鏃也。(書吳)　【䂣】中矢鏃也。(序王)

【娬】詳"嫵"條。

【畚】簀籠也。(祭文謝)

【勍】強也。(魏都)

【栫】以柴木壅水也。(江)

【酌】酒升也。(招魂)

【級】次第也。(誄顏貳)

【盍】猶何不也。(東京)

【盍旦】詳"鴞鳴"條。

【沿洄】廻旋之貌。(江)

【悝】猶嘲也。(東京)

【瑇】晝屬。(江)

【剢】割也。(射雉)

【朕】兆也。(魏都)

【缺】闕也。(符命司馬)

【悖】亂也。(論嵇)

【痒】瘗也。(哀顏)

【宪】汙邪,下也。(吳都　《長笛》作"宪,邪下也",蓋脱"汙"字。)

【宪隆】高下貌。(長笛)

【帨】佩巾也。(彈事沈)

【枏】木名。(江)

【敊】多也。(西京)

【唌】沫也。(江)

【潵溄】流貌也。(海)

【挼】摧也。(長笛)

【祔】謂合葬也。(哀謝)

【涊】汗貌也。(七發)

【倨】傲也。(西征)　又詳"裾勢"條。

【蚠蝹盤紆】聲相糾紛貌。(長笛)

【袦】衣袖也。(子虛)

【帣】結也。(蕪城)

【羔】羊子也。(招魂)

【郭】郭也。(東都)

【蚊蝱】噆人飛蟲也。(論王)

【栝】柏葉松身。(西京)

【紐】系也。(序皇甫)

【嵓嶙】相連之貌。(南都)

【胅】背也。(招魂)

【航】船別名。（吳都）

【效】致也。（西征）

【唬聉】雜聲也。（長笛）

【候】望也。（西京）

【喙】括也。（長楊）

【迷】誤也。（離騷）

【唇】置也。（寡婦）

【恕】以心揆心爲恕。（離騷）

【疾】惡也。（樂府陸）

【盈】長也。（東京）

【娙娟】詳"便娟"條。

【島】詳"隝"條。

【舡】詳"扛"條。

【疲痹】詳"痹"條。

【庫】詳"府庫"條。

【眛】詳"昧"條。

【俱】詳"其"條。

【俯】詳"頫"條。

【倘佯】猶徘徊也。（風）又詳"逍遙"條。

【俳優】俳，倡也。優，樂也。（上林）

【俠】詳"徠"條。

【訐】面相斥罪也。（三都序"斥"原作"序"誤，《西征》正作"斥"，可證。）

【倫】比也。（公讌顏壹）

【臬】《周禮》："匠人建國，水地以縣，置臬以縣，眡其景。爲規識日出之景，與日入之景。"鄭玄曰："槷古文臬，假借字也。"（景福殿）　案：《穀梁傳·昭八年》"以葛覆質以爲臬"《注》："臬，門中桌。"《説文》"臬"字下云："射準的也。"引而申之，凡立木以爲準的者，亦可謂之臬。故門中所立及建國所置，皆名臬耳。《説文》"槷"字下云："木相摩也"，與準的之義無涉，鄭君以爲假借字，是也。蓋槷字執聲，臬字自聲，古執聲、自聲同部，故通用耳。（疏證）

【洰洰】水聲也。（上林）

【浺浺汩汩】波浪之聲也。（海）

【綆】古綆字。（上書枚）　案：《説文》："綆，汲井綆也。"段曰："讀若冈。"今按綆從更得聲，更音近岡，岡音同亢，故綆即古綆字。《春秋傳》曰："具綆缶。"則綆者正字，綆者孳生之字。《説文》："远，或從足更作硬。"梗俗綆。陸德明曰："梗與粳皆俗綆字。"可見亢、更多互易。（字會）

【涽鄰圖淪】詳"泓汯涃潫涽鄰圖淪"條。

【洭洭】水流聲勢也。（吳都）

【睢】遠望也。（行旅玄暉貳）

【窨】物在穴中貌。（魯靈光殿）

【陣】或爲塵。（雜詩景陽） 案：
陣卽陳字，兩敵相對，取陳列
之義，後人乃改從車字耳。塵
從鹿行揚土取義。《書·盤
庚》：“陳于兹。”《疏》、《正義》
曰：《釋詁文》 又云：“塵，久
也。”孫炎曰：“陳，居之久。久
則生塵矣。”古者陳、塵同也。
故陳爲久之義。陣卽陳，陳通
塵，故陣與塵同用也。《思玄
賦》“允塵邈而難虧”《注》亦訓
久。（字會）

【庶】詳“廗”條。

【倔】《埤倉》曰：“崛，特起也。”
崛與倔同。（論班） 案：山短
而高謂之崛。人倔强者謂之
倔，字或作崛，亦謂人雖甚短
而心甚强也。蓋崛、倔屈聲。
邱希範《與陳伯之書》“掘强沙
塞之間”《注》引《漢書》：伍被
說淮南王曰：“東保會稽，南通
勁越，屈强江淮之間。”陳孔璋
《檄》：“吳將校部曲及吳王濞
驕恣屈强。”古人文省，一字數
用，本只作屈。倔、崛孳生字。
倔强一作倔彊。《魏都賦》：
“假倔彊而攘臂。”《劇秦美新》

“獨秦崛起西戎”作“崛”。（字
會）

【迾】遮也。（西京）【迾】古列
字。（赭白馬） 案：《説文》：
“迾，遮也。”《周禮》假厲爲之。
《禮記》假列爲之。《玉藻》：
“山澤列而不賦。”鄭云：“列之
言遮列也。”《漢書》假迣爲之。
迣、厲、迾一音之轉。《西京
賦》“迾卒清候”《注》引《禮記
注》曰：“列，遮也。”此迾、列通
用之證。列又通作例。《周禮
·司隷注》：“厲，遮例也。”《釋
文》：“例本作列。”段云：古比
例字祇作列。（字會）

【悚悚】驚也。（魯靈光殿）

【悢悢】恨也。（雜詩李）

【茱萸】詳“薮”條。

【牷】詳“牲牷”條。

【牰】㸸牛之子也。牰與牬同。
（江） 案：《廣韻》：“牰與牬
同，㸸牛之子也。”《爾雅·釋
畜》“其子犢”《注》：“今青州呼
犢爲牰。又爲牛鳴。”《説文》：
“听，厚怒聲。”諸書多用呴字。
《聲類》曰：“呴，噢也。”卽听
字。听與呴同，故牰與牬亦通
也。后之爲言後也，子在後，
故訓爲㸸牛子。（字會）

【峽】王逸《楚辭注》曰：“陜，山側。”峽與陜通。（遊覽顏貳）案：《漢書·地理志下》“武威郡蒼梧”《注》：“峽，兩山之間也。”《上林賦》：“赴隘陜之口。”郭注：“夾岸間爲陜。”《漢書·趙充國傳》“遣騎候四望陜中亡虜”。《注》：“山峭而夾水曰陜。”峽、陜訓同，引申爲凡陝隘之偁。《漢書·景帝紀》，“郡國或磽陜”《注》：“陜謂褊隘也。”《刑法志》“其民生也陜阨”《注》：“陜，地小也。”亦與兩山相夾之義合。據《說文》：“陜，隘也。從自，夾聲。”段曰：“俗作陜、峽、狹。”（字會）

【袑】袴也。（行旅安仁壹）

【邕】《尚書》曰：“黎民於變時雍。”（七命）　案：《說文》：“邕，四方有水自邕城池者。從川從邑。”《爾雅·釋言》：“邕，載也。”《釋文》：“邕本作擁。”《漢書·王莽傳中集注》：“邕讀曰壅。”《白虎通》“辟雍”，雍之爲言雍也。《詩·匏有苦葉》“雍雍鳴雁”，《太平御覽三》、洪氏《楚辭補注》作“噰噰鳴雁。”嵇叔夜《幽憤詩》“噰噰鳴雁”《注》引《毛詩》曰：“雝雝鳴雁。”《楚辭》作“雁雍雍而南遊。”皆邕、擁、雍、雝通用之證。邕、雝正字，雍、擁俗字。辟雍字，據《說文》則作“廱”。雍和字，據《詩傳》宜作“雝”。《書》“言乃雍”，《禮記·坊記》又作“讙”。（字會）

【扆】《禮記鄭注》：“斧依爲斧文屏風。”扆與依同。（彈事沈）案：《周禮·太宰注》：“立依前南面。”《釋文》：“依本作扆。”《儀禮·聘禮注》：“同宮乃于依前設之。”《釋文》：“依本作扆。”《禮記·曲禮》：“天子當依而立。”《釋文》：“依本作扆。”《明堂》：“天子負斧依。”《釋文》：“依本作扆。”《荀子·正論》“君則設張容負依而坐”《注》：“户牖之間謂之依，亦作扆。”《東京賦》“負斧扆”《注》引《周禮》曰：“大朝覲，王設黼依。”扆、依衣聲，故用同。（字會）

【砧】木質也。然此砧爲擣帛之質也。砧，杵之質也。（雜詩惠連貳）

【啗】含也。（文）　案：《釋名·釋飲食》：“含，合也。合口亭之也。衔亦然也。"《廣雅·釋親》:"圅,舌也。"《詩·載芟》"實圅斯活"《箋》:"圅,含也。"《禮記·月令》:"羞以含桃。"《釋文》:"圅本又作含。"《南都賦》"巨蟒圅珠"《注》:"圅與含同。"《思玄賦》"屬箕伯以圅風兮"《注》:"圅,含也。"是知圅、含通用。阮嗣宗《詣蔣公》"伏惟明公以含一之德"《注》引《尚書》曰:"伊尹作㤅有一德。"含、咸通訓,又音近同用之字也。含又通作唅。《笙賦》、"含唳嗶諧"《注》引《洞簫賦》曰:"瞋唲唅唅以紆鬱。"(字會)

【配藜】披離也。(甘泉)　案:宋玉《風賦》"被麗披離"《注》:"被麗披離,四散之貌也。"嵇叔夜《琴賦》:"豐融披離。"蓋配藜疊韵,披離疊韵,而配與披、藜與離音又相近,故可通用。(疏證)

【硾】齊頭也。(長笛)

【娧】詳"侻"條。

【涂】詳"茶"條。

【滃滃】詳"泱泱"條。

【圓】詳"圖"條。

【屖遲】詳"迉迡"條。

【㖾】詳"杳"條。

【埋】詳"霾"條。

【貤】延也。(上林)

【恭】敬也。(弔文賈)　又詳"龔"條。

十 一 畫

【涸】水盡也。(文)

【淀】如淵而淺。(吳都)　又詳"澱"條。

【淵】深也。(舞)　【淵】回水也。(吳都)

【淵客】習水者也。(七命)

【淵魚】鱣魚也。(雜擬江)

【淵雲】王子淵、揚子雲也。(西征)

【淵源】水深曰淵。水本曰源。(符命班)

【淵穆】深美之辭也。(符命班)

【清】徹也。(贈答公幹叄)　【清】靜也。(思玄)　【清】明也。(祭文王)

【清角】曲名。(舞)

【清祀】詳"臘"條。

【清明風】詳"八風"條。

【清宴】殿名也。(景福殿)

【清埃】猶清塵也。(詠史謝)

【清流之稻】御稻也。(魏都)

【清酒】今之中山冬釀接夏而成也。或曰百日之末酒也。(南

都 按：《南都》正文稱“清酒”爲“兼清”。又《七啟》謂之“春清”。）

【清涼】殿名也。（西都）

【清清泠泠】清涼之貌也。（風）

【清揚】眉目之閒。（舞）

【清廉潔】不求曰清。不受曰廉。不汙曰潔。（招魂）

【清暉】喻帝也。（公讌顏貳）

【清塵】行必塵起。不敢指斥尊者，故假塵以言之。言清，尊之也。（贈答盧壹 又《上書司馬》：“車塵言清，尊之意也。”）

【清廟】太廟也。（上林）【清廟】營室爲清廟。又曰離宮閣道。（思玄）

【清徵】曲名。（琴）

【清濁】蕤賓至應鍾 謂之清。黃鍾至仲呂謂之濁。（笙）【清濁】凡絃之緩急爲清濁。琴緊其絃則清，漫則濁。（琴）

【淺淺】音牋。淺淺，流疾貌。（九歌） 案：沈休文《早發定山詩》“出浦水濺濺”《注》：“《楚辭》曰：‘石瀨兮淺淺。’流疾貌也。音牋。”是淺淺卽濺濺也。左太沖《魏都賦》：“石瀨湯湯。”善《注》引《楚辭》作“戔

戔”。蓋淺从戔字得聲，濺从賤字得聲，賤又从戔字得聲，故可通用。（疏證）

【淫】過也。（上林）【淫】久也。（哀傷王）

【淫】游也。（長門）【淫】邪也。（離騷）【淫】猶侵也。（連珠）

【淫淫】行貌也。（子虛）【淫淫】去遠貌。（高唐）

【淫溢】羸瘦也。（九辯）

【淫曀】不正也。（設論班）

【涵】沈也。（吳都）又詳“汎”及“唅涵”條。

【淡】薄味也。（詠史顏貳）【淡】《東京賦》曰：“綠水澹澹。”澹與淡同。（祖餞潘） 案：《西都賦》“澹淡浮”《注》：“澹淡，蓋隨風之貌也。”《高唐賦》曰“徙靡澹淡”，《注》：“澹淡，水波水文也。”《七發》“湍流溯波，又澹淡之”《注》：“澹淡，搖蕩之貌也。”《高唐賦》“潰淡淡而並入”《注》：“淡淡，安流平滿貌。”“水澹澹而盤紆兮”《注》：“《說文》曰：‘澹澹，水搖也。’”澹亦用爲澹泊。《說文》：“淡，薄味也。”澹、淡同用同訓。《文選》疊字多通用字。或曰淡俗字。（字會）

【淡淡】安流平滿貌。（高唐）

【液】汁也。（思玄）【液】津也。（洞簫）又詳"繹"條。

【涼】薄也。（論陸叁）【涼】愁也。（詠史顏壹）

【涼室】殿名也。（景福殿）

【涼風】詳"福地"及"八風"條。

【涼溫】喻貴賤也。（贈答韓卿）

【淪】沒也。（江）【淪】從流而風曰淪。淪，文貌。一曰波水涌也。（月）

【淪誤】沈淪謬誤也。（雜擬鮑壹）

【莎雞】一名促織，一名絡緯，一名蟋蟀。（雜詩惠連貳）又詳"天雞"條。

【茬】臨也。（魏都）案：《行旅沈壹》"茬"作"涖"。）

【茬撼雷硠】崩弛之聲。（吳都）

【莞】小蒲。（南都）【莞】小蒲席也。（秋興）

【莞爾】詳"莞爾而笑"條。

【莞爾而笑】笑離斷也。（漁父又《西京》："莞爾，舒張面目之貌。"又《論陸壹》："莞爾，小笑貌。"胡云："莞"當作"莧"。）

【荼】《尚書》曰："夏有昏德，民墜塗炭。"荼與塗古字通用。（書孫）案：荼、塗均從余，塗又

涂聲，塗本作涂。《論語》："陽貨遇諸塗。"《釋文》："塗本作涂。"《書·益稷》："聚于塗山。"《說文·屾部》作"聚于𡴋山。"《爾雅·釋草》："荼，委葉。"《釋文》："荼本作荼。"《詩·良耜》"以薅荼蓼"，《爾雅·釋草注》作"以茠荼蓼。"應休璉《與從弟君苗君冑書》"濟蒸人于塗炭"《注》，亦引《尚書》"生民塗炭"云云，此塗、荼通用之證。（字會）

【荼毒】苦也。（寡婦）

【莫】無也。（東京）【莫】散也。（獻詩潘）

【莫】晚也。（舞鶴）莫，日且冥也。【莫】闇貌（七發）又詳"瘼"、"漠"二條。

【莫莫】盛也。（南都）【莫莫】清淨也。（甘泉）

【莫莫紛紛】風塵之貌也。（羽獵）

【莫耶】莫耶者，干將之妻名也。（七命）又詳"五寶劍"及"龍淵太阿"條。

【晤】對也。悟與晤同，古字通。（遊覽惠連）案：《說文》："晤，明也。從日，吾聲。《詩》曰：'晤辟有摽。'"《聲類》："悟，心

解也。"心解亦有明義。段曰："唔，启明也。心部之悟、寤部之寤皆訓覺。覺亦明也。"故晤、悟、寤三字均可通。《考槃》之詩"寤言"、"寤歌"、"寤宿"皆作寤。悟又作蘇。《魏都賦》"非蘇世而居正"《注》："善曰：非謂悟世而居正也。"又引王逸《楚辭注》曰："蘇，寤之也。"（字會）

【晦】月盡也。（游仙郭）【晦】盡也。【晦】昧也。（雜擬江）【晦】亡幾也。（幽通）又詳"明晦"條。

【捲】詳"拳"、"權"二條。

【控】引也。【控】匈奴名引弓曰控。（西都《羽獵》"控"下有"弦"字。）【控】止馬曰控。（舞）

【掩】及也。（東京）【掩】大也。（冊）【掩】覆也。（西京）【掩】匿也。（上書枚貳）【掩】同也。（高唐）【掩】掩者息也。（上林）【掩】《方言》曰："掩，止也。"掩與揜同。（西征）案：《說文》："掩，歛也。小上曰掩。從手，奄聲。""揜"，《說文》："自關以東謂取曰揜。一曰覆也。從手，弇聲。"奄聲、

弇聲之字義多同。覆亦歛也。《穀梁・昭八年傳》："揜禽旅。"《釋文》："揜本作掩。"《大學》："揜其不善。"《中庸》："誠之不可揜。"皆訓揜爲覆。蓋訓覆者，從人在室中取義，訓取者從手取義也。《七啓》"揜狡兔"《注》引《方言》曰："掩，覆也。"《上林賦》"揜羣雅"《注》："掩，捕也。"以掩釋揜。《說文》訓取之字作揜，《廣雅》作掩。此注引《方言》止訓，于賦語文義爲順。（字會）

【掖】在肘後。（贈答盧叄）

【掖庭】今官主後宮。（西京胡云：陳謂"今"當作"令"，是也。）【掖庭】宮人之宮。婕妤以下，皆居掖庭。（西都）

【偫】待也。【偫】具也。（贈答曹陸）【偫】具事也。（羽獵）

【偃】息也。（公讌顏貳）又詳"掩"條。

【偃蹇】衆多貌。（離騷）【偃蹇】舞貌。（九歌）【偃蹇】高貌。（西都）【偃蹇】憍慠也。（論王）【偃蹇】驕傲貌。（思玄）又詳"天蟜偃蹇"條。

【偵】伺也。（碑文沈）【偵】廉

視也。（誄潘肆）

【偶】對也。（甘泉）　【偶】匹對之名。（移孔）　【偶】遇也。（表任壹）　【偶】刻木以像人形。（祭文謝）　【偶】《廣雅》曰:“耦,諧也。” 耦與偶古字通。（文）　案:《説文》:“耕廣五寸爲伐,二伐爲耦。”《論語》“長沮、桀溺耦而耕”,兩人並發也。俗借爲偶字。段云:“凡言人耦、射耦、嘉耦、怨耦皆取耦耕之意,而無取桐人之意。今皆作偶,則失古意。”是知偶者耦之叚借,故古字通也。（字會）　又詳“俑”、“遇”二條。

【倏忽】疾也。（東都）

【倏眒】疾速也。（蜀都）

【倏眒倩浰】皆疾貌。（子虛）

【條】理也。（論王）　【條】科條也。（文）　【條】條侯周亞夫也。（幽通）

【條枝鳥】條枝國臨西海,有大鳥,卵如甕。（西都）

【條風】詳“八風”條。

【條達】行疾貌。（哀顏）

【條暢】條直通暢也。（洞簫）

【嘐】調也。（哀傷任）　又詳“嘲”條。

【喝唭】鳴也。（九辯）

【唱】發歌句者謂之唱。（文）　【唱】《漢書・房中歌》曰:“肅倡和聲。”字書: 倡亦唱字也。（魏都）　案: 倡,唱昌聲。陸士衡《弔魏武帝文》“發哀音於舊倡”《注》引《説文》曰:“倡,樂也。”《廣雅・釋詁》:“倡,昌始也。”《禮記・樂記》“壹倡而三歎”《注》:“倡,發歌句也。”《禮記・檀弓上》“婦人倡俑”《注》:“倡,先也。”《左氏・昭十六年傳》:“取其唱,予和汝。”《釋文》:“唱本作倡。”蓋唱之而後和之,即首發歌句之倡也。《説文》唱亦訓導。（字會）

【掎】亦刮也。（吳都）【掎】從後牽曰掎。（藉田）　【掎】引也。（海）　【掎】偏引也。（西都）　【掎】戾足也。（檄陳壹）

【嗛】水鳥食謂之嗛。（上林　與嗛同。）又詳“嗛”條。

【嗛血】詳“涉血”條。

【梂】如栗而小。（西京）【梂】治木器曰梂。（魏都）

【梓匠】木工也。（魏都）

【梓宫】梓宫者,《禮》: 天子斂以梓器。宫者,存時所居,緣生事亡,因以爲名,凡人呼棺亦爲

宮也。（哀謝）

【梧】柱也。（景福殿）【梧】邪柱爲梧。（長門）

【桴】鼓柄也。（序王）【桴】舟也。（吳都）又詳"枹"條。

【許】縣名。（碑文蔡貳）【許】許猶所也。（贈答玄暉貳）案：《説文》："許，聽也。從言，午聲。""所，伐木聲也。從斤，戶聲。《詩》曰：'伐木所所。'"今《詩》作"伐木許許"，《後漢書·朱穆傳注》作"伐木滸滸。"許慎作"所"，必有所本。此通叚之證也。《禮記·檀弓下》"無所不用斯言也"《疏》："所謂處所。"本詩云"竟何許"者，猶言"竟何處"也，故同。（字會）又詳"汝南潁川許"條。

【許史】許皇后、史良娣也。（詠史左）

【梗】病也。（論劉貳）【梗】凡草木刺人爲梗。（西京）

【梗概】不纖密也。（東京）

【梏】兩手合也。（書司馬）又詳"械"條。

【械】治也。（長笛）【械】謂桎梏也。三木在項及手足也。在手曰梏，兩手同械曰拲，在

足曰桎。（書司馬）

【悠】從風貌。（東京）【悠】顏師古曰："繇與悠同，行貌。"（勸勵韋）案：攸同修，悠又同攸。古多叚攸爲修，遠也，長也。繇，隨從也。繇通由。由，道也。隨從於道路，亦有悠遠之意。《老子》："悠兮其貴言。"《釋文》：孫登、張憑、杜弼作"由"。一作"猶"。由與繇一字，故繇與悠同也。《詩·雄雉》"悠悠我思"，《説苑·辨物》作"遙遙我思"。繇、遙均從䌛取聲，悠通遙，故可通繇。（字會）

【悠悠】遠也。（高唐）【悠悠】長也。（寡婦）【悠悠】行貌。【悠悠】流貌也。（吳都）

【悠悠】周流之貌。（史論干貳）

【悠揚】日入貌。（秋興）

【惕】疾也。（長楊）【惕】懼也。（贈答張）

【惕】驚也。（東京）又詳"剔"條。

【惕惕】猶切切也。（贈答盧叁）

【惕惕怵怵】懼也。（七發）

【情】實也。（論陸叁）又詳"性情"條。

【悼】哀也。（論嵇）【悼】傷也。

（西京）

【惜】痛也。（歎逝）　【惜】愛也。（贈答曹貳）

【側】猶特也。（表羊）

【側匿】猶縮縮行遲貌。（哀顏）　【側匿】朔而月見東方,謂之側匿。側匿則王侯肅。（月）

【御】治也。（表曹壹）　【御】猶憑也。（雜詩曹貳）　【御】幸也。（思玄）　【御】進也。（西京）　【御】侍也。（詠史鮑）　【御】使馬也。（游仙何）　【御】主也。（西征　按:“御,主也”,疑“止也”之譌。）

【御溝】天淵南有石溝,御溝水也。長安御溝謂之楊溝,置楊於其上。（樂府玄暉）

【從】牛子也。　【從】行也。（書阮）　【從】隨也。（雜詩景陽）

【從容】舉動也。（好色）

【從橫】關西爲橫。（西都）　關東爲從。（上書李）

【雪】凝雨也。雪媛也。水下遇寒而凝,媛媛然下也。陰氣凝而爲雪。春洩氣爲雨,寒凝爲雪。（雪）

【雪宮】離宮之名也。（雪）

【鳥策】鳥書於策也。（吳都）

【鳥章】染絲織鳥畫爲文章,置於

旌旗。（吳都）

【鳥路】鳥道也。（贈答玄暉叁）

【璇】詳“璿”條。

【璇淵】玉池也。（燕城）

【璇題】題頭也。榱椽之頭皆以玉飾。（甘泉）

【捷】獲也。（表曹）　【捷】疾也。　【捷】邪也。（東京）　又詳“揲”條。

【捷獵】詳“綝獵”條。

【涸】水通貌。（江）　【涸】水出貌。（上林）

【郭】高誘《戰國策注》曰:“郭,古文虢字也。”（碑文蔡壹）　案:《説文》:“郭,齊之郭氏墟。”郭今以爲城章字。《左傳》虢國字,公羊作郭。郭、虢蓋同音通用字。《公羊·僖二年傳》“夏陽者何?郭之邑也”,《穀梁傳》作“夏陽者,虞虢之蔽邑也”。《穀梁·昭元年》“會于郭”,左氏作“會于虢”。是其證也。郭又用作廓。《説文》“鼓”下云:“萬物郭皮甲而出”。段曰:“當作章,今之廓字。”（字會）

【郭北墓】葬於郭北北首,求諸幽之道也。（雜詩古詩）

【魚】詳“吳”條。

【魚牛】狀如牛,陵居,蛇尾,有

翼。有魚狀如牛,陵居,蛇尾,
　其名曰鯥。(江)
【魚目】詳"龍文魚目"條。
【魚須之旄】以魚須爲旄柄也。
　(子虛)
【魚瞰雞睨】皆蟲之形也。魚目
　不瞑,雞好邪視,故取喻焉。
　(洞簫)
【魚麗】陣名。(東京)
【釦】金飾器。(西都)
【釦砌】以玉飾砌也。(西都)
【袷】衣無絮也。(藉田)
【袷輅】次車。樹翠羽爲蓋,今謂
　之羽蓋車。(東京)
【衽】臥席也。(挽歌陸) 【衽】
　衣衿也。(雜詩仲宣 《秋興》
　作"袵,襟也"。《賤繁》、《誄謝》並
　作"袵,衣衿也"。)
【堀】突也。(風) 又詳"窟"條。
【堀礨】山貌。(上林)
【組】綬也。(西都) 又《述德》:
　"組,綬屬也"。)
【組】綬屬也。小者以爲冠纓。
　纓,冠系也。(七啓) 又詳
　"纂組"條。
【組甲】以組爲甲也。(吳都)
【組帳】以幕組結束玉璜爲帷帳,
　謂之組帳。(贈答叔夜)
【組綬】所以繫帷也。(長門)

【紱】綬也。(西都) 【紱】《毛
　詩》曰:"朱芾斯皇。"芾與紱
　同。(獻詩曹壹) 案:《易·既
　濟·六二爻詞》:"婦喪其茀。"
　荀爽本"茀"作"紱"。此茀、紱
　通用之證。又通作黻。江文通
　《雜體詩》"雲裝信解黻"《注》:
　"《蒼頡篇》曰:'紱,綬也。'黻
　與紱通。"范蔚宗《樂遊應詔
　詩》"探已謝丹黻"《注》:"《毛
　詩》:'赤芾在股。'黻與芾古
　字通。"蓋紱、黻皆犮聲,而芾
　字則弗聲,犮與弗古本通也。
　(疏證) 又詳"黻"條。
【累】繁也。(長楊) 【累】重也。
　(游覽玄暉) 【累】猶負也。
　(詠史張)
【累跪】進跪貌。(舞)
【終】猶竟也。(幽通)
【終古】猶永古也。(吳都)
【終南】周之名山,中南也。(西
　都 按:毛本"中"作"終"。)
　又詳"太一"條。
【混】轉也。(江) 【混】猶混濁。
　(符命班) 又詳"昆"、"涃"二
　條。
【混混庉庉】波浪之聲。(七發)
【混混茫茫】天地未分。(符命
　楊)

【混瀚灝涣】水勢清深也。（江）

【淩】升也。（東京）　【淩】乘也。（思玄）　【淩】馳也。（江）　【淩】越也。（羽獵）　又詳"凌"、"陵"二條。

【淩雲】盤名也。（景福殿）

【淋】山下水也。（七發）

【淋淋】水貌也。（七發）

【淋滲】詳"離褷淋滲"條。

【淋灑】不絕貌。（洞簫）

【造】至也。（西京）　【造】成也。（公讌士衡）

【造化】天地也。（東都　又《鷦鷯》："造化，道也。"）

【造舟】以舟相比次爲橋也。（東京）　造舟謂之浮梁。浮梁，浮橋也。（閒居）

【造物】謂道也。（令）

【遑】盡也。　【遑】極也。（思玄）　【遑】快也。（西京）

【逍遥】游戲貌。（九歌）　【逍遥】《廣雅》曰："逍遥，儴佯也。"（歸田）　案：儴字從襄字得聲，佯字從羊字得聲，故儴佯與襄羊通用。司馬長卿《上林賦》"消搖乎襄羊"《注》："郭璞曰：襄羊猶彷徉也。"陶淵明《詠貧士詩》"孤雲獨無依"《注》："《楚辭》曰：'憐浮雲之相佯'。

王逸注曰：'相佯，無依據之貌也。'"《廣雅·釋訓》："仿佯，徙倚也。"又云："倘佯，戲蕩也。"《吳都賦》："徘徊倘佯。"仿佯、相佯、仿佯、倘佯，音皆與儴佯、襄羊相近，故可互用。逍與儴一聲之轉，遥與佯亦一聲之轉。故《廣雅》訓逍遥爲儴佯也。逍遥戲蕩者，多徙倚無依。訓雖微別，而義實相因也。（疏證）

【通】鼓一曲爲一通。（銘陸壹）　又詳"洞"條。

【通人】博覽古今者爲通人。（論劉貳）

【通天】天子冠也。（東京）　【通天】臺名也。（西都）

【通池】城壕也。（蕪城）

【通谷】卽洛陽城南之大谷也。（洛神）　一曰洛陽直西關南伊闕谷。卽大谷也。（獻詩曹）

【通侯】通侯者，言其功德通於王室。後爲列侯，列侯見序列也。（彈事任壹）

【通塞】猶窮達也。（西征）

【通衢】喻仕路也。（行旅陶壹）

【逗】止也。（舞鶴）　【逗】曲行避敵也。（彈事任壹）　又詳

“投”條。

【逗留】軍行頓止稽留不進者曰逗留。（雜擬范）

【逝】謂死也。（詠史謝）

【逝止】猶去留也。（文）

【連】橫木關柱爲連。（招魂） 又詳“宏璉”條。

【連白】詳“纖經連白”條。

【連延】相續貌。（七發）

【連卷】曲貌。（南都）【連卷】長曲貌。（思玄）

【連姻】連親姻也。（彈事任）

【連娟】言曲細也。（上林）【連娟】細貌。《上林賦》曰：“長眉連娟。”（舞） 案：宋玉《神女賦》“眉聯娟以蛾揚兮”，《注》：“聯娟，微曲貌。”曹子建《洛神賦》“修眉聯娟”《注》：“修長曲而細也。”《說文》“聯”字下云：“聯，連也。” 鄭《周禮·大宰注》云：“古書聯作連。”此連、聯通用之證。（疏證）

【連拳偃蹇】特起之貌。（魯靈光殿）

【連蜷】巫迎神道引貌也。（九歌）

【連謇】言語不便利也。（設論楊）

【連衡】合關東從，通之於秦，故曰連衡。（論賈）

【途】道也。（東京）

【途樓】閣閒陛道。（上林）

【逡】詳“踆”條。

【逡巡】卻退也。（上林）【逡巡】卻去也。（東都）【逡巡】北面再拜也。（雪）

【莽】冬生不死者，楚人名曰宿莽。（離騷）

【莽罝】廣大貌。（吳都）

【晨光】日景也。（景福殿）

【晨風黃鵠】良馬名也。（七發）

【晨鵠】猶晨鳧也。（江）

【陰】秋冬爲陰。（游覽靈運叁）【陰】山北曰陰。（思玄）【陰】水南曰陰。（公讌沈）【陰】暑影之候也（連珠 胡云：“之候”二字衍。）【陰】陰者，密雲也。（游覽江） 一曰雲覆日也。（詠史虞）

【陰陰】肅也。（雜詩玄暉貳）

【陰林】山北之林也。（子虛）

【陰祇】地祇也。（魏都）

【陰渠】山北之渠。（游天台山）

【陰溝天井】陰溝，江河也。天井，天象也。古之葬者，於壙中爲天象及江河也。（挽歌陸）

【陰曀】喻昏亂也。（北征）

【陳】國名也。（別） 【陳】縣名。
　（獻詩潘）

【陳】說也。（雜詩古詩） 【陳】
　列也。（西京）又詳“陣”條。

【陳人】人而無人道，是之謂陳
　人。（雜詩古詩）

【陳書】謂陳列其書而進之也。
　（公讌顏貳）

【陳寶】秦文公獲若石於陳倉所
　祠之神也。（西京）

【陵】升也。（西京） 【陵】乘也。
　（公讌士龍　陵、淩通。） 【陵】
　侵也。（獻詩潘） 【陵】侮也。
　（贈答范貳） 【陵】猶促也。
　（七發） 【陵】四平曰陵。（長
　楊） 【陵】縣名。（碑文沈）
　又詳“淩”及“長山”條。

【陵雨】暴雨也。（連珠）

【陵苕】詳“苕”條。

【陵陽】曲名。（琴）

【陵陽子明】仙人名。（游仙郭）

【陵遲】猶陂陀也。（東征）

【陵鯉】四足，狀如獺，甲似鯉，居
　土穴中。性好食蟻。（吳都）

【陸】道也。（登樓）

【陸沈】人中隱者，譬如無水而沈
　也。（雜詩景陽）

【陸梁】東西倡佯也。（西京）

【陸離】參差也。（甘泉） 【陸
　離】參差衆貌。（離騷）

【規】圜也。（思玄） 【規】正圜
　之器。以思親正君曰規也。
　（景福殿） 【規】猶諫也。
　【規】圖也，摹也。 【規】法也。
　（東京）

【規天矩地】天者陽也，規也。地
　者陰也，矩也。（東京）

【規矩】圓曰規。方曰矩。（離
　騷）

【陬】角也。（高唐） 【陬】四隅，
　謂邊遠也。（吳都） 【陬】山
　足也。（補亡）

【陬落】蠻夷之居處名也。一名
　聚居爲陬。（魏都）

【悴】傷也。（雜詩曹壹） 又詳
　“瘁”條。

【惏】詳“惏慄”條。

【惏慄】寒貌。（洞簫　又《風》：
　“惏，寒貌。”）

【惏悷憭慄】悲傷貌。（高唐）

【逌】所也。（幽通） 【逌】寬舒
　顏色之貌也。（設論班）

【惟】有也。（東京） 【惟】是也。
　（甘泉） 【惟】念也。（臨終）
　【惟】辭也。（羽獵）

【猓】勇也。（魏都） 又詳“果”
　條。

【巢】居也。（幽通） 【巢】高也。

（魏都）

【巢父】堯時隱人，以樹爲巢，而寢其上。故時人號曰巢父。（反招隱）許由夏常居巢，故一號巢父。山父卽巢父也。（書應肆）

【梁】詳“梁父”及“汝南潁川許”條。

【梁山歌】曾子耕泰山所作也。亦謂之《梁甫吟》。（雜擬陸）

【梁石】絶水之梁也。（公讌范）

【梁鄒】梁鄒者，天子之田也。（東都）

【梁倚】相著也。（魯靈光殿）

【梁父】泰山下小山也。（雜詩平子　《符命楊》“父”作“甫”。）梁，梁父也。（羽獵）

【振】動也。（西征）【振】舉也。（公讌士龍）

【振振】盛也。（郊廟）

【掇】拾也。（游仙郭）【掇】拾取也。（樂府魏武）【掇】鄭玄《論語注》曰：“輟，止也。”掇古字通。（魏都）案：輟、掇均叕聲。輟訓止。《禮記·曲禮》“輟朝而顧”《注》：“輟猶止也。”《説文》：“掇，拾取也。”《莊子·丈人》“承蜩猶掇之也”《注》：“掇，拾也。”《淮南·説林》“絫積不輟”，卽猶掇意。不輟卽掇之也，義以反訓而得，故通。亦猶相韋之訓靠，理紛之詁亂也。《説文》：“輟，車小缺復合。”引申爲作輟，亦兼不輟意。（字會）

【脱】易也。（恨）又詳“稅”、“倪”二條。

【脱冠】凡仕則冕弁謝職，故曰脱冠。（公讌謝）

【眽】詳“覹”條。

【眽眽】視也。（魯靈光殿）（又《雜詩古詩》：“眽眽，謂相視貌。”）

【婉】順也。（七啓）【婉】美貌。（琴）【婉】歡也。（贈答士衡叁）【婉】猶親爱也。（書阮）【婉】（離騷）案：張平子《思玄賦》“八乘騰而超驤”《注》：“善曰：《楚辭》‘駕八龍之蜿蜿’。”考《上林賦》“象輿婉僤于西清”《注》：“婉僤，動貌也。”又《史記·司馬相如傳》“蜿蟺膠戾”，司馬彪注：“蜿蟺，展轉也。”凡物之動者，必展轉。是婉訓動貌，與蜿訓展轉義本相近，又皆从宛字得聲，故通用耳。（疏證）

【婉婉】和順貌。（詠史謝）

【婉僤】動貌。（上林）

【婉嫕】婉，柔和。嫕，**深邃也**。（箴張）

【婉轉】綢繆也。（射雉）

【婉孌】少好貌。（詠懷阮）

【皎】白也。（贈答公幹貳）【皎】《古詩》曰：“明月何皦皦”。（舞）案：交聲、敫聲同音。皎、皦均訓白。《詩·大車》“有如皦日”，《寡婦賦注》引《韓詩》作“有如皎日”。《詩·大車傳》：“皦，白也。”《詩·白駒》：“皎皎白駒。”《釋文》：“皎，潔白也。”《月出釋文》：“皎本作皎，月光也。”《大車釋文》：“皦本又作皎。”是通用之證。據《說文》：“皎，月之白也。”“皦，玉石之白也。”段曰：“《王風》‘有如皦日’，段 皦 爲曒也。”《說文》：“曒，日之白也。”（字會）

【皎皎】光明貌也。（舞）

【烱】明也。（幽通）

【烱烱】光明 貌 也。（秋興 《雜擬江》作“冏冏”同。）

【庶】冀也。（贈答傅 又詳“恕”條。

【庶尹】庶官之長也。（勸勵韋）

【庶幾】徼倖也。（哀傷潘）

【烽】虞望也。今烽火是也。（西都）

【烽燧】候表，邊有警則舉也。（雜詩景陽） 晝舉烽，夜燔燧。（檄司馬）

【笙】笙者，太簇之氣，象物之生。笙，十二簧，一曰十三簧，象鳳之聲。列管瓝中，施簧管端。（笙） 又詳“吹”條。

【笳】杜摯《笳賦序》曰：“笳者，李伯陽入西戎所作也。”傅玄《笳賦序》曰：“吹葉爲聲”。《說文》作“葭”。（書李） 案：張平子《西京賦》：“校鳴葭”。薛綜注：“葭更校急之乃鳴”。謝靈運《九日從宋公戲馬臺集送孔令詩》“鳴葭戾朱宮”《注》：“魏文帝書曰：‘從者鳴笳以啓路’。”葭、笳互見，知葭、笳古今字也。（疏證）

【符】合也。（甘泉）【符】信也。（書司馬）

【符】法也。（論陸壹）

【符采】玉之橫文也。（蜀都）

【符信】漢制以竹分而 相 合也。（行旅靈運貳）

【第】且也。（蜀都）【第】但也。（贈答靈運 壹）【第】館也。（西京）【第】出不由里門面

大道者名曰第。（雜詩古詩）

【偈】息也。（甘泉）　【偈】桀俒
也。疾驅貌。（高唐）　又詳
"揭"條。

【寂】静也。（思玄）　【寂】安静
也。（公讌范）

【寂寂】無人聲也。（詠史左　又
《祖餞曹》同引《說文》，不重"寂"
字。）

【寂滅】無言也。（碑文簡栖）

【寂寥】曠遠之貌也。（論王）
又詳"淑漻蓱蓼"條。

【寂漻】源瀆順流漠無聲也。（九
辯）

【寂歷】彫疏貌。（雜擬江）

【密】近也。（樂府鮑）　【密】閉
也。（連珠）

【密吉】詳"北方五狄"條。

【密率】安静也。（洞簫）

【密櫛】密如櫛也。（長笛）

【宿草】陳根也。（懷舊）

【宿莽】詳"莽"條。

【梟】懸首於木上曰梟。（西征
《檄陳壹》無"上"字。）

【梟羊】山精也，似獼猴類。（上林）
　【梟羊】一名萬僵。如人面，長
脣，黑身，有毛，反踵。見人則
笑。左手操管。（吳都）

【梟矔】大宛深目多鬚，蓋梟矔

也。（論王）

【旍】施旃也。（東京）　【旍】《吳
都賦》引作"旌"。（魏都）　案：
《楚辭·自悲》"載雌霓而爲
旌"《注》："旌旗有鈴爲旌。"
《家語·終禮》"綢練設旐夏
也"《注》："旍旗飾也。"謝宣
遠《張子房詩》"鑾旍歷頹寢"
《注》："鑾旍，鑾旗也。"《爾雅·
釋天》："旌"，《釋文》本又作
"旍"。《七啓》"抗招摇之華
旍"，華旍卽華旌。劉越石《答
盧諶詩》"旍弓驔驔"，旍弓卽
旌弓。虞子陽《詠霍將軍北伐
詩》"蔽日引高旍"《注》引《楚
辭》曰："旌蔽日兮敵若雲。"本
賦"抗旍則威噎秋霜"《注》引
《漢書》：終軍曰："驃騎抗旌。"
旍、旌蓋通用。（字會）

【旌】明也。（思玄）　【旌】理也。
（牋任貳）

【旌】表也。（東京）　【旌】幡也。
（文壹）　又詳"旗"及"九旌"
條。

【旌栧】栧，船舷。樹旌於上曰旌
栧。（子虛）

【旋】便也。（哀謝）　【旋】回也。
（神女）　又詳"還"條。

【旋目】鳥名。（上林）　又詳"鳩

鳥”條。

【漩流】深淵也。（游天台山）

【旋屋】曲屋也。（魯靈光殿）

【彫】畫也。（西京 子虛作雕。）又詳“琱”條。

【彫虎】獸名。（思玄）

【彫胡】菰米。（子虛）

【彫啄】鳥食貌。（吳都）

【屏】蔽也。（魏都 《洞簫》作“庰”同。）【屏】除也。（琴）【屏】屏者除棄之謂也。（誄顏貳） 又詳“庰”條。

【屏京】謂蕃封也。（公讌顏壹）

【屏氣】言恐懼也。（史論范叁）

【屏翳】風師也。一曰雨師，一曰雷師。（洛神）

【理】通也。（符命司馬）【理】謂裝飾也。（舞）【理】治也。（序任）【理】治獄之官。（獻詩曹壹） 又詳“文理”條。

【理分】理述禮意也。（離騷）

【理樂】今樂家五日一習樂，爲理樂。（七發 《長笛》“習”下脫“樂”字。）

【族】類也。（別）【族】聚也。（上林）

【祥】吉也。（東京）

【祥風】卽景風也。 其來長養萬物。（東都）

【祥發】猶發祥也。【哀顏】

【崒】高也。（蕪城）【崒】聚也，與萃同，集也。（子虛） 案：宋玉《高唐賦》“崒中怒而特高兮”《注》：“崒，聚也。”崒爲萃之叚借字。《說文》“萃”字下云：“艸皃。”《易·萃象傳》云：“萃，聚也。”蓋萃字本爲艸聚之皃。引而申之，凡物之聚者，皆可謂之萃。《說文》“崒”字下云：“危高也。”與萃聚之義無涉，特以同是卒聲，故通用耳。（疏證）

【彪】文貌。（勸勵張）

【彪休】怒貌。（琴）

【崑崙】帝之下都，崑崙之墟，高萬仞。崑崙在西北，其高萬一千里。（西都 又《鸚鵡》：“高二千五百餘里。”）

【崑崙墟】名河所出曰崑崙墟。（東都）

【崩】高曰崩，厚曰崩，尊曰崩。天子之崩，以尊也。其崩何？以在人上故曰崩。（誄潘叁） 又詳“奔”條。

【崩雲屑雨】言波浪飛灑，似雲之崩，如雨之屑也。（海）

【崎嶇】不平也。（鸚鵡 又《高唐》：“崎嶇，不安也。”）【崎

【嶇】不安之貌。（辭陶）【崎
嶇】傾倒也。（南都）

【崎錡】不安貌。（文）

【崎嶬】危險貌。（魯靈光殿）

【崇】猶尊也。（贈答安仁）【崇】
立也。（雜詩玄暉伍）【崇】
終也。（公讌士衡）【崇】猶
興也。【崇】聚也。（東京）
【崇】厚也。【崇】重也。（册）
【崇】多也。（蜀都）【崇】充也。
（書應璩）案：崇、充同訓。
《說文》："充，長也，高也。"《王
制》"樂正崇四術"《注》："崇，
高也。"《左氏・成十八年傳》
"今將崇諸侯之地"《注》："崇，
長也。"《爾雅・釋詁》："崇，充
也。"《注》："崇亦爲充盛。"《招
魂》"氾崇蘭些"《注》："崇，充
也。充實蘭蕙，使之芬芳而益
暢。"崇、充同音同義，蓋通用
字。至崇之本義，訓爲山高大，
與嵩、崧字同。此書蓋叚崇
爲充。（字會）

【崇崇】高也。（甘泉）

【崇文】觀名也。（序王）

【崇牙】崇牙，栒虡上板，作劔鍔
者。橫曰栒，植曰虡。（東京）

【崇政】殿名也。（贈答安仁）

【崇德】殿名也。（東京）

【崇憲】宮名也。（誄謝）

【崇賢】宮殿門名也。（東京）

【崇禮】宮殿門名也。（魏都）
【崇禮】闕名。（蜀都）

【崝嶸】高峻也。（七命）【崝嶸】
深直貌。（高唐）　案：孫興公
《遊天台山賦》"陟峭崿之崢
嶸"《注》："《字林》曰：'崢嶸，
山高貌。'"班孟堅《西都賦》
"金石崢嶸"《注》："郭璞《方言
注》曰：'崢嶸，高峻也。'"左太
沖《吳都賦》"南北崢嶸"《注》：
"善曰：崢嶸，深邃貌。"司馬長
卿《上林賦》"刻削崢嶸"《注》：
"司馬彪曰：崢嶸，深貌也。"崝
與崢音本相近，又皆訓爲高峻
深邃之貌，故可通用。（疏證）

【崢嶸】高也。高峻也。（西都）
【崢嶸】深冥也。（蕪城）【崢
嶸】深貌。（上林）【崢嶸】深
邃貌。（吳都）　又詳"崝嶸"
條。

【崛】高也。（西京）【崛】特貌。
（甘泉）【崛】特起也。（論
班）　又詳"倔"條。

【崛崎】斗絶也。（上林）

【堆】沙堆也。（上林）　又詳
"追"條。

【粗】麤也。（論秬）【粗】疏也。

【論稽】【粗】猶略也。（東
京） 又詳“麄”條。

【國子】子産也。（論劉貳）

【國士】一國之中推而爲士曰國
士。（書司馬）

【國殤】爲國戰亡也。（樂府鮑）

【國體】君之卿佐，是謂股肱，故
曰國體。（表任壹）

【匏】布濩也。（行旅靈運壹）
【匏】瓠也。有柄曰懸匏，可爲
笙。（琴） 又詳“金石土革絲
木匏竹”條。

【匏瓜】一名天雞，在河鼓東。（洛
神）

【衆】庶也。（幽通） 又詳“儻”
條。

【衆女】謂臣衆也。（離騷）

【衆芳】喻羣賢也。（離騷）

【衆目天綱】目，綱目也，以喻諸
侯。天綱，以喻王室也。（論
陸叁）

【貫】累也。（離騷）【貫】猶連
也。（詠詩顏）【貫】出也。
（招魂）

【貫胸】夷國名也。（序王）

【貫魚】駢頭相次似貫魚也。（樂
府鮑）

【猗】美也。（詔貳） 又詳“漪
瀾”條。

【猗猗】盛也。（魏都）【猗猗】
美也。（西都）

【猗狔】猶阿那也。（上林）

【猗萎】隨風貌。（江）

【猗靡】隨風貌。（嘯）

【猗蘭】殿名也。（哀顏）

【區】域也。（海）

【區區】小也。（書朱）【區區】
愛也。（雜詩古詩）

【區種】謂區隴而種，非漫田也。
（論稽）

【毫】筆毫也。（月） 銳毛爲毫
也。（文）【毫】長毛也。（西京）

【毫分】秋毫之末分也。（設論
班）

【毫芒】毫，毛也。芒，毛之顛杪
也。（設論班）

【哇】猶區也。（招魂） 又詳
“畝”條。

【扈】大也。（上林）【扈】被也。
楚人名被爲扈。（離騷《吳都》
“名”作“謂”。）

【扈魯】詳“觚盧”條。

【篲】掃竹也。（東都 《七發》
“篲”从竹。）

【篲星】篲星者，天地之旗也。（羽
獵）

【牽】引也。（招魂）【牽】猶繫
也。（西京）

【牽】謂俗務也。（贈答靈運壹）又詳"樫"條。

【牽牛】爲犧牲。其比織女。（樂府魏文）牽牛神，一名天關。（長楊）牽牛一名天鼓，不與織女值者，陰陽不和。織女，天女孫也。牽牛爲夫，織女爲婦。牽牛織女之星，各處河鼓之旁。（胡云：袁本、茶陵本"河"下無"鼓"字，是也。）七月七日乃得一會。（洛神）

【牽拙】牽率庸拙也。（雜詩沈壹）

【常】舊典也。（東京）【常】倍尋曰常。（西京）又詳"九旗"條。

【常伯】詳"侍中"條。

【常侍】閹官。（西京）

【常典】五經之流，謂之常典。（游天台山）

【常娥】羿妻也，逃月中，蓋虛上夫人是也。（游仙郭）【常娥】羿請不死之藥於西王母，常娥竊而奔月。常娥，羿妻也。（月）

【常寧】殿名也。（西都）

【常驪】良馬名也。（赭白馬）

【爽】明也。（西京）【爽】貳也。（東京）【爽】傷也。（南都）

【爽】敗也。楚人名羹敗曰爽。（招魂）

【爽塏】高明也。（蜀都）

【康】樂也。（東京）【康】安也。（兩都序）

【康惠】康，黔婁。惠，柳下惠也。（誄顏貳）

【康瓠】大瓠瓢也。（弔文賈）

【將】助也。（論劉貳）【將】奉也。（思舊）【將】辭也。（甘泉）【將】欲也。（東京）【將】且也。（詠史盧）【將】行也。（哀傷靈運）

【將將】高也。（七發）【將將】嚴正之貌。（東京）

【將命】傳詞者也。（思舊）

【殺】減也。（長楊）又詳"戕"條。

【殺青】殺青者，直治青竹作簡書之耳。（書劉）

【鹿】喻在爵位者。（設論楊）

【鹿子】麛。（西京）

【鹿鳴】曲名。（琴）

【鹿頭魚】有角似鹿（吳都），長二尺餘，腹下有脚，如人足。（江）

【習】謂便習之也。（行旅靈運叁）又詳"襲"條。

【習習】行貌也。（東京）【習習】

數飛也。(詠 史 左) 【習習】
和調貌。(舞 又《贈答何》:
"習習,和舒貌。") 又詳"輯
輯"條。

【望】月滿之名也。月大十六日,
月小十五日,日在東,月在西,
遙相望也。(雜詩李 又《詠
懷阮》:"十五日日月相望,謂
之望。")

【望仙宮】漢武帝所造。(遊覽沈
參)

【望夷】在長安西北,長平觀故臺
處。(檄陳壹)

【望舒】月御謂之望舒。(月)

【厠】次也。 【厠】雜也。(秋
興)

【乾乾】敬也。(東京)

【乾坤】天地也。(贈答越石壹)

【乾鵲】楚王作,以關天文者也。
(閒居)

【悟】逆也。(高唐) 又詳"愕"
條。

【參】分也。(登樓) 【參】三也。
(東京) 【參】虎宿也。(雜詩
蘇) 【參】白虎三星。觜觿爲
虎首。昴,白虎中星。然西方
七星畢、昴之屬,俱白虎也。
(贈答士衡肆)

【參參】長也。(補亡)

【參五】謂參五分之也。(符命
班)

【參辰已没】言將曉也。(雜詩
蘇)

【參差】低仰貌。(西京) 又詳
"嵾差"及"洞簫"條。

【參旗】以旗象參,故曰參旗。(景
福殿)

【參譚】相隨貌。(琴) 案:左太
冲《吳都賦》"趁趄䠥䠥"《注》:
"善曰:趁趄䠥䠥,相隨驅逐衆
多貌。"成公子安《嘯賦》"參譚
雲屬"《注》:"《淮南子》曰:'通
古之風氣,以貫譚萬物之理。'
譚猶著也。參譚,不絶。"趁字
參聲,譚字、趄字俱覃聲,故可
通用。(疏證) 又詳"趁趄"
條。

【處】止也。(招魂)

【處子】處女也。(射雉) 女未
嫁者曰處子。(好色) 【處子】
處士也。(補亡)

【處士】處士者,隱居放言也。(鸚
鵡)

【處】詳"伏事"條。

【處妃】神女,蓋伊洛之水精。(東
京)

【鹵】大楯曰鹵。(論賈) 【鹵】
西方鹹地也。(長楊) 【鹵】

鈔掠也。（哀傷張）【鹵】《論語》：“參也魯。”孔注：“魯與鹵同。”（贈答公幹壹）　案：《説文》：“魯，鈍詞也。”段云：“國多山水，民性樸鈍。椎魯、鹵莽，皆卽此。”蓋鹵、鹵形近。《説文》蒥或從蕳。櫓或從樐。鹵、魯均郎古切，音同，故通用。又《東京賦》“頒賜獲鹵”《注》：“《漢書音義》曰：‘鹵與虜同。’”張孟陽《七哀詩》“珍寶見剽虜”《注》亦引《漢書注》曰：“虜與鹵同。”如湻曰：“鹵，鈔掠也。”虜、鹵亦同音之字。（字會）　又詳“干鹵”條。

【鹵莽】鹵中生草莽也。（長楊）

【鹵簿】詳簿條。

【帷】帳也。（原注：“《聲類》作幝。”哀傷潘）

【帷】車飾也。（行旅正叔）【帷】或爲幝。幝，帳也。（七發）案：帷、幝均訓帳。《字林》：“在旁曰帷。”《後漢書‧仲長統傳注》：“在旁曰幝。”《詩‧氓》：“漸車帷裳。”《儀禮‧士昏禮疏》作“漸車幝裳”。潘安仁《悼亡詩》“帷屏無髣髴”《注》引《廣雅》曰：“帷，帳也。《聲類》作幝。”此帷、幝通用之

證。幝又作袿。嵇叔夜《贈秀才入軍詩》“微風動袿”《注》引《方言》曰：“袿謂之裾。”袿或爲幝，幝又通作襌，一通作徽。《爾雅‧釋器》：“婦人之幝謂之襜”。《釋文》：“幝本作襌”。《琴賦》“纓徽流芳”《注》引《爾雅》曰：“婦人之徽謂之襜”。（字會）　又詳“幬”及“龍荒”條。

【帷宸】帝座也。（碑文沈）

【帷裳】婦人車飾也。（彈事任貳）

【帷裳】童容也。江淮謂襜褕爲童容。（彈事任貳）

【曼】輕細也。（七發）【曼】長也。（論王）

【曼】美也。（書司馬）【曼】澤也。（上林）

【曼曼】長也。（長門）

【曼延】詳“蔓蜒”條。

【曼衍】分布也。（甘泉）　又詳“蔓蜒”條。

【曼姬】楚武王夫人鄧曼也。（子虛）

【野】《顧命》云：“天球河圖在東序。”又《典引》云：“御東序之祕寶。”然野當爲杼，古序字也。（碑文仲寶）　案：《説文》：“序，東西牆也。”古叚杼

爲序。《尚書·大傳》:"天子
賁庸,諸侯疏杼。"鄭注:"牆謂
之庸,杼亦牆也。"《漢書·儒
林傳》"殷曰序"《正義》:"序,
舒也。"《史記·平原君虞卿列
傳注》:"杼意通指。"《索隱》:
"杼者舒也。"序、杼皆予聲,
音訓均同。野古音讀如杼,故
杼可爲野也。序又叚爲敍。
《孟子》"長幼有敍",閩、監、毛
三本皆作"序"。序又叚爲緒。
《詩·周頌》:"繼序思不忘。"
《傳》曰:"序,緒也。"(字會)
又詳"埜"條。

【野王】縣名。(誄潘壹)

【野仲游光】惡鬼。兄弟八人,常
在人閒作怪害。(東京)

【野馬】如馬而小。(子虛)

【野蠒】野蠶之繭也。(七發)

【庸】功也。(東京)【庸】勞也。
(思玄)【庸】用也。(魯靈光
殿)【庸】猶何用也。(秋興)
【庸】常也。(史論干貳)【庸】
謂凡常無奇異也。(魏都)
【庸】國名也。(銘陸壹)又詳
"傭"條。

【庸勞】民功曰庸。事功曰勞。
(碑文簡栖)

【略】智也。(七發)用功少曰

略。(海)【略】猶簡也。(笙)
【略】粗略也。【略】法也。
(論班)【略】阶也。(魏都)
【略】分界也。一曰遠界爲經
略。(吳都)【略】要也。(雜
擬江)【略】强取也。(碑文
沈)【略】巡行也。(上林)

【商】度也。(吳都)【商】秋聲
也。(行旅陶貳)

【商羊】水祥也。(雜詩景陽)

【商風】西風也。(公讌宣遠)

【商賈】坐者爲商。行者爲賈。
(西京)通物曰商。居賣曰
賈。(魏都)

【欷】悲也。(思玄)【欷】泣餘
聲也。(長門)又詳"唏"條。

【欷歔】啼貌。(贈答盧壹)懼
貌。(離騷)

【章】識也。(册)【章】幟也。
(獻詩曹壹)【章】旂也。(誄
謝)【章】明也。(東京)
【章】著也。(九章)【章】采
文也。(赭白馬)【章】繪畫
之事,赤與白謂之章。(景福
殿)【章】黃金印龜紐文曰
章。(行旅靈運陸)又詳
"表"條。

【章亥】大章、豎亥也。(七命)

【章甫】冠名也。【章甫】以喻明

德。（雜詩景陽）

【章皇】猶彷徨也。（羽獵）

【章華】楚地名。（好色）【章華】臺名也。（東京）

【章渠】詳"鵾鷄"條。

【章臺】殿名也。（東京）

【峙】神靈之所止曰峙。（此條失注）【峙】《韓詩》曰"宛在水中沚"，薛君曰："大渚曰沚。"（行旅安仁）　案：謝叔源《游西池詩》"褰裳順蘭沚"《注》："潘岳《河陽詩》曰：'歸雁映蘭渚。'沚與渚同。"据彼注所引，知此詩之峙，蓋渚之譌也。《爾雅》："小渚曰沚。"《釋文》："沚音止，本或作渚，音同。"此沚、渚通用之證。又張平子《西京賦》："聚似京峙。"薛綜注："水中有土曰峙。"善曰："峙，直里切。"据義亦與渚通，蓋渚、峙皆寺聲也。（疏證）

【研】審也。（東京）【研】《說文》曰："硯，滑石也。"研與硯同。（江）　案：《說文》："研，䃺也。從石，幵聲。"段云："五堅切。亦作硯。"于"硯"下注云："按字之本義，謂石滑不澀，今人研墨者曰硯，其引申之義也。五甸切。"今按：研、硯音近形近。䃺墨謂之研，䃺墨者謂之硯，義又相生也。《釋名·釋書契》："研，硯也。研墨使和濡也。"則是以轉注而通叚也。此與斷斫、鑑鏡、曀曀等字一例，以訓釋之字爲通叚。（字會）

【涯】方也。（雜詩古詩）【涯】《西京賦》曰："洪涯立而指麾。"（碑文蔡壹）　案：涯、崖、厓用同。《說文》："厓，山邊也。從厂，圭聲。""崖，高邊也。從屵，圭聲。"引申爲凡邊岸之偁。《詩·北山傳》："濱，涯也。"《釋文》："涯本作崖。"《左氏·成十四年傳》："澨，水涯也。"《釋文》："涯本作崖。"《爾雅·釋邱釋文》："崖本作涯。"《左氏·襄二十八年傳》："伯有迋勞于黃崖。"《釋文》："崖本作涯。"《漢書·元紀》"珠厓"，與崖同。《魏都賦注》："鄭玄曰：水厓曰墳。"《甘泉賦》"南爌丹厓"《注》："服虔曰：丹水之厓也。"《文選》水涯之字，多作厓。（字會）

【推】排也。（游覽靈運陸）

【推風】推捔其風也。（誄顏貳）

【率】導也。（獻詩曹壹）【率】

徑馳去也。（上林）

【率然】輕舉之貌。（論東方）

【戛】猶欆也。（海）【戛】長矛也。（東京）

【堂】高也。（西京）

【堂堂】盛也。（補亡）【堂堂】大也。（景福殿）

【戚】詳"玉戚"及"干戚羽旄"條。

【戚施】詳"籧篨戚施"條。

【眷】視也。（游覽顏壹）【眷】猶戀也。（游覽靈運捌）又詳"睠"條。

【眷眷】念也。（思玄）

【眷戀】思慕也。（補亡）

【閈】垣也。（西京）【閈】閭也。（蕪城）南楚汝沛名里門曰閈。（史述贊班貳）楚人名里曰閈。（招魂）又詳"幹"條。

【陶】化也。（贈答張）【陶】暢也。（七發）

【陶白】陶朱、白圭也。（論劉貳）

【莘】眾多也。莘或作駪，往來貌。（高唐）案：駪從㐬得聲得義。《説文》："㐬，行貌。"《楚辭‧招魂》"往來侁侁"《注》："侁，行聲也。"正與往來貌之訓合。《吕覽‧本味》"有侁氏"《注》："侁讀曰莘"。是其證

也。《詩》："螽斯羽，詵詵兮。"詵，眾多也。蓋卽駪駪、莘莘之義。《七發》"莘莘將將"《注》云："莘莘，多貌。"《魏都賦》"莘莘蒸徒"《注》引毛萇《詩傳》曰："莘莘，眾多也。"《説文："駪，進也。"段曰："據《五經文字》，則張參所據《大雅》'駪駪其鹿'作駪，蓋竝先爲眾進之意。"莘亦通駪。《説文》："駪，馬眾多皃。"《詩》"駪駪征夫"，《説文‧焱部》引《詩》作"莘莘征夫"。（字會）

【莘莘】眾多也。（東都）又詳"詵詵"條。

【掃】除也。（東京）又詳"埽"條。

【莊】嚴也。（神女）

【莊蒙】詳"易京"條。

【梢】擊也。（風）

【梢雲】山名。（吳都）【梢雲】瑞雲曰梢雲，人君德至則出，若樹木梢梢然也。（江）

【焉】安也。（東京）

【焉如】猶何如也。（頌劉）

【既】已也。（東京）【既】盡也。（七發）

【畢】竟也。（高唐）【畢】國名也。（冊）【畢】網也。象畢

星也。（西京）

【畢方】老父神，如鳥，兩足一翼。常銜火在人家作怪災。（東京）

【畢昴分野】魏地，畢、昴之分野。（魏都）

【猜】恨也。（誄潘肆）　【猜】疑也。（樂府鮑）

【崔】高大也。（西都）

【崔錯】詳“錐錯”條。

【崔嵒】不平之貌。（魏都）

【崔巍】高貌。（九章）

【冕】大夫以上冠也。（西都）　大冠也。（羽獵）　所謂平天冠也。（東京）

【冕繢】詳“綵絿”條。

【執】持也。（東京）

【執夷】詳“貔”條。

【執事】詳“陛下”條。

【猛】詳“孟津”條。

【猛氏】如熊而小，毛淺有光澤。（上林）

【掘】詳“倔”條。

【掘鯉淀】在河間莫縣之西。（魏都）

【捫】摸也。（上林）　【捫】持也。（雜詩靈運肆）

【陪臣】諸侯境內自相以下，皆爲諸侯稱臣，於朝皆稱陪臣。（表

陸）　【陪臣】陪，重也。謂家臣也。（行旅安仁壹）

【陪乘】參乘也。（藉田）

【陪鰓】奮怒之貌也。（射雉）

【聊】賴也。（思玄）　【聊】略也。（贈答玄暉貳）　【聊】且略之辭。（詠史顏壹）

【聊浪】放曠貌。（甘泉）

【聊慄】驚懼貌。（七發）

【聊慮固護】精心專一之貌。（長笛）

【聊攝】齊西界。（樂府陸）

【術】道也。（蜀都）　【術】法也。（論劉貳）

【彬】詳“豳”條。

【彬彬】文質相半之貌。（文）

【淢】疾流也。（南都）　【淢】與洫同。（笙）　案：《說文》：“惑，亂也。”“淢，疾流也。”急疾之流必亂，音義相生之字也。《洞簫賦》“悲愴悅以惻淢兮”《注》：“惻淢，傷痛也。”即易淢爲惐矣。又淢叚爲洫。《毛詩》：“築城伊淢”。淢即洫。又淢即㶁。《說文》：“㶁，水流貌。”《江賦》：“㳻淢濜溳”。（字會）

【移】以物與人曰移。（羽獵）　又詳“哆”條。

【移厨】連閣旁小室也。（魯靈光殿）

【偏】邊也。（海）

【偏材】一至謂之偏材。偏材，小雅之質也。（表任壹）

【偉】美也。（吳都）【偉】奇也。（南都）【偉】大也。（魏都）

【假】因也。（鵩鳥）【假】國名也。（碑文仲寶）又詳"嘏"條。

【淹】久也。（離騷）【淹】復漬也。（書碑）

【趾】禮也。（幽通）【趾】基也。（西征）

【曹】偶也。（招魂）【曹】輩也。（樂府鮑）又詳"儕"條。

【曹王】子建、仲宣也。（論劉貳）

【婆娑】分散貌。（洞簫）【婆娑】偃息也。（設論班）【婆娑】容與之貌也。（北征）【婆娑】婆娑，猶盤珊也。（神女）案：司馬長卿《上林賦》"便姍嫳屑"《注》："郭璞曰：衣服婆娑貌。"《南都賦》"蹴蹋蹁躚"《注》："《上林賦》曰：'便姍嫳屑。'"司馬相如《子虛賦》"婺姍敫窣"。韋昭注："匍匐上也。" 蓋便姍、便珊、婺姍與婆娑、盤珊，皆一聲之轉，故可通

用。（疏證）

【張】施也。（九歌）【張】開也。（西征）

【張女】曲名。（笙）

【張里】里名也。（西京）

【張弛】以弓弩喻人也。（詠史盧）

【訬】高也。（西京）

【訬婧】細腰貌。（□玄）

【掉】動也。（射雉）【掉】懸擿也。（上林）

【珵】美玉也。（離騷）

【琅玕】珠也，似玉。（魯靈光殿）

【琅邪臺】在渤海間琅邪之東。（雜詩玄暉陸）

【球琳瑯玕】皆美玉名。（琴）

【淒淒滭滭】毛衣若濡也。（招隱士）

【溹溹】相重之貌也。（海）

【洗演】迴曲貌。（江）

【淳】不澆曰淳。（思玄）

【淤】漫也。一曰水中可居者曰洲，三輔謂之淤。（上林）

【接】凡物飛迎前射之曰接。（樂府曹）

【捽】兩手擊絕也。（吳都 又《行旅靈運壹》無"絕"字。）

【徙樂】行樂也。（雜擬江）

【徙迤】詳"邐迆徙迤"條。

【偓佺】槐里采藥父也。（甘泉）

【啑】善曰：《通俗文》曰："水鳥食謂之啑"。與唼同。（上林）案：啑，《集韻》或從唼。《漢書·王陵傳》"始與高帝啑血而盟"《注》："啑，小歃也。"《史記·司馬相如列傳》本賦："唼喋，鳥食之聲也。"《說文》："箑，竹扇也。從竹，疌聲。或從篓。"箑可從篓，故啑從唼也。疌、妾一音。宋玉《悲秋》"鳬鴈皆唼夫梁藻兮"，與啑訓水鳥食同。（字會）

【停】亭，定也。停與亭同，古字通。（行旅靈運陸）案：張平子《南都賦》"貯水渟洿"《注》："《廣雅》曰：'停，止也。'"《釋名·釋宮室》："亭，停也。亦人所停積也。"是亭本取停義，故通。《爾雅·釋山注》："有渟泉。"《釋文》："渟亦作停。"是又渟、停互用之證。蓋停、渟皆亭聲也。（疏證）

【桭】屋宇檼也。（魏都）屋梠也。（甘泉）

【啗】詳"啗齰嗽獲"條。

【啗齰嗽獲】中風口動之貌。或曰：啗，食也。齰，齧也。嗽，吮也。獲，大喚也。（風）

【唳】鶴聲也。（舞鶴）

【栭】楣也。（誄潘肆）

【徜徉】猶翱翔也。（吳都）

【偪】與逼同。（上林）案：偪、逼從畐得聲。《說文》："畐，滿也。"《說文·新附》："逼，近也。"《方言》："腹滿爲偪。"《淮南兵略》"是故入小而不偪"《注》："偪，迫也。"《漢書》本賦《注》："偪側，相逼也。"《左氏·襄二年傳》"以偪子重子辛"《注》："逼奪其權勢。"《左傳》："臣偪而不討。"《漢書·賈誼傳》"以偪天子"《注》："古逼字。"皆逼、偪通用同訓之徵。畐者正字，偪、逼俗字。

【偷】苟也。（離騷）

【喢】小嘗也。（魏都）

【啜】嘗也。（七發）

【棁】侏儒柱也。（論班）

【徠】善曰：言來郊禋而甚敬。徠古來字。（甘泉）案：來訓來麰之來。引申爲往來之來。《集韻》："徠通作來。"《爾雅·釋訓》："不諫，不來也。"《釋文》：來本作徠。又作逨。《書·禹貢》"因桓是來"，《漢書·地理志》作"因桓是俫"。《漢書·

武紀》："氐羌徠服。"古往來字。《董仲舒傳》："綏之斯徠。"古來字。此其證也。（字會）

【樿棗】似梬。（南都）　一曰似柿而小，名曰梬。（子虛）

【蔆】一名廉薑。（《南都》作"葰，廉薑也。"）生沙石中，薑類也。其蔂大，辛而香。（吳都）

【葰】《儀禮鄭注》："葰，廉薑。"《韻略》曰："葰，香菜也。"與葰同。（閒居）　案：《一切經音義》十五引《韻略》："胡葰，香菜也。"《一切經音義》二十四引《字苑》："蔆作藧同。私佳反。"《廣韻》："葰、蔆、葰、同。"《説文》："葰，薑屬。可以香口。"《既夕禮》"實綏澤焉"《注》："綏，廉薑。澤，澤蘭也。皆取其香且饗溼。"段云："綏者葰之叚借字。"綏、葰叚借，葰、葰亦可相通也。（字會）

【莠】醜也。（彈事任貳）

【猭然】猿狄之類，居樹，色青赤，有文。（吳都）

【梐枑】行馬也。（藉田）

【訛】譌也。（行旅安仁壹）【訛】動也。（甘泉）

【勒】與肋古字通。（景福殿）案：《釋名·釋形體》："肋，勒也。取以檢勒五臟也。"《廣雅·釋親》："榦謂之肋。"《釋名·釋車》："勒，絡也。絡其頭而引之也。"亦與檢勒同義，故通。勒、肋力聲。今《選注》"肋"誤作"肕"。（字會）

【趺】鄭玄《毛詩箋》曰："跗，莩足也。"跗與趺同。（補亡）　案：《匡謬正俗》六："趺者俯也。故屈足而坐謂之趺坐。"跗訓莩足，與趺義近。《廣雅·釋言》："柎，柢也。"亦從足底取義。柎、跗正俗字。付與夫一音之轉，跗從付聲，付近俯，趺訓俯，故趺、跗用同。《廣韻》："跗，足止也。"趺與跗同。又"跏趺，大坐也。"此同用之證。（字會）

【勔】勉也。（思玄）　案：《爾雅·釋詁》："勔，勉也。"勉從力，免聲。勔從力，面聲。郭注《爾雅》曰："《方言》云：'周、鄭之間相勸勉爲勔。'"《説文》："勉，勥也。"《毛詩》"黽勉"，《韓詩》作"密勿"，《爾雅》作"蠠没"。蠠没之蠠亦作蜜。勔從勉訓，同用字也。勉亦通作俛。《文賦》"在有無而僶俛"

《注》引《毛詩》曰："俋俋求之。"俋俋猶勉强。至勔之本字則作恂。《説文》："恂，勉也。"（字會）

【朋】古刖字也。（雜歌陸）　案：《説文》："刖，絶也。從刀，月聲。"又"朋，斷足也。從足，月聲。阢，朋或從兀。"《左氏·莊十六年傳注》："斷足曰刖。"《疏》："刖，絶也。"《書·吕刑》："刖辟之屬五百。"《釋文》："刖，絶也。"曹子建《贈徐幹詩》"和氏有其愆"《注》引《韓子》："朋和氏左足。"云朋音刖。乃朋、刖通用之證。《一切經音義》二："刖，古文朋、阢二形同。"《方言》六："秦晉中土謂墮耳者明也。"瓓耳作明，故墮足作朋也。（字會）

【悷】心動也。（魯靈光殿）

【悷】猶怖也。（西京）　又詳"凌"條。

【惆】痛也。（歎逝）

【訣】與死者辭曰訣。【訣】鄭玄《毛詩箋》曰："往矣，決別之辭。"訣與決音義同。（別）　案：《説文》："決，行流也。"段云："決水之決，引申爲訣斷。"《孟子》："決諸東方則東流，決諸西方則西流。"決亦有斷義。《詩·谷風箋》："君子與己訣別。"《釋文》："訣本亦作決。"鮑明遠《樂府·東門行》"將去復還訣"《注》："訣與決同。"訣、決均夬音。《別賦》"決北梁兮永辭"作"決"，"寫永訣之情者乎"作"訣"，是其證也。（字會）

【絇】狀如刀衣，履頭也。（誄顔叄）

【埽】即今掃字也。（設論班）　案：《東京賦》："掃項軍于垓下。"薛注："掃，除也。""埽朝霞"《注》："掃，滅也。"《詩·牆有茨》"不可埽也"，《周禮·媒氏注》作"不可掃也"。《儀禮》"有司徹掃堂"作"埽"。應休璉《與從弟君苗君冑書》"風伯埽途"《注》引《韓子》："師曠曰：黃帝祭鬼神于泰山之上，風伯進掃。"此皆埽、掃一字之證。（字會）

【紳】大帶也。（雪）

【袿】袿謂之裾。（《贈答秘》："袿或爲褘"。）　婦人上服謂之袿。青絲謂之緣袿。（思玄）又詳"帷"條。

【埤】短也。埤與庳古字通。（射

雅）　案：《荀子·宥坐篇》"其流也埤下拘"《注》："埤讀爲卑。"《非相篇》"是以終身不免埤汙傭俗"《注》："埤，下也。"《國語·晉語》"松柏不生埤濕"《注》："埤，下濕也。"《廣雅·釋言》："卑，庳也。"《詩·正月》："謂天蓋卑。"《釋文》："卑本作庳。"《太元增》"澤庳其容"《注》："庳，衆水之所湊也。"卑即庳字，埤讀爲卑，故埤通庳也。至庳之本義訓屋卑，引申凡卑皆曰庳。埤訓增，用作卑者，如污之訓澣，亂之訓治，擾之訓馴，窮則變，變則通也。（字會）

【域】鞠室也。（樂府曹）

【埼】曲岸頭也。（上林）

【紲】詳"繰紲"條。

【紲踰】紲與跇同。（羽獵）　案：《説文》："紲，系也。從系，世聲。"紲或從緤。《思玄賦》"縱余緤乎不周"《注》："緤，馬絆也。"《左傳·僖二十三年傳疏》："紲，是系之別名。系馬、系狗，皆謂之紲。"今按：凡系謂之紲。此云紲踰，自當從跇訓。"跇"，《説文》："䟰也。"《七發》"清升踰踰"《注》："跇，超踰也。"本賦"跇巒阬"《注》引如淳曰："跇，超踰也。"與紲字異義，徒以紲、跇世聲，故叚紲爲跇耳。鄒誕生曰："跇一作世。"（字會）

【釭】轂鐵也。（西都）

【絃管】絲曰絃。竹曰管。（閒居）

【㿒】避也。（幽通）

【眴】明也。（風）【眴】視不明也。（西都）【眴】賈逵《國語注》曰："眩，惑也。"眴與眩古字通。（符命楊）　案：眴、眩均音州縣之縣，均訓目視不明。《説文》："眩，目無常主也。""眴，目搖也。"故通。《甘泉賦》"目冥眴而亡見"作"眴"，《孟子》"若藥不冥眩"作"眩"，是其證也。（字會）

【細柳】觀名也。（上林）

【紺】染青而揚赤色。（藉田）

【貧】窮也。（詠史左）

【脥肩】人斂身謂之脥肩。（射雉）

【庰】善曰："《説文》曰：'庰，蔽也。'"屏與庰古字通。（思玄）　案：《廣雅》云："庰，藏也。"藏與蔽義本相近，《説文》訓庰爲蔽，《廣雅》訓庰爲藏，正相符合。王子淵《洞簫賦》"處幽隱而奧庰兮。"《注》:"《說文》曰:'屏,蔽也。'"庰與屏皆從幷字得聲,又皆訓蔽,故可通用。(疏證)

【蚄】徑四尺,背似瓦鼅有文。(江)

【晞】乾也。(藉田)

【偕】俱也。(贈答曹伍)

【唪】闇也。(吳都)

【訥】遲鈍也。(琴)

【脰】頸也。(西都)【脰】項也。(上林)

【脯】乾肉爲脯。(弔文陸)

【玈】黑也。玈音盧。(冊) 案:《書·文侯之命》"盧弓一"《傳》:"盧,黑也。"水黑曰盧,土黑亦曰盧。《左氏·僖二十八年傳》"玈弓矢千"《注》:"玈,黑弓。"《史記·匈奴傳》"昌圉侯盧卿"《索隱》:"盧作玈。"古今字異耳。《詩·彤弓箋》:"玈弓矢千。"《釋文》:"玈本作旅。"《說文·新附》:"玈,黑色也。從玄,旅省聲。義當作矑。"故盧、玈字通。盧又通作鸕。《上林賦》"箴疵鵁盧"《注》引郭璞曰:"盧,鸕鷀也。"蓋旅訓軍旅,叚盧義訓羈旅。

叚爲盧,訓黑弓。俗乃製旅字。(字會)

【翍】與披同。(甘泉) 案:《說文》:"披,手從旁持。"《廣韻》:"披,分也,散也。"《說文》:"翍,翼也。從羽,支聲。"《廣韻》:"翍,飛貌。"《小雅》:"提提,羣飛貌。"支、皮本同音同部,鳥飛亦分披之象,故用同。《漢書·楊雄傳上集注》:"翍,古披字。"又《魏都賦》"翄翄精衞"《注》:"《說文》曰:翄亦翅字,翼翅也。今音祇。翄翄,飛貌也。"亦從鳥羽分披取義。支、皮、氏均一聲之轉。若披之正字則從柀,從木,析也。寫者譌從手。《說文》"披,手從旁持",與訓分散之柀各字。(字會)

【胔】死禽獸將腐之名。一曰聚肉名,不論腐敗也。(西京)四足死者曰胔。(七命)

【區】匣也。(吳都)

【尃】楊慎云:《易·說卦》:"震爲尃。"尃之爲言布也。古文作尃,今文作華,蓋華之蒂。《詩》凡華字,皆叶音尃,是其證也。(文) 案:尃爲花布萼,而華者花之蒂,華麗可觀者也。實用、活用之分耳。《禮·月令》：
"桃始華。"則華爲散花，與布
葉之義合，華卽尊字意也。又
《吳都賦》"異荂蓲蘛"《注》：
"蓲與敷同。"劉注："蓲，華也。"
卽取散華義。蓲、敷同音尃。
敷又同薄。《説文》："薄，華葉
布也。"荂又同誇。《説文》：
"誇或從艸，從夸。"郭注《爾
雅·釋艸》曰："今江東呼華爲
誇。"音敷。（字會）

【馗】《韓詩》曰："肅肅兔罝，施于
中逵。"薛君曰："馗，九交之道
也。"（軍戎） 案：《説文》："馗，
九達道也。似龜背，故謂之
馗。馗，高也。逵，馗或從辵、
從坴。"《詩·兔罝》："施于中
逵。"《釋文》："逵，九達道也。"
《爾雅·釋宮釋文》引《字林》：
"馗，隱也。"與逵同。《三國志
注》引《三倉》："馗，古逵字。"
《蕪城賦注》引《韓詩》作"施于
中馗。"此引作逵，疑誤。顔延
年《皇太子釋奠會作詩》"野馗
風馳"《注》引《韓詩》作"馗"。
（字會）

【羞】有滋味者曰羞。（補亡）
【羞】熟以羞之也。（南都）
【羞】脯也。（離騷

【窕】窕當爲挑。《史記》曰："目挑
心招。"（七發） 案：《説文》：
"窕，突肆極也。從穴，兆聲。
讀若挑。"《釋言》曰："窕，肆
也。"《左傳》曰"楚師輕窕"作
"窕"，《詩》"挑兮闥兮"作
"挑"，此古人通用之例。《詩》
"窈窕淑女"《傳》以幽釋窈，以
閒釋窕，又一義。然與肆義自
相足。《方言》曰："美狀爲
窕。"言外之寬綽也。寬綽故
閒，寬然而無患，是以輕窕與
挑義適相成也。挑又通佻。
《離騷注》曰："佻，輕也。"《方
言》曰："佻，疾也。"《國語·
周語》"卻至挑天"，韋本作"佻
天"。《注》云："佻，偷也。"（字
會）

【痏】歐傷也。（西京） 一曰以
杖歐擊人，剥其皮膚，起青
黑無創者，謂痕痏。（臨終稽
按："謂"疑當作"爲"。）

【欨】歡也。（九章）

【敗績】凡師大奔曰敗績，喪其功
績也。（銘張）

【瓿】白瓶，長頸。（笙 段曰：
"瓿"當作"瓶"，"頸"當作
"頸"。）

【嵸囷跮嵯】特起之貌。（魯靈光

殿）

【烻】起貌。（景福殿）

【嵅】卽坎也。（此條失注）

【婧】妍婧也。（思玄）

【豚】豬子也。（設論東方）

【崌崍】岷山東北百四十里，崍山江水出焉。又東百五十里，崌山江水出焉。而東流注於大江。（江）

【雩都】縣名。（碑文仲寶）

【啄】齧也。（招魂）

【筶】《說文》曰：“鑿，穿木也”。《國語》：臧文仲曰：“中刑用刀鋸，其次用鑽筶。”韋昭《注》爲“筶”，而賈逵《注》爲“鑿”，然筶與鑿，音義同也。（長笛）
案：司馬長卿《難蜀父老》“定筶存卬”《注》：“善曰：筶音鑿。”《國語注》：“筶，黥刑也。”《漢·刑法志》“其次用鑽鑿”《注》：“韋昭曰：鑿，黥刑也。”是鑿與筶通。（疏證）又詳“冉駹筶邛”條。

【蚗蟟】今蜘蛛也。（洞簫　胡云：“蛛”當作“蝛”。）又呼爲步屈。（贈答正叔貳）又詳“斥”條。

【蜷垣】圜貌。（甘泉）

【粔籹蜜餌】以蜜和米麪熬煎作

粔籹，擣黍作餌。（招魂）

【基】本也。（筆）

【敏】疾也。（南都）

【陷】猶敗也。（獻詩潘）

【梅生】梅福也。（雜擬江）

【雀】鳥之通稱。（高唐）

【逑】匹也。（甘泉）

【溯滂】風擊物聲。（風）

【貨】金玉曰貨。（西都）

【聆】聽也。（魏都）

【傑池】參差也。（上林）

【念】寧也。（東京）

【偪側】相迫也。（上林）

【淑】美也。（樂府陸）

【偭】背也。（魏都）

【趹】奔也。（西都）

【悰】樂也。（遊覽玄暉）

【惘】猶罔罔失意之貌也。（西征）又詳“魍魎”條。

【逢騘】良馬名也。（赭白馬）

【忭】忼慨也。（軍戎）

【拼】詳“絣”條。

【跂】行也。（筆）又詳“企”條。

【淙】水聲也。（江）

【悾悾】誠慤也。（牋任貳）

【崟崟峨峨】頭角甚殊也。（招隱士）

【蜑轉】動貌。（洞簫）

【域】謂身也。（序陸）

【帶】猶飾也。（洞簫）

【崆峣】高峻之貌。（南都）

【觖】謂相觖而怨望也。（吳都）

【嶒嶷】峻嶮之貌。（魯靈光殿）

【紘】網綱也。（吳都）

【悵】恨貌。（高唐）【悵】望恨也。（長門）

【㑋笭抑隱】手循孔之貌。（長笛）

【竦】動也。（海）

【眸】目瞳子也。（魏都）眼珠子謂之眸。（洞簫）

【甜】美也。（南都）

【惇】勉也。（西都　按：此引《爾雅》。而今《爾雅》作“敦，勉也”。蓋惇、敦古通。《一切經音義》引《倉頡解詁》可證。）

【脰】肥肉也。（七發）

【御】凡衣服加於身曰御。（景福殿）

【莖】特也。（西京）

【澳淜】垢濁也。（思玄）

【第】至也。（雜擬謝）

【耜】耒之金也。（東京）

【授】與也。（東京）

【眺】視也。（思玄）

【蚴蟉】龍行之貌也。（上林）

【逝】亡也。（移孔）

【笛】本四孔，京房加一孔於下，

爲商聲。笛，七孔，長一尺四寸，今人長笛是也。笛，滌也。蕩滌邪志，納之雅正。笛，武帝時丘仲所作。（長笛）

【窒寥】空深貌。（高唐　王念孫《讀書雜志餘編》云：“窒”當作“窲”。）

【唯】獨也。（別）

【捧】舉也。（射雉）

【痔】後病也。（好色）

【琗】玉名。（洛神）

【嘖】大呼也。（贈答曹伍）

【崒】驚也。（祖餞孫）

【粒】米食曰粒。（游天台山）

【誹】心誦也。（嘯）

【排】推也。（西都）

【陫】陋也。（九歌）

【硐】磨也。（長笛）

【窔】幽也。（甘泉）

【趿踔湛藻】波前卻之貌。（海）

【頃】久也。（江）

【窕】亦窗也。（魯靈光殿）

【翌日】明日也。（弔文陸）

【倏】具也。　【倏】取也。（魏都）

【啟】開也。（西京）

【荷】負也。（東京）

【挺】擊也。（長笛）

【寀】官也。（符命司馬）

【晡】日昳時也。（神女）

【問】遺也。（贈答玄暉壹）

【毨】落毛也。（江） 又詳"氈"條。

【舳艫】船前曰舳。船後曰艫。（吳都） 舳，舟尾也。艫，船頭也。（江） 舳，船後持柁處也。艫，船前頭刺櫂處也。（論陸貳）

【埊】塵霧也。（風）

【貪婪】愛財曰貪。愛食曰婪。（離騷） 卜者黨相詐驗爲婪。（誄潘肆）

【茖】似韭。（西京）

【瓠瓝】飛貌。（魏都）

【崦嵫】日所入之山也。（離騷）

【涓】明也。（江）

【湝】凝雨曰湝。（蜀都）

【舸】江湖凡大船曰舸。（吳都）

【圈】牢養也。（東京）

【婞】很也。（離騷）

【耗】銷也。（七命）

【售】猶行也。（西京）

【朗】明也。（游天台山）

【痊】除也。（閑居）

【匿】藏也。（登樓）

【紬】引也。（高唐）

【夠】多也。（魏都）

【眈】樂之久者也。（雜詩季鷹）

【弸彋】風吹帷帳之聲。（甘泉）

【晈】譀語也。（蜀都）

【蛇】蜿也。（思玄）

【赧】面慙曰赧。（書吳）

【教】諸侯言曰教。（教）

【岵嶀】漸平貌。（七命）

【動息】猶出處也。（雜詩玄暉叄）

【略】眉睫之閒。（西京）

【透】驚也。（吳都）

【副君】太子謂之副君。（雜擬謝）

【副車】五帝車。（東京）

【掊】捶也。（誄潘肆）

【速】召也。（南都）

【捶】擊也。（魏都） 又詳"箠楚"條。

【淮南】縣名。（論劉壹）

【遝遝】言非一也。（甘泉）

【恦】大也。（甘泉）

【倖】引也。（思玄）

【溠】裁有水也。（洞簫）

【舲】船有窗牖者也。（九章 《雜擬江》無"有"、"者"二字，蓋脱去。）

【深淺】猶善惡也。（牋吳貳）

【淹】遲也。（鵩鳥）

【脩】遠也。（離騷）

【崤】《戰國策》：蘇秦曰："秦東有

殽函之固。"《鹽鐵論》曰："秦左殽函。"《左氏傳》曰："崤有二陵。"(西都)　案:《蜀都賦》:"崤函有帝皇之宅。"　劉注:"殽,東西崤也。"《左氏·僖三十二年傳》:"晉人禦師必于殽。"《釋文》:"殽本作崤。"《公羊·僖三十三年傳》:"敗秦師于殽。"　《釋文》:"殽本作肴。"陸士衡《弔魏武帝文》"登崤澠而揭來"《注》引《漢書》王莽策命王寄曰:"崤、澠之險,東向鄭、衛。"《新序》:　大臣曰:"洛陽西有崤、澠。"均作崤。殽、崤肴聲,故與肴同用。至肴之本義訓啖,殽之本義訓襍錯,經典多彼此互借。(字會)

【崤函】崤谷及函谷也。(褉擬江)

【稂】詳"鳴稂"條。

【淯】詳"育水"條。

【逖】詳"剔"條。

【离】詳"虎螭"條。

【恓】詳"淢"條。

【貦】詳"玩"條。

【悐】詳"剔"條。

【舡】詳"扛"條。

【粕】詳"糟粕"條。

【捻】詳"厭"條。

【狿】詳"巨狿"條。

【筕】詳"篁筕"條。

【唰】詳"刷"條。

【錞】詳"敦"條。

【勑】詳"勅"條。

【垎】詳"轘轅"條。

【嘍】詳"貪嘍"條。

【桀】詳"揭"條。

【烹】詳"亨"條。

【現】詳"峴"條。

【彭】詳"靚"條。

【栶】詳"槐栶"條。

【桗】詳"榱"條。

【唔】詳"近"條。

【鳳】詳"鳳皇"條。

【庫】詳"坤"條。

【庵】詳"闍"條。

【斂】詳"野"條。

【隉】詳"追"條。

【崖】詳"涯"條。

【帳】詳"幬"條。

【菴藹】詳"晻薆"條。

【葵】詳"荽"條。

【婕妤】詳"昭儀"條。

【覘】詳"冒"條。

【訧】詳"尤"條。

【鬡】詳"減"條。

【俏】詳"背"條。

【顁】詳"瓷"條。

【埜】詳"壄"條。

【瓬】布濩。（行旅靈運壹）

【菫】詳"蓄"條。

【淨住】詳"布薩"條。

【椐】詳"裾勢"條。

【莧】詳"莞爾而笑"條。

【渶】詳"泆"條。

【惏】詳"憅"條。

【棬】詳"權"條。

【唬】詳"咆嘷"條。

【嗖】詳"嘷"條。

【梅】似杏,實酸。（南都）

【設】施也。（東京）

【掬】兩手曰掬。（文）

【掞】《周易》曰:"掞木爲矢。"掞與剡音義同。（長笛）案:《淮南·俶真》"撣掞挻挏"《注》:"掞,利也。"《說文》:"剡,銳利也。從刀,炎聲。"《爾雅·釋詁》:"剡,利也。"掞、剡均有利義。《易·繫辭》:"掞木爲楫。"《釋文》:"掞本作剡。""掞木爲矢",《釋文》:"本作剡。"是其徵也。《東京賦》"介馭閒以剡耜"《注》引毛萇曰:"覃,利也。"鄭玄《禮記注》曰:"耜,未之金也。"覃與剡同。覃、剡又以同音而通用矣。又掞通作炎。《漢書·郊祀歌》:"長離前掞光耀明。"晉灼曰:"掞卽光炎字。"（字會）

【圈】畜閑也。（西京　又《赭白馬》"畜"上多一"養"字。《表曹壹》作"養獸閑也。"）

【務】遠也。（贈答靈運叁）又詳"豫"條。

【務成子】詳"東方朔"條。

【梯】猶階也。（公讌應）

【緋】詳"引緋"條。

十 二 畫

【翕】熾也。（思玄）又詳"脅息"條。

【翕呷】衣起張也。（子虛）

【翕忽】疾貌。（吳都）

【翕習】盛貌。（魯靈光殿）

【翕習容裔】音樂之狀。（吳都）

【翕艴】盛貌。（琴）

【翕赫】盛貌。（甘泉）

【翕響揮霍】奄忽之閒也。（蜀都）

【媒】少養雉子,至長狎人,能招引野雉,謂之媒。江淮之間謂之游,言可與游也。（射雉）

【媒蘖】媒謂遘會合之。蘖謂生其罪釁也。（書司馬）

【嫙娟】迴曲貌。（魯靈光殿）又詳"便嬛"條。

【崴䰄】山貌。（上林）

【崴𡾋】不平也。又重累貌。（吳都）

【棍】同也。（西都） 又詳“昆”條。

【棍成】言自然也。（甘泉）

【棲】山處曰棲。（鵬鳥）

【棲棲遑遑】不安居之意也。（設論班）

【棲遲】遊息也。（甘泉） 又詳“迟迟”條。

【森】盛也。（藉田） 【森】衆貌。（思玄）

【森森】木長貌。（文）

【森林】叢木也。（雜詩景陽）

【森衰】垂貌。（吳都）

【森槮】木長貌。（長笛）

【集】聚也。（東京） 矢所止爲集。（七發） 又詳“輯輯”條。

【棧】高也。（西京）

【棧齴巉嶮】殿基之形勢也。（西京）

【植】志也。（鸚鵡） 【植】柱也。（西京） 【植】猶種也。（東京） 【植】根生之屬。（魯靈光殿） 【植】《史記》作“值”。（弔文賈） 案：《説文》：“植，戶植也。”《坤倉》：“持戶鎖植也。”植爲直立之木，引申爲凡植物植立之植。“橦，植或從置。”漢石經《論語》“置其杖而芸”，《商頌》“置我鞉鼓”，皆以置爲植。“值”，《説文》：“持也。”“持”，各本作“措”。措者，置也。此賦云“方正倒植”，卽“倒措”之義。植從置，值訓置，故植與值互用也。《周禮》“廢置以馭其吏”，置與廢對，卽植字。《玫工記》“置而搖之”，以置爲植可見。又植通作槌。《説文》“槌”下曰：“關西謂之梼。”《方言》：“槌，江淮之閒謂之梼。”段曰：“植、梼一字。”據《方言》，則當云“關東謂梼”。（字會）

【閎】高也。（甘泉） 【閎】（魏都） 案：亢通宂。《穀梁·桓九年傳》：“宂諸侯之禮。”《釋文》：“宂本作亢。”《桓十八年傳》：“以夫人之宂。”《釋文》：“宂本作亢。”宂通閎。《詩·緜》：“高門有宂。”《釋文》：“宂，《韓詩》作閎。”《西京賦》“高門有閎”《注》“宂與閎同。”亢訓高、訓極。《易·乾》：“亢龍有悔。”《詩·緜傳》：“宂，高貌。”《疏》：“宂者極之義。”蓋宂、閎均從亢聲、亢訓也。一

說許書無閴，閴卽阭字。《說
文·自部》曰：“阭，閴也。”《甘
泉賦》：“閌閬閬其寥郭兮。”
《緜詩》之“伉”，當是“阭”之
譌。（字會）

【閒】候也。（東京）【閒】毀也。
（贈答曹伍）【閒】暇也。（離
騷）【閒】静也。（游天台山）
【閒】迭也。（東都）【閒】頃
也。（長門）病少差曰閒。
（七發）【閒】讀曰閑。（上林）
案：古人讀曰之字，卽通用之
字。《詩·十畝之閒》：“桑者
閒閒兮。”《釋文》：“閒本作
閑。”《爾雅·釋訓注》：“近處
優閒。”《釋文》：“閒本作閑。”
《魯靈光殿賦》：“西廂踟躕以
閒宴。”張注：“閒，清閒也。”是
閒、閑通用之徵。本賦“妖冶
嫻都”《注》：“《說文》曰：‘嫻，
雅也。’”或作閒。嫻亦閒聲。
（字會）又詳“介”及“静閒”
條。

【閒色】閒色有五，紺、紅、縹、紫、
流黄也。（別）

【閒促聲高】琵琶箏笛，閒促而聲
高。（琴）

【閒暇】不驚恐也。（鵩鳥）

【閒遼音庫】琴瑟之體，閒遼而音

庫。（琴）

【閎】大也。（上林）【閌】門中
所從出入也。（魏都）又詳
“吰”條。

【閑】習也。（東京）【閑】大也。
（魏都）【閑】正也。（樂府
陸）【閑】幽閑也。（樂府曹）
又詳“閒”條。

【結】同也。（南都）【結】連也。
（東京）【結】交也。（魯靈光
殿）【結】縛也。（西京）
【結】猶固也。（游天台山）
【結】旋也。（難）【結】猶構
也。（雜詩盧）【結】猶屈也。
（閒居）【結】積也。（挽歌
陸）【結】頭髻也。（招魂）
案：《說文·新附》：“髻，總髮
也。從髟，吉聲。古通用結。”
《漢書·陸賈傳》“尉佗魋結箕
踞見賈”《注》：“結讀曰髻。”
《李陵傳》：“兩人皆胡服椎
結。”《貨殖·程鄭傳》：“賈魋
結民。”《注》均云：“結讀曰
髻。”髻從結髮取義也，此與紒
髻同例，而于音尤合。結古
文，紒今文。（字會）又詳
“紒”條。

【結風】曲名。（舞）【結風】迴
風。亦急風也。（此條失注）

【結軫】悲傷貌。（九辯）

【結髮】始成人也。謂男年二十、女年十五時取笄冠爲義也。（雜詩蘇）

【結構】謂交結構架也。（招隱左）

【結縷】蔓生如縷相結。（上林）

【絕】遠也。（長楊）【絕】落也。（離騷）【絕】盡也。（行旅鮑）【絕】滅也。（游天台山）【絕】度也。（西京）【絕】直渡曰絕。（東京）《贈答士龍貳》"曰"作"爲"。）

【絕垠】天邊之地也。（鵬鷯）

【絕國】絕遠之國也。（別）

【絕景】良馬名也。（雜擬謝）

【統】嗣也。（東京）【統】緒也。（甘泉）【統】總覽也。（表曹壹）

【絢】文貌。（雜詩玄暉伍）文章成謂之絢。（蜀都）

【絓】止也。（論劉壹）又詳"挂"條。

【絡】繞也。（西都）【絡】縛也。（招魂）【絡】網也。（東都）又詳"路"條。

【絡幕】施張之貌也。（蜀都）

【絡緯】詳"莎雞"條。

【絲】詳"絃管"及"金石土革絲木匏竹"條。

【絲淚】淚之微者。（雜擬鮑叁）

【絲桐】琴也。神農始削桐爲琴，練絲爲絃。（月）

【綑】急也。（長笛）又詳"亙"條。

【給】供給也。（書司馬）

【給客橙】冬夏華實相繼。亦名盧橘。

【焦】石名也。（思玄）焦石，興寧縣熱水山下之石也。（樂府鮑）

【焦石】詳"焦"條。

【焦尾】詳"鳴琴"條。

【焦明】似鳳，西方之鳥。一曰水鳥。（上林）鷦鵬，狀似鳳皇。身禮，戴信，嬰仁，膺智，負義。（雜擬江）

【焦煙】蓋熱氣也。（樂府鮑）

【焦溪】焦泉也，發於天門之左，南流成溪。（雪）

【焦螟】東海之蟲。（七命）

【焱】火華也。（東都）一曰火光也。（甘泉）【焱】與飆古字通。（長楊）案：飆俗作颩，通作焱。《爾雅·釋天》"扶搖謂之焱"《注》："焱，暴風從下上。"《楚辭》"焱遠舉兮雲中"《注》："去疾貌。"明以風訓疾也。曹子建《雜體詩》"何意迴飈舉"《注》:"飈與猋同。"又《贈徐幹詩》"流猋激櫺軒"《注》:"猋與飈同,古字通。"鮑明遠《樂府·放歌行》"素帶曳長飈"《注》:"飈與猋同,古字通也。"《選注》"焱"、"猋"多不別,此賦宜作"猋"。據《說文》:"飆,扶搖風也。"古文作飈。《西都賦》"飈飈紛紛",飈即飆。"焱,火華也。"《東都賦》"焱焱炎炎"當作"猋",與此同誤。(字會) 又詳"猋"條。

【焱焱炎炎】火光華也。(東都)

【焜】詳"昆"條。

【焜黄】色衰貌也。(樂府古辭)

【焜煌】火貌。(甘泉)

【湘水】出酃陵營道縣陽朔山。(江)

【湘夫人】詳"二妃"條。

【湘妃】詳"二妃"條。

【湘君】詳"二妃"條。

【湘娥】堯二女。(江)

【湘纍】屈原赴湘,故曰湘纍。(論李)

【湑】樂也。(吳都) 【湑】茜也。沛茜之也。(魏都) 【湑】美貌。(雜詩靈運肆)

【渌】發也。(七發) 【渌】狎也。(頌王) 【渌】歇也。(七啟) 【渌】除去也。(南都) 又詳"㴖"條。

【渝】易也。(西京) 又詳"隃"條。

【游】行也。(東征) 【游】浮也。(書應伍) 【游】遨也。(符命司馬) 【游】與由同。(檄陳) 案:《左傳》之"養由基",《班彪傳》作"游基"。阮嗣宗《詠懷詩》"素質遊商聲"《注》:"沈約曰:致此彫素之質,由於商聲用事,秋時也。遊字應作由。"蓋游、遊皆从斿字得聲,斿與由音同,故通用也。(疏證) 又詳"繇"、"媒"二條。

【游女】漢水神也。(琴)

【游光】詳"野仲游光"條。

【游菰】詳"蔣"條。

【游塵】喻輕賤也。(論劉貳)

【游樹】浮柱也。(長門)

【游龍】喻美麗也。(舞)

【游鱗】龍也。(贈答正叔貳)

【渾】大也。(幽通) 【渾】流聲也。(七命) 又詳"溷"條。

【湛】深也。(思玄) 【湛】水不流也。(游覽叔源) 【湛】今沈字也。(上書鄒) 案:《漢書》志、傳"湛"字,注家均訓讀曰"沈"。《荀子·解蔽》"湛濁

在下，而清明在上。"《注》:
"湛，讀爲沈。"《詩·抑》"荒湛
于酒"，《漢書·五行志下》作
"荒沈于酒。"《漢書·元帝紀》
"正氣湛掩"《注》:"湛，讀與沈
同。"《答賓戲》"湛道德。"
《注》:"湛，古沈字。"司馬長卿
《難蜀父老》:"湛恩汪濊。"韋
昭曰:"湛音沈。"《史記·魏世
家》"不湛者三版"，《鄒陽傳》
"荊軻之湛七族"，皆音沈。《思
玄賦》"私湛憂而深懷兮"
《注》:"湛，深也。善曰: 宋玉
《笛賦》曰:'武毅發，沈憂
結。'"《東都賦》"茂育羣生"
《注》引《漢書》曰:"羣生噡噡。
音湛。"噡卽湛恩之湛也。(字
會)　又詳"諶"條。

【湛湛】深也。(高唐)【湛湛】
　水貌也。(招魂)

【湛淡】迅疾貌。(吳都)

【湛盧】詳"五寶劍"條。

【湯湯】水流貌也。(東都)

【湯井】溫湯也。(西征)

【湯谷】在紫山東，無所會通，冬
夏嘗溫。(南都)【湯谷】南
陽郡城北有紫山，東有一水，
冬夏常溫也。(雪)　一曰湯
泉者，雲水源泉通溜如沸湯

也。(樂府鮑)【湯谷】日所
出也。《淮南子》曰: "日出於
湯谷，入於咸池。"《楚辭》曰:
"日出於陽谷，入於濛汜。"(蜀
都)　案: 湯、陽均易聲，故注
兩引之。《天問》"湯謀易旅"
《注》:"湯疑作陽。"《莊子·應
帝王》:"天根遊於殷陽。"《釋
文》:"或作殷湯。"湯谷通作暘
谷。《書·堯典》曰:"暘谷。"
暘又通作陽。《書·洪範》"時
暘若"，《漢書·五行志》作"時
陽若"。陽又通作揚。《舞賦》
"紆清揚"《注》引《毛詩》曰:
"有美一人，清揚婉兮。"毛萇
曰:"清揚，眉目之間。"《月賦》
"擅扶光於東沼"《注》:"東沼，
暘谷也。"又引《淮南子》曰:
"日出於暘谷，拂於扶桑。"《東
京賦》"左睋暘谷"《注》:"善
曰:《淮南子》曰:'日出於暘
谷，浴于咸池。'"乃湯、陽、暘
互用之確徵。(字會)

【湯泉】詳"湯谷"條。

【復】答也。(子虛)【復】報也。
(好色　案: 今本《好色注》中
無"復，報也"，茲據《胡氏考
異》所引袁本、茶陵本補。)

【復】反也。(招魂　按:《思

玄》："復,返也。"返、反同。)

【傀】偉也。（江）【傀】司馬彪
曰："傀讀曰瑰。瑰,大也。"
（行旅靈運陸）　案:《說文》:
"傀,偉也。從人,鬼聲。《周
禮》曰'大傀異災'。瑰,傀或
從玉,鬼聲。"《方言》"傀,盛
也"《注》:"言瓌瑋也。"《廣
雅》:"傀,盛也。"今則瓌、瑋
行,而瑰、傀廢矣。傀訓大,引
申而土塊之字亦訓大。李白
《春夜宴桃李園詩序》"大塊假
我以文章"是也。蓋傀義近
偉。《江賦》"傀奇之所窟宅"
《注》引《高唐賦》曰:"珍怪奇
偉",亦引《說文》曰"傀,偉
也"。瑰義近瓌。《魯靈光殿
賦》"羌瓌譎而鴻紛"《注》:"善
曰:瑰異譎詭也。"（字會）

【傅】婦人年五十無子者爲傅。
（神女）

【傅予】詳"徵舒段干吳娃傅予"
條。

【傅會】班固《漢書贊》曰:"陸賈
從容平勃之間,附會將相。"
（西征）　案:《周禮·小司寇》
"附於刑"。《注》:"附,著也。"
《漢書·王莽傳上集註》:"傅
猶著也。"《廣雅·釋詁》三:

"附,近也。"《小爾雅廣詁》:
"傅,近也。"《攷工記·廬人》:
"重欲傅人"《注》:"傅,近也。"
《周禮·秋官·朝士》"凡屬
責者,以其地傅而聽其辭。"
《注》:"傅同附。"傅、附同訓,
同音,通用字。附、傅又通駙。
《說文》"駙"下曰:"一曰近
也。"（字會）

【傅巖】地名。（離騷）

【稊】發孚也。（游覽靈運壹）
【稊】稊者楊之秀也。（風）
【稊】稗類也。（射雉）　又詳
"蓂"條。

【稅】斂也。（東京）【稅】租也。
（秋興）【稅】猶舍也。（獻詩
曹貳）【稅】《方言》曰:"舍車
曰稅。"脫與稅古字通。（招隱
陸）　案:《說文》:"脫,消肉
也。"俗用爲分散遺失之義。
稅本義爲租稅,引申爲稅駕之
稅。《方言七注》:"稅猶脫
也。"《禮記·文王世子》:"不
稅冠帶。"《釋文》:"稅本作
脫。"《少儀注》:"降稅履。"《釋
文》:"稅本作脫。""車則稅
綏",《釋文》:"稅本作脫。"曹
子建《求自試表》"使邊境未得
稅甲"《注》:"《爾雅》曰:'稅,

舍也。'"稅甲卽脫甲義。（字會）

【稅鑾】猶稅駕也。（游覽靈運壹）

【程】度也。（銘陸貳）【程】法也。（幽通）【程】猶見也。（西京）【程】示也。（長笛）【程】品也。（論韋）【程】謂課其技能也。（西京）【程】猶限也。程與呈通。（魏都）案：《說文》："程，程品也。"段曰："品者，衆庶也。因衆庶而立之法則，斯謂之程品。荀卿曰：'程者，物之準也。'《月令》'陳祭器，按度程'《注》：'程謂器所容也。'《漢書》：'張蒼定章程。'如湻曰：'章，厤數之章術也。程者，權衡丈尺斗斛之平法也。'"則程有平義。《說文》："呈，平也。"段曰："今義云示也，見也。"蓋平定章程而示于衆庶之謂呈。程、呈均直貞切，音同形近之字也。（字會）

【逴龍】山名。（雜擬鮑貳）

【逴躒】猶超卓也。（西京）又詳"卓犖"條。

【逸】樂也。（東京）【逸】放也。（勸勵韋）【逸】謂過於衆類

也。（贈答越石壹）又詳"佚"條。

【逸民】逸民者，節行超逸也。（閒居）

【逸議】隱逸之議也。（移孔）

【逶迤】長貌。（登樓）

【逶蛇】欲平貌也。（甘泉）

【逶迤】行可蹤迹也。（誄潘肆）

【逶迆】《楚辭》曰："載雲旗兮逶移。"王逸曰："逶移而長。"移與迆音義同。（碑文簡栖）案：《禮·玉藻》"手足毋移"《注》："移之言靡迤也。"《攷工記》"既建而迆"，先鄭讀爲"倚移从風"之"移"此移、迆通用之證。（疏證）又詳"蜲蛇"條。

【逶移】詳"逶迆"條。

【萌】始也。（魏都）【萌】民也。（上林）又詳"眠"、"甿"二條。

【菲】薄也。（西征）

【菲菲】花美貌也。（吳都）【菲菲】雲也。（思玄）【菲菲】猶勃勃也。（離騷）

【雲】若大波。（高唐）

【雲中】郡名。（雜擬袁貳）

【雲中君】詳"豐隆"條。

【雲日】詳"鳲鳥"條。

【雲白】詳“鳩鳥”條。

【雲母】一名雲精，入地萬歲不朽。（江）

【雲罕】旌旗別名。

【雲和】山名。（南都）

【雲林】雲夢之林。（七發）

【雲物】喻羣凶也。（弔文陸）

【雲雨】雲雨者，天之膏潤。（東京）【雲雨】地氣上爲雲。天氣下爲雨。（鵩鳥）

【雲門】詳“咸池雲門”及“六樂”條。

【雲屋】言高若雲也。（七啟）

【雲飛雷薄】謂衰亂也。（論劉貳）

【雲師】畢星也。（西京）

【雲屏】刻之爲雲氣。（七命）

【雲梯】攻具也。（長笛）

【雲動】言衆瑞之多也。（符命楊）

【雲翔】言衆也。（論陸貳）

【雲陽】縣名。（哀傷靈運）

【雲罕車】駕駟。（藉田）

【雲陽之臺】雲夢中高唐之臺，言其高出雲之陽也。（子虛）

【雲梢】謂旌旗之流飛如雲也。（西京）

【雲野】雲夢之野。（碑文沈）

【雲裝】雲衣也。（雜擬江）

【雲粢】畫雲氣爲山粢。（魯靈光殿　又《行狀》作“節者栭，刻鏤爲山。”）

【雲楣】詳“繡栭雲楣”條。

【雲罷】俱止也。（舞鶴）

【雲閣】閣名。秦二世所起。（東京）

【雲漢】天河也。（思玄）

【雲精】詳“雲母”條。

【雲橈】如雲屈橈也。（上林）

【雲旗】雲旗者，畫熊、虎於旐爲旗，似雲氣也。（上林）

【雲旄】雲斾竿上施旄也。旄與斾古字通。（七命）　案：髮之秀出者爲髦，故秀士亦偁髦士，《詩》三言“髦士”。以羽建旗竿上，亦偁髦，取遠出之義也。髦、旄均毛聲。《既夕禮注》曰：“今文旄爲毛。”是今文《禮》假毛爲旄也。此作雲旄，又叚旄爲斾耳。《詩》“建旐設旄”作“旄”。《洛神賦》“右倚采旄”《注》引《楚辭》曰“建雄虹之采旄”，均作旄。《周書・坶誓》：“秉白旄。”《説文》“戉”下、引作“又把白旄。”段曰：“旄者，旄之叚借。”《説文》：“旄，幢也。”旄又作髳。《詩》：“髳彼兩髦。”《説文》“髮”下引

作"統彼兩髣。"（字會）

【雲翳】初出爲雲。繁雲爲翳。（雜詩景陽）

【雲臺】以喻爵位也。 【雲臺】臺高際於雲。故曰雲臺。（贈答宣遠貳）

【雲覆霑翳】幽邃之貌。（魯靈光殿）

【雲龍】宮殿門名也。（東都）又詳"龍馬"條。

【華】畫也。（長笛） 【華】浮華也。（七命） 又詳"尃"、"葩"二條。

【華皮】可以爲索。（上林）

【華子岡】麻山第三谷曰華子岡。故老相傳華子期者，角里弟子，翔集此頂，故華子爲稱也。（行旅靈運拾）

【華山】山有光華也。（贈答叔夜）

【華平】瑞木。天下平，其華則平。有不平處，其華則向其方傾。（東京）

【華池】崑崙上之池。（游天台山）

【華林園】即芳林也。魏明帝起，名芳林，齊王芳改爲華林。（公讌應 《序王》曰："芳林園，齊高帝所造。"）

【華采】五色也。（九歌）

【華京】猶京華也。（贈答靈運叁）

【華英】光耀也。（南都）

【華渚】渚名也。（論劉壹）

【華清】井華水也。（魏都）

【華景】日也。（樂府陸）

【華蓋星】覆北斗。（西京）

【華質】華謂采章。質謂淳樸也。（公讌士龍）

【華榱】畫其榱也。（西京）

【華鄉】鄉名也。（南都）

【華覆】華蓋也。（甘泉 按：蓋謂車蓋）。

【菁】華也。（風） 【菁】華英也。（西京）

【菁】水草。（上林） 又詳"韭"、"精"二條。

【愕】驚也。（西都） 【愕】《爾雅》曰："遌，見也。"午故切。愕與遌同。（高唐） 案：遌、悟、迕三字同用。說文："悟，牾也。""午，牾也。"說文："遌，相遇驚也。"《爾雅·釋詁》："遌，見也。"《舊注》："心不欲見而見曰遌。"《廣雅·釋詁》："愕，驚也。"《漢書·張良傳》"良愕然欲毆之。"《注》："愕，驚貌也。"亦心不欲見而見之

【愀然】變色貌。（上林　又《琴》
　無"然"字。）

義。愕、遷均咢聲。（字會）
又詳"鄂"條。

【惢】心疑也。　字書曰："蕊，垂
也。"謂垂下也。惢與蕊同。
（魏都）　案：《說文》："惢，心
疑也。從三心。讀若易旅瑣
瑣之瑣。"多心故疑。《左傳》
"佩玉繠兮，余無所繫之"《注》
云："繠然，服飾備也。"繠然，
垂意。因是而知佩之下垂從
繠，花之下垂從蕤，心之下垂
從惢。心多疑則不斂，亦有垂
下意。從蕊之字，惢亦聲。盧
子諒《時興詩》"蕤蕤芬華落"，
《注》引字書曰："蕤，垂也。"蕊
即蕤字。（字會）

【怒】《詩》曰："我心憂傷，怒焉如
擣。"《方言》曰："惄，憂也。自
關而西，秦晉之閒，或曰怒。"
（贈答士衡拾）　案：《詩・小
弁毛傳》云："惄，思也。"《周
南・汝墳》云："惄如調飢。"
《箋》："惄，思也。"思之甚者必
憂，正與憂傷之訓相合。《釋
文》云："《韓詩》作愵，音同。"
此二字通用之證。（疏證）
又詳"愵"條。

【愉】吳歌也。（吳都）

【愉愉】和悦也。（東京）

【愉逸】耽樂縱逸也。（雜擬江）

【惻惻】悲也。（寡婦）

【惻恜】傷痛也。（洞簫）

【惡】貌醜也。（行旅靈運壹）

【惡】謂讒短也。（上書鄒貳）

【惠】恩也。（東京）【惠】愛也。
（贈答玄暉壹）

【惠文冠】太尉已下，冠惠文。（詠
史張）

【惠莊】惠施、莊子也。（論劉
貳）

【愀然】變色貌。（上林　又《琴》
無"然"字。）

【愀愴惻減】悲傷貌。（笙）

【愜】猶快也。（文）【愜】可也。
（游覽靈運陸）

【愜愜】小息，畏懼患禍者也。（誄
潘肆）

【黃】地謂之黃。（藉田）

【黃山】宮名也。（羽獵）

【黃甘】橘屬而味精。（上林）

【黃昏】視物黃也。（琴）【黃
昏】日出陽谷，至於虞淵，是謂
黃昏。（離騷　《琴》引"至於
虞淵"二句，"至"作"入"。）

【黃門】集樂之所。（賤楊）

【黃肩】詳"黃閒"條。

【黃屋】天子車以黃繒爲蓋裏曰
黃屋。（行狀）

【黃要】詳"穀"條。

【黃泉】天玄地黃，泉在地中，故曰黃泉也。（挽歌繆）

【黃宮】謂黃鍾宮聲。（笙）

【黃栗留】詳"鶬鶊"及"鸝黃"條。

【黃離留】詳"鸝黃"條。

【黃素】魏爲土德曰黃。晉爲金行曰素。（公讌士衡）

【黃雀】喻俗士也。（贈答公幹叁）

【黃鳥】詳"鶬鶊"條。

【黃棘】里名也。（西征）

【黃閒】弩淵中黃牙。（南都）　一曰弩名也。一曰黃閒機張，一名黃肩。（射雉）

【黃鉞】鉞，斧也（西京），飾以金曰黃鉞。（東京）

【黃瑞】謂王莽承黃虞之後，黃氣之瑞也。（符命楊）

【黃腸題湊】以柏木黃心致累棺外，故曰黃腸。木頭皆內向，故曰題湊。（祭文謝）

【黃潤】筩中細布。（蜀都）

【黃頰】詳"魠鱨"條。

【黃鵠】詳"晨風黃鵠"條。

【黃闥】禁門曰黃闥。（史論范叁）

【黃麗留】詳"鶬鶊"及"鸝黃"條。

【黃壚】詳"九泉"條。

【黃礫】香草也。（上林）

【黃靈】黃帝也。（思玄）

【黃鷟】詳"鶬鶊"條。

【黃鸝留】詳"鶬鶊"條。

【鄂】垠鄂也。（甘泉）【鄂】直言也。（長笛）　又《贊袁》"鄂"作"愕"。）　又詳"崿"條。

【鄂渚】地名。（雜詩玄暉伍）

【都】盛也。（上林）【都】閒也。（琴）【都】居也。（設論東方）　【都】凡也。（書魏文貳）【都】謂京邑也。（藉田）【都】謂聚會也。（東京）

【都長】謂體貌都閑，而雅性長厚也。（贊袁）

【陽】明也。（西都）【陽】清也。（洞簫）【陽】暖也。（東京）【陽】巫之名也。（招魂）【陽】春夏爲陽。（游覽靈運叁）【陽】水北曰陽。（贈答士衡陸）【陽】丘南曰陽。（贈答玄暉叁）【陽】山南曰陽。（游天台山）

【陽九】災氣有九，陽阨五，陰阨四，合爲九。一元之中，四千六百一十七歲，各以數至陽阨，故云百六之會。（吳都）

【陽子】伯樂字也，秦繆公臣，姓孫名陽。（子虛）

【陽文】楚之好人也。（七發）

【陽后】陽侯也。（江）

【陽盱河】蓋在秦地。（書應叄）

【陽谷】詳“湯谷”條。

【陽阿】古樂曲。（吳都）【陽阿】古之名倡也。（舞）

【陽林】地名。（洛神）

【陽侯】陽國侯，溺死於水，其神能爲大波。（南都）

【陽城】縣名。（好色）【陽城】蜀門名。（蜀都）

【陽都女】仙人名。（吳都）

【陽馬】四柯長桁也。（景福殿）

【陽烏】陽成於三，故日中有三足烏，烏者陽精。（蜀都）

【陽遂】清通貌。（洞簫）

【陽靈】天神也。（魏都）【陽靈】祭天之所，故曰陽靈。（甘泉）

【隆】盛也。（魏都）【隆】高也。（西京）

【隆崛崔崒】山形容也。（西京）

【隆頹】不平貌。（海）

【跖】《淮南子》：“獸蹠實而走。”《廣雅》曰：“蹠，履也。”跖與蹠同。（七命）　案：《七啓》“蹈虛遠蹠”《注》亦引《廣雅》曰：“蹠，履也。”蹠，《廣韻》跖同。《說文》：“跖，足下也。”“蹠，楚

人謂跳躍曰蹠。”段曰：“跖，今所謂脚掌也。跖或借蹠爲之。”《孟子·盡心上》“蹠之徒也”《音義》引張音“蹠與跖同”，《史記·伯夷傳》“盜跖日殺不辜”《注》“與蹠同”，是其證也。蓋跖訓足下，蹠訓履蹈，履蹈者以足，故亦借履蹈之蹠爲足下之跖。此與鏡通爲鑒、棐通爲柲一例。樜木之樜，亦作柘。可以知石聲、庶聲古音之同部矣。（字會）

【跖蹻】盜跖、莊蹻也。（弔文賈）

【跋】蹋也。（羽獵）【跋】躐也。（七命）【跋】本也。（景福殿）　又詳“拔”條。

【揚】舉也。（兩都序）【揚】披也。（離騷）　又詳“湯谷”條。

【揚荷】歌名。（招魂）

【揚波】喻亂也。（贊袁）

【揚袂】舉袖也。（高唐）

【揚摧】粗略也。（蜀都）

【揚奮】皆振布之意也。（符命班）

【掔】牽也。（西征）

【掔掔洩洩】任風之貌。（海）

【揭】舉也。（西京）【揭】立舉也。（論賈）【揭】舉衣也。（上林）【揭】表也。（江）

【揭】擔也。（碑文沈）【揭】印貌。（思玄）【揭】見根貌也。（論陸叁）【揭】《毛詩》曰:"雞棲于桀。"毛萇曰:"雞棲于杙爲桀。"云揭與桀音義同。（雜擬靈運）案:《左氏·成二年傳》"桀石以投人。"《注》:"桀,擔也。"《一切經音義》三引《廣雅》:"揭,擔也。"桀、揭音同,桀假爲揭也。《説文》:"楬,櫫也。"《廣雅》曰:"楬,櫫杙也。"杙有呼桀者。《詩·君子于役》"雞棲于桀。"《傳》:"雞棲于杙爲桀。"揭、楬一字,楬訓杙,杙呼桀,故揭同桀也。揭或通作拮。《射雉賦》"眄箱籠以揭驕"《注》:"《楚辭》作拮矯。"桀或通作捷。《射雉賦》:"何調翰之喬桀。"按:喬桀即矯捷。又偈通作桀。《高唐賦》"偈兮若駕駟馬"《注》引《韓詩章句》曰:"偈,桀俓也。"（字會）又詳"碣"條。

【揭孽】高貌（魯靈光殿）。

【揭驕】志意肆也。（射雉）

【揮】散也。（公讌士龍）【揮】洒也。（行旅安仁貳）【揮】奮也。（甘泉）【揮】振也。（碑文沈）【揮】爲肩上絳幟如燕尾者也。善曰:"《左氏傳》厨人濮曰:'揚徽者,公徒也。'"徽與揮古字通。（東京）案:陳孔璋《爲袁紹檄豫州》"揚素揮以啓降路"《注》:"《廣雅》曰:'徽,幡也。'"徽與揮古通用,其實正字當作徽。《説文》:"徽,識也。以絳帛著于背。"引《春秋傳》曰:"揚徽者公徒是也。""揮"字下云:"奮也。""徽"字下云:"衺幅也。一曰三糾繩也。"義皆不同,特以音近而叚借耳。（疏證）

【揮】當爲輝。（軍戎王）案:《周易》:"六爻發揮。"《釋文》:"揮音輝,本亦作輝。"是揮、輝可通。蓋揮、輝皆軍聲也。潘安仁《西征賦》"終奮翼而高揮"《注》:"《西京賦》曰:'遊鷸高翬。'揮與翬古字通。"（同上）【揮】《西京賦薛綜注》曰:"翬,飛也。揮與翬古字通。"（西征）案:揮,《集韻》或作撝。鄭公孫揮,字子羽,魯公子翬,字羽父。《公羊·隱四年》"魯公子翬",《魯世家》作"揮"。《後漢·馬融傳注》:"翬亦揮也。"今按:翬、揮俱從鳥飛得義。《說文》:“揮,奮也。”《奞部》“奮”下曰:“翬也。”“翬”下曰:“大飛也。”奮取鳥飛在田,此云奮翼高揮,正從鳥飛取義。故揮、翬字通。(字會)

【揮霍】謂丸劍之形。(西京)

【勝】玉勝也。(思玄)【勝】盡也。(神女)【勝】舉也。(西京)【勝】善曰:勝或爲稱。《爾雅》曰:“稱,舉也。”一曰稱亦勝也。《吴録》:子胥曰:“越未能與我争稱負也。”(連珠)案:《周易》:“吉凶者,貞勝者也。”《釋文》:“貞勝,姚本作貞稱。”《考工記·弓人》“角不勝榦,榦不勝筋”《注》:“故書勝或作稱。鄭司農云:‘當言稱。’”《說文》:“爯,并舉也。”與勝義相近。“稱,銓也。”與勝義無涉。蓋爯爲正字,稱乃假借字耳。稱從爯得聲,勝從朕得聲,爯與朕古音同部,故可通也。(疏證)

【勝大】詳“摩訶”條。

【勝引】勝,友也。引猶進。良友所以進己,故通呼曰勝引。(游覽殷)

【寒】今脏肉也。(七啟)【寒】《鹽鐵論》曰:“煎魚切肝,羊淹雞寒。”劉熙《釋名》曰:“韓羊、韓雞,本出韓國所爲。”然寒與韓古字通也。(樂府曹)案:曹子建《七啓》“寒芳苓之巢龜”《注》:“寒,今脏肉也。”亦引《鹽鐵論》、《釋名》爲證。古寒、韓多通。《左傳·襄八年》“有寒浞”,《漢書·古今人表》作“韓浞”是也。(疏證)

【寒女】喻賤也。(贈答郭)

【寒門】天北門也。(思玄)【寒門】北極之山曰寒門,以積寒所在也。(公讌應)

【寒商】秋風也。(詠懷謝)

【寒羞】寒具也。(七命)

【寒螿】水鳥也。(雜擬劉)【寒螿】蟬屬也。(雜詩惠連貳)

【寒蟬】應陰而鳴,鳴則天涼,故謂之寒蟬也。(贈答曹伍《哀傷張》不重“鳴”字,蓋脱去。)

【寒鼈】猶韓羊、韓雞,本出韓國所爲也。(樂府曹)

【寓】居也。(思玄)【寓】猶蓋也。【寓】籀文“宇”字。(東京)案:江文通《雜體詩》:“曠哉宇宙。”惠注:“文子曰:四方上下謂之寓。”謝玄暉《和

伏武昌登孫權故城詩》"霸
功興寓縣"《注》:《蒼頡篇》曰:
'寓,邊也。'"《一切經音義》
七:"寓,古文作寓。"皆寓卽
字之證。(疏證)

【寓】天地之內稱寓。(東京)
　【寓】寄也。(射雉)　又詳"俑"
　條。

【富】凡人之幼者,將來之歲尚
　多,故曰富也。(七發)

【富中】大塘,勾踐治以爲義田,
　肥饒,故謂之富中。(吳都)
　原本"塘"作"唐"。又"塘"下
　有"中也"二字,"田"下有"義"
　字。今依胡校。)

【琱】《爾雅》曰:"玉謂之琱。"琱
　與彫古字通。(南都)　案:張
　平子《西京賦》"雕楹玉碣",何
　平叔《景福殿賦注》引作"彫
　楹。"任彥昇《天監三年策秀才
　文》"斲雕利方"《注》:"《漢書》
　曰:'漢興,破觚而爲圜,斲琱
　而爲樸。'"《説文》:"琱,治玉
　也。""彫,琢文也。"是琱、彫義
　本相近。今本《爾雅》作玉謂
　之雕。《説文》:"雕,鷻也。"義
　雖與琱、彫不同,然三字皆周
　聲,故可通用。(疏證)

【琱輿】詳"雕玉之輿"條。

【軫】痛也。(月)　【軫】轉也。
　(七發)　【軫】謂相乖戾也。
　(文壹　胡云: 袁本、茶陵本
　"軫"下有"戾"字,是也。)

【軫】車後橫木也。(西京　又
　《游覽殷》:"軫,輿橫木也。")

【軫】當爲畛。宋衷《太玄經
　注》曰:"畛,界也。"(詠懷
　阮)　案: 謝靈運《登臨海嶠與
　從弟惠連詩》"含酸赴修軫"
　《注》:"軫當爲畛。"《説文》曰:
　"畛,井田閒陌。"畛正字,軫假
　借字,蓋軫、畛皆從㐱字得聲
　也。(疏證)

【軫戾】詳"軫"條。

【軼】突也。(七發)　【軼】過也。
　(東京)　【軼】從後出前也。
　(西都)　【軼】迭與軼古字通。
　(誄顏)　案:《左傳·成十三
　年》:"迭我殽地。"《釋文》:"直
　結反。徐音逸。"《莊子》:"超
　軼絶塵。"《釋文》:"軼,李音
　逸。徐徒列反。"彼此互推,則
　迭與軼通可知,蓋二字皆失聲
　也。(疏證)　又詳"佚"條。

【軸】病也。(序王)　【軸】持輪
　也。(蕪城)　又詳"柚"及"龍
　軸"條。

【焱】上也,風從上升也。(魏都)

【猋】去疾貌。(九歌　《七啟》"猋"作"焱"。)【猋】《説文》曰:"熛,火飛也。"猋與熛古字通。(設論班)　案:猋即飆字。《爾雅》:"扶摇謂之猋。"猋,風也。《史記·禮書》"卒如熛風"《正義》:"熛,風疾也。"蓋火得風而疾,其義同也。班固《幽通賦》"揚芒熛而絳天兮"《注》云:"熛,風熾也。"《七啓》"風厲猋舉"《注》引《説文》曰:"猋,火華也。"猋、熛同音互訓。《史記·司馬相如傳》"靁動熛至"《注》:"必遥反。"《漢書》作"焱"。此其證。按:今《文選》猋、焱多不分核。此猋宜作焱。《説文》:"熛,訓火飛。"與《幽通賦注》之訓作風熾,義本一貫,但不得以猋作焱耳。猋爲風,焱爲火華。(字會)　又詳"飆"、"焱"二條。

【猋逝】遠也。(符命司馬)

【愸】善曰:《論語》曰:"慎而無禮則葸。"愸與葸同。(魏都)案:王文考《魯靈光殿賦》"心愸愸而發悸"《注》:"善曰:蘇林《漢書注》:'葸葸,懼貌。'愸與葸同。"蓋愸、葸皆從思字得聲,故通用也。(疏證)

【愸愸】懼也。(魯靈光殿)

【猥】曲也。(表諸葛)【猥】衆也。(魏都)【猥】凡也。(行旅安仁壹)【猥】總凡也。(贈答盧壹)【猥】頓也。(表李)

【敦】斷也。(雜詩景陽)【敦】厚也。(贈答曹壹)【敦】信也。(雜詩靈運肆)【敦】盂也。(設論班)【敦】與屯同。王逸《楚辭注》曰:"屯,陳也。"(甘泉)　案:《説文》:"敦,怒也,詆也。一曰誰何也。"段曰:"皆責問之意。《邶風》:'王事敦我。'毛曰:'敦,厚也。'按:《心部》'憞,厚也。'然則凡云敦厚者,皆叚敦爲憞。此字本義訓責問,故從攴。"今按叚敦爲憞,故訓厚。從厚之意而引申之,故屯通作敦。《答賓戲》"欲從堥敦而度高乎泰山"《注》:"服虔曰:'敦音頓。頓,邱也。'"頓,屯聲。《恨賦》"車屯軌"作"屯"。《漢書·禮樂志》"車千乘,敦昆侖"讀曰"屯",徒門反。《詩》"鋪敦淮墳"《箋》釋爲陳屯。可證。敦又通弴。《大雅》:"敦弓既堅。"《說文》："弴，畫弓也。"
（字會）　又詳"惇"條。

【敦洽讐麋】陳有惡人焉，曰敦
洽讐麋，椎顙廣額，色如漆
赭。（魏都　《論劉壹》"額"作
"顏"，"椎"作"推"，恐誤。）

【敦圄】盛怒貌。（甘泉）

【敦髮】敦，斷也。（雜詩景陽）

【斐斐】輕貌。（游覽惠連）

【斐亹】文貌。（游天台山）

【猶】猶性多疑，故不決者稱猶
也。（洛神）【猶】五尺大犬
爲豫。隴西謂犬子爲猶。（論
稽　按："豫"當作"猶"。《爾
雅·釋獸釋文》所引《尸子》可
證。）　又詳"猷"條。

【猶豫】人將犬行，豫在人前，待
人不得，又來迎俟，如此往還，
至於終日。斯乃豫之所以爲
未定也，故稱猶豫。或以《爾
雅》云："猶，如麂。"（胡云：
"麂"當作"麂"。）善登木。猶，
獸名。聞人聲，乃猶豫緣木，
如此上下，故稱猶豫。（論稽）

【裁】制也。（論陸叄）【裁】裁
或爲材。（長笛）　案：《說文》：
"材，木挺也。"段曰："材謂可
用也。"《論語》："無所取材。"
鄭曰："言無所取桴材也。"而

裁訓製衣，與材意無涉。有宋
朱子《論語》"無所取材"《注》
曰："言其不能裁度于義理。"
而裁、材通用，此《注》云裁或
爲材，益以見朱子之非鑿空
也。又《魏都賦》"財以工化"
《注》："善曰：財，貨也。財與
材古字通。"財亦通爲裁。《史
記·魏其傳》："輒令財取爲
用。"蘇林曰："令裁度取爲用
也。"《酷吏傳上》"財察"讀如
"裁"。（字會）

【裁金璧以飾璫】裁金爲璧以當
榱頭也。（西都）

【琳】玉名。或曰珠也。（子虛）
又詳"球琳瑯玕"條。

【琳瑯】玉名。（九歌）

【竦】立也。（西京）【竦】上也。
（南都）【竦】執也。（九歌）
【竦】《方言》曰："西秦之間相
勸曰聳。"竦與聳古字通。（長
楊）　案：《釋名·釋姿容》：
"竦，從也。體支皆引從也。"是
竦從從字取義得音。《左氏·
昭十九年傳注》"聳，懼也"
《疏》："竦與聳音義同。"《西
京賦》"怵悼慄而慫兢"《注》引
《方言》曰："慫，悚也。"慫、悚
亦音近通訓之字。又竦通作

慢。《漢書·刑法志》"慢之以
行"《注》:"古竦字也。"慢,《説
文》作慢。(字會)

【疎】詳"疏"條。

【疏】遲也。(連珠) 【疏】鏤也。
(東京) 【疏】治也。(江)
【疏】除也。(游天台山) 【疏】
希也。 【疏】布陳也。(九
歌) 【疏】遠也。(長楊)
【疏】曠也。(祖餞謝) 【疏】
開也。(述德) 【疏】通也。
(七命 《連珠》作"疎"同。)
【疏】分也。(誄顏壹) 【疏】
卽古蔬字。(上書鄒貳) 案
《荀子·富國》"然後量菜百疏
以澤量"《注》:"疏與蔬通。"
《禮記·曲禮》:"稷曰嘉疏。"
《釋文》:"疏本作蔬。"《論語·
述而》:"飯疏食。"《釋文》:"疏
本作蔬。"《周禮·太宰注》:
"疏不熟曰饉。"《釋文》:"蔬,
菜也。"此蔬、疏通用之徵。又
《説文》:"疏,通也。"古疏、疋、
疋三字通用。《西京賦》、《靈
光殿賦》皆訓爲刻鏤,其用作
蔬者爲叚借。(字會) 又詳
"蔬"條。

【疏麻】神麻。(游覽靈運玖)

【疏屏】天子廟飾也。(七命)

【疏櫺】窻也。(魏都)

【曾】累也。(離騷) 【曾】辭之
舒也。(哀傷嵇) 【曾】高高
上飛意也。(弔文賈) 【曾】
《淮南子》曰:"掘崑崙墟以下
地,下有層城九重。"(樂府陸)
案《説文》:"層,重屋也。從
尸,曾聲。"曾,《左氏·襄十八
年傳》"曾臣"《疏》:"曾祖、曾
孫者,曾是重義。"《釋名·釋
親屬》:"曾祖,從下推上,祖位
轉增益也。"故曾亦作增。《孟
子·告子下》"曾益其所不能"
《音義》引張音:"曾與增同。"
《荀子注》:"曾作增。"謝惠連
《西陵遇風獻康樂詩》"屯雲蔽
曾嶺",曾卽層字也。層崖、層
雲、層潭,《文選》皆作曾。(字
會)

【曾史】曾參、史魚也。(論劉貳)

【曾城縣圃】皆崑崙。其北角曰
閬風之巔。(西京)

【曾穹】天也。(雜詩惠連壹)

【景】光也。(西京) 【景】日光
也。(哀傷張) 【景】影也。
(樂府陸) 【景】光景連屬也。
(序顏 胡云:上"景"字下脱
"屬"字。) 【景】照也。(序
王) 【景】明也。(贈答曹壹)

又詳"卿"條。

【景山】墳也。（表任伍）　【景山】大山也。（嘯）　緱氏之山名也。（洛神）

【景夷】臺名也。（七發）

【景風】詳"八風"條。

【景星】赤方氣與青方氣相連，赤方中有兩黄星，青方中有一黄星，凡三星合爲景星。（七啓）

【景雲】一名慶雲。（公讌應）

【景鐘】景公鐘也。（表曹壹）

【景屬】詳"景"條。

【揜】取也。（子虚）　又詳"掩"條。

【崔瀾】詳"汍瀾"條。

【崔蘭】詳"汍瀾"條。

【渟】止也。（南都）　【渟】水止也。（長笛）　又詳"停"條。

【湳】羌人，因水爲姓也。（獻詩潘）

【湳德甲吉】湳、甲，二羌號也。德、吉，其名也。（獻詩潘）

【渹】雲興貌。（雜詩景陽）　又詳"弇"條。

【琨蔽】琨玉蔽簿箸，以玉飾之也。（招魂）

【琨蕗】今之箭囊也。（招魂）

【菌】薰也。葉曰蕙，根曰薰。（離騷）　【菌】芝屬也。芝有石芝、石菌、靈芝，海中神山所有神草曰朱柯者，芝草莖赤色也。（西京）

【菌桂】圓如竹，爲衆藥通使。（蜀都）

【菌蠢】芝貌。（南都）

【萃】至也。（西京）　【萃】集也。（贈答正叔貳）　【萃】亦處也。（表陸）　又詳"崒"、"瘁"二條。

【萃蔡】衣聲也。（子虚）

【皓】明也。（詠史左）　【皓】白也。（魯靈光殿）　【皓】《聲類》曰："顥，白首貌也。"皓與顥古字通。（雜詩李）案：《詩‧揚之水》"白石皓皓"《傳》："皓皓，潔白也。"《説文》："顥，白首人也。"引申爲凡白之偁。《楚辭》曰："天白顥顥。"均從白字取義。"南山四顥"，楊雄《解嘲》作"四皓采榮于南山"。《張良傳注》云："商山四皓。"《三倉》皓古文顥同。是皓、顥通用之徵也。顥又通作昊。《漢書‧司馬相如傳》"肇自顥穹生民。"《注》："與昊同。"《史記》作"昊"。顥又通作灝。《上林賦》"然後灝溔潢漾"《注》："音皓。"昊又通作皞。太昊、

少昊，古作太皞、少皞。（字
會）

【皓皓】猶皎皎也。（漁父）

【皓皓旰旰】盛也。（景福殿）

【皓溔】猶浩溔，大也。（魏都）

【皓蜺】猶素蜺也。（七發）

【皓樂】善倡也。（七發）

【皓齒】謂齒如瓠犀也。（七發）

【異】詳異條。

【異人】五岳之精雄，四瀆之精
仁。（江　《碑文蔡貳》、《碑文
沈》並“雄”下有“聖”字。“仁”
下有“明”字。）

【異等】異等者，越等軼羣，不與
凡同也。（詔壹）

【開】通也。（魏都）【開】達也。
（上書鄒貳）

【開冬】猶開春開秋也。（游覽顏
壹）

【開陽】詳“北斗七星”條。

【開塞】猶取捨也。（文壹）

【鈞】陶家名模下圓者爲鈞。（上
書鄒貳　按：《贊袁》“者”作
“轉”。）

【鈞石】十六兩爲斤。三十斤爲
鈞。四鈞爲石。（史論干貳
《詠史左》引上二句“斤上”、
“鈞上”並有一字。）

【發】舉也。　【發】駭走也。（西

京）【發】旦也。【發】射也。
（招魂）【發】伐也。（哀傷
張）【發】開也。（東京）
【發】猶見也。（序卜）　又詳
“芰”條。

【發越】殿名也。（西都）

【發蒙】以物蒙覆其首，而爲發去
也。（書應肆）

【發曙】發夕至曙也。（七發）

【發鯨魚】海中有大魚曰鯨，海邊
又有獸名蒲牢。蒲牢素畏鯨，
鯨魚擊蒲牢，輒大鳴。凡鐘欲
令聲大者，故作蒲牢於上，所
以撞之者爲鯨。（東都）

【渠】冈也。（江）【渠】大也。
（碑文沈）

【渠略】甲下有翅能飛。夏月陰
時出地中。（頌王）

【勞】苦也。（東京）　又詳“庸
勞”條。

【殼】甲也。（思玄）【殼】即核
也。凡物内盛者皆謂之殼。
（七命）

【舄】潟爲舄古今字也。（海）
案：潟，鹵也。《周禮·草人》
“鹹鹵用貆”《注》：“斥亦訓
鹵。”《管子·地員》“乾而不
斥”《注》：“斥謂潟鹵。”《書·
禹貢》“海濱廣斥”，《史記·夏

本紀》作"海濱廣潟"，《漢書·地理志》作"海瀕廣潟"。是知訓鹵之本義從潟。後人省水爲舄耳。舄訓屨重底。《釋名·釋衣服》："複其下曰舄。舄，臘也。行禮久立，地或泥溼，故複其下使乾臘也。"舄屨防地之潟鹵，故叚舄爲潟鹵字也。王元長永明九年《策秀才文》"舄鹵可腴"，《注》引《史記》鄄民歌之曰："終古舄鹵今生稻梁。"此叚舄爲潟之證。（字會） 又詳"碻"條。

【舄奕】光耀流行貌。（符命班）

【款】至也。（西京）【款】誠也，意有所欲也。（雜擬江）【款】愛也。（贈答靈運壹）【款】叩也。（贈答范壹 《行旅靈運陸》"叩"作"扣"。）

【款款】忠實之貌也。（書司馬）

【隊】部也。（子虛） 百人爲一隊。（東都）

【覃】延也。（論陸叄）【覃】利也。（雜詩玄暉柒） 又詳"掞"條。

【裂】分也。（書李）【裂】酷也。（幽通）

【睇】視也。（南都）【睇】見也。（雜擬江）【睇】微眄也。（九歌）

【睎】望也。（西都） 又詳"稀"條。

【掌】主也。（七發）【掌】熊蹯也。（七啟）

【掌故】百石吏。主故事者。（設論東方）【掌故】太史官屬。主故事者也。（符命司馬 胡云："史"當作"常"。）

【虛牝】丘陵爲牡，谿谷爲牝。（游覽殷）

【虛明】亦心也。（序任）

【虛徐】狐疑也。（幽通）

【虛上夫人】詳"常娥"條。

【蛟】龍類。（西京） 魚身蛇尾，皮有珠。（子虛）

【蛟龍】小曰蛟，大曰龍。（離騷）

【蛟螭】水神也。有鱗曰蛟螭。蛟螭，水神也。一曰雌龍。一曰龍子。（蜀都）【蛟螭】若龍而黃。（南都）

【陾】山側也。（游覽顏貳）【陾】夾岸閒爲陾。（上林） 又詳"峽"條。

【窘】急也。（離騷）【窘】迫也。（七發）【窘】困也。（頌陸）

【殘】毀也。（歎逝）【殘】殺也。（東京） 沒身爲殘。（詠史曹）

【殘白】蓋煮肉之異名也。（七命）

【殘賊】賊仁者謂之賊，賊義者謂之殘。（論王）

〖登〗高也。（羽獵）　【登】上也。〖登〗升也。（東京）

〖登徒〗姓也。（好色）

【登降】上下也。（甘泉）

【登翼】謂登用輔翼。（箴班）

【軦】亭名。（東京）　【軦】縣名。（誄潘壹）　【軦】車輪小穿也。（思玄）　又詳"龍軦"條。

【絞灼激】聲相繞激也。（長笛）

【絞槃汩湟】音相切磨貌。言聲相絞槃如水之聲。（長笛）

【觜】喙也。（射雉）

【觜蠵】詳"蠵"條。

【最】善也。（文）　【最】聚也。（鵩鳥）　又詳"聚"及"殿最"條。

【彀】張也。（東京）　張弓弩曰彀。（射雉）。

【彀騎】張弓弩之騎。（吳都）

【欻】欻之言忽也。（西京）　【欻】有所吹起也。（赭白馬）　【欻】輕舉貌。（思玄）

【欻吸】疾貌。（雜擬江）

【象】道也。（哀傷王）　【象】法也。（嘯　《招魂》作像。）　【象】類也。（文）　【象】象牙也。（離騷）　【象】獸之最大者也。長鼻，大者牙長三丈。（西都）　【象】鼻赤者怒。（西京）

【象郡】今日南也。（論賈）

【象棊】象牙爲棊。（招魂）

【象簡】舞者所執。（長笛）

【象簡南籥】文王樂曰《象簡》《南籥》。（長笛）

【象簟】析象牙以爲簟也。（吳都）

【象魏】闕也。（文壹　又《游覽靈運伍》單稱曰"魏"，《碑文沈》稱曰"魏闕"。）

【翔】回飛也。（西都）　【翔】行也。（東征）

【翔行】行如飛翔也。（序王）

【翔泳】謂魚鳥也。（公讌顏壹）

【翔陽】日也。（海）

【翔鳳】喻賢也。（行旅正叔）

【順辰】月歷十二辰而行也。（月）

【順常】詳"昭儀"條。

【順德】宮殿門名也。（魏都）

【普】徧也。（高唐）

【普淖】黍稷也。普，大也。淖，和也。德能大和，乃有黍稷，故以爲號。（藉田）

【捷】舉也。（上林）　【捷】豎也。（思玄）　【捷】距門也。（南都　《碑文簡栖》作"門距"。）

【觚】木之方者，古人用之以書，猶今之簡也。或曰卽木簡也。（文）【觚】八觚有隅者也，音弧。《說文》曰："棱，觚也。"棱與觚同。（西都）案：《說文》"觚，棱也。""棱，觚也。"二字互訓。許叔重訓"觚棱"爲殿堂上最高之處。則二字本義俱從木。觚訓《鄉飲酒》之爵，與觚義異。本字當作柧棱。作觚者，同聲借字耳。若稜字從禾，係誤體也。（疏證）

【觚盧】扈魯。（子虛）

【觚爵】凡觴一升曰爵，二升曰觚。（舞）

【壺】投壺也。（吳都）【壺】乾瓠也。（招魂）【壺】盛水器也。挈壺水以爲漏也（銘陸貳　又《雜詩鮑貳》謂漏爲金壺。）

【斯】此也。（鸚鵡）　又詳"厮"條。

【斯俞】國名也。（難）

【斯須】猶須臾也。（贈答曹伍）

【輪】無輻曰輪。（思玄）【輪】欄也。輪與櫺同。（甘泉）案：古令、霝相叚，故零露亦作靈露，霝霂亦作零霂。《說文》："輪，司馬相如說：輪從霝。"段云："蓋亦《凡將篇》字也。古令或作霝、作靈，零或作苓、或作蘦，皆令霝通用之證。《左傳》："陽虎載蔥靈，襄于其中而逃。"靈卽輪也。《尚書大傳》曰"未命爲士，不得有飛輪"，鄭《注》："如今窗車也。"李尤《小車銘》曰："輪之嗛虛，疏達開通。"卽窗車之義。《說文·木部》："櫺楯閒子。"《遊天台山賦》"彤雲斐亹以翼櫺"，《注》："窗閒子也。"江文通《雜體·許徵君詩》"曲櫺激鮮飈"，《注》："窗閒孔也。"輪爲窗車，櫺爲窗孔，故通。又《楚辭涉江》"乘輪船余上沅兮"，王逸《注》："輪船，船有窗牖者也。"輪又通爲鈴。《東京賦》"疏轂飛輪"，《注》："飛鈴，以緹紬廣八尺，長拄地，畫左青龍，右白虎，繫軸頭，取兩邊飾。"（字會）

【雅】正也。（序卜）　又詳"邪"條。

【雅琴】琴之言禁也，雅之言正也。君子守正以自禁也，故曰雅琴。（長門）

【雅昶唐堯】謂堯暢也。達則兼善天下，無不通暢，故謂之暢。

（琴　胡云：袁本、茶陵本"達"
作"堯"，是也。）

【雅質】詳"巴姬"條。

【朝】小水入大水曰朝。（游覽
　　徐）　又詳"朂"條。

【朝夕】朝以喻盛。夕以喻衰。
　　（九歌）

【朝日】魏文帝《善哉行》篇名。
　　（笙）

【朝秀】朝生莫死蟲也，生水上，
　　似蠶蛾。（論劉壹）

【朝廷】不敢指斥君，故言朝廷。
　　（書朱）　或曰：朝廷亦皆依違
　　尊者所都，連舉朝廷以言之。
　　（兩都序）

【朝菌】詳"日及"條。

【朝雲】巫山女之廟名也。（高
　　唐）

【朝請】春曰朝，秋曰請。（史論
　　范貳）

【無】不也。（東京）　又詳"有
　　無"及"廡"條。

【無大】詳"摩訶"條。

【無合】猶不遇也。（思玄）

【無名】言無善名也。（檄司馬）

【無涓】詳"昭儀"條。

【無庸歸】逸詩篇名。（贈答公幹
　　壹）

【無歲】無嬴滿也。（游覽顏壹）

【無聲】無有惡聲也。（符命司
　　馬）

【賁】美也。（誄謝）　【賁】善曰：
　　《爾雅》曰："大鼓謂之鼖。"賁
　　與鼖古字同。（連珠）　案：《說
　　文》："大鼓謂之鼖。"按：凡賁
　　聲多訓大。《詩毛傳》云："墳，
　　大防也。"《說文》"韼"字下云：
　　"鼖，或從革賁聲。"《詩·靈
　　臺》"賁鼓維鏞"，《釋文》"賁"
　　本作"鼖"。《周禮·鼓人》"以
　　鼖鼓鼓軍事"，《大司馬注》作
　　"以賁鼓鼓軍事"。是其徵也。
　　（字會）　又詳奔條。

【賁育】賁，孟賁。育，夏育。勇
　　士也。（羽獵）

【雁】詳"鴻雁"條。

【雁行陣】詳"八陣"條。

【雁山】雁出其閒。（別）

【雁鶩陂】承昆明下流也。（雜詩
　　沈陸）

【策】杖也。（西征）　木細枝曰
　　策。（招隱左）

【策名】謂君簡書臣之名。（書
　　李）

【堪】詳"龜"條。

【堪輿】神名。　【堪輿】堪，天道
　　也。輿，地道也。（甘泉）

【揥】取也。　【揥】猶去也。（文

胡云:"掭"當作"褫"。)

【琴】琴者,禁也。禁人邪惡歸於正道,故謂之琴。(長笛)

【琴引】《琴引》者,秦時倡屠門高之所作也。(長笛)

【琴高】仙人名。(吳都)

【琴瑟簧塤】庖犧作琴,神農造瑟,女媧制簧,暴辛爲塤。(長笛 余云:《呂氏春秋》:"倕作塤篪。"譙周《古史考》云:"周幽王時暴辛公善塤。"記者便以爲作,謬矣。)

【琴摯】師摯,魯太師也。以其工琴,謂之"琴摯"。(七發)

【琴操】《琴操》者,窮則獨善其身,不失其操,故謂之"操"。(長門)

【琴隱】長四十五分,隱以前長八分。(七發)

【費】光貌。(招魂)

【費留】戰勝而不修其賞者凶,命曰費留。(魏都)

【彭城】縣名。(勸勵韋)

【彭胥】彭,彭咸也。胥,伍子胥也。皆水没也。(羽獵) 彭咸,殷賢大夫。(離騷)

【彭聃】彭祖,老聃也。(祖餞孫)

【彭湃】波相戾也。(上林)

【彭蠡湖】揚有彭蠡。(江)

【鬻】賣也。鬻與鬻音義同。(閒居) 案:鬻、粥本訓饘,訓糜,鬻從鬲。鬲釜屬,烹糜之器。《詩·匪風》"溉之釜鬻"是也。《説文》:"鬻,鍵也。"義同粥,從米從雙弓。亦言糜粥粥然也。《釋名·釋飲食》曰:"粥,濁于糜粥粥然也。"引申之訓養訓賣。故鬻熊亦作粥熊,鬻子亦作粥子,鬻拳亦作粥拳。粥者俗字,粥卽省鬲而爲之也。《漢書·文帝紀》"吏禀當受鬻者,或以陳粟",《注》,"與粥同。"亦其證。(字會) 又詳"餗"條。

【堨】埃也。(西都 胡云:"堨當作塩"。) 又詳"堰"、"墢"二條。

【割】害也。(海)

【割名】詳"割炙"條。

【割炙】割損其炙也。(設論楊 胡云:兩"炙"字並當依《漢書》作"名"。)

【犂】詳"黎"條。

【犂鞬鞭】在西海之西。(東京)

【尋】用也。(論陸叁) 【尋】猶緣也。(樂府陸) 八尺曰尋。(吳都) 又詳"掃"條。

【尋竹】大竹也。(七命)

【崦】閽也。（南都）

【崦崦】不明也。（北征）

【崦薆】善曰：《説文》曰：“蓊鬱，香氣奄蔿也。”蓊與崦、鬱與薆音義同。（上林）　案：曹子建《洛神賦》“微幽蘭之芳藹兮”，《注》：“芳藹，芳香崦薆也。”又《王仲宣誄》：“芳風崦薆。”左太沖《魏都賦》：“比朝華而菴藹。”張平子《南都賦》：“崦曖蓊蔚，含芬吐芳。”崦字與蓊、菴二字，薆字與鬱、藹、曖三字，形雖各殊，而音則相近，故其義亦不相遠。（疏證）

【崦曖】詳“崦薆”條。

【崦藹】蓊鬱也。（離騷）　又詳“崦薆”條。

【畫】華也。（魏都）

【畫流】分流也。（公讌顏壹）

【奠】定也。（行旅顏叁）　【奠】置也。（東京）　【奠】獻也。（哀謝）　喪所薦饋曰奠。（啓任叁）

【猩猩】如犬，人面，見人則笑。（吳都）

【猩子】猿類，猿身人面，見人則嘯。（吳都）

【童】山無草木曰童，若童無角也。（吳都）

【童容】詳“帷裳”條。

【越】踰也。（詠史顏貳）　【越】躐也。（同上壹）　【越】度也。（游覽叔源）　【越】遠也。（游覽靈運伍）　【越】於也。（符命司馬）　【越】猶揚也。（贈答顏肆）　【越】散也。（七發）

【越叟】蓋越公也。（樂府靈運）

【越砥】砥石出南昌，故曰越砥。（頌王）　又詳“砥”條。

【越棘大弓】天子之戎器也。（吳都）

【越裳南蠻】今九真是也。（東京）

【短】乏也。（書稽）　【短】説其罪闕也。（好色）

【短兵】刀劍也。（吳都）

【短折】短，未六十。折，未三十也。（誄潘貳）

【短項】詳“修額短項大口折鼻”條。

【短歌】詳“行”條。

【短韻】小文也。（文）

【短簫鐃歌】詳“鼓吹”條。

【喋血】殺血滂沱爲喋血。（書丘）　又詳“涉血”條。

【超】遠也。（游覽靈運壹）　【超】踰躍也。（吳都）

【超乘】超乘者，跳躍上車也。（公讌沈）

【雄虺九首】雄虺一身九頭。（招魂）

【雄戟】胡中有鉅者。（子虛）

【琨】璧也。（思玄）

【琨瑤】皆美石。（吳都）

【貴相】詳"文昌宮"條。

【貴戚】姑姊妹也。（史論沈貳）

【趉】度也。（洞簫）　【趉】超踰也。（吳都）　又詳"絥踰"條。

【跗】蕚足也。（補亡）　【跗】《毛詩》曰："棠棣之華。""蕚不韡韡。"鄭玄曰："承花者蕚。不當作跗，蕚足也。"（誄謝）案：不訓鳥飛上翔不下來，不義同無。無聲同柎。故鄭箋《毛詩》云："不當作柎。"跗、柎正俗字也。鄂，承華者也。柎又在鄂之下。郭璞云："江東呼草木子房爲柎。"草木子房，如石榴房、蓮房之類，與華下鄂近。蓋不音本同跋，因音而借爲可不之不，音否。因義而借爲不可之不，音弗耳。（字會）　又詳"跋"及"跗蹋摩趹"條。

【跗蹋摩趹】或反足跗以象蹈，或以足摩地而揚趹也。跗，足趾也。趹，足踶也。（舞）

【跋】差也。（思玄）　又詳"跗蹋摩趹"條。

【距】至也。（魏都）　【距】閉也。（碑文沈）　【距】古歫字也。孔安國《尚書傳》曰："距，至也。"（羽獵）　案：距、歫巨聲。《詩·雨無正箋》"患不能距止之"，《釋文》："距本作歫"。《爾雅·釋言注》"距齊州以南。"《釋文》："距本作歫"。又《說文》："歫，止也。一曰超歫。"《繫傳》、《韻會》"歫"作"距"。以距亦巨聲，距從足，歫從止，足止類也。（字會）

【距虛】千里馬。（七發）　【距虛】似驘而小。（子虛）

【犀】似水牛而猪頭，黑色，有三蹄，三角：一在頂上，一在額上，一在鼻上。（西都）　四足，類象，蒼黑色，一角當額上，鼻上角亦墮也，又有小角長五寸不墮。（吳都）

【犀渠】犀皮爲之。（吳都）

【幾】近也。（西都）　【幾】望也。（論班）　【幾】危殆也。（碑文沈）　又詳"璣"、"冀"二條。

【斯】擊也。（東京）　【斯】斬也。（羽獵）　又詳"𣂪"條。

【斑】虎皮也。（七啓）　雜色曰斑。（魏都）　又詳"般"條。

【隈】曲也。（獻詩曹貳）　【隈】水曲也。（西都　又《游覽靈運玖》:"隈，山曲也。"）　【隈】猶隅也。（吳都）　【隈】城上睥睨也。（游覽徐）　又詳"隩"條。

【棼】複屋棟也。（西都）　又詳"枌棋"條。

【隅】角也。（笙）　【隅】猶方也。（贈答安仁）　【隅】曲也。（琴）　又詳"嵎"條。

【隅目】角眼視也。（西京）

【棧】板閣曰棧。（游覽靈運玖）　【棧】亦棚也，若棚牀施之湿地也。（赭白馬）

【棖】杖也。然南人以物觸物爲棖也。（祭文謝）　又詳"掌"條。

【博】平也。（招魂）　【博】局戲也，六箸十二棊。（表曹壹）

【博羅】詳"羅浮山"條。

【椒】香木名。（離騷）

【椒丘】土高四墮曰椒丘。（游覽惠連　《月賦》引《廣雅》無"丘"字。）

【椒房】皇后稱椒房。（表曹貳）　【椒房】殿名也。（西都）

【椒風】舍名。（西都）

【椒梓】坊名。（魏都）

【椒漿】以椒置漿中也。（九歌）

【黑水玄阯】謂昆明靈沼之水阯也。（西京）

【黑丹石緇】謂黑石雜色也。（東京）

【黑蜧】詳"蜧"條。

【黑墳】色黑而墳起也。（論曹）

【黑齒彫題】大吳之國。（吳都）

【渥】厚也。（赭白馬）　【渥】厚漬也。（西都）

【屠】裂也。（論陸壹）　【屠】謂誅殺其人也。（誅顏壹）　【屠】各胡種也。（檄陳壹）

【揣】持也。（長笛）　【揣】量也。（雪）　度高曰揣。（鵩鳥）　又詳"搏"條。

【萍】今藾蒿也。（高唐）　【萍】水草，萍實大如斗，員而赤。（江）

【絳】絳草，可以染。（吳都）

【絳脣】謂簫孔以朱飾之。（洞簫）

【單】大也。（甘泉）

【單父】《呂氏春秋》曰:"處子賤治亶父。"（贈答正叔貳）　案:單、亶一音之轉。壇亦作墠。《周禮》"大司馬之職，則墠之。"《注》:"墠讀如同壇之墠。"《詩·東門之墠傳》:"墠，

除地町町者。"《疏》："壇、墠
字異，而作此壇字，讀音曰墠，
蓋古字得通用也。"今定本作
墠。壇同墠，故宣亦通單也。
《史記·厤書》"端蒙單閼二
年"，《集解》引徐廣："單閼一
作亶安。"《詩·天保》"俾爾單
厚"，《爾雅·釋詁》某氏《注》
作"亶"。（字會）

【單于】廣大之貌也。言其象天
單于然也。（長楊） 又詳"北
方五狄"條。

【詘】還也。（雜擬江）【詘】古
屈字也。（長楊） 案：詘，《説
文》"詰詘也"，段曰："屈曲之
意。"《廣雅·釋詁》："詘，屈
也。"《史記·大宛傳》"皆屈其
勞"，《集解》引徐廣："屈，抑
退也。"《莊子·駢拇》"屈折禮
樂"，《釋文》："屈，崔本作詘。"
《荀子·勸學篇》"詘五指而頓
之"，《注》："詘與屈同。"《子虛
賦》"徼𫁡受詘"，《注》："與屈
同。"《運命論》"其身可抑而道
不可屈"，《注》引《漢書》孫寶
曰："道不可詘，身詘何傷。"即
解屈爲詘矣。據許書，屈爲無
尾，詘訓詰詘，二義有別。（字
會）

【街】四通也。（西都） 大道也。
（西京）

【街郵】亭名。（西京）

【腓】變也。【腓】病也。（公讌
謝）

【馮】乘也。（東京） 又詳"憑"
條。

【馮夷】詳"冰夷"條。

【馮修】詳"冰夷"條。

【馮隆】高貌。（吳都）

【馮遲】詳"冰夷"條。

【爲】作也。（東京）

【爲天下主】爲天下主者，天也。
（東都）

【庾】十六斗爲庾。（彈事任貳）
【庾】露積穀也。（魏都）

【莃】詳"莘"條。

【莃莃】往來貌。（高唐）

【觝】至也。（琴） 又詳"邸"條。

【貳】重也。（西京）【貳】二也。
（設論班）

【貳】二心也。（書丘）

【渤碣】渤海郡東有碣石，謂之
"渤碣"。（江）

【渤澥】海別枝也。（子虛）

【喬】詳"松喬"條。

【喬桀】俊逸也。（射雉）

【提】舉也。（碑文沈）【提】撮
凡也。（西都）

【提衡惟允】衡，平也，所以平輕重也。言選曹以材授官，似衡之平物，故取以喻焉。（序任）

【揄】脫也。（七發） 【揄】引也。（西都） 【揄】曳也。（子虛）

【霚】氣也。 【霿】亦氛字也。（江） 案：氛訓祥氣。《左傳、國語注》均同。霚霚，雪貌。《詩・信南山》“雨雪霚霚”。二義各別。《月令》：“霚霧冥冥。”《釋名》：“霚，粉也，潤氣著草木，因凍則凝色白若粉也。”皆當作此霚，與祥氣之氛各物。然《説文》云：“氛，祥氣也。霚、氛或從雨。”《一切經音義》十三：“古文氛、霚同。”則以音近形近而通用也。《西京賦》“消霚埃于中宸”，《注》：“霚音氛。”《辨命論》“皦皦然絕其霚濁”，《注》引《楚辭》曰：“吸精氣而吐霚濁兮。” 又引《説文》曰：“霚，亦氛字。”（字會）

【霚埃】塵穢也。（西京）

【菽】藿也。（文） 【菽】大豆。（南都） 【菽】豆也，謂勞豆之屬。（射雉）

【渚】水厓也。（九歌） 【渚】水一溢而爲渚。（西京） 又詳“陼”條。

【善士】居家循理，鄉里和順，出入恭敬，言語謹遜，謂之善士。（史論范叁）

【善芳】鳥名，頭若雄雞，佩之令人不眛。（序王）

【湍】水疾也。（長笛） 【湍】水行疾也。（南都）

【援】助也。（獻詩潘） 【援】引也。（游天台山）

【期】會也。（長笛）

【期門僕射】秩比千石。平帝更名虎賁郎。置中郎將。（秋興） 武帝與北地良家子，期諸殿門，故有期門之號。（西都）

【厥角】叩頭以額角犀厥地也。書丘 《序王》下“厥”字作“撅”。） 又詳“蹶角”條。

【棘】戟也。（論賈） 【棘】急也。（魏都）

【琢】生卵曰琢。（東征） 又詳“楑”條。

【弸】詳“拂”、“佛”二條。

【酤】賣也。（閒居） 【酤】酒也。（蜀都） 【酤】《廣雅》曰：“沽，溢之。”酤與沽同。（七命）案：《説文》：“酤，一日買酒也。”《漢書・食貨志集注下》：

"酤，買也。"《漢書·景帝紀》"夏旱禁酤酒"，《注》："酤謂賣酒也。"《詩·伐木箋》："古買酒爲酤酒。"《論語》："沽酒市脯。沽之哉。"均訓買訓賣。《閒居賦》"牧羊酤酪"，《注》引《廣雅》曰："酤，賣也。"此通用之證。又沽亦通賈。《論語》"求善價而沽諸"，漢石經《論語》作"求善賈而賈諸"。（字會）

【須臾】少時也。（北征）

【須臾相羊】皆游也。（離騷）

【盛】猶嘉也。（東京） 又詳"粢盛"條。

【隄】亦塘也。（西都） 又詳"隄"條。

【凱】樂也。（吳都） 又詳"闓"條。

【握】詳"臺"條。

【尊】君也。（雜擬江）

【涫】大也。（幽通）

【喝】嘶喝也。（誄謝）

【猶】因也。（符命司馬）

【崱屴嶷嶷】峻嶮之貌。（魯靈光殿）

【椓】鄭元《周禮注》曰："椓，擊也。"《尸子》曰："卵生曰琢，胎生曰乳。"琢與椓古字通。（東

征） 案：鄭康成《喪大記注》"鑽所以椓著裏"，《釋文》："椓本又作琢。"椓與琢皆從豕字得聲，故可通用。然《說文》訓"琢"爲治玉，而訓"椓"爲擊。蓋椓爲正字，琢乃假借字耳。（疏證）

【棥】詳"樊"條。

【嵐】山風也。（游覽靈運貳 《小學鉤沈》注云：《選句圖注》"風"作"氣"。王念孫曰：案作"氣"是也。《廣韻》《集韻》並云："嵐，山氣也。"）

【棐】輔也。（幽通）

【嵒嵒】冠貌。（思玄）

【棄】去也。（離騷）

【崤】高貌。（西都）

【棹】《方言》曰："楫謂之櫂。"棹與櫂同。（雜擬江） 案：《說文·新附》："櫂，所以進船也。從木翟聲。或從卓。"《史記》通用濯。《上林賦》"濯鷁牛首"。《注》引韋昭曰："櫂，今棹也。"蓋櫂訓在旁撥水。櫂，濯也，濯于水中也。則櫂者本字，棹者音近之字。段云："棹者俗字。"今按許書無櫂。《史記》《漢書》皆用濯。即櫂猶爲滋生之字也。（字會）

【嵎】《尚書》曰："至于海隅蒼生。"(公讌靈運)　案：《説文》："隅，陬也。從自禺聲。"嵎爲山陬。《孟子》"虎負嵎"是也。《爾雅·釋地》"齊有海隅"，《釋文》"隅"本作"嵎"。《釋水注》"河出崑崙西北隅"，《釋文》："隅"本作"嵎"。《李翊碑》"聲冠方嵎"，隅作嵎，即嵎隅通用之證。《上林賦》"阜陵別隝"，《注》引郭璞曰："隝，水中山也。隝音擣。"以隝爲島。與此蓋一例。(字會)

【棠梨】宮名也。(上林)

【嶦】山也。(上林)

【浽溦濆瀑】詳"漩濴縈瀯浽溦濆瀑"條。

【椎】《漢書》："尉陀魋結箕踞見賈。"(銘陸貳)　案：魋、椎均從佳聲。《後漢度尚傳注》："椎，獨髻也。"《史記》"魋顏蹙齃膝攣"，《索隱》："魋顏，謂顏貌魋回，若魋梧然也。"蓋椎義近堆，魋義近魁，堆魁均高出義，故魋椎均訓高結也。《齊故安陸昭王碑文》"椎髻鬌首"，《注》引《漢書》："尉佗魋髻箕踞。"《魏都賦》"或魋髻而左言"，《注》引楊雄《蜀記》曰：

"蜀之先代人，椎結左語。"可知椎魋爲通用字。(字會)

【閔】《史記》"齊湣王保走于莒"，云湣與閔同。(論王)　案：閔與愍同訓，愍與湣同聲。《字詁》："古文愍，今作閔同。"眉殞反。愍，憐也。《左氏傳》"魯閔公"，《史記·魯周公世家》作"湣公"。知閔、湣同用也。閔又通作憫。《漢書·高惠高后文功臣表》"聖朝怜閔"，與憫同。緡又通作愍。《漢書·律厤志》"距緡公七十六歲"，讀與愍同。愍又通作慜。《鸚鵡賦》"慜衆雛之無知"，慜即愍。(字會)

【湊】衆也。(挽歌陸)　【湊】聚也。(魏都)

【焯爍】焯，古灼字。(羽獵)　案：《説文》："焯，明也。《周書》曰'焯見三有俊心'。"今《尚書》作"灼"。《桃夭傳》曰："灼灼，華之盛也。"謂灼爲焯之叚借字也。卓、勺一音，故用同。《運命論》"吉凶灼乎鬼神"，《注》引《廣雅》曰："灼，明也。"灼、焯訓亦同矣。又爍通鑠。《長笛賦》"或鑠金礐石"，《注》："鑠與爍同。"《説文》：

"灼，炙也。"炙義與焯無涉。
（字會）

【湫】下也。（吳都）

【湫兮】涼貌。（高唐）

【淆溔】水沸貌也。（上林）

【絑】詳"離朱"條。

【焠】染也。（子虛）【焠】作刀
堅也。（頌王）

【澒洞】相通也。（長笛）

【稀】《説文》曰："希，疏也。"希與
稀通。（詠史鮑）　案：《説文》：
"稀，疏也。從禾希聲。所謂
立苗欲疏也。引申爲凡疏之
偁。《論語・先進》："鼓瑟
希"，皇《疏》："希，疏也。"陸士
龍《爲顧彦先贈婦詩》"知音世
所希"，《注》："希與稀通。"曹
子建《朔風詩》"朱華未希"，
《注》："希與稀同。古字通。"
是其證。又《西都賦》"睎秦
嶺"，古多假希爲之。《公孫宏
傳》"希世用事"，是也。（字
會）

【俙華】詳"昭儀"條。

【傍】附也。（行旅丘）

【徧】詳"辨"條。

【備】具也。（東京）

【遏】詳"噎"條。

【遑】詳"遒"條。

【逮】詳"徠"條。

【逬】散也。（海）

【渣】詳"沮"條。

【莽】詳"草"條。

【萹】詳"葷茖"條。

【萎】病也。（離騷）

【筌】捕魚器，以竹爲之。（江）
今之斗回罩罾，編竹籠魚者
也。（吳都）【筌】捕魚之笱。
（碑文簡栖）【筌】杜預《左傳
注》："筌，次也。"與筌同。（魏
都）　案：筌，捕魚之器。銓，
稱也。王少《頭陀寺碑文》"爻
緊所筌"，《注》引《莊子》"筌所
以得魚"云云。蓋叚"筌"爲
"銓"，以筌、銓均從全得聲也。
杜甫《秋日夔府詠懷奉寄鄭監
審李賓客之芳》詩："鏡象未離
銓。"又以"銓"代"筌"字矣。
（字會）

【菡】頷與菡同。（景福殿）　案：
菡字從函字得聲，頷字從頜字
得聲。而頜字與莟字又皆從
含字得聲。古函聲、含聲往往
通用。陸士衡《文賦》"函緜邈
於尺素"，《注》："毛萇《詩傳》：
曰：‘函，含也。’"張平子《南都
賦》"巨蟒函珠"，《注》："函
與含同。"《月令》"羞以含桃"

《釋文》:"含本又作函。"皆其
明證。毛公《澤陂傳》云:"菡
萏,荷華也。"《釋文》:"菡"本
又作"莟"。《詩傳》菡、莟通用,
與此注菡頷通用正同。又案:
《洞簫賦》"瞋㗋㖶以紆鬱",
《注》:"《説文》曰:'頤,頤
也。'"㗋與頤劉並音含。潘安
仁《笙賦》"含㗋嘽諧",《注》引
《洞簫賦》曰:"瞋㗋㖶以紆
鬱。"由偏旁例推,亦含聲、函
聲通用之證也。(疏證)

【悼】恨也。(幽通) 又詳"違"
　條。

【恉】詳"勔"條。

【惑】煩惱也。(碑文簡栖)

【惇】詳"敦"條。

【愔】和也。(神女)

【惎】教也。(西京)

【惸】(寡婦) 案:《詩·正月》
　《毛詩》作"惸獨",《孟子》引作
　"煢獨"。《詩·閔予小子》"嬛
　嬛在疚","惸"作"嬛",音煢。
　《韓詩》作"惸"。本賦"廓孤立
　兮顧影",《注》引丁儀妻《寡
　婦賦》曰"賤妾煢煢",作"煢"。
　蓋先均、真均、刪均本通用。
　惸、煢、嬛音近故義同。潘安
　仁《楊荆州誄》"孤嗣在疚",

《注》引《毛詩》作"煢煢在疚"。
《思元賦》"何孤行之煢煢兮",
《注》引《楚辭》曰:"既惸獨而
不羣。"其證也。攷《毛詩》"嬛
嬛在疚",崔本作"煢",《魏風》
又作"睘睘",《傳》云無所依。
(字會)

【隃】與踰同。(上林) 案:隃、
　踰均俞聲。《漢書·賈誼傳》
　"則貴賤有等,而下不隃矣",
　《注》:"隃與踰同。謂越制。"
　《揚雄傳上》"亶觀夫票禽之紲
　隃",《注》:"隃與踰同。"《王莽
　傳中》"隃徼外,歷益州",
　《注》:"隃字與踰同。"是其徵
　也。踰又通作渝。《海賦》"沸
　潰渝溢",《注》:"渝亦溢。"(字
　會)

【堥邱】韋昭曰、堥音旄。(設論
　班) 案:《詩序》"旄邱,責衛
　伯也",《釋文》:"前高後下曰
　旄邱。"《字林》作"堥",云"堥
　邱也,亡周反,音毛"。《山部》
　又有"嵍"字,亦云"嵍邱,亡付
　反,又音旄"。蓋旄字毛聲,堥
　字、嵍字皆孜聲,而孜字則矛
　聲,古毛聲、矛聲之字多通用。
　如《牧誓》之"庸蜀羌髳",《詩·
　角弓箋》"髦"作"髳",是其例

也。（疏證）

【晙】詳“俊”條。

【答遝】似李。（上林）

【旐】喪柩之旐也。（寡婦） 又詳“九旗”條。

【湑】詳“淵湑泉潚”條。

【崒】詳“傲”條。

【傑】詳“嶵”及“英俊豪傑”條。

【稊】詳“蕛”條。

【啾】詳“噍”條。

【啾啾】衆聲也。（羽獵）

【猤】壯勇貌。（吳都）

【陼】蘇林曰：“小洲曰陼。”司馬彪曰：“齊東臨大海爲渚也。”善曰：《呂氏春秋》辛寬曰：“太公望封於營邱，渚海阻山也。”《聲類》曰：“陼，或作渚。”（子虛） 案：《爾雅》“小洲曰陼”，《釋文》：“陼”字又作“渚”，章汝反。本或直云小洲曰渚。《越語》：“黿鼉魚鼈之與同陼”，《楚詞·九章》：“朝發枉陼兮，夕宿辰陽。”皆叚陼爲渚字。（疏證）

【詍】詳“洩”條。

【訴】詳“愬”條。

【訴譖】詳“訊譖”條。

【詖】諂佞也。（贈答顏肆）

【痒】詳“洗馬”條。

【撞畢】猶“撞挃”也。（西京）

【隄】限也。（魏都）

【詔】告也。（離騷）

【棻】王逸《楚辭注》曰：“紛，盛兒也。”棻與紛古字通。（西都） 案：《説文·系部》：“紛，馬尾韜也。”引申爲紛亂紛多之義。《四子講德論》“紛紜天地”，《注》：“紛紜，衆多之貌也。”《長笛賦》“紛葩爛漫”，《注》：紛葩，盛多貌。”棻卽《説文》之“棻”字，“香木也”，義異。其正字宜作紛。紛、棻皆從分得聲，故可通用。（疏證）

【詆】訶也。（蜀都）

【揳】詳“鍥”條。

【揀】詳“練”條。

【寑】詳“寢”條。

【琗】《小雅》曰：“雜采曰綷。”琗與綷同。（江） 案：琗、綷均從萃得義得聲。萃訓草聚，引申爲凡聚之偁，萃聚則錯雜。雜采曰綷，雜玉曰琗，其義一也。《射雉賦》“丹臆蘭綷”，徐《注》：“綷，同也。宋衞之閒謂混爲綷。”《魏都賦》：“綷以藻詠。”均從萃聚錯雜義。（字會）

【喔齰】急促之貌也。（難 又《西

京》:“齷齪,小節也。”)

【喔咿嚅唲】強笑噱也。(卜居)

【琲】貫也。珠十貫爲一琲。(吳都)

【湝拔】詳“巔拂”條。

【毃】詳“崤”條。

【啿】詳“湛”條。

【儵蜪】狀如黃蛇,魚翼,出入有光。(江)

【貯】積也。(南都)　又詳“佇”條。

【斌】詳“豳”條。

【紫貝】赤電黑雲,謂之紫貝。(西京)　紫質黑文也。(子虛)

【紫蚖】紫貝。(江)

【紫宮】大帝室太一之精也。(《思玄》作“紫宮,帝太宮也”。)紫之言此也,宮之言中也。言天神圖法,陰陽開閉,皆在此中也。(西都)

【紫宮】中天太極星,其一明者,泰一常居也。旁三星,三公。後句曲四星,一星正妃,餘三星後宮之屬也。(思玄)　環之匡衛十二星,藩臣。皆曰紫宮也。(西京)

【紫軑】天子之車以紫爲蓋,故曰紫軑。(雜詩玄暉貳)

【紫脱】北方之物,上值紫宮。(序王)

【紫葯】葯中芍也。(魯靈光殿)

【紫菜】亦生海水中,正青,附石生。(吳都)色紫,狀似鹿角菜而細。(江)

【紫淵】紫澤也。(上林)

【紫微】喻帝位也。(公讌士龍)

【紫禁】王者之宮以象紫微,故謂宮中爲紫禁。(誄謝)

【紫臺】猶紫宮也。(恨)

【紫燕】良馬名也。(赭白馬)

【紫壇】累紫貝爲壇(九歌)

【紫塞】秦所築長城,土色皆紫,漢塞亦然,故稱紫塞。(蕪城)

【絝白虎】著白虎文袴也。(上林)

【酡】著也。言美女飲啗醉酡,則面著赤色而鮮好也。(招魂“酡”,毛本作“飽”,非。)

【棖】或作“根”字。(魯靈光殿)案:棖謂支柱也。《漢書·匈奴傳》:“遵與單于相棖距”。《爾雅·釋宮》:“根爲之楔。”《廣雅·釋詁三》:“根,止也。”又南人以物觸物爲根。《祭古冢文》“以物根撥”之根訓止。亦有棖距義。蓋棖形近長,長音同長,故棖或作根也。《説文》:

"樘，柱也。"樘者正字，牚者借字。（字會）

【喇】昭晰也。（思玄）

【笄】簪也（東京） 所以持冠也。（詠史張） 又詳"簪"條。

【痟】疲也。（贈答靈運貳）

【渴旦】詳"鴇鴠"條。

【猩猩】似猿。人面。能言語。夜聞其聲如小兒啼。（蜀都） 豕身。（吳都）

【甹】詳"甹"條。

【隍池】城池無水曰隍。（兩都序） 城有水曰池。（西都）

【詢】詳"訴"條。

【崼嵬】山貌。（上林）

【廂】殿東西次爲廂。（東京）

【靮】詳"緤紲靮"條。

【欺猥】大首也。（魯靈光殿）

【痟】亦頭病也。《周禮》："四時皆有癘疾。春多痟首之疾。"又引《漢書》："相如常有痟病。"（蜀都） 案：痟爲首疾。《說文》"酸痟頭痛，從肖聲。"消爲消中之病，取水消散義。《後漢·李通傳注》："多食數溲謂之消中。"痟、消古今字。消亦病也，因易消爲痟耳。謝靈運《初去郡》詩"有疾像長卿"，《注》引《漢書》曰："司馬長卿有消渴疾。"作"消"。是痟、消同用之徵。（字會）

【确】薄也。（吳都）

【嵌】開張貌。（甘泉）

【筑】似箏，五絃之樂。（吳都） 狀似瑟而大，頭安絃，以竹擊之，故名曰筑也。（雜歌荆）

【竣】詳"踆"條。

【毳幙】氈帳也。（書李）

【堞】城上女牆也。（魏都）

【朞】匝四時曰朞。（東都）

【就】終也。（思舊） 又詳"蹴"條。

【報】詳"蒸報"條。

【婺女】既嫁之女也。（誄謝）

【婺女分野】越地，婺女之分野。（吳都 又《游天台山》"婺女"作"斗牛"。）

【嵁】山巖也。（琴 《雜擬江》"嵁"作"嵒"。）

【惵惵】懼也。（東都）

【詠】詳"永"條。

【堰】瀦畜流水之陂。（公讌劉 《史論干貳》"堰"作"偃"。）

【堰】潛堰也，謂潛築土以壅水也。一作"堨"，音竭。（雜詩沈陸）

【媠】南楚之外，好謂之媠。（七啓）

【媚】詳"冒"條。

【卿】《尚書大傳》曰"百工相和而歌卿雲"，鄭玄曰："卿當爲慶。"魏文帝《東閣詩》曰："高山吐慶雲。"（雜擬江）案：卿、慶一音。《後漢·班彪傳注》："慶讀曰卿。"《史記·項羽紀》"號爲卿子冠軍"，《集解》引徐廣："卿一作慶。"《漢書·高帝紀上集注》引文穎："慶子，時人相襃尊之辭。"《史記》："若烟非烟，若雲非雲，郁郁紛紛，是謂慶雲。"即易卿作慶矣。又度或爲慶。《西都賦》"度宏規而大起"，《注》引《小雅》曰："羌，發聲也。"度與羌古字通。度或爲慶也。景亦用作慶。應吉甫《華林園集詩》曰"龍翔景雲"，《注》："孫柔之曰：一名慶雲。"（字會）

【跕】詳"躚"條。

【硞】詳"砰硠磕礚"條。

【湟】詳"汩湟"條。

【場面】講藝之處也。（牋吳壹《設論班》"藝"上有"經"字，疑此脫去。其"面"作"圃"，則譌耳。）

【晴】詳"精"條。

【喟】詳"嘳"條。

【堵】詳"板堵"條。

【堵雉】高一丈曰堵。三堵曰雉。（樂府靈運）

【晰】明也。（景福殿）

【貿】易也。（啓任貳）

【喜】詳"熙"條。

【甯子】甯戚也。（嘯）

【循】詳"徇"條。

【祲】陰陽氣相浸，漸以成災也。（江　按："浸"當作"侵"。《哀傷顏》"浸"作"祲"，亦誤。又彼注"災"作"祥"，無"以"字。）又詳"寖"條。

【鈇】椹也，質也。（冊）

【棻盛】器實曰棻，在器曰盛。（東京）

【舒】申也。（七命）

【稍】尾之垂者。（赭白馬）

【逬】散走也。（魏都）

【菰蔣】詳"蔣"條。

【鈒】詳"闟茸"條。

【扅】宮門闑也。（思玄）

【渺瀰淡漫】曠遠之貌。（海）

【淼】水貌。（吳都）

【琪樹】崑崙之墟，北有琪樹。（游天台山）

【殖】種也。（藉田　《景福殿》"殖"作"植"。）

【酤】樂酒曰酤。（魏都）【酤】

酒洽也。（吳都）　不醒不醉曰酣。（笙）

【棽】大枝條。（東都　胡云：袁本、茶陵本"條"下有"棽灑也"三字，是也。梁云："大"當作"木"，今《說文》可證。）

【蛇】詳"水母"條。

【蒚】草名，有毒，其上露觸之，肉卽潰爛。（樂府鮑）

【絫銖】十黍爲一絫，十絫爲一銖。（文）

【猨】猨與獼猴不共山宿，臨旦相呼。（游覽靈運玖）

【壹】專一也。（藉田）

【蒡藭】似稾本。（甘泉）

【貽】猶傳也。（論李）

【巽羽】雞謂之巽羽。（幽通）

【絭】弩弓也。（閒居　《書司馬》"絭"作"拳"。胡云：當作"拳"。）　又詳"拳"條。

【硯】詳"研"條。

【堳】詳"土"條。

【翕】詳"翩翩"條。

【翕雲】翕雲者，外赤內青。（魏都）

【椅】梓屬。（琴）

【睨】視也。（西都）

【舜】詳"俊"條。

【敫】曲也。（舞）

【琥珀】一名江珠。（蜀都）

【强圉】多力也。（洞簫）

【菅】茅屬。（西京）【菅】茅也。（招魂）

【晬】潤澤貌。（魏都）

【筍虡】縣鐘格曰筍，植曰虡。（西京）　筍虡兩頭，並爲龍以銜組。（序顏）

【蛭】飛蛭，四翼。（上林）【蛭】水蟲，食人者也。（弔文賈）

【罩籠】詳"笙"條。

【葯】詳"約"條。

【絜】鮮靜也。（補亡）。

【猱】獼猴。（南都）

【逫】水中穴道交通者。（江）

【悲歌】言愁思也。（樂府陸）

【晷】日景曰晷。（補亡　按慧琳《一切經音義》二十三引善《注》："晷漏，日影也。"未詳何篇。）

【斝】玉爵也。（論劉貳）

【湄】詳"麋"條。

【貸】施也。（贈答靈運壹）

【萇】萇楚。（南都）

【寐】猶死也。（歎逝）

【萋萋】盛也。（南都）

【嵤邱】詳"崝邱"條。

【喘】疾息也。（洞簫）

【荓】屏翳，雨師名也。（贈答士

衡肆　“茻”字原脱，依胡校
　　補。）

【萊】草也。（西京）

【渾】乳汁也。（書孫）

【絪縕】天地之蒸氣也。（魯靈光
　　殿）　元氣也。（思玄）

【碣】詳“碣”條。

【蒸蒴】蒸也。（西征）

【晼晚】言日將莫也。（歎逝）

【蛩蛩】青獸，如馬。（子虛）

【瑉】石之次玉者。（子虛）

【菖】菖蒲，水草也。（文壹）

【煦煦】和悦也。（論東方）

【棊局】從横各十七道，合二百八
　　十九道。白黑棋子各一百五
　　十七枚。（論韋）

【腕】掌後節也。（雪）

【散涣】分布也。（洞簫）

【粟】成熟也。（史論干貳）

【匼】山傍穴也。（南都）

【裖】整也。（高唐）

【媮】猶傆倖也。（東京）

【愎】戾也。（西征）

【進】善也。（東京）　又詳“賣”
　　條。

【貤】重次第物也。（魏都）

【筆】毫也。（秋興）

【椰樹】似檳榔，無枝條，高十餘
　　尋。葉在其末，如束蒲。**實大**

如瓠，繫樹頭，膚白如雪，厚半
寸，如猪膏。（胡云：袁本、茶
陵本“膏”作“脂”，是也。）　核
可作飲器。（吳都）

【硯】詳“疏”條。

【硻硻】堅也。（誄潘肆）

【逯律】出遅貌。（洞簫）

【廈】屋之四下者爲廈。（西京）

【喝】咽下垂也。（洞簫）

【喻】曉也。（長笛）

【匋匋】重疊也。（海）

【菸邑】顔容變易也。（九辯）

【揩】摩也。（西京）

【跆】蹋也。（贊夏侯）

【量】度也。（論魏文）

【啼】呼也。（蜀都）

【椑子】實似梨，冬熟味酸。（吳
　　都）

【軒】聲貌。（思玄）

【軒礚隱訇】鐘鼓之聲。（東京）

【軺傳】二馬爲軺傳。（書丘）

【琵琶魚】無鱗，形似琵琶，東海
　　有之。（吳都）

【緵】袖也。（上林）

【崿】亦崖也。（西京　《雜擬江》
　　作“嶽”。）

【塿塇】枝柯相重疊貌。（吳都）

【棣】實似櫻桃。（上林）

【惑】詳“狂惑”條。

【赧】面慚也。（獻詩曹表）

【幄】帳也。（招隱陸）【幄】王所居之帳也。（魏都）

【飇】詳"鷔"條。

【渦】水旋流也。（江）

【袙】袙襦也。（論班）

【揉】謂以火撟也。（長笛）

【愔愔】和悅也。（琴）

【殟】重也。（吳都）

【暀】往也。（哀潘）

【渝】溢也。（海）

【腊】久也。（七命）

【溘】水聲也。（江）

【寔】是也。（西京）

【訶】大言也。（書曹壹）

【楝】詳"炳"條。

【渳】詳"閔"條。

【桂林】吳苑名。（吳都）

【甯封子】仙人名。（游仙郭）

【奢】潤也。（子虛）

【階】因也。（文貳）

【鄲】地名。（長笛）

【喤喤】鼓聲也。（東京）

【裾裾彊彊】相隨之貌。（七發）

【趠】越也。（江）

【軨車】軨軨者也。（藉田）

【楣枒】似枰櫩。（南都）

【敞】廣大貌。（長笛）

【綺】謂絭絡之也。（上林）

【策】馬檛也。（樂府陸）

【裕】容也。（公讌士衡）

【酢】詳"酬酢"條。

【卷閭】蒿,子可已疾。（子虛）

【項】頸也。（洛神）

【聒】讙也。（書嵇）

【菀】詳"蘊"條。

【裖】詳"振"條。

【揫】戢也。（雜詩玄暉壹）

【睕】刮節目謂之睕。（長笛）

【湮】沒也。（恨）

【然】是也。（魏都）

【買鵗】詳"鷦鵗"條。

【貶】墜也。（誄潘壹）【貶】損也。（西征）又詳"甹"條。

【涵】閉門不出容謂之涵。（魏都 "容"《七命》作"客",是也。）

【喝】詳"嗺喝"條。

【棫】白蕤。（西京）

【喈喈】和聲遠聞也。（笙）

【幃】詳"繻"及"幐帷"二條。

【琳池】詳"珍池"條。

【羴羴】詳"梟羊"條。

【撽】詳"致"條。

十 三 畫

【賊】害也。（招魂）又詳"蟊賊"及"殘賊"條。

【隟】壁際孔，從阜旁二小夾日也。（雪）【隟】閒也。（東京）【隟】閒隟也。（表劉）案：隟、郤、郄一字。《説文》："隟，壁際孔也，從阜㗻，㗻亦聲。"《雪賦注》引《字林》："隟，從阜旁二小夾日也。"《一切經音義》十二："古文㗻同。"《周禮・黨正注》"至此農隟"，《釋文》："隟"本作"郤"。《左傳》襄二十八年《注》"宋盟有衷甲之隟"，《釋文》："隟"本作"郤"。《漢書・孫寶傳》"與紅陽有郄"，《注》："郄與隟同。"《答劉秣陵沼書》"雖隟駟不留"，《注》引《墨子》曰："人之生乎地上，無幾何也，譬之馳駟而過郄。"郄，古隟字也。隟又通爲隙。潘安仁《悼亡詩》："春風緣隟來。"（字會）

【盟津】孟津，四瀆之長。（東京）案：《水經・漢水注》："武王與八百諸侯咸同此盟，《尚書》所謂不謀同辭也。故曰孟津。亦曰盟津。"蓋孟、盟均從皿聲。《禹貢》"被孟豬"，《漢書・地理志》作"被盟津"；"東至於孟津"，《史記・夏本紀》、《漢書・地理志》作"東至於盟津"；是其證也。又孟用爲猛。《景福殿賦》："體洪剛之孟毅。"《爾雅》："孟，勉也。"據《説文》"孟，長也"，其作盟、作猛者，爲同音叚借。（字會）又詳"孟津"條。

【旐】幡也。（羽獵）【旐】旗旐也。（碑文仲寶）【旐】天子十二，諸侯九，大夫三。（西京）

【旐旐】詳"凶幡"條。

【號】鳴也。（詠懷阮）【號】令也。（東京）

【號】功之表也。（符命班）

【號鍾】詳"藍脇號鍾"及"鳴琴"條。

【勤】勞也。（思玄）又詳"廑"條。

【勤行】詳"沙門"條。

【詭】異也。（西京）【詭】反也。（幽通）【詭】責也。（表孔）

【詭】變也。（海）【詭】《説文》曰："詭，變也。"詭與恑同。（論陸壹）案：《説文》："詭，責也。""恑，變也"。段曰："今人多用恑爲詭，非也。"蓋詭、恑俱危聲，詭訓詐，詐有變意，故同。《文選》"詭譎"均作"詭"。《説文》云："恑，變也。"

此注引作“詭，變也”。《海賦》
“瑉石眈暉”，《注》亦引《説文》
曰：“詭，變也。”沈休文《宋書·
謝靈運傳論》“故意製相詭”。
《注》亦引《説文》曰：“詭，變
也。”孔文舉《薦禰衡表》“詭係
單于”。《注》引《説文》曰：“詭，
責也”。疑善所見本“詭”下
責、變兩訓，段但見愧之訓變
耳。（字會）

【詭戾】乖違貌。（長笛）

【詭遇】橫而射之曰詭遇。（東
都）

【詭隨】詭人之善，隨民之惡也。
（魏都）

【詬】恥也。（離騷） 【詬】音垢。
應劭曰：“詬，恥也。”《説文》：
“詬，或作訽。”《禮記·儒行》
曰：“妄常以儒相詬病。”（書司
馬） 案：《左傳》昭十三年：
“投龜詬天而呼”，《釋文》：
“詬”本又作“訽”。又昭二十
三年：“余不忍其訽”，《釋文》：
“訽，許候反，恥也。或本作詬
同。”《説文》“詬”字下云：“謑
詬，恥也。”訽字下云：“詬或
從句。”亦詬、訽本一字之證。
（疏證）

【羣】非一也。（文）

【羣后】諸侯也。（勸勵韋）

【羣飛】言亂。（符命楊）

【羣辟】謂王侯公卿大夫士也。
（西京）

【羣雅】《詩》：小雅之材七十四
人，大雅之材三十一人，故曰
羣雅。（上林）

【羣輩】詳“隸”條。

【輈】詳“龍輈”條。

【輈張】楊雄《三老箴》“姦宄侜
張”，云輈與侜古字通。（贈答
越石壹） 案：本詩注：輈張，
驚懼之貌也。《太元》“童修
侜侜”，《注》：“侜侜，無所知
也。”《太元》“童比于朱儒”，
《注》：“朱儒，未成人也。”與驚
懼意無涉。《後漢·孝仁董皇
后紀注》：“輈張，猶彊梁也。”
此即楊雄姦宄侜張之意。 又
《詩》：“誰侜予美。”段注《説
文》“侜”，引《尚書》“譸張爲
幻”，云“侜即譸之叚借字”。蓋
輈、侜、譸、侜皆音同之字。姦
宄之侜張，[1]亦無知而強梁也，
故侜、輈古字通。（字會）

【較】明也。（論秬） 【較】車騎
上曲鈎也。（西京）

【載】則也。（高唐） 【載】行也。
（贈答盧壹） 【載】設也。（西

征）【載】成也。（表任肆）
【載】辭也。（贈答士衡陸）
【載】生也。（琴）【載】始也。
（史論干貳）【載】事也。（西
京　按:《甘泉》縡,事也。縡
同載)。　又詳"縡"條。

【載民】詳"葛天氏之樂八闋"
條。

【愴】傷也。（琴）

【愴愴悢悢】悲也。（北征）

【愴怳懷恨】意不得也。（九辯）

【愆】失也。（贈答越石壹）　又
詳"譽"條。

【慊】不足也。（論陸貳）　又詳
"嗛"條。

【慊慊】恨也。（樂府魏文）

【慊恨】不滿之貌。（樂府魏文）

【慊綷離纚】羽毛貌。（琴）

【楓】香木名。（吳都）

【禁】止也。（詠懷阮）　又詳"四
夷之樂"條。

【禁中省中】漢制王所居曰禁中,
諸公所居曰省中。（魏都）　禁
中者,門戶有禁,非侍御不得
入也。（贈答公幹貳）省中
本爲禁中。（史論范叁）

【禁軒】乘輿之物,通呼曰禁,故
曰禁軒。（序王）

【椽】橑也。（碑文簡栖）

【橡巒】甘泉南山。（甘泉。　案:
葉本作"橡欒"。）

【榆中】縣名。（上書枚貳）

【榆柎】詳"俞柎"條。

【極】天也。（表曹貳）【極】止
也。（鵬鳥）【極】窮也。（江）
【極】盡也。（東都）【極】遠
也。（九歌）【極】致也。（東
京）　【極】已也。（論東方）
【極】北辰也。（公讌士龍）
【極】中也。（魏都）【極】崖
也。（論劉壹）【極】棟也。
（七命）

【楬】詳"揭"、"碣"二條。

【楊山】丹蛇居之,去九疑五萬
里。（樂府鮑）

【楊史】楊雄、史岑也。（行狀）

【楊梅】實似穀子而有核,其味
酸。（上林）

【楊溝】詳"御溝"條。

【楄】署也。扁從戶册者、署門戶
也。　【楄】附陽馬之短桷。扁
與楄同。一音必綿切。（景福
殿）　案:扁從戶從册,以册署
于戶首也。《説文》:"扁,署
也,從戶册。戶册者,署門戶
之文也。"《説文》:"楄,方木
也。"又爲附陽馬之短桷。楄
從扁聲,扁或以木爲之,故從

木扁。亦作篇。《説文》:"篇,書也。一曰關西謂榜篇。"楄亦通牏。《左傳》"楄柎藉幹"。《説文》"牏,牀版也"。楄義與牏近。《吳都賦》:"平仲桾櫨。"司馬光《名苑》云:"君遷即今牛奶柿。"或作木、或去木、與扁、楄一例。(字會)

【滔】漫也。(幽通)【滔】與謟音義同。(西京) 案:滔、謟疊韻聲。《爾雅·釋詁》:"謟,疑也。"《詩·蕩》"天降滔德",《釋文》:"滔,漫也。"《書·堯典》"象恭滔天",《史記·五帝紀》作"似恭漫天"。漫音同謾,謾義近謟,故同。《荀子·正論》篇:"其言也謟。"謟卽滔漫之滔。滔又通作慆。《幽通賦》"安慆慆而不蒩兮",《注》引曹大家曰:"慆慆,亂貌。言子路不避慆慆之亂。"(字會)

【滔滔】亂貌。(幽通)

【滔涸】如水之滔漫或竭涸也。(嘯)

【溷】濁也。(弔文賈)【溷】亂也。溷或爲渾。(西征) 案:溷、渾同義。溷、渾均訓濁,《釋名·釋宮室》:"厠或曰溷,言溷濁也。"《老子》:"渾兮其若濁。"溷、渾俱訓亂。《爾雅·釋水注》"衆水溷淆",《釋文》:"溷謂雜亂。"《注》:"溷本作渾。"《離騷》"世溷濁而不分兮",《注》:"溷,亂也。"《素問·三部九候論》"其應疾中手渾渾然者病"。《注》:"渾渾,亂也。"溷、渾均訓洿,《漢書·翼奉傳集注》:"溷、洿也。"《説文》:"渾,混流聲也,從水軍聲。一曰夸下貌。"溷、渾同訓,故通。又,班固《典引》"元混之中",《注》:"混猶溷濁。"渾同溷,故混亦訓溷也。(字會)

【溷章】鳥名。(七發)

【温】仁也。(游覽顏壹)

【温谷】温泉也。(西征)

【温汾】轉之貌也。(七發)

【温室】殿名也。(西都)

【温房】殿名也。(景福殿)

【温泉】温水也,可以治疾。(魏都)

【温穠】詳"喣嫗"條。

【温飭】殿名也。(東京)

【滄】寒也。(上書枚壹)

【滄浪】水色也。(樂府陸)

【滄浪水清】喻世昭明也。(漁父)

【滄浪水濁】喻世昏闇也。（漁父）

【滇】詳"顛"條。

【滇泗淼漫】山水闊遠無崖之狀。（吳都）

【滋】繁也。（思玄）【滋】蒔也。（離騷）【滋】益也。（東京）

【滋熙】潤悅貌。（洞簫）

【溟海】員海，水色正黑，謂之溟海。（七命）

【溟涬涬涺】廣大也。（江）

【溶】盛也。（甘泉）【溶】水盛貌。（思玄）

【溶瀹】猶蕩動也。（高唐）又詳"容裔"條。

【溺】沒也。（述德）

【溺溺】沒也。（高唐）

【落】墜也。（離騷）【落】零落也。（行旅靈運壹）【落】邪行也。（游天台山）【落】橁也，中作器。（上林）【落】居也。（吳都）【落】謂村居也。（碑文沈）又詳"路"及"虎路"、"零落"、"藩落"條。

【落落】稀貌。（歎逝）【落落】疏寂貌。（詠史左）

【落星】樓名。（吳都）

【落棠山】日所入也。（碑文沈）

【蕚】承華者蕚。（補亡）【蕚】

《文字集略》曰："蕚，崖也。"（雜擬江）案：蕚字或作鄂。《詩‧常棣》"鄂不韡韡"，《箋》："承華者曰鄂。"《說文》引《詩》作"蕚不韡韡"是也。《揚雄傳注》："鄂，垠也。"《說文》："垠，岸也。"與崖蕚義相近，且皆咢聲，故通。又案《說文》："華，榮也。"崋山在宏農華陰，今經典皆假華爲崋山字。此《詩》之假"蕚"爲"蕚"，亦其例耳。（疏證）

【葩】華也。（西京）【葩】蓋之金華也。善曰：《說文》：曰葩，古花字。（思玄按："蓋"謂車蓋。）案：嵇叔夜《琴賦》"迫而察之，若衆葩敷榮曜春風"，《注》："古本葩字爲花皃。郭璞《三蒼》爲古花字。"《廣雅‧釋艸》："葩，華也。"《說文》："華，榮也，從艸芌。芌，艸木華也。""葩，華也，從艸皅聲"。"皅，艸華之白也"。葩、華二字音本相近，又彼此可互訓，故得通用。然經典多用華字。如常棣之華、桃始華之類是也。若花則後出之俗字耳。（疏證）

【葩華】分散也。（海）

【茸】累也。（吳都）【茸】覆也。（魏都）【茸】蓋屋也。（九歌）

【茸襲】衆多貌。（笙）

【雺】陰氣也。（贊袁）【雺】《爾雅》曰："天氣下，地氣不應曰雺。"雺與蒙同。（甘泉） 案：《説文》："地氣發，天不應曰霿。"段曰："霿，今之霧字。《開元占經》引《元命包》'陰陽亂爲霧'。霿者正字，霧者俗字。"《説文》："雺，籀文霿省。"《洪範》"曰蒙"，《宋世家》作"曰霧"。霧卽霿。霿者雺之小篆。《古文尚書》"曰蒙"作"曰雺"。《釋名》曰："霧，冒也，氣蒙冒覆地之物也。"雺從蒙訓，故雺與蒙同。段《注》又曰："霿讀爲霧，霿讀爲蒙。霿之或體作霧，霿之或體作蒙。不可亂也。"與本賦李《注》稍殊。蓋李本今本《爾雅》，段云《爾雅》自陸氏，不能譔正譌舛，不可讀。《説文》則稱地發天不應曰霿，天下地不應曰霿。（字會）

【喔】咽也。（笙）

【喔咿】或爲"温穢"。謂先温燠去其垢穢，調理其氣也。（笙）

【孳】蕃也。孳、滋古字通。（蕪城） 案：孳、滋從兹得聲。《説文》："兹，草木多益也。""滋，益也，從水兹，爲水益也。"《漢書·律厤志》"孳萌萬物"，讀與滋同。《史記·天官書》"滋萌于子"。蓋物生于子，子屬术，物得水則滋，故孳、滋通用也。孳又通作孜。《史記·蕭相國世家》"孳孳得民和"，《漢·傳》師古曰："字與孜孜同。言不怠也。"《孟子》"孳孳爲善"，作"孳"。（字會）

【萱】《韓詩》曰："焉得萱草。"云萱與諼通。（贈答惠連） 案：《詩·衞風》"不可諼兮"，《傳》云："諼，忘也。"此諼蓋蕿之叚借。蕿本令人忘憂之草，引申凡忘皆曰蕿。《伯兮》詩作"諼草"，《淇澳》詩作"不可諼"，皆叚借字。蕿今作萱。諼今又作諠。諠義從萱而得，故萱、諠字同。阮嗣宗《詠懷詩》"萱草樹蘭房"，《注》引《毛詩》曰："焉得諼草"。是其證也。（字會）

【萲草】今之鹿葱也。（論穢）

【俊】大也。（上林） 又詳"菱"及"荽"條。

【嗚噱】樂不勝謂之嗚噱。（琴）

【幹】正也。（西京）　【幹】强也。（論陸壹）　【幹】本也。（魏都）　【幹】體也。　王逸《注》引《易》：“貞者事之幹也。”或曰去君之恆閈，里也。楚人名里曰閈。（招魂）　案：《左傳》“身之幹也”，《疏》：“草木以本根爲幹。”又云：“幹以樹木爲喻。《易》‘貞固足以幹事’。通作榦。榦，楨榦也。楨榦，築牆版之屬也。閈，里門也。《蜀都賦》“里”、“閈”對出。幹、閈均干聲，里門樹木爲之，與楨榦意近。幹爲身幹，如榦爲木榦。榦、幹通叚。王逸易“幹”爲“閈”，以“里閈”易“身幹”，解“恆幹”意稍疏。（字會）　又詳“井幹”條。

【睢】仰目也。（西京）　【睢】大視也。（長笛）

【睢水】出景山，南注於沔。（江）

【睢刺】喻亂也。（南都）

【雎】鵙鵙類也。（東京　胡云：袁本、茶陵本“鵙鵙”作“鳩鵰”，是也。）　【雎】鳩雕類。（歸田）　又詳“沮”條。

【楚】辛楚也。（誄謝）　【楚】叢木也。（雜詩玄暉　肆）　又詳

“夏楚”及“筵楚”條。

【楚引】楚引者，楚游子龍丘高，出游三年，思歸故鄉，望楚而長歎。（雜詩蘇）

【楚王吟】詳“吟嘆四曲”條。

【楚妃】樊姬。（樂府陸）

【楚妃歎】歌名。（琴）　又詳“吟嘆四曲”條。

【楚雀】詳“鵙鵙”條。

【楚鳩】一名嗶唧。（高唐）

【楚越】喻遠也。（贈答盧壹）

【楚樊】楚莊王夫人樊姬也。（景福殿）

【瑟】二十七絃。（笙）　又詳“琴瑟簧塤”條。

【鉤】致也。（碑文沈）　【鉤】帶鉤也。（七發）

【鉤星】詳“辰星”條。

【鉤盾】今官主小苑。鉤盾，五丞也。（東京　胡云：陳謂“今”當作“令”。）

【鉤蛇】長數丈，尾跂在水中，鉤取斷岸人及牛馬啗之。（江）

【鉤陳】紫宮外營鉤陳星。　【鉤陳】後宮也。（魏都）

【鉤戟】似矛，刃下有鐵橫上鉤曲也。（論賈）

【鉤膺】當胸也。（東京）

【鉛】青金也。（南都）

【鉛華】粉也。（洛神）

【鉏鋙】詳"岨峿"條。

【鉏鋼】詳"岨峿"條。

【當】底也。（蜀都）【當】主也，主謂典領也。（甘泉）

【當直】詳"直事"條。

【當途】當仕路也。（游仙郭）

【滂渤㳍鬱】濤形貌。（七發）

【滂濞】水聲也。（上林）

【煩】殆也。（招隱左）

【煩挐】柯條紛錯也。（九辯）

【煩憺】悲傷貌。（九辯）

【煩鶩】鴨屬。（上林）

【熙】廣也。（魯靈光殿）【熙】戲也。（好色）【熙】熾也。（閒居）【熙】燥也。謂暴燥也。（贈答盧壹）【熙】鄭玄《禮記注》曰："喜，蒸也。"《聲類》曰："喜，熙字。"（嘯）案：潘安仁《關中詩》"悁悁寡弱，如熙春陽"，《注》："心皆慕義，如悅春陽。"《爾雅》曰："熙，興也。"《說文》曰："興，悅也。"是熙字本有喜悅之意。揚子雲《劇秦美新》"庶績咸喜"，《注》："《尚書》曰：'允釐百工，庶績咸熙。'"喜與熙古字通。亦其證也。（疏證）

【熙熙】淫情欲也。（閒居）

【煌】光也。（西京）【煌】火光也。（東京）

【煌煌扈扈】光明貌也。（上林）

【煬】炙也。（甘泉）【煬】江東呼火猛熾爲煬。（東京）

【煇】光也。（西京）又詳"薰"條。

【煇煇】赤色貌。（西京）

【解】散也。（東京）【解】脫也。（序王）悟心曰解。（碑文簡栖）【解】說也。（雜擬謝）又詳"懸解"條。

【解控】謂彼有急控告於己，己能解之也。（贊袁）

【殿】負也。（文）【殿】後軍也。（東京）【殿】階也。（贈答曹壹）【殿】陛也。（月）

【殿下】詳"陛下"條。

【殿最】第上爲最，極下曰殿。又下功曰殿，上功曰最。（文 又《七命》：最，功第一也。）

【詰】謂問其罪也。（檄陳壹）

【詰朝】平旦也。（魏都）

【詩】詩者，志之所之也。在心爲志，發言爲詩。（序卜）

【詩有六義焉】一曰風，二曰賦，三曰比，四曰興，五曰雅，六曰頌。（序卜）

【督】中也。（甘泉）【督】正也。

（琴）【督】察也。（藉田）
【督】葉樹藩引厚齋云：古字督
與篤通。（誅潘）　案：督訓察
視。人身督脈在一身之中，督
者以中道察視之。篤訓馬行頓
遲，引申之爲固厚。《左氏·
昭二十二年傳》"司馬督"，《漢
書·古今人表》作"司馬篤"。
蓋以督、篤均冬毒切，音同，故
通用也。《方言》"繞循謂之䙏
袩"，郭云："衣督脊也。"《莊
子》作"督"，《養生主》"緣督以
爲經"，可證篤、督之通。（字
會）

【督郵】主諸縣罰，負殿糾攝之
也。（長笛）

【督郵書掾】督郵書掾者，郵，過
也。此官不自造書，主督上官
所下所過之書也。（長笛）

【節】詳"柴"及"靖節"條。

【暇】賈逵《國語注》曰："暇，閑
也。"暇或爲假。《楚辭》曰：聊
假日以消時。（登樓）　案：
《詩·皇矣箋》"天須假此二
國，養之至老"，《釋文》："假，
户嫁反。本又作暇。"《詩·長
發》云"昭假遲遲"，《箋》："假，
暇也。"《書·多方》云："天惟
五年，須暇之子孫。"鄭本"暇"

作"夏"，云"夏之言假"。而
《詩·周頌箋》云："須暇五
年。"則仍作"暇"。此皆假、暇
通用之證。（疏證）

【稜】神靈之威曰稜。（東都）

【稜】柧也。（西都）

【稜稜】霜也。（蕪城）

【跨】越也。（西京）　【跨】謂騎
之也。（上林）

【路】正也。（離騷）　【路】晉灼
曰：路音落。落，纍也。（羽獵）
案：何平叔《景福殿賦》"兼
苞博落，不常一象"，《注》：
"博落，謂所繞者廣也。"郭璞
《山海經注》曰："絡，繞也。"落
與絡古字通。按：《淮南子》
"黃雲絡"，高誘《注》："絡讀道
路之路，謂車之垂絡也。"蓋路
與絡皆從各字得聲。落字從
洛字得聲，而洛字亦從各字得
聲。故以同音假借也。（疏證）

【路寢】周曰路寢。漢曰正殿。
（西京）

【路衢】郭内衢也。（贈答曹伍）

【逎】好也。（設論班）　【逎】急
也。（秋興）

【逎】迫也。（思玄）　【逎】忽也。
【逎】終也。（寡婦）

【逎逌】皆迫捕貌。（上林）

【遁】隱也。（離騷）【遁】遷也。（景福殿）【遁】避也。（論王）【遁】逃也。（贈答仲宣叁　按：《史論范肆》："遯，逃也。"遯同遁。）

【遂】通也。（洞簫）【遂】道也。（頌陸）【遂】因也。【遂】竟也。（贈答盧壹）【遂】往也。（公讌謝）【遂】從也。（書嵇）【遂】從意也。（閒居）【遂】一遂廣深各二尺，倍遂爲溝。（西都）　倍溝爲洫。（蜀都）

[遂草木]詳"葛天氏之樂八闋"條。

[遂皇]遂人也。（文貳）

【違】去也。（歎逝）【違】背也。（獻詩潘）【違】離也。謂不耦也。（贈答曹伍）【違】猶易也。（西京）【違】異也。（雜詩沈肆）【違】避也。（思玄）【違】恨也。違或作愇，愇亦恨也。（幽通）　案：《説文》："韋，相背也，從舛□聲。"獸皮之韋，可以束枉戾相違背，故借以爲皮韋字。從韋義而引申之，故違訓違背，亦訓違去。《詩·谷風》"中心有違"，《傳》："違離則中心有所恨也。"故違

訓恨，愇亦訓恨。（字會）

【過】誤也。（上書鄒壹）【過】謂以恩相接也。（表諸葛）

【鼓】鳴也。（離騷）【鼓】嚴鼓也。（上林）

【鼓吹】歌軍樂也，謂之短簫鐃歌。黃帝歧伯所作也。（樂府玄暉）

【鼓吹山】詳"江南之丘墟"條。

【鼓枻】叩船舷也。（漁父）

【鼓箏草】今俗呼鼓箏草。幼童對銜之，手鼓中央，則聲如箏，故名。（長笛）

【園】詳"洹"條。

【園客】仙人名。（琴）

【園廬】舊宅也。（贈答張）

【肅】敬也。（東京）【肅】戒也。（獻詩曹貳）【肅】寒也。（行旅江）【肅】嚴急之氣也。（雪）【肅】謂枝葉縮栗也。（哀傷張）【肅】縮也，霜降而收縮萬物也。西方爲秋。秋，肅也。萬物草木肅，敬禮之至也。（雜詩景陽）

【肅肅】羽貌。（雜擬江）【肅肅】寒也。（同上）

【肅慎】今挹婁地。在夫餘之東北千餘里，大海之濱。（詔貳　又《書吳》："肅慎，北夷國名

也。"）

【嫋嫋】美也。（吳都）【嫋嫋】
　風搖木貌。（雜詩靈運肆）

【奧】濁也。（符命班）【奧】藏
　也。（洞簫）【奧】隱處也。
　（七命）【奧】幽也。（頌王）
　【奧】深也。（樂府陸）【奧】
　內也。（海）　又詳"郁"條。

【奧區神皋】自古以雍州積高神
　明之隩，故立時郊上帝，諸神
　祠皆聚之。（西京）

【奧壤】猶奧區也。（碑文沈）

【靖】靜也。【靖】思也。【靖】
　與靚同。《字林》曰："靖，審
　也。"（思玄）案：《說文》：
　"靖，立竫。"謂立容安竫也。靚
　訓靚妝，謂粉白黛黑施采勻
　淨，有幽靜之意。靜、靚本通。
　《詩·小明》"靖共爾位"，《韓
　詩外傳》作"靜共"。《春秋繁露
　·祭義》亦作"靜共"。本賦"既
　防溢而靖志兮"，《舊注》："靖，
　靜也。"靜、靚一字，靜與靖同，
　故靖與靚通。蓋靚、靜、靖，均
　從青字得聲得義。《射雉賦》
　"涉青林以遊覽兮"，《注》引薛
　君《韓詩章句》曰："青，靜也。"
　（字會）

【靖冥】深閴也。（羽獵）

【靖節】寬樂令終曰靖，好廉自克
　曰節。（誄顏貳）

【竫】詳"靚"條。

【鼎】始也。（吳都）【鼎】三公
　象也。（贈答正叔壹）

【鼎士】舉鼎之士。（上書鄒壹）

【鼎門】卽定鼎門也，蓋成王時九
　鼎所從入也。（贈答玄暉叄）

【鼎湖】宮名也。（羽獵）

【敬】宜也。（東京）　又詳"警"
　條。

【敬天常】詳"葛天氏之樂八闋"
　條。

【敬亭】山名。（行旅玄暉貳）

【填】滿也。（西都）【填】塞也。
　（北征）　又詳"圚"條。

【填填】雷也。（九歌）

【填衛】大駕鹵簿，五營校尉在
　前，名曰填衛。（赭白馬）

【綃】幕也。（行旅安仁壹）【綃】
　今之帆綱也，以長木爲之，所
　以挂帆也。（海）【綃】綺屬
　也。（藉田）【綃】輕縠也。
　（洛神）　縑謂之綃。（行旅安
　仁壹）

【經】歷也。（西京）【經】猶理
　也。（公讌士衡）【經】里數
　也。（海）【經】南北爲經。
　【經】度也。（東京）【經】緯

塗也。（樂府鮑）【經】謂星出東入西，出西入東也。（符命楊）【經】法也。（贈答曹肆）

【經禮】詳"禮經"條。

【經營】規度也。（羽獵）【經營】往來貌。（舞）

【經緯】猶織以成之也。（冊）

【瘁】猶毀也。【瘁】憂也。瘁與悴古字通。（歎逝）案：《説文》："悴，憂也。從心卒聲。讀與《易·萃卦》同。"《漢書·敍傳上》"夕而焦瘁"，《注》："瘁與悴同。"蓋憂萃於心，故病也。《文賦》"或寄辭於瘁音"，《注》引班固《漢書贊》曰："纖微憔悴之音。"作"悴"。此通用之證。瘁又通作頪。《鸚鵡賦》"容貌慘以顦頪"，《寡婦賦》"容貌儳以頓頪"，均作"頪"。（字會）

【痼】久也。（贈答公幹壹）又詳"固"條。

【剸】截也。（頌王）【剸】裁也。（長笛）北方人呼插物地中爲剸。（思玄）東方之人以物插地中皆爲剸。（書丘）又詳"刌"條。

【猷】道也。（幽通）【猷】《毛詩》曰："王猷允塞。"猷、猶古字通。（補亡）案：《説文》："猶，玃屬。"《釋詁》曰："猷，謀也。"《釋言》曰："猷，圖也。"《周南傳》曰："猷，若也。"凡圖謀者，必酷肖其事，而後有濟。皆從遟疑鄭重之義。《易》"由豫"《釋文》引馬《注》作"猷"。猷，疑也。《顏氏家訓·書證》："猶，獸名也。既聞人聲，乃豫緣木、如此上下，故偁猶豫。"是猶、猷通用之義。《七命》"王猷四塞"，《注》："猷與猶同。"《女史箴》"王猷有倫"，《注》："猷與猶古字通。"是也。猷又通作繇。《詩·巧言》"秩秩大猷"，《漢書·敍傳》作"秩秩大繇"。猶又作摇。《禮記·檀弓下》"咏斯猶"，《注》："猶當爲摇，聲之誤也。秦人猶、摇聲相近。"（字會）

【瑕】穢也。（公讌顏壹）【瑕】過也。（表劉）【瑕】玉之病也。（文）其中閒美者曰瑜。（贈答正叔壹）【瑕】玉屬。（子虛）一曰玉之小赤色者也。（海）【瑕】與蝦古字通。（南都）案：《説文》："蝦，蝦蟆也。""瑕，玉小赤也"。段茂堂"蝦"字注云："呼加切。古或借爲霞字。"《漢書·司馬相如傳》"赤瑕駁犖",《注》引張揖:"瑕謂日旁赤氣也。"是瑕亦通霞之證。蓋蝦借爲霞,取其赤也,而瑕爲赤玉。故蝦瑕字通。(字會)

【瑕】善曰:司馬相如《大人賦》曰:"呼吸沆瀣餐朝霞。"霞與瑕古字通。(甘泉) 案:郭景純《江賦》"璧立皸駮"《注》:"皸,古霞字。"又"流光潛映,景炎霞火",《注》:"言草之華藥流耀,潛映波瀾,景色外發,炎於皸火。皸與霞同。"《説文》無霞、皸二字。《玉部》:"瑕,玉小赤也。"引伸之,赤玉可謂瑕,則赤雲亦可謂瑕。《揚雄傳注》:"瑕謂日旁赤氣也。"霞之作瑕,僅見於此。蓋瑕爲正字。霞皸皆假借字耳。(疏證)

【馳】施也。(神女) 案:《説文》"施"訓旗皃,"馳"訓大驅,義雖不同。然旗之動搖與馬之馳驅,俱有展布之意,且二字俱從也字得聲。故可通用。左太沖《詠史》"夢想騁良圖",《注》:韓君《章句》曰:"騁,施也。""騁"字《説文》訓爲直馳。

馳與騁二字互訓。馳字可訓施字,則騁字亦可訓施矣。特騁與施,義近而聲遠,不若馳字聲義皆近耳。(疏證)

【馳道】天子道也。若今之中道。(魏都)君必乘車馬。故以馳爲名也。(魯靈光殿)

【馳暉】日也。(贈答玄暉叁)

【馳騁】猶宣布也。(移孔)

【裾】詳"袨"條。

【裾勢】依裾山川之形勢也。裾,古據字。(魏都) 案:《廣雅·釋詁》:"據,居也。"《注》:"《釋名》云:'據,居也。'《晉語》"今不據其安",韋昭《注》亦云:"居、裾一音。"《説文》:"裾,衣襃也,從衣居聲,讀與居同。"裾同居音,故裾即古據字也。《揚雄傳》"三摹九据",晉灼曰:"今據字。"据亦居音也。裾又通作倨。《漢書·司馬相如傳》:"裾以驕驁兮。"《酷吏趙禹傳》:"爲人廉裾倨也。"讀作倨。據又通作蹻。《答賓戲》"超荒忽而蹻昊蒼也",《注》"蹻音戟"。蹻與據同。蹻又通作踞。《集韻》:"蹻,或作踞。"(字會)

【搖】《爾雅》:"飆颻謂之猋。"颻

與搖同。（恨） 案：搖颻均噐
聲。《說文》：“搖，動也。”《詩·
黍離》“中心搖搖”，《疏》：“搖
搖，心憂無所附箸之意。”《幽
通賦》：“颻颻風而蟬蛻兮”，曹
《注》：“颻，飄飄也。”《爾雅·
釋天》“扶搖謂之猋”，《釋文》：
“《字林》作‘颻’。”《詩·鴟鴞》
“風雨所漂搖”，鄭注《尚書大
傳》作“風雨所漂颻”，是其證
也。（字會） 又詳“猷”條。

【搖刖】危貌。（七命）

【搖漾】飛貌。（雜詩沈伍）

【搦】按也。（魏都） 【搦】摩也。
（設論班）

【搹】捉也。（江）

【道】先也。（赭白馬） 【道】經
界也。（游覽顏貳） 縣有蠻
夷曰道。（檄司馬） 【道】謂
仁義也。（東京） 聖人所由
曰道。（游覽靈運壹） 萬物
以生，萬物以成，命之曰道。
（論劉壹） 又詳“自然”條。

【道人】方術之士。（雜擬江）

【道德】虛無無形謂之道，化育萬
物謂之德。（嘯）

【達】宦達也。（哀傷顏） 【達】
謂通達不拘禮也。（詠懷謝）

【達市】在逵之上。（魏都 按：

葉本作“在達之上”。）

【運】轉也。（東京） 【運】録運
也。（公讌士衡） 《論李》“録”
作“録”。） 【運】謂五德更
運，帝王所禀以生也。（論李）

【運目】詳“鳩鳥”條。

【運世】五行更運相次之世也。
（論班）

【運袤】迴旋相纏也。（長笛）

【頓】止也。（雜詩季鷹） 【頓】
猶舍也。（行旅士衡貳） 【頓】
止舍也。（贈答士衡叄） 【頓】
懷也。（教壹） 【頓】猶弊也。
（牋吳貳） 【頓】整也。（樂府
陸）

【頓轡】喻死也。（碑文沈）

【肆】放也。（上林） 【肆】棄也。
（公讌應） 【肆】綏也。（洞
簫） 【肆】申也。（琴） 【肆】
展也。（贈答盧壹） 【肆】盡
也。（行旅士衡壹） 【肆】勤
也。（東京） 【肆】遂也。（游
天台山） 【肆】極也。（西征）
【肆】極意敢言也。（彈事任
貳） 【肆】疾也。 【肆】恣
也。（甘泉） 【肆】施也。（册）
【肆】陳也。（江） 【肆】市中
陳物處也。（西都） 市路也。
（吳都） 市列也。（獻詩曹

壹）　列肆也。（游覽顏貳）

【肆轘】陳尸曰肆，車裂曰轘。（西征）　又《獻詩曹壹》：殺人陳其尸曰肆。）

【肆】習也。（西征）　斬而復生曰肆。（頒陸）

【雍】祐也。（甘泉）　【雍】和也。（獻詩曹壹）　【雍】縣名。（獻詩潘）　【雍】西京也。（魏都）又詳“邕”條。

【頒】布也。（東京）　【頒】賦也。頒與班古字通。（誄潘肆）案：《說文》：“班，分瑞玉也。”“頒，大頭也”。引申爲匪頒。古頒、班同部故也。《孟子》“班白者”，亦作“頒”。《注》：“頒者班也。頭半白曰頒，斑斑然者也。”《禮記·祭義》“頒禽隆諸長者”，《注》：“頒之言分也。”《周禮·太宰》“八曰匪頒之式”，司農《注》：“頒讀爲班布之班，謂班賜也。”班又通作般。般又通作盤。《舞賦》“般桓不發”，《注》引《周易》：“盤桓利居貞。”盤又通作磐。《漢書》：“何武所舉者，盤辟雅拜。”《射雉賦》曰：“繚繞磐辟。”班又通作豳。《上林賦》“被班文”，《史記》作“豳文”。

段茂堂曰：“班與彪亦同類叚借。”（字會）

【頒斌】相雜貌也。（藉田）

【戢】藏也。（歎逝）　【戢】聚也。（贈答士衡貳）　【戢】斂也。（公讌應）

【戢香】衆貌。（魯靈光殿）

【鄉】所也。（贈答玄暉叁）　【鄉】方也。（東京）　【鄉】國也。（行旅顏叁）　【鄉】仰也。（雜詩陸）

【煢】單也。（樂府魏文）　孤也。（離騷）　又詳“惸”條。

【煢煢】獨也。（思玄）　【煢煢】單也。（樂府魏文）

【歇】盡也。（游覽靈運伍）　【歇】息也。（贈答顏肆）　【歇】氣越泄也。（同上）

【歇欻幽藹】幽邃之貌。（魯靈光殿）

【零】墜也。（離騷）　【零】凋病也。（設論班）

【零落】草曰零，木曰落。（離騷）

【游極】游極者，三輔名梁爲極，作游梁置浮柱上。（西京）

【游絃】曲名。（琴）

【葉】世也。（南都）

【詹何】詹子，古得道者也。（七發）

【詹事】秦官，掌皇太子家。（碑文沈）

【萬年】木名。（景福殿）

【萬乘之主】天子畿方千里，兵車萬乘，故稱萬乘之主。（哀傷張）

【萬舞】干舞也。（贈答公幹壹）

【歲】年也。（雜詩左）

【歲寒】喻老也。（祖餞潘）

【歲暮】喻年老也。（詠史張）

【褭】纏也。（西都）【褭】坴衣香也。露褭花亦謂之褭。（雜詩陶壹）

【褭厠】詳"鍰會褭厠"條。

【綌】細葛也。（秋興）

【綌綌】葛也。（頌王）

【羨】延也。（東京）【羨】貪欲也。【羨】慕也。（思玄）【羨】願也。（游天台山）【羨】饒也。（甘泉）【羨】溢也。（上林）

【羨門】古仙人也。（西京）

【搜】擇也。（甘泉）

【搜索】往來貌。（洞簫）

【裔】邊裔也。（藉田）又詳"苗裔"條。

【裔裔】飛貌。（游天台山）【裔裔】行貌。（子虛）

【義】義者德之經。（公讌應）

【義】能致命曰義。（詠史曹）又詳"儀"條。

【義兵】用兵有五，誅暴救弱謂之義。（論陸叁　又《論陸壹》："救亂誅暴，謂之義兵。"）

【義渠】西戎國名也。（書應壹）

【會】四會之道。（舞鶴）

【會稽】茅山也。禹救水到大越，上茅山大會計而更名也。（贈答顏肆）

【馴】順也。（鸚鵡）【馴】擾也。（七發）

【歆】言也。（藉田）【歆】饗也。（東京）【歆】神食氣也。（南都）

【楨】木名。（吳都）【楨】幹也。（魏都）

【綏】遲也。（洞簫）　古名退軍爲綏。綏，卻也。（彈事任壹）又詳"荽"及"緌"條。

【賈】儶也。（設論班）【賈】賣也。（鶬鶊）又詳"商賈"條。

【亂】昏也。（好色）【亂】直橫渡也。（思玄）　亂者理也，總理一賦之終也。（雪）【亂】理也，所以發理詞旨，總撮行要也。（離騷）

【微】妙也。（文）【微】謂不明也。（箴張）

【微微】幽静也。（琴　又《南都》："微微,幽静貌。"）

【微子舜】琴操也。（琴）

【微行】騎出入市里,不復警蹕,若微賤之所爲,故曰微行。（西京）

【微冥】微賤而冥闇也。（公讌顔貳）

【跱】猶置也。（西京）【跱】或作"特"。（論劉貳）案:特從寺聲。《易·大過注》"心無特吝",《釋文》:"特"本作"持"。《莊子·齊物論》"何其無特操與",《釋文》:"特"本作"持"。持亦作跱。《釋名·釋姿容》:"持,跱也,跱之於手中也。"古文峙今作跱。《射雉賦》"攞身竦跱",徐《注》:"跱,立也。"亦特立意。跱、持、峙之義轉訓而得。特作持,持訓跱,故跱通特也。（字會）　又詳峙條。

【跱踦】言其跱立如有所躊躇也。（長笛）

【楯】闌横也。（魏都）【楯】闌檻也。（上林）

【雷】詳"靁歘"條。

【雷池】皖有雷池。（江）

【雷鼓】八面鼓也。（東京）

【雷淵】雷公之室也。（招魂）

【資】取也。（補亡）【資】財也。（文參　資同貲。）【資】材量也。（贈答盧壹）【資】猶藉也。（公讌顔貳）　資者給齎之謂也。（上書李）

【資斧】詳"齊斧"條。

【蛾】蠶蛾。（舞）　又詳"蟻"條。

【蛾伏】如蟻之伏也。（長楊）

【蛾眉】好貌。（離騷）

【傴】痛也。（七發）

【傴拊】詳"嘔符"條。

【傴僂】曲貌。（好色）

【瑞】信也。（魯靈光殿）　人執曰瑞。　瑞猶符信也。（碑文沈）

【瑞石靈圖】蒼質素章,周圍七尋,中高一仞,旁厚一里。（魏都）

【嗟】憂歎之辭。（詠史左）【嗟】咨嗟也。（弔文賈）【嗟】發聲也。（西都　王念孫《讀書雜志》云:"嗟"當爲"羌"。下"嗟"字同。）【嗟】楚人發語端也。（吳都　《離騷》:羌,楚人語辭也。）　又詳"羌"條。

【煙飛雨散】衆多也。（論劉貳）

【煙駕】煙車也。（雜擬江）

【廊】屋也。（西京）

【廊嚴】廊殿下小屋也。（游覽顔

貳）

【虞】主田獵之地者也。（吳都）
【虞】虞、娛古字通。（羽獵）
案：《說文》：“娛，樂也。”段
曰：“古多借虞爲之。虞、娛同
部。”《楚辭·懷沙》“舒憂娛哀
兮”，《史記·屈原賈生傳》引
作“虞”。謝元暉《始出尚書省
詩》“歡虞諡兄弟”，《注》：“虞
與娛通。”《孟子》“驩虞如也”，
當作“歡娛”，古字通。虞亦訓
樂，《呂覽·慎人》“許由虞乎
潁陽”，《注》：“虞，樂也。”至虞
之本義訓騶虞，與娛無涉。（字
會）　又詳“吳”條。

【虞姬】齊威王之姬也。（景福
殿）

【虞淵】沼名。（景福殿）

【虞懷】宮名也。（七發）

【稗】禾別也。（七啟）　【稗】草
之似穀者。（游覽靈運陸）　又
詳“粺”條。

【䜌】詳“莘”條。

【䜌䜌】衆多也。（贊袁　按：與
莘莘音義俱同，蓋古通。）

【腴】腹下肥者也。（七發）　【腴】
道之美者也。（設論班）

【覛】視也。（西京）　又詳“霢”
條。

【葭】詳“笳”及“蒹葭”條。

【粲】三女爲粲。（贈答士龍壹）
【粲】美貌。（同上）

【粲粲】鮮盛也。（雜擬陸）

【葯】白芷。（九歌）　【葯】纏也。
（射雉）　又詳“約”條。

【感】觸也。（長笛）　【感】思也。
（景福殿）

【感】傷也。（東京）　【感】猶應
也。（詠史謝）　【感】猶荷也。
（贈答張）

【感發】謂情感於中，發言爲詩
也。（論王）

【塗】路也。（頌王）　【塗】汙也。
（西都）　【塗】泥也。（設論
班）　又詳“荼”條。

【塗塗】厚貌也。（贈答玄暉肆）

【辟】除也。（上林）　【辟】幽也。
（離騷）　【辟】召也。（碑文
蔡）　【辟】（文）　案：避本作
辟。《儀禮》“賓辟不答拜”，
“賓以几辟”，《論語》“辟世”，
“辟地”，“辟色”，“辟言”，均作
“辟”。《左氏·昭十七年傳》
“辟移時”，《漢書·五行志下
之下》作“避移時”。《周禮·大
司寇》“使其屬辟”，《注》“故書
辟作避。杜子春云：“避當爲
辟”。辟與避蓋通用之字。蓋

辟訓法，義通避。《孟子》:"行辟人可也。"辟人而使之避也。避又通僻。幽僻之所，避人之壤也。辟又作躃。《周書》曰:"我之不躃"。（字會）又詳"彌"條。

【辟雍】立辟雍者何？所以宣德化也。雍以水，象教化流行也；水四周於外，象四海也。（東都）

【辟廱】象壁圜。（閒居）

【辟灌】辟謂疊之，灌謂鑄之。（七命）

【辟纑】緝績其麻曰辟，練絲曰纑。（雜詩景陽　胡云：袁本、茶陵本"絲"作"麻"。）

【嗤】詳"吷"、"蚩"二條。

【塞】實也。（舞）【塞】滿也。（贈答盧壹）【塞】謂杜絕也。（雜詩曹貳）【塞】謂報神恩也。（牋阮）

【煦】暖也。（連珠）以氣曰煦。（符命楊）【煦】《孝經鉤命決》曰："驪忻慎懼，嘔嘔喻喻。"煦與嘔同，音呴。（論東方）案：《方言·十三注》："嫗煦，好色貌。"《詩·巷伯傳》"嫗不逮門之女"，《釋文》："嫗"本作"煦"。嫗、煦爲雙聲疊韻之字。《劇秦美新》"上下相嘔"，《注》引《禮記》曰："煦嘔覆育萬物"，鄭玄曰："以氣曰煦。"煦與嘔同。煦通嫗，亦通嘔也。嘔又通藹。《蜀都賦》"陽藹陰敷"，《注》引楊雄《太玄經》曰"陽藹萬物"，言陽氣藹煦生萬物也。藹又通敷。《吳都賦》"異莩藹蒪"，《注》："藹，華也。敷蒪，華開貌。"藹與敷同。（字會）

【遌】遇也。（幽通）【遌】觸也。（長笛）又詳"愕"、"迕"二條。

【圓】詳"圜"條。

【圓土】獄城也。（上書江　按：正文作"圓門"。）

【圓象】天也。（雜詩盧）

【圓景】月也。（贈答曹壹）

【圓靈】天也。（月）

【圓門】詳"圓土"條。）

【搏】擊也。（羽獵）【搏】著也。（長門）空手執曰搏。（西都）

【搏黍】詳"鶬鶊"條。

【搏撠】皆拾取之名。（西京）

【搏翼】謂著翼也。（東京）

【嵬】高也。（西都）

【嵬嶷】高大貌。（吳都）

【葴】大葉，冬藍。（西京）

【葴持】草名。（上林）

【筵】小破竹也。（離騷）

【筵】席也，長九尺。（東京）

【僅】劣也。（論秦）　【僅】纔也。（書李）　【僅】猶言纔能也。（歎逝）　又詳“廑”條。

【遇】逢也。（東京）　【遇】多爲偶。（設論班）　案：《爾雅‧釋言》：“遇，偶也。”偶然者不期而會，亦邂逅相遇之義。偶從禺，音寓，音寓，與遇同音。《史記‧佞幸傳》“善仕不如遇合”，《集解》引徐廣：“遇亦作偶。”是偶爲遇之證也。（字會）又詳“偶”條。

【鄗】《世本》曰：“武王在鄗鄗。”《說文》曰：“鄗在上林苑中。”鎬與鄗同。（西都）　案：《說文》：“鎬，溫器也。武王所都。”段曰：“此於例不當載，而特詳之者，說叚借之例也。武王都鎬，本無正字，偶用鎬字爲之耳。”《詩‧六月》“侵鎬及方”，鄭《箋》：“鎬與鄗同。”鎬與方皆北方地名。《國語‧周語》“杜伯射王於鄗”，《注》：“鄗與鎬同。”《西征賦》“惟鄷及鄗”，《注》引《毛詩》曰：“宅是鎬京。”《羽獵賦》“經營鄷鄗”作“鎬”，是其證。鎬又用作滈。《上林賦》“酆鎬潦潏”，本宜作“滈”，水名也。（字會）

【郵】詳“尤”條。

【雋】詳“俊”條。

【幋】詳“鞶”條。

【媾】重婚曰媾。（書阮）

【隔】塞也。（西京）

【塤】有三孔，燒土爲之。（長笛）大如鵝子，銳上平底，形似稱錘，六孔。小者如雞子。（笙）又詳“吹”及“琴瑟簧塤”條。

【絻絖】絻，古冕字。絖，古纊字。音義並同。（表任）　案：東方曼倩《荅客難》“冕而前旒，所以蔽明；黈纊充耳，所以塞聰”，《注》：“皆《大戴禮》孔子之辭也。”《說文‧曰部》：“冕，從曰免聲。”或從糸作絻，故《荀子》“乘軒帶絻”《注》：“絻與冕同。”是也。又《說文‧糸部》：“纊，絮也，從糸廣聲。”或從光作絖。《禮‧雜記注》“絖爲繭”，《釋文》字又作“纊”，是也。（疏證）

【詫】詳“妊”條。

【綆】詳“綄”條。

【塚】詳“壠”條。

【詶】詳“𥅆”條。

【寘】致也。（獻詩曹壹）【寘】置也。（彈事任壹）
【該】備也。（離騷）
【鳩】聚也。（東京）
【塊】獨處貌。（詠史左）
【瘞】埋也。（西征）
【瑜】詳"瑕"條。
【稑】詳"穜稑"條。
【睠】《毛詩》曰："乃睠西顧。"（碑文簡栖）案：楊子雲《長楊賦》"於是上帝卷顧高祖"，《注》引《毛詩》亦然。沈休文《齊故安陸昭王碑文》"仰膺乾顧"，《注》引《毛詩》作"眷"，與今本合。按《詩·釋文》：本又作"睠"，又作"劵"，並音卷，同。蓋睠字卷聲，卷字、眷字、劵字皆𠔉聲，故可互用。（疏證）
【窟】詳"竃"條。
【遑遑】猶棲棲也。（九辯）
【跌】崩也。（吳都）又詳"伏事"條。
【颭颭】含利容也。（西京）
【睘】詳"惸"條。
【損】減也。（東京）
【搤】捉也。（西京）又詳"扼"條。
【蜀石】石次玉者也。（上林）
【蜀琴郢曲】相如工琴而處蜀，故曰蜀琴。客歌郢中，故稱郢曲也。（雜詩鮑貳）
【裶裶】詳"衯衯裶裶"條。
【捫】疾也。（射雉）
【蜎子】詳"便蜎"條。
【頍】弁貌也。（贈答士衡壹）
【腯】肥也。（吳都）
【楶】與節同。《論語》曰："山節藻棁。"（魯靈光殿）案：楶、節同訓。《爾雅·釋宮釋文》引《字林》："楶，欂櫨也。"《吳都賦》"彫欒鏤楶"，劉《注》："楶，栭也。"《禮記·禮器》"山節藻棁"，《注》："栭謂之節。"《明堂位》"山節藻棁"，《注》："山節，刻欂盧爲山也。"楶、節訓同，故用同。節又通作岊。《吳都賦》"夤緣山嶽之岊"，《注》："許氏《記字》曰："岊，陬隅，如山之節也"。又節假借爲符卩。（字會）
【楙】盛也。（赭白馬）
【滐】毛萇《詩傳》曰："傑，特立也。滐與傑同。"（海）案：傑、滐從桀得聲得義。《詩·伯兮》"邦之桀兮"，《箋》："桀，英傑。言賢也。"《傳》："桀，特立也。"《史記·屈原賈生列傳》"誹俊疑桀"，《吕覽》"孟秋簡練桀俊"，均作"桀"。人之桀者作傑，山之桀者因而作嵥。《江賦》"虎牙嵥豎以屹立"，《注》："嵥，特立貌。"是也。水之桀者因而作滐。本注引《詩傳》"傑，特立也，傑、滐同"，是也。（字會）

【葦茗】《韓詩》作"蔄"，《荀子》作"茗"。茗、蔄同。（橄陳貳）案：召聲、周聲之字古多通用。《詩》"惄如調飢"，一作"朝"。《釋草》曰："葦，醜茗。"顏注《漢書》云："兼錐者是也。取其脫穎秀出，故曰茗。"《方言》："錐謂之錯。"音茗，取其象茗秀。因此凡言茗秀者，多叚茗字爲之。《釋草》，蔈荂荼荂蘼芳，皆謂草之秀。《豳風傳》曰："荼，萑茗也。"蓋茗象葦穎之秀出如刀。則芳者正字；茗從刀聲，爲借字。蔄又茗之借字也。（字會）

【澄澄】高白之貌也。（七發）
【潤】疾貌。（海）
【滈滈】水白光貌也。（上林）
【嶊】詳"追"條。
【蓘】蓘蔴。（西京）
【蓘蔴】詳"蓘"條。
【嗛】與謙音義同。（東征）案：

謙，《說文》"敬也"。段曰："謙或假嗛爲之。"今按嗛、慊、謙均音同義同形近之字。嗛、慊皆訓不滿。《書曰》"不自滿假"，又曰"滿招損，謙受益"，不滿即有謙意。《易·謙釋文》引《子夏傳》："嗛，謙也。"《漢藝文志》"謙卦"作"嗛"。《漢書·司馬相如傳注》："嗛，古謙字。"《魏都賦》"嗛嗛同軒"，亦云：嗛古謙字。嗛又通作慊。《夏小正》"嗛鼠"，《爾雅》作"鼸鼠"。嗛又叚爲歉。《商銘》"嗛嗛之食"、"嗛嗛之德"，皆一義之引申。（字會）

【嗞】詳"齎諮"條。
【晒】詳"函"條。
【葳蕤】盛貌。（文）
【漱】齧也。（江）
【楗】詳"犍"條。
【溢】過也。（東京）又詳"佚"條。
【愷】和也。（符命楊）又詳"闓"條。
【慌忽】詳"忽怳"條。
【慬】詳"竦"條。
【愍】詳"閔"條。
【滈溯】峻波也。（海）
【慄】《周易》曰："夕惕若屬。"《爾

雅》曰：“慄，懼也。”（藉田）
案：《廣雅・釋言》“慄，懼也。”
《説文》：“厲，旱石也。”引申爲
危厲之厲。危厲與戰慄義近，
慄、厲聲轉。慄又通作栗。《風
賦》“直憯悽淋慄”，《注》引毛
萇《詩傳》曰：“慄冽，寒氣也。”
今《毛詩》作“一之日栗烈”。
《論語》“使民戰栗”，作“栗”。
（字會）

【煉】詳“練”條。

【煁】詳“諶”條。

【睩睩】美也。（魏都）

【輅】謂以木當胸以輓輦也。（西
　　京　《設論楊》“輦”作“車”。）
　　名車爲輅者何？言所以步之
　　於路也。（論王）

【楔】詳“樗棗”條。

【椏】詳“亘”條。

【輈】詳“軥”條。

【嫛娍】詳“婆娑”條。

【嫛娍教牢】匍匐上也。（子虛）

【際】楚人名住爲際。（離騷）

【闟】閉也。（魏都）

【惘】憂也。自關而西秦晉之閒
　　或曰惄。（贈答士衡拾）又
　　詳“惄”條。

【傱】走貌。（吳都）

【傭】與庸通。（西征）案：《公
羊・莊三十二年傳》“庸得若
是乎”，《注》：“庸猶傭。傭，無
節目之辭。”《詩・節南山》“昊
天不傭”，《釋文》引《韓詩》作
“庸”。《楚辭・懷沙》“固庸態
也”，《注》“庸，厮賤之人也。”
《漢書・周勃傳》“取庸苦之不
與錢”，《司馬相如傳》“與庸保
雜作”，《食貨志》“教民相與庸
輓犁”，皆以庸爲傭役字。《鵩
鳥賦》“思摧翮而爲庸”，亦以
庸訓傭也。此從《廣雅》“傭，
役也”訓。《説文》則云：“傭，
均也，直也。”其本訓。又庸、
墉古今字。《詩・皇矣》“以伐
崇墉”，《傳》曰：“墉，城也。”
《崧高》“以作爾庸”，《傳》曰：
“庸，城也。”（字會）

【傮】傮與曹古字通。（魏都）
案：《説文》：“曹，獄兩曹也。從
棘，在廷東也。”段曰：“曹猶類
也。《史記》曰：‘遣吏分曹逐
捕。’《古文尚書》‘兩造具備’，
《史記》‘兩造’亦作‘兩遭’。
兩遭、兩造即兩曹。古字多叚
借也。曹之引申爲輩也羣
也。”羣輩即有傮義，以傮從曹
聲也。《説文》：“傮，終也。”與
此無涉。曹又用作槽。《大雅》

"乃造其曹"，即"槽"字之叚借。(字會)

【置】詳"植"條。

【鍼】詳"黃鉞"條。

【暘】明也。(恨)

【暘谷】詳"湯谷"條。

【聘】娶妻及納徵皆曰聘。(彈事沈 《雜詩玄暉捌》：娶女曰聘。) 又詳"頫聘"條。

【詭】古委字。(上林) 案：詭，《說文》"骨端詭骫也"，謂屈曲之狀。《廣雅·釋詁》："詭，曲也。"《史記·司馬相如傳》"委瑣齷齪"，《索隱》引孔文祥云："委，細碎。"《楚辭·哀時命》"欿愁悴而委惰兮"，《七發》"四支委隨"，與"骨端詭骫"之訓同。《詩·羔羊傳》曰："委蛇者，行可從迹也。"亦曲義。《長楊賦》"詭屬而還"，《注》："詭，古委字也。"《舞賦》"慢末事之詭曲"，《注》："言鄭衛之末事，而委曲順君之好無益，故廢而慢之。"《淮南厲王傳》："皇帝詭天下正法。"古委字也。詭、委均于詭切，同音通用。今人用委曲，古用詭囮。(字會)

【禽】鳥獸之總名。爲人禽制也。(西京) 鳥謂之禽。(鳥獸) 凡鳥獸未孕曰禽。(樂府曹)

【鈴】詳"軨"條。

【鈴鈴】策聲也。(游天台山)

【雹布星離】言眾多也。(江)

【楱】橘類，或曰小橘。(上林)

【隕】詳"實"條。

【溓溓】薄冰也。(寡婦)

【鈌鈌】小聲。(東京)

【暉日】詳"鳩鳥"條。

【楓】橪也，脂可以爲香。(上林)

【煒煒】光明貌也。(魯靈光殿)

【猾】亂也。(誄潘肆)

【幌】以帛明牕也。(雪 《七命》毛本"幌"作"榥"，胡本仍作"幌"。《小學鉤沈》引此句"明"作"萌"，蓋誤。) 又詳"擴"條。

【雎龍】詳"蛟螭"條。

【裯】詳"幬"及"衾裯"條。

【睡】裂也。(西京)

【睚眥】瞋目貌也。又猜忌不和貌。(長楊)

【盒】詳"茶"條。

【塋】冢田也。(西征) 【塋】墓地。(哀謝 按：此引《說文》，今《說文》"地"作"也"。此恐誤。)

【尌】詳"斸"條。

【斠酌】飲也。（符命班）

【徭】徭者役也。（文貳）

【隘】狹也。（西京 《高唐》:隘，陋也。陋同狹。）

【雊】雄雉之鳴爲雊。（長笛）

【痾】病也。（閒居）

【裸人國】其民不衣。（海） 在倭國東四千餘里。（雪）

【鉅】詳"綱鉅"條。

【箸】詳"佇"條。

【箸緣】箸謂充之以絮也。緣，飾邊也。（雜詩古詩）

【輂車】柩輅。柩（何、陳校: 此下添"路"字。）載柳四輪迫地而行，有似輂，因取名焉。（哀謝）

【頏】詳"頡頏"條。

【愈】猶差也。（風）

【煥】明也。（東京）

【踔】歷跳也。（海）

【嗉】喉受食處也。（射雉）

【暗藹】衆盛貌。（甘泉）

【慍】怒也。（西征） 【慍】怨也。（思玄）

【腱】筋頭也。（招魂）

【溠减溎湏】參差相次也。（江）

【傲】詳"傲"及"驕傲"條。

【牒】譜也。（行旅靈運拾） 【牒】《說文》曰:"牒，小木札也。" "牒，記也"。牒與諜同。（吳都） 案: 牒、諜均枼聲。《左傳》:"右師不敢對，受牒而退。"司馬貞曰: "牒，小木札也。"《後漢·張衡傳注》:"諜，譜第也。與牒通。"《史記·三代世表》"余讀諜記"，《索隱》: "諜者,記系諡之書也。"蓋《史記》叚諜爲牒也。《論衡·量知篇》云:"截竹爲筒，破以爲牒，加筆墨之跡，乃成文字。夫文字,記言者也。" 此牒與諜同之義。（字會）

【筱】詳"簫"條。

【睍】視也。（離騷） 【睍】邪視也。（西京）

【夔】盛也。（魏都）

【炳】燒也。（橄陳壹）

【蕏】詳"蕏"條。

【蒽】詳"猥"條。

【嗚】歎聲也。（寡婦） 又詳"於"、"歍"二條。

【勞樂銚懼】分別節制之貌。（長笛）

【源】詳"淵源"條。

【跪】拜也。（樂府古辭） 【跪】跽也。（月）

【鈹】兩刃小刀也。（吳都）

【諕】啁也。（贊夏侯）

【意】疑也。（長楊）

【遏】突也。（思玄）

【飲酎】侯歲以户口酎黄金於漢廟，皇帝臨受獻金助祭大祀，曰飲酎。（論曹）

【飲羽】謂所射箭没其箭羽也。（吳都）

【飲馬】七里渠橋也。（魏都）

【腠】腠理也。（難）

【腠理】肌脈也。（魏都）

【業】當筍下爲兩飛獸以背負，又以板置上 名 爲 業。（西京）

　【業】栒上板，刻爲雁齒捷業然。（東京）

【菹】肉醬也。（書李）

【菹醢】藏菜曰菹，肉醬曰醢。（離騷）

【葷】詳“薰”條。

【蛬】詳“蟋蟀”條。

【嗣】詳“台”條。

【滈】詳“鄗”條。

【雹】詳“雺”條。

【戡】詳“龕”條。

【暖】温也。（設論班）

【慆】詳“滔”條。

【嗙】詳“邑”條。

【剽】劫人也。（哀傷張） 又詳“汎剽”條。

【溜】水流也。（琴）【溜】流貌

也。（射雉）

【榎】詳“夏楚”條。

【戲】楯也。（吳都）

【窠】鳥巢也。（蜀都）

【酪】乳汁所作也。（閒居）

【豢】養也。（七發） 大豕曰豢。（七啓）

【隆】詳“龍”條。

【逼】詳“偪”條。

【滅】詳“烕”條。

【觜觿參分野】魏，觜、觿、參之分野。（魏都）

【媪】母别名也。（頌陸）

【滍皋】滍水之澤也。（南都）

【尠】少也。（西京）

【酬】詳“醻”條。

【酬酢】賓主俱飲，主人先舉，名曰酬。客酌主人酒，名曰酢。酢者，報也。（魏都）

【罫】古買切。挂 同。（射雉）案：《説文》：“挂，畫也，從手圭聲。” 畫有分别之意。棋枰方罫，取圭畫義。圭田亦四方爲界，有如圭然。罫從挂得義得聲，故同。後乃叚用爲懸挂之字矣。（字會）

【綈】厚繒也。（西京）

【键】豎也。（思玄） 案：键從建得聲得義。建謂建立朝事，故從聿從又。又訓樹立，故從木。《左傳》楚屈建，即令尹子木; 楚太子建，字子木; 是也。樹之旌旗以詔萬民之謂物，物者止于此之謂。引申爲事物，從牛勿聲。建改木從牛，亦斯意也。《説文新附》:"犍，犗牛也，或曰犍牛。"古止言犗，犍系後世語，《字林》始收之。漢武帝置犍爲郡，漢碑皆從木作楗，六朝人書乃作犍。許書無犍字，蓋即楗字之一解。《上林賦》"揵鰭掉尾"，《注》引郭璞曰:"揵，舉也。"楗字義。《閑居賦》"芳枳樹籬"，《注》引馮衍《顯志賦》曰"楗六枳而爲籬"，作"楗"，亦楗字義。（字會）

【溢】掩也。（恨）

【觡】角也。（符命司馬）【觡】麋鹿角曰觡。（江）

【溥漠】以翻撫水之貌。（長笛）

【嵣㟹】山石廣大之貌。（南都）

【漰濞】攢聚貌。（海）

【薿】凡草初生而達謂之薿。（吳都）

【峻】詳"峻"條。

【梗】杞也，似梓，或曰如楊，赤理。（西京）

【嶒嶸】上下衆多貌。（甘泉）

【軾】車横覆膝，人所憑也。（魏都）

【電】陰陽激燿也。（西都）

【跳】躍也。（洞簫）

【鼀】蝦蟇屬也。（魏都）

【憛悷】寂静也。（洞簫）

【箹灑】皆釣名也。（江）

【㴸㴻】不平之貌。（江）

【艅艎】舟名也。（淺謝 《吳都》作"余皇"。）

【樗】山梨。（蜀都）

【髠】剔也。（九歌）

【稠】多也。（贈答士衡貳）【稠】衆也，概也。（補亡）

【幐】幃謂之幐。幐，香囊也。（離騷）

【靶】轡革也。（吳都 《頌王》: 靶謂轡也。）

【鉦】詳"金鉦"條。

【稔】年也。（贈答盧壹）【稔】熟也。（論陸壹）

【凱費】錦文貌也。（吳都）

【淵水】詳"川淵"條。

【嗜】詳"耆"條。

【輕】詳"轌"條。

【荽】木之細枝者也。青、齊、兗、豫之閒謂之荽。（魏都）

【雉】詳"堵雉"條。

【暒】詳“精”條。

【粱】詳“膏粱”條。

【葛藟】草名。（寡婦）

【葛天氏之樂八闋】一曰載民，二曰玄鳥，三曰遂草木，四曰奮五穀，五曰敬天常，六曰建帝功，七曰依帝德，八曰總禽獸。（上林）

【預】詳“豫”條。

【話】會合善言也。（秋興 《辭陶》“合”下有“爲”字。）

【嫉妒】害賢爲嫉，害色爲妒。（離騷）

【暗暗】深空之貌。（甘泉）

【裊裊】風搖木貌。（雜擬謝）

【傳】傳舍也。言使人所止息而去，後人復來，轉相傳也。一曰諸相傳信，乃得舍於傳也。（哀傷任）

【踦】以一足行。（贈答宣遠貳）

【楣】梁也。（西京）

【箱】夾室前堂也。（上林 “箱”，疑“箱”誤。）

【綄】候風也。楚人謂之五兩。（江）

【麀】詳“貐豸”條。

【飇】詳“扶服”條。

【猨】似獼猴而大，臂長便捷，色黑。（西都）

【猨臂】通肩也。（吳都）

【綷】詳“引綍”條。

【董】督也。（頌陸）

【董相】江都相董仲舒也。（論劉壹）

【嗽】蕩口也。（思玄）

【壺】宮中巷也。（此條失注）

【榆莢錢】如榆莢者，謂之榆莢錢。（文壹）

【腲腇】肥貌。（洞簫）

【輆軨】走疾貌。（吳都）

【筮】著曰筮。（招魂）

【飫宴】不脫屨升堂，謂之飫。飲酒之禮，下跪而上坐者謂之宴。（東都）

【搢】插也。（七啓 胡云：“插”當作“捷”。）

【旍】旌旗旍也。（甘泉）

【睒】暫視也。（吳都）

【腹】懷抱也。（寡婦）

【腥】臭也。（鸚鵡）

【睩】視貌也。（樂府陸）

【溢】水名。（魏都）

【楠榴】木之盤結者。（吳都）

【畹】三十畝也。（魏都） 又詳“畝”條。

【貊】德政應和曰貊。（史 論干貳）【貊】夷之別也。（七命）【貊】獸，毛黑，白臆，似熊而

小，以舌舐鐵，須臾便數十斤。（蜀都）

【塕然】風起之貌也。（風）

【溱洧】鄭兩水名也。（好色）

【傾】猶盡也。（祖餞孫）【傾】壞也。（西京）

【傾奪】謂馳競也。（舞）

【塍】稻田之畦也。（西都）　大曰隄，小曰塍。（蜀都）

【壘】詳“壇”條。

【稟】受也。（論嵇）

【亶父】詳“亶父”條。

【亶觀】亶音但。善曰：亶，古但字。（羽獵）　案：《莊子・馬蹄》“澶漫爲樂”，《釋文》：“澶”本作“儃”。崔作“但”，《注》云：“但曼，淫衍也。”本賦云“亶觀”，亦淫衍縱觀之意耳。亶、但均徒旱切，故古但作亶，澶漫亦作壇曼。《甘泉賦》“平原唐其壇曼兮”，《注》：“壇，徒旦切。曼，莫旦切。”壇、澶、亶、但爲疊韻。《漢書・賈誼傳》“非亶倒懸而已”，用亶爲但，是其證。又古人祖用作但。（字會）

【毻】《字書》曰：毻，落毛也。毻與毻同。音唾。（江）　案：肴訓落。《廣雅・釋詁》：“墮，脫也。”《戰國・秦策》“攻城墮邑”，《注》：“墮，壞也。”《廣雅・釋詁》：“毻，解也。”因而髮之遺落者爲髢，山之墮墮小者爲嶞，錢之狹長小橢者爲橢。兌，《易・説卦傳》：“正秋也。”秋爲木落之時，故曰相見乎兌。《詩・緜》“行道兌矣”，《傳》：“成蹊也。”取木落義。松柏斯兌，義亦同。故毛之脱者亦作毟，毻、毟同音兼同義。墮訓脫爲轉注。毻、毟蓋通用。（字會）

【楯】階除之欄。（景福殿）

【搯】爪也，叩也。（長笛）

【潯】濕也。（江）

【潯暑】濕暑也。（哀傷潘）

【嗇】甚也。（書嵇）【嗇】愛也。（論李）

【裨】益也。（長笛）

【裨師】偏師也。（檄陳壹）

【琳琳】深也。（思玄）

【塍】兩陌閒道也。（吳都）

【睦】密也。（勸勵韋）

【塘】墲今呼爲塘也。（射雉）

【賂】貨也。（吳都）

【瑞】節信也。（贈答范壹）

【鉗且大丙】太一之御也。（東京）

【賈】買也。（論 劉 貳） 又詳
　　"酤"條。

【硠磳碨硊】崔巍嵯峩也。（招隱
　　士）

【碔砆】石之次玉者（子虛。《論
　　王》作"武夫"。） 【碔砆】赤地
　　白采，葱蘢白黑不分。（子虛）

【跟】足踵也。（西京）

【農祥】房星也。（東京）

【滃渤】霧出貌。（江）

【誅】猶痛責之甚也。（連珠）

【椹】詳"砧"條。

【嵥】特立貌。（江） 又詳"㠛"
　　條。

【碕】曲岸也。（樂府鮑） 【碕】
　　長邊也。（吳都） 又詳"圻"
　　條。

【勦】勞也。（東京） 【勦】截也。
　　截，絶，謂滅之也。（史論沈
　　貳）

【幘】上衣也。（南都）

【暎】猶照也。（贈答士衡壹）

【葦】大葭也。（橙陳貳）

【絶】赤也。（蜀都） 【絶】赤色
　　貌。（琴）

【睞】視也。（射雉） 【睞】旁視
　　也。（洛神）

【雉】長三丈，高一丈。（西都）
　　【雉】度也。（東京）

【勤力】并力也。（論陸壹）

【愚】鈍也。（好色）

【馺娑】殿名也。（西都）

【笑】簡也。（吳都）

【遐狄】長狄也。（景福殿）

【賄】布帛曰賄。（吳都）

【蜒蝸】小螺。（江）

【稴布】廩君之巴氏 所 出。（魏
　　都）

【楔】似松有刺。（蜀都） 【楔】
　　櫻桃。（南都）

【詳】審也。（東京）

【煨】燼也，熅也。（魏都）

【誇】誕也。（長楊）

【遏】止也。（文） 【遏】絶也。
　　（西征）

【嵯峩】高貌。（招隱士） 【嵯
　　峩】山貌。（上林）

【稚】小也。（閒居）

【睨】疾視也。（吳都）

【滓】澱也。（西征）

【頌祇】爲歌頌以祭地祇也。（甘
　　泉）

【瓶】酒器也。（雜詩沈陸）

【楺】詳"檳榔"條。

【新亭】在中思里，吳舊亭也。（祖
　　餞謝）

【新夷】 一曰綠夷。（蜀都） 留
　　夷。（上林）留夷。（贈答顏

肆）【新雉】一曰辛引。服虔曰："新雉，香草也。"雉、夷聲相近。《本草》："辛夷，一名新雉。"（甘泉）　案：雉古音同夷。《周禮》"雉氏掌殺草"。故書作"夷氏"。先鄭從夷。後鄭從雉，而讀如鬩。今本《周禮》作"薙氏"者，俗製也。《左傳》："五雉爲五工正，夷民者也。"據此，則雉、夷本通用字。《左傳》："芟夷蘊崇之。"亦取殺草義。（字會）

【摡】《說文》曰："批，反手擊也。"與摡同。（琴）　案：《說文》："摡，反手擊也。"《左傳》"宋萬遇仇牧于門，摡而殺之"，《玉篇》引作"摡"，今《左傳》作"批"。段曰："批者俗字。"然此注引《說文》曰："批，反手擊也。"後"摟摡櫟捋"又引《說文》曰："摡，反手擊也。"殆亦同用之字。（字會）　又詳"批"條。

【嗃】大呼也。（長笛）

【溘】猶奄也。（離騷）

【搵】抓也。（上書枚壹）

【豣】獸三歲曰豣。（吳都）

【農輿】三蓋，（"三"本作"無"，今依何校改。）所謂耕根車也。

（東京）

【豪溦】道也。（魏都）

【嵓嶪巇嶪】殿形勢也。（西京）

【誄】謂積累生時德行。（誄曹《哀顏》"行"下有"賜之命爲其辭也"七字。）

【笝】斷竹也。（笙）

【頑】心不則德義之經爲頑。（西征）

【跧】蹴也。（魯靈光殿）

【鄔】小障也。一名庳城。營居曰鄔。（長笛）

【筲】竹器，容斗二升。（閒居）

【筲】竹筥也，受一斗。（論班）

【楷】木名。（書吳）　可以爲箭。（文）

【隔】詳"擊"條。

【瑊玏】石之次玉者。（子虛）

【隕】墮也。（離騷）

【諎門】冰室門也。（東京）

【媵】媵者何？諸侯娶一國，則二國往媵之，以姪娣。（史論干貳）　又詳"騰"條。

【虜】獲也。（哀傷任）　又詳"鹵"條。

【殛】誅也。（冊）

【瘃】歷不能行也。（七發）

【詢】親戚之謀爲詢。（景福殿）

【痺】濕病也。（書嵇）

【痺城】詳"鄈"條。

【綆】汲井綆也。（詠史王）

【猾】狡也。（東京）

【隘】險也。（東京）

【裝】束也。（赭白馬）【裝】飾
也。（贈答惠連）

【窞】坎中小坎也。（長笛）

【漏湖】中江東南左合漏湖。（江）

【睦】和也。（詠史謝）

【彙】類也。（幽通）

【搷】擊也。（招魂）

【準】平也。（游覽殷）

【溝】詳"遂"條。

【陳】水厓也。（西京）

【跠】踞也。（魯靈光殿）

【貉】北方曰貉。（羽獵）

【僄】輕也。（西都）

【趑趄】難行也。（銘張）

【塩】詳"堨"條。

【訏】大也。（羽獵）

【跢跦】詳"躑躅"條。

【掔】詳"鏗"條。

【訾】量也。（詠史王）

【貲】財也。（贈答范貳）

【蒯橌橍】華葉已落，莖獨立也。
（九辯）

【滋】詳"和"條。

【滋】詳"孳"條。

【榦】詳"輯輯"條。

【羮】詳"鬻"條。

【塠】詳"追"條。

【喙】口也。（洞簫）

【趾】躡也。（吳都）

【覝】視也。（西京）【覝】察也。
（洞簫）又詳"清廉潔"條。

【廉公】廉頗也。（西征）

【廉薑】詳"葰"條。

【滌】除也。（西京）【滌】牢中
所搜除處也。（郊廟）

【嵩】詳"太室"條。

十 四 畫

【僥】與徼同。（表李）案：《左
氏·文二年傳》"寡君願徼福
于周公魯公"，《注》："徼，求
也。"《説苑·敬慎》："徼幸者，
伐性之斧也。"《莊子·在宥》
"此以人之國僥倖也"，《釋
文》："僥"字或作"徼"。僥、徼
同訓，故通。《海外南經》："有
小人，名曰焦僥之國。"故《中
庸》曰："小人行險以僥倖。"
《解嘲》"據徼乘邪"，《注》："言
據僥倖而乘邪僻也。"以僥釋
徼，同用之證。至徼之本字則
作憿。《説文》："憿，幸也。"
"憿"下則曰"循也"。（字會）

【僖】《史記》："季友奉公子申立，

是爲釐公。"釐與僖同。(魯靈光殿) 案：諡法有釐、有僖，《周書》二諡并出，而《春秋三傳》"僖公"《史》《漢》皆作"釐公"。段云："蓋《史》《漢》叚釐爲僖也。"今按：僖、釐同義。禧訓福禧，釐訓福釐。僖字音形同禧，故僖、釐通叚也。顏延年《宋郊祀歌》"受釐元神"，《注》如淳曰："釐音僖。"《甘泉賦》"逆釐三神"，《注》服虔曰："釐，福也。釐音熙。"(字會)

【憗】詳"嚭"條。

【僄】見也。(雜擬江)

【倜】詳"瞷"條。

【像】詳"象"條。

【僄】詳"蹻"條。

【僭】假也。(贈答安仁)

【偐孫】謂皓也。(贈答安仁)

【僬眇睢維】目開合之貌。(長笛)

【僕】附也。(贈答士衡貳)【僕】謂附著於人，自卑之稱也。(子虛)【僕】御也。(離騷)

【劀】曲鑿也。(甘泉)

【厭】塞也。 【厭】合也。(論班)【厭】安也。(論陸貳)【厭】安靜貌。(洞簫)【厭】服也。(長楊)【厭】猶捻也。(笙) 案：《說文》無"捻"字。《手部》："厭，一指按也。"《廣雅·釋詁》："厭，按也。"《荀子·解蔽篇》"厭目而視者，視一以爲兩"，《注》："厭，指按也。"厭，正字；厭，叚借字。若捻則後出之俗字耳。(疏證) 又詳"擫"條。

【廝】《漢書》曰"有廝養卒"，如淳曰："廝，賤也。"(彈事沈) 案：《說文》云："斯，析也。"毛公《陳風傳》同。是爲廝者本主析薪，故廝字卽從斯字得聲也。《左傳》哀二年杜預《注》"去廝役"，《釋文》作"斯"，云"如字"。字又作廝，音同。蓋古無廝字，多借斯爲廝，如《周易·旅》初六爻詞"斯其所取災"，王《注》云："斯賤之役。"是也。何休注《公羊》云："艾草爲防者曰廝，汲水漿者曰役。"蘇林注《漢書》云："廝，取薪者。"韋昭云："析薪曰廝。"斯與廝古今字耳。(疏證)

【嘔】與謳同。(江) 案：《江文通恨賦注》："《淮南子》曰'趙王遷流房陵，思故鄉，作《山木之嘔》，聞者莫不隕涕'，高誘曰：

'《山木之嘔》,歌曲也。'" 按:
《檀弓》"陶斯咏"《注》"咏,謳
也",《釋文》"謳"本亦作"嘔"。
(疏證) 又詳"煦"條。

【嘔符】(令) 案:《莊子》"是皆
修其身,以下偪拊人之民",
《釋文》:"偪,紆甫反。拊,徐、
向音撫。李云:偪拊謂憐愛之
也。崔云:猶嘔呴謂養也。"蓋
嘔、偪皆區聲,符、拊皆付聲,
故通用耳。(疏證)

【嗷嗷】鳥鳴也。(高唐)

【嘘】與歔古字通。(七發) 案:
《説文》:"嘘,吹也。""吹"下
云:"口欠則氣出。"故虚或從
口、或從欠,其義一也。《廣
韻》:"歔,出氣也。"此與歔、嗚
一例,蓋嘘、歔均虚聲。(字
會)

【嘈嘈】衆聲也。(魯靈光殿)

【嘈㠉岌峇】聲也。(長笛)

【嘈囋】聲貌。(文)

【嘈㗲】鼓聲。(東京)

【嫣】詳"嫣"條。

【嫣嫣㰦㰦】喜也。(好色)

【團】聚貌。(長笛) 又詳"摶"
條。

【團團】露也。(雜詩陶貳)

【圖】度也。(哀顏) 【圖】畫也。

(子虚) 【圖】謂畫物象也。
(誄謝)

【圖緯】圖,河圖也。緯,五緯也。
(贊夏侯)

【嗽】詳"啗齰嗽獲"條。

【塹】穿室爲塹,所以御禽獸也。
(書司馬)

【墋】不清澄之貌也。(頌陸)

【墐】塗也。(雪)

【塿】積也。(蜀都) 【墆】《食貨
志》曰"或墆財",墆音滯。(魏
都) 案:《説文》:"滯,凝也。"
《周禮·廛人》:"凡珍異之有
滯者。"滯從水之凝泒取義。
《國語·周語》"氣不沈滯",
《注》:"滯,積也。"《淮南·原
道》"是故天運而地滯",《時則
篇》"流而不滯",《注》:"滯,止
也。"滯屬地,故或作墆耳。《蜀
都賦》"賈貿墆鬻",《注》:"墆,
貯也。"亦積止義。《漢書·食
貨志》"墆貨役貧",音滯,停
也。此其證。(字會)

【墆霓】高貌。(西京)

【墉】城也。(西都) 又詳"庸"
條。

【墉垣】牆也。墉,容也,所以蔽
隱形容也。(雜詩景陽)

【城】猶國也,言有國當治之也。

（景福殿）【墄】限也，謂階齒也。天子殿高九尺，階有齒，各有九級。其側階各中分左右，左有齒，右則滂沲平之，令輦車得上。（西京）

【嫕】詳"婉嫕"條。

【嫚嫚】長豔貌也。（上林　胡云："嫚"當作"㜺"，同娟。）

【嫭】與嫮同，好貌。（雪）　案：《楚辭・東君》"思靈保兮賢嫭"，《注》："嫭，好也。"《思元賦》"咨姤嫭之難竝兮"，《注》："嫭，好。"又"增嫭眼而蛾眉"，《注》："《廣雅》曰：嫭，好也。"《楚辭》"修容嫭態"，《注》："嫭，好也。"是嫭、嫮通訓通用之證。（字會）

【嬃】嬌也，子庶切。或作姐，古字通假借也。（琴）　案：嵇叔夜《幽憤詩》"恃愛肆姐"，《注》："《說文》曰：姐，嬌也。"嬌與姐同耳。繁休伯《與魏文帝牋》"寳姐名娼"，《注》："《說文》曰：嬃字或作姐。"古字假借也。（疏證）

【嫣】笑貌。《廣雅》曰："嫣嫣、欥欥，喜也。"（好色）　案：阮嗣宗《詠懷詩》"傾城迷下蔡"，顏延年、沈約等注："《登徒子好色賦》曰："嫣然一笑。"知嫣與嫣通。（疏證）

【嫗】詳"煦"條。

【嫙】詳"還"條。

【廑】今勤字也。（長楊）　案：《詩・賚》"文王既勤止"，《傳》："勤，勞也。"《說文》："廑，少劣之居，從广堇聲。"引申與《人部》之"僅"同。《漢書・敍傳》"下廑阿之廑"，《注》："廑亦勤字也。"《文帝紀集注》引晉灼："廑，古勤字。"《漢書・楊雄傳》"其廑至矣"，《注》："古勤字。"廑、勤均堇聲也。《賈誼傳》"其次廑得舍人"，師古曰："廑與僅同。"此又廑通為僅之證。（字會）

【㡩】《孝經》曰："曾子避席。"㡩與席古字通。（上林）　案：《顏氏家訓・書證》："席中加帶。"此通用義也。《雪賦》"相如於是避席而起"，《注》亦引《孝經》"曾子避席"云云。又"末縈盈於帷席"，均作"席"。《說文》："席，藉也。《禮》：天子諸侯席有黼繡純飾。從巾庶省聲。圐，古文席，從石省。"然則席本祭天之藉。

《易》·"藉用白茅。"亦爲几筵之席。從廚者,顏氏説。(字會)

【麽】詳"幺麼"條。

【廓】開也。(海) 【廓】空也。(鵩鳥) 【廓】猶規也。(東京) 【廓】張小使大謂之廓。(魯靈光殿) 又詳"郭"條。

【廓落】獨立也。(九辯)

【慨】歎息也。(東京 又《北征》"歎"作"太"。) 又詳"慷慨"條。

【慠】(碑文沈) 案:慠、傲一字,慠、傲均訓倨訓嫚。《左氏·襄二十年傳》"大夫敖",《釋文》:本亦作"傲"。曹子建《上責躬應詔詩表》"傲我皇使",作"傲";"匪敢傲德",作慠。此通用之證。至敖之本義,訓出遊。 經傳叚爲倨傲字也。 傲又通作奡。《書》"毋若丹朱傲",《説文》"奡"下引作"奡",云"讀若傲"。傲本作螯。《説文》"螯,侮傷也"。今則傲行而螯廢矣。(字會)

【慘】毒也。(琴) 【慘】與黲古字通。(登樓) 案:慘、黲參聲。《西京賦》"冰霜慘烈",薛《注》:"慘烈,寒也。"《甘泉賦》"下陰潛以慘廩",《注》:"慘廩,寒貌也。"《廣雅·釋器》:"黲,黑也。"《釋詁三》:"黲,敗也。"《注》引《通俗文》:"色暗曰黲。"《説文》:"黲,青黑色也。"均與慘慘無色之義合。《甘泉賦》"增宮嵾差",《注》:"善曰:嵾與參同。"《上林賦》"紛溶萷蔘"。郭云:"支竦擢也。"蔘同慘,善音森。《説文》:"槮,長木兒。"與此蓋一例。均取參聲也。(字會)

【慘怛】憂勞也。(風)

【慘廩】寒貌也。(甘泉)

【懷慨】壯士不得志於心也。(思玄 又《秋興》作"慨,壯士不得志也",《閒居》作"慨,仕不得志"。)

【懇】詳"隱隱"條。

【慺慺】謹慎也。(表曹貳)

【愬】向也。愬與遡古字通。(西征) 案:張平子《西京賦》"感愬風而欲翔",薛綜《注》:"愬,向也。" 張景陽《七命》"遡九秋之鳴飈",《注》:"愬與遡同。"(疏證) 【愬】與訴同。(公讌王) 案:《説文》:"諺,告也。《論語》:諺子路于季孫。謑或從言庻，謑或從朔心。"段云："今《論語》作'愬'。愬、訴蓋古今字也。"《寡婦賦》"愬空宇兮曠朗"，《注："愬亦訴字。"（字會）又詳"遡"條。

【憀】且也。（長笛）

【憀亮】聲清徹貌。（琴 又《笙》作"聲清也"。

【慈母山】詳"江南之丘墟"條。

【愿】愨也。（論陸叁）

【撍】拾也。【撍】取也。（思玄）又詳"搏撍"條。

【攄扠】皆謂戟撮之。（西京）

【撍】捎取之也。（西京）

【撇】側手擊曰撇。（洞簫）

【撕】撕之言芺也。（長楊）

【摛】舒也。（西都）【摛】布也。（碑文蔡壹）

【摛鏤】摛布其彫鏤也。（魏都）

【摻摻】詳"纖纖"條。

【摺】折也。（上書鄒貳）【摺】古拉字也。（設論楊）案：《說文》："拉，摧也。""摺，敗也。"摧敗義同。《公羊傳》："公子彭生送桓公，于其乘焉，拹幹而殺之。"《說文》："拹，摺也。一曰拉也。"《詩·南山序》"使公子彭生乘公而摺殺

之"，《疏》："摺與拉音義同。"拉亦通攋。《洞簫賦》"攦若枚折"，《注》："攦，聲也。"又引《廣雅》曰："攦，折也。"今按《賦》語作"攦"，《注》作"攦"，必有一誤。拉亦通厤。《吳都賦》："拉攋雷硠。"《說文》："厤，石聲也。"《玉篇》曰："厤，亦拉字。"（字會）

【摼】扼也。摼，古牽字。（羽獵）案：《爾雅·釋詁》"掔，固也"，《釋文》："掔音牽，又却閑反。郭音義本與摼揩物同。"《公羊·僖二年傳》"牽馬而至"，《釋文》："牽本作掔。"《左氏定十四年》"公會齊侯衛侯于牽"，《公羊》作"堅"。堅、掔同從臤聲。摼即掔之變體。（疏證）

【摶】圜也。（贈答范貳）【摶】孟康曰："摶，持也。"如滬曰："摶音圍。"或作"揣"。晉灼曰："許慎云：揣，量也。度高曰揣。"善曰：《鶡冠子》曰："安可控摶也。"（鵬鳥）案：馬季長《長笛賦》"冬雪揣封乎其枝"，《注》："鄭玄《毛詩箋》曰：團聚貌。"揣與團古字通。《漢書音義》孟康曰："揣，持

也。"《江文通雜體詩注》:
"《莊子》'鵬之徙於南溟也,搏
扶搖而上者九萬里',司馬彪
曰:'搏,團也。'" 揣字耑聲,
搏字、團字俱專聲,古耑聲、專
聲字同部,故通。(字會)

【搏搏】垂貌也。(思玄)

【摧崣】高貌。(上林)

【摧殘】詳"靡拉摧殘"條。

【摧唯】林木崇積貌。(甘泉 胡
云:"林"當作"材")。

【摧藏】自抑挫貌。(嘯)

【摧】庲㕑也。(吳都)

【摽】辟也。(雜擬袁壹) 又詳
"㯱"條。

【摵】擊也。(子虛)

【摲殄】言盡取之。(西京)

【賓】謂羣臣也。(補亡) 又詳
"儐"條。

【察】觀也。(詔壹) 【察】視也。
(西京) 【察】省也。(行旅靈
運柴) 【察】審也。(離騷)

【察察】清潔也。(漁父)

【寥】深也。(鵬鳥) 【寥】虛空
也。(游天台山)

【寥寥】深也。 【寥寥】深空也。
(寡婦)

【寥戾】詳"飂戾"條。

【寥落】星稀之貌也。(行旅玄暉
伍)

【寥廓】高遠也。(羽獵) 【寥廓】
虛靜貌。(甘泉)

【寥廓忽荒】元氣未分之貌。(鵬
鳥 《西征》脫"元氣"二字。)

【寡】五十無夫曰寡。(獻詩潘)

【寡妻】寡有之妻。(曹貳)

【寢】息也。(文壹) 【寢】臥息
也。(高唐) 【寢】寢或爲侵。
(東都) 案:《周易》"利用侵
伐",陸德明《釋文》:"侵,王廙
作寢。" 則侵與寢古字本通。
《説文》有寖無寢。"寖,臥也。
侵聲",故與侵字互相假借耳。
(疏證)

【寢威】寢其威武也。(東都)

【寤】覺也。(好色) 又詳"迕"、
"晤"二條。

【寞】靜也。(射雉) 又詳"漠"
條。

【寋】詳"謇"條。

【嵾差】嵾與參同。(甘泉) 案:
司馬長卿《上林賦》"嶄巖嵾
嵳",《注》郭璞曰:"皆峯嶺之
貌也。嵾,楚林切。嵳,楚宜
切。"張平子《西京賦》"岡巒參
差",薛綜《注》:"參差,低仰
貌。"(疏證)

【嶄】《廣雅》曰:"鑴謂之鏨。"鏨

與嶄古字通。（海）案：嶄、鑱
從斬得聲得義。《說文》：“斬，
截也，從車從斤。斬法車裂
也。”因而凡斷謂之斬。《詩·
節南山》“國既卒斬”，《傳》：
“斬，斷也。”斬器爲鑱。《廣
雅·釋器》：“鐫謂之鑱。”《通
俗文》：“石鑿曰鑱。”“高山謂
之嶄巖。”亦言山高如斬然也。
《別賦》“乍秋風兮暫起”，作
“暫”。“誰能摹暫離之狀”，作
“暫”。《長楊賦》“所過麾城撕
邑”，用“撕”作“斬”。是皆由斬
字音義而引申之也。（字會）

【嶄巖】高貌，　【嶄巖】高峻之
貌也。（西都　胡云：袁本、
茶陵本“高”上有“石”字，是
也。）

【嵤岵】詳“漠泊”條。

【嶚】詳“淑漻壽蓼”條。

【嶇嶔崟崎】山險峻貌。（洞簫）

【嶂】山名。（鸚鵡）

【嶒】山巓也。（江）

【嶒崚】山貌。（上林）　又詳“嵾
差”條。

【摽】《公羊傳》曰：“曹子摽劍而
去之”，劉兆曰：“摽，辟也。”摽
與摽字同。（雜擬袁）　案：
《孟子》“摽使者出諸大門之

外”，《注》：“摽，麾也。”《管子·
侈靡》“摽然若秋雲之遠”，
《注》：“摽，高舉貌”。《辨命
論》：“摽組雲臺者摩肩。”《廣
韻》：“摽，長組貌。”組長故摽
然也。王元長《三月三日曲水
詩序》：“摽搖武猛。”摽搖亦高
舉意。言其疾也。《詩》“寤辟
有摽”，摽訓拊心貌。《說文》：
“摽，擊也。”此因從手而生訓
耳，與摽義無涉。摽又通作
飄。《海賦》“摽沙礐石”，《注》
引《春秋命厤序》曰：“大風飄
石。”又票通作剽。《羽獵賦》
“亶觀夫剽禽之紲踰”，作
“剽”。《長楊賦》“校武票禽”，
作“票。”蓋摽、摽、飄、剽均票
聲。故飄搖本作旚繇。《說
文》：“旚，旌旗旚繇也。”叚作
影繇。《廣成頌》曰：“羽旄紛
其影繇。”（字會）

【影沙】異氣不至，則大風發屋揚
沙。（海　“氣”原作“風”，依
胡校改。又《風》作“異氣至則
大風揚沙。”）

【彰】著也。（公讌顏壹）

【獄】詳“圉圄”條。

【摴摴】詳“聯豫”條。

【豷】似牛，領有肉堆。（上林）

【獥猲】相連延貌。（洞簫）

【鄢郢】楚二縣也。（上書李）

【鄙】小也。（子虛）　【鄙】陋也。（長笛）　【鄙】固陋不惠也。（東京）　【鄙】俚也。（哀傷稽）　【鄙】恥也。（詠史顏貳）　【鄙】邊邑也。（西京）　【鄙】國也。（魯靈光殿）　都之所居曰鄙。（贈答盧貳）

【鄙生】自稱謙辭也。（西京）

【障】防也。（長笛）　【障】亭障也。（鸚鵡）　【障】葉樹藩云：《三國志》皆作“鄣”。周靖云：本是山嵐之氣，後人乃轉爲瘴字。（論劉）　案：瘴訓山嵐之氣，障訓障蔽。以山嵐之氣必障蔽而後可行，故遂叚障爲瘴耳。《魏都賦》“封疆障癘。”《注》：“吳蜀皆暑濕，其南皆有瘴氣。”以瘴訓障也。（字會）又詳“鄣”條。

【鄣】《蒼頡篇》曰：“鄣，小城也。”《漢書》：“武帝謂狄山曰：使居一障間。”（北征）　案：王弼《周易注》“鄣，覆暧鄣光明之物也”，《釋文》：“鄣，音章，又止尚反。字又作障，同。”《説文》：“障，隔也，從𨸏章聲。”“鄣”字下云“紀邑也，從邑章

聲”。蓋在左爲𨸏，在右爲邑，義雖不同，而音形相近，故可通用。（疏證）

【隖】詳“隝”條。

【槁】葉落也。（吳都）　【槁】《詩》“弗擊弗考”，云槁與考古字通。（行旅安仁）　案：槁、考同音通叚，槁、考均苦浩切。高聲、毛聲古可通用。老從人毛匕，言鬚髮變白也。老有枯槁之義。考、老爲轉注，異字同義，故槁、考古字通也。（字會）　【槁】藁與槁古字通。（七發）　案：《周禮·小行人》“則令槁襘之”《注》：“故書槁爲藁。”《説文》：“藁，木枯也。”“藁，稈也。”“稈”下云：“禾莖也。《左傳》‘或取秉稈焉’。”禾莖必枯而後可持，故藁亦叚借爲矢幹之藁。蓋木枯爲槁，禾枯爲藁，草乾爲藁，其義一也。《漢書·禮樂志》“枯藁復產”，《注》：“口老反，讀作槁。”此其證。（字會）

【槀】詳“槙”條。

【槀藥】詳“槀齧”條。

【榜】擊也。（書司馬）　【榜】船也。（子虛）　【榜】船櫂也。一曰併船也。（江）

【榜人】喻良朋也。（雜詩曹壹）

【榜人】船長也，主唱聲而歌者也。（子虛）

【槎】詳"蹉"條。

【槎枿】斜斫曰槎。斬而復生曰枿，或曰株生曰枿。（東京）

【楹】柱也。（西都）

【搏】詳"扶服"條。

【榱】棟也。（碑文簡栖）【榱】亦椽也。有三名：一曰椽，二曰桷，三曰榱。（魯靈光殿）

【槾】屋連縣也。（西京）

【槾楣】秦名屋綿聯，楚謂之楣。（景福殿）

【構】成也。（西征）【構】架也。（魯靈光殿）

【撆】至也。（甘泉）

【橐】排橐，冶鑄者用以吹火使炎熾。（文）

【橐】囊也。小曰橐，大曰囊。（史論干貳）

【橐駝】詳"駝"條。

【橐櫪】詳"櫪"條。

【槀】箭幹謂之槀。（長笛）

【槀本】槀茇。（上林）

【斲】斫謂之斲。（琴）【斲】斫也。（七命）　案：《說文》："斫，擊也。""斲，斫也。"段曰：凡斫木斫人斫地皆曰斫。斲從斫訓，從豈聲，豈、斫音轉，通用字也。斲亦通斯。《東京賦》"斯猲狂"。《注》："斯，擊也。"此與鏡之爲鑑，翳之爲瞖，硯之爲研，致之爲至，具之爲俱，統以訓詁之字相通叚。又斲或作劗。（字會）　又詳"樸斲"條。

【旗】詳"九旗"條。

【旖旎】盛貌。（九辯）【旖旎】從風柔弱貌。（甘泉）

【颯】風聲。（風）

【颯颯】風聲也。（九歌）

【颯杳】羣飛貌。（舞鶴）

【颯然】吹木葉落貌。（碑文沈）

【颯纚】袖長貌。（西都）

【竭】猶戴也。（海）【竭】盡也。（思玄）【竭】揮振去水亦爲竭。（雜詩蘇）

【颭揭】屈折貌。（舞）

【颭纚】長貌。（西京）

【端】緒也。（詠史虞）【端】凡南方正門皆謂之端。（魏都）

【端委】禮衣委貌。謂冠袖長而裳齊委至地也。'（吳都）

【暢】申也。（神女）【暢】長也。（西征）【暢】充也。（公讌應）【暢】通也。（論王）又詳

"昶"、"㘖"二條。

【漸】漬也。（懷舊）　【漸】進也。（幽通）　【漸】入也。（公讌應）　【漸】稍也。（游覽靈運肆）　【漸】設也。（勸勵韋）

【漸漸】含秀之貌。（射雉）

【漸臺】臺名也。（西都）　【漸臺】天臺之名。四星在織女東。（月）

【漸離】魚名。（上林）

【溉】滌也。（長笛）　【溉】灌也。（南都）　又詳"㮣"條。

【㴞湇渹溳】皆大波相激之聲。（江）

【㴞渤】水聲也。（江）

【漬】詳"積"條。

【澎】流貌也。（蜀都）

【㵿】詳"澆"條。

【漳水】出荊山，而東南流注於雎。（江）

【漣湖】沔水又東得漣湖。（江）

【演】引也。（西都）　【演】廣遠也。（西征）　【演】水潛行曰演。（蜀都）　【演】長流也。（海）　【演】水脈行地中。（江）

【溁溁】水廣遠貌。（高唐）

【溁沆】猶洸潒，亦寬大也。（西京）

【渾弗】盛貌也。（上林）

【渾浮】言眾瑞之多也。（符命揚）

【漢】天漢也。（月）　【漢】天河也。（贈答顏參）

【漢女】鄭交甫所逢二女也。（羽獵）

【漢陽】天水郡，明帝改曰漢陽。（雜詩平子）

【滿】水也。（設論班）　【滿】引弓盡箭鏑曰滿。（上林）

【漱】蕩也。（雜詩景陽）

【漏】猶滲也。（魏都）

【漏江】在建寧，有水道，伏流數里復出，故曰漏江。（蜀都）

【漩濆瀠潛渨濆濧瀑】皆波浪回旋潰涌而起之貌。（江）

【㴉】水會也。（吳都）　【㴉】小水入大水也。（江）　又詳"灢"條。

【漎漎】疾貌也。（甘泉）

【漪】蓋語辭也。（吳都）　【漪】風行水上曰漪。（物色）

【漪瀾】水波也。漪蓋語辭也。（吳都）丶案：漪從猗聲。漪瀾者，象水波之紋也。亦訓語辭，語辭所以助文，漪字同猗故也。《爾雅‧釋水》"河水清且瀾漪"，《釋文》："漪"本作"猗"。《詩‧伐檀》"河水清且

連猗",《釋文》:"猗"本作
"漪"。乃漪、猗通用之證。猗
又通作依。《漢書·孔光傳》:
"猗違者,連歲不決事之言
也。"讀作依,今作依違。(字
會) 又詳"瀾"條。

【濆瀇】沸貌。(海)

【澳】詳"隩"條。

【漼】壞也。(西征) 【漼】折貌。
(舞) 【漼】泣涕垂貌。(弔文
陸)

【澔澔涆涆】光明盛貌。(魯靈光
殿)

【濫溢】流貌也。(吳都)。

【滴瀝】水下滴瀝也。(海)

【滲】謂滲漉,喻祉福也。(誄謝)
【滲】下漉也。(符命司馬)

【滲淫】小水津液也。(海)

【漾】長也。(登樓)

【澌】水盡也。(獻詩曹貳)

【漕】水轉曰漕。(西都) 【漕】
水轉穀也。(蕪城)

【漕渠】邗溝也。(蕪城)

【滰】水下貌。(符命司馬)

【漵】水名。(九章)

【漁浦】在富春東三十里。(行旅
靈運叁)

【漠】無爲也。(勸勵韋) 【漠】
寂也,泊也。(勸勵張) 【漠】

《西域傳》曰"罽賓國以金銀爲
錢,文爲騎馬,幕爲人面",如
淳曰:"幕音漫。"韋昭曰:"幕,
錢背也。"然則漫、幕同義。古
詩曰"北匈奴中沙漠地"也。
李陵《歌》曰:"經萬里兮度沙
漠。" 猶今人呼帳幔亦曰幕。
幕今書或作漠,音訓同。(嘯)
案:《說文》:"幔,幬也。"凡以
物蒙其上爲幔,幕帷在上曰
幕,幕幔同義。幕訓錢背,亦
取在上之意。今荊楚之間呼
錢背之字尚曰漫,漫、幕同音
故也。漠、幙同。故帳幙、河
漠之字通用。《後漢·光武紀
下注》:"沙土曰幕,即今磧
也。" 明以幕爲漠矣。《長楊
賦》:"腦沙幕。"陸佐公《石闕
銘》"幕南罷鄣",《注》引《漢
書》曰:"匈奴遠逃,而漠南無
王庭。"此幕、漠通用之證。幕
亦通作莫。《史記·廉頗傳》
"皆輸入莫府",崔浩云:古者
出征將帥,無常處,以幕帟爲
府署,故曰莫。當作幕,古字
少耳。"《漢書·李廣傳》同。
漠亦通作寞。《別賦》"咸寂漠
而傷神",《文賦》"叩寂寞而求
音",作"寞"。(字會) 又詳

"幕"條。

【漠泊】漠泊，竹密貌。漠與嗼，泊與帕，均同。(洞簫) 案：漠嗼、泊帕，同音通用之字也。莫白或從水，或從山，均從貘貉淡怕得義。莫、泊爲雙聲疊韻。莫訓貉，《詩》"貉其德音"是也。怕訓淡泊。《子虛賦》"怕乎無爲。"《注》："怕與泊同。"漠泊象竹密不可見貌，亦莫貉靜怕意也。此與絪縕之作烟熅同例。(字會)

【漫】汙也。(書蕪) 又詳"漠"條。

【漫漫】長遠貌。(吳都) 【漫漫】無厓際之貌也。(甘泉)

【漫衍】流溢貌。(洞簫) 又詳"蟃蜒"條。

【漫羨】廣散也。(符命司馬)

【淑瀏夀藔】《上林賦》曰："悠遠長懷，淑瀏無聲。"淑與寂音義同。(七發) 案：《四子講德論》"寂寥宇宙"，《注》："寂寥，曠遠之貌也。"《楚辭‧遠逝》"聲噭噭以寂寥兮"，《注》："寂寥，空無人居之貌也。"《老子》"寂兮寥兮"，王《注》："寂寥，無形體也。"均以寂寥統訓，均作"寂"。然則寂寥本字，因夀

藔水物加水旁耳。寂，《說文》作"宗"，《方言》作"宵"。寥通作瀏者。《廣韻》："瀏，水清也。"宋玉《悲秋》"泬寥兮天高而氣清"，王逸《注》："泬寥，曠蕩而虛靜也。""寂瀏兮收潦而水清"，《注》："源濆順流，漠無聲也。"寥又通作嵺。《漢書‧司馬相如傳》："上嵺廓而無天。"音遼，《史記》作"寥"。(字會)

【滯】廢也。【文】 又詳"墆"條。

【滯沛】奔揚之貌也。(上林)

【瀏】清深也。(上林) 【瀏】清貌也。(南都)

【瀏漣】小水別名。(西京)

【漂】輕也。(魯靈光殿) 【漂】浮也。(甘泉) 【漂】猶流也。(文) 【漂】激也。(連珠)

【漂漂】疾貌也。(長門)

【漂撇】餘響少騰相擊之貌也。(洞簫)

【漂淩】謂漂蕩淩駕也。(長笛)

【熏】詳"薰"條。

【熏熏】和悅貌。(東京)

【燫】絕也。(長門)

【熒】光也。(蜀都) 【熒】小光也。(設論班)

【熒熒】光明貌也。(高唐)

【熒惑】火星也。（思玄）　【熒惑】謂之罰星。或謂之執法。（論劉貳）　【熒惑】執法，使司不詳。（羽獵　原本“法”上無“執”字，“司”下有“命”字，今依胡校改。）

【熇】熱貌。（魏都）

【榮】光榮也。（羽獵）　【榮】屋南檐也。（上林）

【榮期】榮啟期。（琴）

【榮華】喻顏色也。（離騷）

【榮楯】嬰以白璧，鏤以黃金，狀類龍蛇，吳王用之以飾殿。（吳都）

【熐蠡】山名。　【熐蠡】乾酪也，以爲酪母。（長楊　案：本作“爓蠡”。）

【熊】獸，似豕，山居冬蟄。（西都）　犬身人足，黑色。（上林）

【熊虎猛捷】故以譬武。（論韋）

【熊經】若熊之舉樹而引氣也。（長笛）

【瑯】詳“球琳瑯玕”條。

【瑯邪】臺名也。（子虛）

【瑤】石之次玉也。（九章）　【瑤】《山海經》曰：“姑瑤之山，帝女死焉，名曰女尸，化爲䔄草。”郭璞曰：“䔄與瑤同。”（別）

案：《説文》：“瑤，玉之美。”䔄通瑤者，言草之美似玉也。大凡䍃音多可通叚：逍遙亦作捎搖；歌謡亦作歌謠；苟瑤亦作苟搖，又作苟繇，以繇從䍃聲也；徭役亦作遙役，亦作繇役；招搖亦作招榣。《閒居賦》“石榴蒲陶之珍”，《注》引李廣利爲貳師將軍，伐大宛，得蒲陶，以“陶”作“苟”，與此一例。（字會）　又詳“琨瑤”條。

【瑤光】殿名也。（誄謝）　又詳“北斗七星”條。

【瑤姬】巫山之女，赤帝女，曰瑤姬。（高唐　《別賦》引此，“女”匕有“季”字。）

【瑤草】玉芝也。（遊覽江）

【瑤階】玉階也。（雪）

【瑤軫】玉路也。（游覽顏叄）

【瑤碧】玉名。（洛神）

【瑤漿】詳“玉漿”條。

【瑰】大也。（行旅靈運陸）【瑰】奇也。（西京）　【瑰】美也。（舞）　又詳“傀”條。

【瑰瑋】奇好也。（西京）　【瑰瑋】琦玩也。（子虛　又《游天台山》“琦玩”作“珍琦”。）

【瑵】葩爪悉以金作華形，莖皆曲。爪與瑵同。（東京）　案：

王元長《三月三日曲水詩序》
"重英曲瑤之飾"，《注》引"葩
瑤曲莖"，誤作《西京賦》。顏延
年《車駕幸京口三月三日侍遊
曲阿後湖作》"彫雲麗琁蓋"，
《注》："桓子《新論》曰：'乘車
玉爪蓋。'"按：《說文》"瑤"字
下云："車蓋玉瑤，從玉䍃聲。"
《冬官·輪人》"欲其䍃之正
也"《注》："䍃當爲爪。"《士喪
禮》"䍃揃如他日"《注》："䍃讀
爲爪。"《說文》"䍃"字"叉聲"，
叉即古爪字。䍃從爪字得聲，
瑤又從䍃字得聲，故爪、瑤亦
可通用。（疏證）

【瑣】門鏤也，文如連瑣。（離騷）
　又詳"璅"條。

【瑣窗】窗爲瑣文也。（雜詩鮑
　貳）

【瑱綷】文采相雜也。（江）

【蓋】覆也。（西都）【蓋】辭也。
　（符命司馬）

【蓋節淵】在平原隰縣。（魏都）

【睽罔庨豁】詳"熹昺桔桀睽罔庨
　豁"條。

【膊】謂脇也。（東京）　又詳
　"胉"條。

【瓝】詳"瓣"條。

【碣】突也。（長笛）【碣】過也。

（甘泉）【碣】文石也。（景福
殿）

【碨磊】不平貌。（海）

【碣】揭同。（景福殿）　案：《說
文》："碣，高立之石也。""揭，
高舉也。"碣本作揭，後人以石
爲墓，因從碣，蓋揭而表之墓
道也。《封氏聞見記》："六物
有標榜，皆謂之揭。"《管子·
君臣上》："猶揭表而令之止
也。"《東京賦》"揭以熊耳"，薛
《注》："揭猶表也。"《羽獵賦》
"揭以崇山"，善亦引薛《注》
云："揭，表也。"是知揭、楬一
字。碣爲揭字所改，故用同。
碣亦通作嵑。班孟堅《封燕然
山銘》"封神邱兮建隆嵑"，
《注》引《說文》曰："碣，立石
也。"碣與嵑同。（字會）

【碣石】海畔山也。（高唐）

【碝石】白者如冰，半有赤色。
（子虛）【碝石】黃色。（上
林）

【敷】詳"尃"條。

【塵】詳"陣"條。

【塵事】塵俗之事也。（行旅陶貳）

【歊】氣上出貌。（西都）

【歊霧】水霧之氣似雲蒸，昏暗不
明也。（吳都）

【篏】詳“嗛”條。

【鞥】詳“斡”條。

【箠楚】箠長五尺。捶，以杖擊也。箠與捶同。以之笞人，同謂之箠楚。箠楚皆杖木之名也。（書司馬）

【管】管，鍵也。（西征）【管】竹曰管，長尺，圍寸，併吹之，有底。一曰如篪，六孔。（閒居）又詳“吹”條。

【管青】詳“秦青方堙”條。

【箕伯】風伯也。巽爲長女，長者伯之。故曰風伯也。（思玄）

【箕風畢雨】月失其行，離於箕者風，離於畢者雨。（七命　又《月》作“月經於箕則多風，離於畢則多雨”。）

【箕倨】詳“踑踞”條。

【箕帚】箕，簸也。帚，糞也。（雜詩景玄）

【箕踵】言山勢前闊後狹，如簸箕之踵也。（高唐）

【箏】蒙恬所造。（笙）

【篠簜】竹名。（吴都）

【粺】《説文》曰：“稗，禾別名。”稗與粺古字通。（七啓）案：《説文》：“粺，毇也。”漢《九章算術》云：“糲米三十，粺米二十七。”稗訓禾別。如淳曰：“細米爲稗。”今按糲米三十，粺米二十七，尚非御米鑿米，亦精少粗多之意，與細米意相足，故古字通。《左傳·定十年傳》“用秕稗也”，《注》：“稗，草之似穀者。”稗有米似禾可食，故亦種之。《家語·相魯》“是用粃粺”，《注》：“草之似穀者。”稗粺互用。（字會）

【精】銳也。（上林）【精】明也。（詠史顏貳）【精】鑿也。（離騷）【精】《廣雅》曰：“菁，華也。”精與菁古字通。（風）案：《説文》：“精，擇米也。”引申爲凡好之偁。《西京賦》“麗服颺菁”，薛《注》：“菁，華英也。菁音精。”《詩·杕杜》“其葉菁菁”，《釋文》：“本作青。”古語“撥雲霧而見青天”，精審而得菁華之義也。精爲米之美，菁爲草之華，音義俱同，故通。精又通作晴。《史記》“天精而見景星。”《漢書》作“天暒。”郭璞注《三倉》云：“暒者，雨止無雲也。”《説文》：“姓，雨而夜除星見也。”古姓、暒、精皆今之晴。（字會）

【精舍】今讀書齋也。（游覽靈運陸　又《表任伍》稱“精廬”，蓋猶精舍也。）

【精列】詳"氣出精列"條。

【精鍊】金也。金百鍊不耗，故曰
精鍊也。（論王）

【精衞】如烏而文首、白喙、赤足，
其鳴自呼。（吳都）

【粹】純也。（魏都）　【粹】溍也。
（論秔）　又詳"醇粹"及"純
粹"條。

【綏】膚飾也。（西征）　【綏】纓
飾曰綏。（贈答張）　【綏】有
虞氏之旌旗也。（七發）

【綏】《禮記》曰"天子殺則下大
綏"，鄭玄曰："綏當作緌。緌，
有虞氏之旌旗也。"（七啓）
案：《詩・韓奕》"淑旂綏章"，
《釋文》："綏"本作"緌"。《周
禮・夏采》"以乘車建綏"，《釋
文》："綏"本作"緌"。《禮記・
雜記》"以其綏復"，《釋文》：
"綏"本作"緌"。又《周禮・夏
采注》、《士冠禮》及《玉藻》"冠
緌"之字，故書亦多作"綏"者。
今禮家定作"蕤。"審此，則綏
卽蕤之叚借字。《甘泉賦》"鸞
鳳紛其銜蕤"，《注》晉灼曰：
"蕤，綏也。"此亦叚綏爲緌也。
（字會）

【綱】張之曰綱。（贈答士衡貳）

【綱紀】謂主簿也。教主簿宣之，
故曰綱紀。猶今詔書稱門下
也。（教壹）

【綱鉅】綱者爲大綱，以繳繫鉤，
羅屬著綱。鉅，鉤也。（西征
三"綱"字原作"網"，今依胡校
改。）

【維】持也。（長笛）　【維】紘也。
（魏都）　【維】網也。（西京）
【維】猶連結也。（西征）

【綴】亦旒也。（羽獵）　【綴】連
也。（魏都）　【綴】緣也。（招
魂）　又詳"贅"條。

【拼】使也。拼與抨古字通。（符
命班）　案：張平子《思玄賦》、
"抨巫咸作占蒙兮"，《舊注》：
"平，使也。"《一切經音義》十
二："拼，古文抨，同。"《説文》
云："抨，彈也。"《廣雅》云：
"彈，拼也。"此抨卽拼字之證。
《説文》："彈，行丸也。"引弓以
行丸，有使令之義。故拼字
本義爲彈，引申之卽可訓使
也。《説文》："絣，氐人殊縷布
也。"與使義無涉。特拼、絣皆
幷聲，故通用耳。（疏證）

【綖】詳"玠統紘綖"條。

【緆】細布也。緆與錫古字通。
（子虛）　案：錫、緆易聲。《儀

禮·喪服注》："謂之錫者,治
其布使之滑易也。"《儀禮·大
射儀》"冪用錫若絺",《注》:
"今文錫或作緆。"《儀禮·燕
禮》"冪用錫若絺",《注》:"今
文錫爲緆。"又錫讀爲鬄。《儀
禮·少牢饋食禮》"主婦被
錫",《注》:"被錫讀爲髲鬄。"
以鬄亦易聲也。(字會)

【綠水】古詩。(吳都)

【綠蓂】詳"新雉"條。

【綠碧】碧有縹碧,有綠碧。(南
都)

【綠錢】詳"苔蘚"條。

【綠虵】良馬名也。(赭白馬)

【綠綺】詳"鳴琴"條。

【緊】急也。(雜擬江)【緊】纏
絲急也。(舞)【緊】猶實也。
言欲成也。(游覽殷)

【網戶】綺文鏤也。(招魂)

【緁獵】相次貌。(羽獵　又《洞
簫》: 捷獵,參差也。《魯靈光》:
捷獵,相接貌。《吳都》: 捷獵,
高顯貌。)

【綽】寬也。(洛神)

【綽約】美貌。(舞)　【綽約】婉
約也。(上林)

【綸】糾青絲綬也。(西都)　又
詳"輪"及"緡綸"條。

【綺】光色也。(七命)　【綺】五
色也。(神女)　【綺】文繒也。
(西都)

【綺季】綺里季夏。(琴)

【綺疏】疏,刻穿之也。刻爲綺
文,謂之綺疏。(游天台山)

【綺靡】精妙之言。(文)

【綺錢】窗有四面,綾綺連錢,故
曰綺錢。(雜詩玄暉貳)

【綬】仕者所佩。(詠史顏)【綬】
古者君佩玉,尊卑有序。秦以
采組連結於縌,謂之綬。(思
玄)

【綷】同也。(射雉)　【綷】猶雜
也。(景福殿)　宋衛之閒謂
混爲綷。(射雉)　又詳"瘁"
條。

【綷疏】謂繪五彩於刻鏤之中。
(景福殿)

【綷鬖】雜采曰綷,暗色曰鬖。
(登樓)

【綝纚】盛貌。(思玄)

【緇】黑也。(贈答士衡捌)

【緐】縈也。(風)

【緂茷】大赤也。(東京　正文
"茷"作"旆"。)

【翡翠】大小如爵,雄赤曰翡,雌
青曰翠。(西都)　翡,赤色,
大於翠。(鷦鷯)

【翡帷翠幬】以翡翠之羽雕飾之
　也。（招魂）

【翠】翠鳥。（蜀都）【翠】華貌。
　（南都）　又詳“翡翠”條。

【翠屏】赤城山之石屏風也。
　【翠屏】石橋之上石壁之名也。
　（游天台山）

【翠帽】翠羽爲車蓋。（西京）

【翠旌】以翡翠之羽爲旌曰翠旌。
　（九歌）

【翠帷羽蓋】謂以翠羽飾帷蓋，樹
　之船上也。（子虛）

【翠黃】乘黃也，龍翼馬身。（符
　命司馬）

【翠華之旗】以翠羽爲葆也。（上
　林）

【翠微】山氣之輕縹也。（蜀都）

【蒿】詳“菴閭”條。

【蒿里】詳“薤露蒿里”條。

【蒻】草也，其根名蒻頭，大者如
　斗，其肌正白。（都蜀）【蒻】
　蒲子，以爲華席也。（秋興
　胡云：“華”當作“苹”。）

【蒻頭】詳“蒻”條。

【蒨】木名。（思玄）

【蒨蒨】鮮明貌。（補亡）

【蓑】詳“蔗蓑”條。

【蓑蓑】垂貌也。（南都）

【蒹葭】蒹，薕；葭，蘆也。（子虛）

【蓁蓁】盛也。（西京）

【蒜】葷菜也。（論秙）

【蒟】土茄，葉覆地而生，根可食，
　人飢則以繼糧。或曰：蒟，蕺
　也。（蜀都）　又詳“沮”條。

【夢中】詳“瀛”條。

【蓀】香草也。（南都）【蓀】謂
　司命也。（九歌）

【蒼蒼】青也。（雜擬江）【蒼
　蒼】猶鬱鬱也。（公讌劉）

【蒼生】猶黔首也。（頌史）

【蒼苔】水衣。（月）

【蒼昊】天也。（魯靈光殿）

【蒼靈】青帝也。（序顏）

【蓇】詳“瑤”條。

【蓇草】其葉胥成，其花黃，其實
　如兔絲，服者媚於人。姑瑤之
　山，帝女所化也。（別）

【蓊】草樹也，葉如枅櫚而小。
　（吳都）

【蒟】蒟醬，緣樹而生，其子如桑
　椹。（蜀都）

【蒟蒻】詳“蒟”條。

【蒔】更也。（胡云：更當作植
　立。）謂更種也。（魏都）【蒔】
　更別種。（秋興）

【蓊茸】盛貌。（吳都）【蓊茸
　蓊，竹貌也。茸，竹頭有文也。
　（南都　《小學鉤沈》云：“茸當

從竹作筭。"王念孫云:"翁茸
字必從竹頭,俗本誤寫草頭
耳。")

【翁然】聚貌。(高唐)

【蒐】隱也。(論劉貳)【蒐】閱
也。蒐與搜古字通。(論陸壹
案:《説文》:"搜,衆意也。一
曰索也。"蒐,染絳草也,經傳
多以爲春搜字。據此,則搜者
本字。蒐之訓搜,因同音而通
叚也。《穀梁·桓四年傳釋
文》:"蒐,麋氏本又作搜。"《周
禮·大司馬》"遂以蒐田",
《注》:"春田爲蒐。"《詩·騶虞
序》"蒐田以時",《釋文》:"春
獵爲蒐。"《爾雅·釋詁》:"蒐,
聚也。"與《説文》"搜,衆意也"
之義合。(字會)

【蒲伏】即匍匐也。(七發) 案:
蒲從甫音。《左傳·昭十三
年》"奉壺飲氷以蒲伏焉",
《釋文》:"蒲"本又作"匍",亦
作"扶"。蓋藉地之席爲蒲,匍
伏必于席上,"史丹匍伏青蒲"
是也。故即用爲匍也。(字
會)

【蒲牢】詳"發鯨魚"條。

【蒲梢】汗血之馬。(羽獵)

【蒲陶】似燕蓂,可作酒。(蜀
都)

【蒲盧】即蒲且也。(勸勵張《論
王》"且"作"苴"。)

【蓄】積也。〔西都〕【蓄】聚也。
(符命班)【蓄】《毛詩》曰"我
行其野,言采其蓫",鄭《注》
曰:"蓫,牛蘈。"蓫與蓄音義
同。(七啟) 案:蓄、蓫同音。
《詩》"我行其野,言采其蓫",
《釋文》:"蓫"本作"蓄"。蓫訓
牛蘈,與蓄訓田畜,二義各別。
蓫亦名羊蹄。《廣雅》云:"蓫,
羊蹄菜。"《齊民要術》云:"羊
蹄菜,一名蓨。即苗蓨。"《廣
韻》"蓄"、"蓫"、"苗"、"蓫"均
在"丑六切"中,音同,義俱得
遍矣。(字會) 又詳"稸"條。

【蒤】詳"荼"條。

【蒸】升也。(江)【蒸】氣出貌。
(鶄鶇)【蒸】熱氣也。(公讌
王)【蒸】衆也。(思玄 按:
《爾雅》作"烝"。) 又詳"薪
蒸"條。

【蒸蒸】孝也。(東京)

【蒸報】上淫曰蒸,下淫曰報。
(論劉壹)

【蓍百莖一根】謂百年而一本生
百莖也。(思玄)

【蒙】謙稱也。(西京) 又詳

"雺"、"朦"二條。

【蒙昧】幼少之象也。（長楊）

【蒙鳩】南方鳥名蒙鳩。（檄陳貳）

【蒙龍】膠葛貌。（甘泉）

【虡】虡與鐻古字通。（西都）案:《春官·典庸器》"帥其屬而設筍虡",《注》:"杜子春云:橫者爲筍,從者爲鐻。"《釋文》:"鐻"音"距"。舊本作此字。今或作"虡"。虡,《説文》作"虞",云:"鐘鼓之柎也,飾爲猛獸。從虍,異象其下足。鐻,或從金豦聲。虡,篆文虞省。"是鐻、虡一字也。（疏證）又詳"筍虡"條。

【禘】大祭也。（東京）又詳"礿禘"條。

【禊】詳"上巳禊事"條。

【禎】善也。（魏都）【禎】祥也。（思玄）

【稱】猶言也。（碑文簡栖）【稱】亦勝也。（連珠）又詳"銓"、"勝"二條。

【稱旨】稱其意旨也。（贈答越石壹）

【稱壽】上酒爲稱壽。（閒居）

【竅窔】詳"窔"條。

【窬】《左傳》曰"下無覬覦",杜預曰:"下不冀望上位也。"窬與覦同。（表劉）案:《説文》:"窬,穿木户也。""覦,欲也。"今按:以木穿户,欲有所窺,《孟子》所謂"鑽穴隙相窺",《論語》所謂"穿窬之盜"是也。窬又訓牆邊小竇。窬從冀望生訓,故窬與覦同。《褚淵碑文》"窺窬神器",《注》:"窬與覦同。"可證也。（字會）

【聚】小於鄉曰聚。（東都）【聚】邑之名也。（長笛）【聚】《鶡冠子》曰:"憂喜聚門,吉凶同域。"或作最,亦聚也。（鵬鳥）案:《樂記》"會以聚衆",《注》:"聚或爲最。"《説文》:"冣,積也,從冖從取,取亦聲。"積與聚義同,故《殷本紀》"大冣樂戲於沙邱",徐廣曰:"冣亦作聚。"（疏證）又詳"學校庠序"條。

【臺】持也。臺,古握字也。（哀傷任）案:《淮南子·俶真訓》"其所居神者,臺簡以游太清",高誘《注》:"臺猶持也。"《文選注》之"臺",及《淮南子注》之"臺",皆當作"臺。"《説文》"握"字下云"搤持也","臺"字下云"古文握"。臺與臺形

近，故致訛耳。錢坫校《淮南子》，亦謂"臺"當作"掘"。（疏證）

【臺端】猶室端也。（樂府陸）

【蜿】曲也。（思玄） 【蜿】委也。（長笛） 又詳"婉"條。

【蜿蜿蜒蜒】龍形貌。（西京）

【蜎蜎蠖濩】刻鏤之形。（甘泉）

【蜻蛚】詳"蟋蟀"條。

【蜩蛹】水神。（西京） 又詳"魍魎"條。

【蜥蜴】詳"蝘蜓蜥蜴"條。

【蜩】詳"蟬"條。

【蜲蜲蜿蜿】龍蛇之貌。（高唐）

【蜲蛇】聲餘詰曲也。（西京） 【蜲蛇】邪行去也。（舞 《論劉貳》作"逶迤"同。） 【蜲蛇】大若轂，長若轅，紫衣朱冠。（東京） 【蜲蛇】蜲與逶同。（舞） 案：《西京賦》"聲清暢而蜲蛇"，《注》："聲餘詰曲也。"《笙賦》"餘簫外逶"，《注》："逶，逶迤漸邪之貌。"均取聲長義。《楚辭》"怨思帶隱虹之逶蛇"，《注》："逶蛇，長貌。"王粲《登樓賦》"路逶迤而修迴"，《注》："逶迤，長貌也。"蜲蛇者，象龍蛇之蜿蜒，亦長意。《離騷》"載雲旗之委蛇"，

王逸《注》："又載雲旗委蛇而長也。"委蛇、逶迤、蜲蛇，均同音同義之字。（字會）

【蟬】詳"蠅"條。

【蝃蝀】有雌雄，雄者色鮮好也。雄曰虹，雌曰蜺。（西京）

【蜂】與蚌同。（南都） 案：《周禮·蠻人注》"蠅，蜂也"，《釋文》"蜂"字又作"蚌"。《易·説卦》"離爲蚌"，《釋文》"蚌本作蜂"。《爾雅·釋器注》"魠，小蚌"，《釋文》："蚌"本作"蜂"。《釋魚》"蚌，含漿"，《釋文》："蚌"本作"蜂"。是蜂、蚌同用之證。（字會）

【蜚】與飛同。（鵁鶄） 案："史記·周本紀》"蜚鴻滿野"，《正義》："蜚，古飛字。"《書序》"有飛雉升鼎耳而雊"，《漢書·五行志》作"有蜚雉"。《孟子》"飛廉"，《史記·秦本紀》作"蜚廉"。《子虛賦》"蜚纖垂髾"，《封禪文》"蜚英聲"，《注》："蜚，古飛字。"蓋飛、蜚同音。飛者蟲飛也，《詩》曰："蟲飛薨薨。"故字同。（字會）

【蜚遽】天上神獸，鹿頭龍身。（上林）

【蜚廉】龍雀，鳥身，鹿鳴。（上

林）

【蜺】龍形而五色。（魏都）　又
　詳“蛻蜺”條。

【蜺旌】蜺旌者，析羽毛染以五
　采，綴以縷爲旌，有似虹蜺之
　氣也。（上林）

【蜦】蛇屬，黑色，潛於神泉之中，
　能興雲致雨。（江）　又詳
　“蝮”條。

【蜛蠩】一頭，尾有數條，長二三
　尺，左右有脚，狀如蠶，可食。
　（江）

【蜼】似母猴。（上林）

【蝮】蛇屬也。　黑蝮，神蛇也。
　（江　按：蝮卽蜦也。又《雜詩
　景陽》無“神”字。）

【舞】堯時陰氣滯伏，陽氣閉塞，
　使人舞蹈以達氣。舞者，音聲
　之容也。樂師掌教舞。有兵
　舞、干舞、羽舞、旄舞。（舞）
　舞者，所以立功。（西都）　又
　詳“儛”條。

【裳】詳“衣裳”條。

【褘】詳“袿”、“幃”二條及“褘褕”
　條。

【褘褕】褘，衣畫翟者也。褕，畫
　鷂者也。（哀顏）

【褕】襜褕也。（上林）　直裾謂
　之襜褕。（雜詩平子）　又詳

“褘褕”條。

【褚師】官也。（碑文仲寶）

【複陸】複道閣也。（西京）

【複襦】江湖之閒，或謂之襂襦。
　襦，袖也。（藉田）

【覡】詳“巫覡”條。

【誨】教也。（西都）　又詳“悔”
　條。

【誦】詳“諷誦”條。

【嵞喝】詳“嵞呀”條。

【嵞呀】大貌。（上林　《思玄》作
　“嵞喝”。）　案：張平子《思玄
　賦》“越嵞喝之洞穴兮”，《舊
　注》：“嵞喝，大貌。”呀、喝音既
　相近，又皆訓大，故可互用。
　木玄虛《海賦》“猶尚呀呷”，
　《注》“呀呷，波相呑吐之兒”。
　海波之呑吐，亦有大義。正與
　此同。（疏證）

【綢】縛束也。（九歌）

【綢繆】猶纏緜也。（琴）　【綢
　繆】連緜也。（思玄）　【綢繆】
　花采密貌。（吳都）

【綦】履跡也。（雜詩景陽）

【綦巾】女服也。（南都）

【綦會】會縫中琪，如綦。（胡云：
　“如”上脫“讀”字。）綦謂皮弁
　於縫中每貫結五采玉十二以
　爲飾、謂之綦會。（東京）

【緄】織成帶也。（七啓）

【歌】歌者，所以發德。（西都）

【歌梁】歌有繞梁，故曰歌梁。（雜詩玄暉伍）

【犒】勞也。以師枯槁，故饋之。猶食勞苦謂之勞也。（以上述祖德）

【犗】騬牛也。（吳都）

【匱】乏也。（西京）【匱】竭也。（贊袁）

【遠者】謂高賢隱士也。（九歌）

【遠迹】謂耕牧在遠方也。（史論班）

【遠遊冠】遠遊冠者，王侯所服。（表曹貳）

【墅】田也。（哀傷顏）　無墳謂之墅。（寡婦）

【態】姿也。（招魂）【態】嬌媚意也。（西京）

【搴】取也。（離騷）【搴】拔取曰搴。（書李）【搴】采取也。（行旅靈運陸　又《九歌》“采”作“手。”）

【嫪】猥也。（吳都）

【摎】猶糾也。（江）

【敲】擊也。（論賈）

【敲朴】短曰敲，長曰朴。（論賈）

【對】答也。（符命班）【對】配也。（甘泉）

【甄】表也。（西征）　長陣爲甄。（序王）　陶家作瓦器謂之甄。（魏都）

【甄陶】詳“埏埴”條。

【嘗】行也。（思玄）【嘗】試也。（連珠）【嘗】試之也。（論劉壹）　秋祭曰嘗。（詠史謝）

【酹】以酒祭地也。（啓任叁）以酒沃地曰酹。【酹】餟祭也。（哀潘）【酹】三重釀醇酒也。（魏都　《招魂》無“三重釀”三字。）

【醒】酒病也。（風）【醒】飽也。（西京）

【榛】木名。（景福殿）【榛】叢木曰榛。（游天台山）【榛】小栗。（文）　一曰小棘也。（招隱左）

【趙】國名也。（雜詩古詩）

【趙李】趙后飛燕、李夫人也。（詠懷阮）

【戧】盾，或謂之戧。（西京）　又詳“戚”條。

【遡】向也。（西京）

【遡波】逆流之波也。（七發）

【幕】錢背也。（嘯）【幕】大帳也。（招魂）【幕】帷覆上曰幕。（甘泉）【幕】匈奴之南界。蓋匈奴中沙漫地。一謂之河底。或曰：漠，北方流沙也。（嘯） 沙土曰漠。（銘班） 又詳“漠”條。

【馺】疾也。 【馺】馳也。（甘泉）

【馺遝】衆多貌。（文）

【馺娑】臺名也。（西京）

【嘉】猶善也。（東京）

【嘉平】詳“臘”條。

【嘉林】無蟲曰嘉林。（詠懷阮）

【嘉魚】鱗似鱒。（蜀都）

【嘉德】殿名也。（東京）

【嘉量】斗斛也。（符命楊）

【嘉醴】醴泉也。（符命楊）

【碧】碧石也。（西都） 青石也。（子虛）

【碧玉】水玉。（蜀都）

【碧郭】出碧之郭，卽玉山也。（雜擬江） 又詳“玉山”條。

【碧樹】崑崙山有碧樹在其北。（西都）

【靜】詳“靚”、“靖”二條。

【貍】詳“霾”條。

【貍首】逸詩篇名。（上林）

【頗】少也。（文叁） 【頗】傾也。（離騷）

【頗僻】邪佞也。（思玄）

【摵】猶抑也。（長笛）

【臧札】曹子臧、吳季札也。（西征）

【臧獲】敗敵所破虜爲奴隸。（胡云：“破”當作“被”。）羌（胡云：當作“善”。）人以婢爲妻，生子爲獲。奴以善人爲妻，生子曰臧。荆揚海岱淮濟之閒罵奴曰獲。齊之北鄙、燕之北郊、凡人男而婿（陳云：當作“壻”。）婢謂之臧。女而婦（陳云：當作“婦”。）奴謂之獲。皆異方罵奴婢之醜稱也。（書司馬）

【獎】勸也。（雜擬謝）凡相被飾亦曰獎。（贈答盧壹） 又詳“聳”條。

【與】猶如也。（子虛） 又詳“豫”條。

【與與】行貌也。（羽獵）

【誠】實也。（雜詩陸）

【誥誓】本事曰誥，戎事曰誓。（符命班）

【誕】信也。（公讌士龍） 【誕】欺也。（贈答越石壹）

【跼】曲也。 【跼】可畏之言也。（行旅顏壹） 【跼】恐也。（東京） 【跼】跼行不申也。（赭白馬） 【跼】《楚辭》曰：“僕夫悲予馬懷兮，跼局顧而不行。”跼與局古字竝通。（寡婦） 案：

跼、局同訓同音。《説文》:「局,促也,從口在尺下復局之。」《詩·正月》「不敢不局」,《傳》:「局,曲也。」《詩·采緑》「予髮曲局」,《傳》:「局,卷也。」《東京賦》「豈徒跼高天蹐厚地而已哉」,薛《注》「跼,傴僂也。」《字林》:「跼,踡行不申也。」陸士衡《謝平原內史表》「跼天蹐地」,作「跼」。《詩·正月釋文》本又作「跼」,足利本作「跼」,《後漢書·仲長統蔡邕李固傳注》皆引《詩》作「跼」。則是跼從局訓,後人多用跼,少用局也。(字會)

【跼蹐】偏舉一足曰跼蹐。(江)

【跼踚】跼,傴僂也。踚,累足也。(東京)

【踆】退也。管仲曰:「有司已事而竣。」踆與竣同。(東京) 案:踆訓退。《廣雅·釋詁三》:「竣,伏也。」伏有退義。《説文》:「竣,居也。」段曰:「《説文·尸部》'居,蹲也'。《足部》:'蹲,居也。'郭注《山海經》、徐廣《史記音義》皆曰'踆,古蹲字'。許書之'竣':蓋與蹲音義皆同也。」此竣、踆互舉之徵。又《國語韋昭注》作「逡」,《爾雅·釋言注》引《齊語》作「逡」。《雪賦》「逡巡而揖」,《注》引《公羊》曰:「逡巡,北面再拜也。」《廣雅》曰:「逡巡,卻退也。」逡亦夋聲,故與踆竣同訓。(字會)

【踆踆】大雀容也。(西京)

【韶】繼也。(哀顏) 【韶】亦作昭。(上書李) 案:《春秋繁露·楚莊王》:「韶者,昭也。」舜曰《大韶》,一曰《大招》。《左氏·昭十二年傳》「祭公謀父作《祁招》之詩」,賈《注》:「招,明也。」《左傳》「陳公子招」,《史記·陳世家》作「昭」。《管蔡世家》「陳司徒招」,《索隱》曰:「又作昭。」昭、招字同。故韶亦作昭。《漢書·禮樂志》:「陳舜之後,《招》樂存焉。」讀曰「韶」。《孟子》:「蓋《祉招》《角招》是也。」作「招」。此一證。又「招」通作「皋」。《甘泉賦》「皋搖泰一」,《注》引張宴曰:「招搖泰一也。」(字會)

【韶夏】舜曰《大韶》。(《笙注》袁本、茶陵本作「舜樂曰《簫韶》」。)禹曰《大夏》。(魏都)

【赳】詳「促織」條。

【碩】大也。(甘泉)

【碩交】《史記》蘇秦謂齊王曰:"此弁仇讎而得石交者也。"碩與石古字通。(書阮) 案:阮嗣宗《詠懷詩》"如何金石交",善曰:"《漢書》曰:'足下雖自以爲與漢王爲金石交。'是石交本取金石之義。"《説文》:"碩,大頭也。"與金石無涉。然碩字石聲,古多通用。左太沖《魏都賦》"碩畫精通",《注》:"善曰:《漢書》楊雄上疏曰:'石畫之臣甚衆。'"《莊子·外物篇》"無石師而能言",《釋文》:"石"本作"碩"。是其證矣。(疏證)

【遲迡】詳"迡迡"條。

【遜】與巽同。(魏都) 案:《書·舜典》"五品不遜",《傳》:"遜,順也。"《堯典》"汝能庸命巽朕位",《傳》:"巽,順也。"《廣雅·釋詁一》:"巽,順也。"遜訓恭順。《禮記·學記》"孫其志也",《注》:"孫猶恭順也。"孫即遜字。《論語·子罕》"巽語之言",《集解》引馬《注》:"巽,恭也。"皇《疏》:"巽,恭遜也。"巽、遜同音同訓,故同。《易·蒙釋文》引鄭《注》:"巽當作遜。"是其證也。據《説文》,訓順字作"愻",遜遁字作"遜"。今則遜專行,而愻廢矣。(字會)

【遘】與構同,古字通也。(哀傷王) 案:《説文》:"遘,遇也。""構,蓋也,交積材也"。《莊子》:"與接爲構。"構亦有遇義。《易·繫辭下傳》"男女搆精",《疏》:"搆,合也。"《左氏·桓十六年傳》"搆急子",《注》:"搆會其惡。"阮元瑜《爲曹公作書與孫權》:"實爲佞人所構會也。"歐陽堅石《臨終詩》:"潛圖密已構。"構會、構合亦有遘遇義。嵇叔夜詩:"遘兹淹留。"作"遘"。遘、構均菁聲。遘又通作覯。《詩·召南·草蟲曰》"亦既覯止",毛《傳》曰:"覯,遇也。"構又通覯。鄭箋《草蟲》引《易》曰:"男女覯精。"今《易》作"搆"。(字會)

【遙】遠也。(招魂) 又詳"悠"條。

【遙遙】遠也。(樂府陸)

【遙源】喻法海也。(碑文簡栖)

【遞】去也。(碑文仲寶) 【遞】更也。(招魂) 【遞】迭更也。(贈答士衡貳)

【輷】《史記》蘇秦曰："輷輷殷殷，若三軍之衆。"善曰：《蒼頡篇》曰："輷輷，衆車聲也。"今爲輷字。（魏都）案：《穀梁傳》桓十四年"夫嘗必有兼旬之事焉"，《釋文》作"兼旬"，云"十日爲旬"。一本作"旬"。由偏旁例推，則輷與輷可通也。（疏證）又詳"鬨"條。

【輷輷】車聲也。（魏都）

【輕】詳"重輕"及"輕重"條。

【輕羽】謂扇也。（贈答士衡肆）

【輕足】謂好犬也。（西京）

【輕車】古之戰車，不巾不蓋。（七命）

【輕武戎剛】四車名也。（七命）

【輕重】重謂母，輕謂子。（文壹）

【輕訬】謂輕薄爲訬也。（吳都）

【輕銳】謂便捷也。（東都）

【輔】佐也。（離騷）

【赫】明貌。（勸勵韋）【赫】赤也。（射雉）【赫】怒意也。（西京）

【赫赫】盛也。（詠史左）

【赫然】盛貌。（高唐）

【赫戲】光明貌。（離騷）【赫戲】炎盛也。（西京）

【赬】赤也。（射雉）

【領】理也。（思舊）【領】録也。（雜詩劉）

【領會】言人運命如衣領之相交會，或合或開。（思舊）

【鞃】柔革也。（行旅玄暉伍）又詳"鞅鞃"條。

【鞀】如鼓而小，有柄，賓至搖之以奏樂。（長楊·按：鞀同鼗。）

【鞨】詳"四夷之樂"條。

【翟】《周禮》曰"司后掌王后之六服，褘服、揄狄、闕狄、鞠衣、襢衣"，鄭玄曰："狄當爲翟。翟，雉名也。"（誄謝）案：《說文》："翟，山雉也。"翟羽，經傳多叚狄爲之。狄人字，傳多叚翟爲之。《廣雅·釋器》："狄，羽也。"《詩·簡兮》"右手秉翟"，《傳》："翟，羽也。"干令升《晉紀總論》"以至于太王爲戎翟所逼"，《注》引《莊子》："太王居豳，狄人攻之"云云。《書·禹貢》"羽畎夏翟"，《周禮·染人注》作"羽畎夏狄"，《漢書·地理志》作"羽畎夏狄"，《左氏》僖二十九年"盟于翟泉"，《公羊》作"狄泉"，是其證也。又翟亦作鬉。陳孔璋《爲曹洪與魏文帝書》"雖有孫田墨鬉"，叚鬉爲翟也。鬉，力

而切，與翟爲音近之字。（字會）

【雒】詳“洛”條。

【銘】勒也。（東京）【銘】明旌也，雜帛爲物，大夫士之所建也。（誄曹） 爲銘各以其物，以死者不可別，故以其旗識之，以別貴賤。天子各有建也。（哀傷顏）

【銀鋪】以銀爲鋪首也。（景福殿）

【銀樸】銀之在石者。（吳都）

【銅陵】銅山也。（行旅靈運拾）

【銅梁】山名。（蜀都）

【銅輦】太子車飾也。（行旅士衡壹）

【銅墨】銅符墨綬也。（文貳）

【銅龍門】即龍樓門，門樓上有銅·龍也。（贈答韓卿）

【銅爵】臺名也。（魏都）

【銅爵園】文昌殿西有銅爵園。（魏都）

【銖】黃鍾之一龠，容千二百黍，重十二銖。百黍重一銖也。（文） 又詳“絫銖”條。

【銛】利也。（西京）

【銓】次也。（魏都）【銓】稱謂之銓。（序任）【銓】稱銓。（碑文仲寶）所以稱物也。（文） 又詳“筌”條。

【銶璆】玄瓚之貌。（甘泉）

【閣下】詳“陛下”條。

【飀】風之聚猥者也。（設論班）

【颭】古飀字也。（西都） 案：班孟堅《答賓戲》“遊說之徒，風颭電激”，《注》：“韋昭曰：颭，風之聚猥者也，音庖。”《說文·風部》：“飆，扶搖風也。”或從包作颭，亦或省作猋。《思玄賦》“乘猋忽兮馳虛無”，服虔《注》：“猋，風也。”與此義同。（疏證） 又詳“焱”條。

【飀飀紛紛】衆多也。（西都）

【膏】猶甘也。（論東方）

【膏腴】土地肥沃也。（蜀都）

【膏粱】膏，肉之肥者；粱，食之精者。（樂府陸）

【膏露】詳“甘露”條。

【髦】俊也。（閒居） 又詳“旄”條。

【髥】詳“紒”條。

【髧】垂貌。（魏都）

【髣髴】詳“佛”條。

【魁】猶首也。（筌）【魁】大也。（魏都）【魁】桀也。（甘泉）川阜曰魁。（海） 又詳“追”條。

【魁岸】大度也。（吳都）

【魁梧】邱墟壯大之意也。（三都序）

【魂】神也。（東征） 案：《毛詩》“聊樂我員”，《釋文》：“員音云。本亦作云。”《韓詩》作“魂”。魂，神也。魂字從云字得聲，員字與云字亦一聲之轉，故得相叚借也。（疏證）

【魂魄】心之精爽，是謂魂魄。（江） 魂者，身之精；魄者，性之決也。所以經緯五藏，保守身體也。（招魂）

【魂輿】詳“薦車”條。

【鳳】羽蟲之精者曰鳳。（對問）又詳“鳳皇”條。

【鳳皇】丹穴之山有鳥焉，其狀如鵠，（《七命》“鵠”作“鶴”。蓋鵠、鶴古通。）五采，名曰鳳皇，（《七命》無“皇”字。）飲食自歌自舞。（東京） 雄曰鳳，雌曰凰，靈鳥也。（嘯）

【鳳凰】車名。（雜擬江） 【鳳凰】趙后寶琴名也。皆以金玉隱起爲龍螭、鸞鳳、古賢、列女之象。（琴）

【鳳凰殿】未央殿東有鳳凰殿。（碑文簡栖）

【鳳虎】鳳以喻文，虎以喻武也。（書曹貳）

【鳳蓋】乘車玉爪華芝及鳳凰三蓋之屬。（西都）

【鳳闕】高二十餘丈。（西都）建章圓闕臨北道，銅鳳在上，故號鳳闕。（序顏）

【歍】《淮南子》：“孟嘗君爲之鳴唈流涕。”歍與鳴同。（牋謝）案：《集韻》：“歍，或作鳴。”《說文》“烏”下云：“孔子曰：烏，亏呼也。取其助氣，故以爲烏呼。”歍，《說文》：“欲吐未吐也。一曰：歍歔，口相就。”《釋名·釋言語》：“鳴，舒也。氣憤懣，故發此聲以舒之也。”蓋鳴與歍均烏聲。歍從欠。《禮記》：“君子欠伸。”欠亦歔氣之貌，故用同。此與歔之爲噓一例。烏又通爲於。韋孟《諷諫詩》“於赫有漢”，《注》顏師古曰：“於，讀爲烏。烏，歎辭也。”烏者正字，鳴者俗字。（字會）

【鳺鴠】求旦鳥也。郭璞《方言注》曰：鳥似雞，冬無毛，晝夜鳴。鳺與曷并音渴。（七發）案：鳺，《集韻》“或從鴇，或從曷”。《方言》八：“鳺鴠，自關而西、秦隴之內，謂之鶡鴠。鶡鴠，周魏齊宋楚之間，或謂之鶡鴠。”鶡、鴠一物。《淮南·時則》“鵙鴠不鳴”，《注》：“鵙鴠，山鳥。是月陰盛、故不鳴。” 鵙鴠卽鶡鴠也。鴠本作曷。《禮記·月令》：“曷旦不鳴。”作“曷”。曷又作盍。《禮記·坊記》“相彼盍旦”，《注》：“盍旦，夜明求旦之鳥。”據《説文》：“鴠，渴鴠也。”“鶡，似雉，出上黨”。則二物。此注鵙、曷竝音渴，從《説文》“渴，鴠”之訓也。（字會）

【鳴】鳴也者，相命也。（登樓）
【鳴】《春秋考異郵》曰：“雞應旦明。”明與鳴同，古字通也。（樂府陸）　案：江文通《雜體》“揚聲當及旦”，《注》亦引《春秋考異郵》“雞應旦明”云云。《運命論》“里社鳴而聖人出”，《注》：“明與鳴古字通。”蓋鳴訓鳥聲。引申之，凡出聲皆曰鳴。雞一鳴而天始旦，有欲明之象焉。《詩》“東有啓明”是也。此諧聲兼會意也。（字會）

【鳴石】似玉，色青，撞之聲聞七八里。（江）
【鳴琴】齊桓公有鳴琴曰號鐘，楚莊有鳴琴曰繞梁，司馬相如有

綠綺，蔡邕有焦尾，皆名器也。（雜擬陸）

【鳴球】玉磬也。（長楊）
【鳴鳥】弇州之山，五采之鳥，名曰鳴鳥，爰有百樂歌舞之風。（序王）
【鳴蛇】出鮮水，狀如蛇，四翼，其音如磬。見則其邑大旱。（南都）
【鳴桹】桹，高木也。鳴桹，以長木叩舷爲聲，所以驚魚令入網也。（西征）
【鳴鏑】鏑，箭鏑也。鳴鏑如今鳴箭也。（詠史左）
【鳴鳶】謂畫其形於旗上。（西京）
【鳴鶴】堂名。（魏都）
【蠱】詳“隋”條。
【齊】洗心曰齊。（甘泉）【齊】同也。（東京）【齊】分限也。（長笛）【齊】讀曰躋。躋，升也。（歎逝）　案：躋從齊聲。《詩·長發》“聖敬日躋”，《注》：“讀爲齊。”隋、躋一字。《儀禮·士虞禮記》“隋袥爾於爾皇祖某甫”，《注》：“今文隋爲齊。”齊與躋通，亦與隋通也。《史記·五帝紀》“幼而徇齊”，《集解》：“齊，速也。亦躋

升義。《微子》'今予顛躋'。"
今《尚書》作"隮"。《北征賦》:
"隮高平而周覽。"即躋字。
（字會）

【齊民】齊等無有貴賤，故謂之
齊，若今平民也。（表劉）

【齊斧】斧，鉞也，以整齊天下。
一曰:齊，利也。一曰:凡師
出，必齊戒入廟受斧，故曰齊
斧也。（檄陳貳）　案:陸德明
《周易釋文》:"得其資斧。如
字。子夏《傳》及衆家並作'齊
斧'。張軌云:齊斧，蓋黃鉞斧
也。"《考工記注》"故書'資'作
'齊'。杜子春云:'齊'當爲
'資'。"皆齊、資通用之證。又
《爾雅》:"茨，蒺藜。"《說文》所
引，"茨"作"薺"。《楚詞注》所
引，"茨"作"薋"。《儀禮·聘
禮注》:"古文'資'作'齎'。"亦
偏旁通用之證。（疏證）

【齊諧】人姓名也。（雜擬江）

【齊娥】齊后也。（樂府陸）

【齊楚】言遠也。（表曹壹）

【齊龍首而涌霤】謂畫爲龍首於
椽，承檐四隅而以瀉霤也。
（魏都）

【壽】上壽百二十，中壽百年，下
壽八十。（祖餞孫）

【壽安】殿名也。（東京）

【壽宮】供神之處也。（挽歌陸
　按:正文作"壽堂"。）

【壽春】邑名。（檄陳貳）

【壽陵】景帝作壽陵。（雜擬王）

【壽原】天子未死呼壽原。（哀
　顏）

【豪】有權勢豪右大家也。（雜詩
　平子）　又詳"英俊豪傑"條。

【豪曹】詳"五寶劍"條。

【豪彘】詳"豪豬"條。

【豪豬】豪彘，如豚，白毛，毛大如
笄而黑端，以毛射物。（長楊）

【嫫母】醜女也。（書吳　《論王》
　"母"作"姆"。）

【誦】言也。（文貳）

【漲】水大之貌也。（江）　漲者，
沙始起將成嶼也。（行旅丘）

【署】位也。（西京）　醫巫所居
曰署。（吳都）

【擊】擊者開除之名也，今傖人通
有此語。（射雉）

【罸】絆馬也。（西京）

【劃】錐刀曰劃。（蕪城）

【魠鱯】一名黃頰。（上林）

【嫙】好也。（雪）

【禋祀】精意以享，謂之禋祀。
（東京　按:"祀"字衍。《郊
廟》及《論陸壹》均無"祀"字。）

【旗亭】市樓也。（西京）

【嵲岶】竹密貌。（洞簫）

【嵩高】詳"太室"條。

【福地】驪山之西原有阜，名曰風涼，雍州之福地。（序王　胡云："風涼"當作"涼風"，即"閬風"也。）

【蔓】詳"護"條。

【嶒崚】深空之貌。（七命）

【綜】理事也。（江）

【滮湖】居巢有滮湖。（江）

【齋漾】迴復之貌。（吳都）

【犓】以芻莝養圈牛也。（七發）

【睽睢】張目貌。（魯靈光殿）

【鳶】鴟屬。（樂府曹）

【裸】襜襦也。（九歌）

【鄰】水崖開鄰鄰然也。（江）

【奫淪】布籛上貌。一曰出也。（吳都）

【瑜瑜】目媚貌。（勸勵韋）

【綿蠻】文貌。（景福殿）

【譀】詳"譆"條。

【曖眇蟬蜎】煙豔飛騰之貌。（海按："豔"當作"爛"。）

【嘈嘈】小聲。（射雉）

【箑】扇也。（秋興）

【誚】讓也。（思玄）

【摟捪搊捊】皆手撫拂絃之貌。（琴）

【蓏】草實曰蓏。一謂之蓏。（江）裹猶房也。（高唐）

【睿】聖也。（東京）

【睿圖】孔聖之畫圖也。（公讌顏貳）

【幪】帳也。（公讌顏壹）

【閥閱】明其等曰閥，積功曰閱。（彈事沈）

【踃】跳也。（舞）

【褆】安也。（難）

【蓐收】金神也，人面虎身，右手執越。　【蓐收】金正該也。（思玄）

【榼】酒器也。（頌劉）

【撕】拍取也。（長楊）

【踉蹡】欲行也。（射雉）

【樹】直豎貌。（高唐）

【酷】甚也。（洞簫）

【製】裁也。（思玄）

【鬾】小兒鬼。（東京）

【蒯】草，中爲索。（西京）

【廕】深也。（洞簫）

【褊】狹也。（西京）

【誘】導也。（招魂）

【嘩啁】詳"楚鳩"條。

【夥】楚人謂多爲夥。（西京）

【磝碻】高貌。（魏都）

【窆笮】坎傍也。塞南越禱祠太一后土作坎侯　坎　聲也。一

日使樂人侯調作之,取其坎坎
應節也。因以其姓號,名曰坎
侯。(樂府曹)

【實】誠也。(離騷)【實】軍所
以討獲曰實。(吳都)

【實錄】言其實錄事也。(書曹
壹)

【脊】脊也。(表庚)

【榥】詳"橫"條。

【鞅】頸靼也。(行旅玄暉伍)

【媥姺】舒遲貌。(舞)

【駃騠】生三日而超其母。(上
林)　駃,馬屬。(上書李　胡
云:"駃"下脫"騠"。)

【䁯】視也。(江)

【蜾蠃】蜂蟲也。(頌劉)

【碝】石之次玉也。(西都)

【颸瀏飅颾】風聲。(吳都)

【蜮】短狐。(燕歌)　一名射影,
能含沙射人。(樂府鮑)

【僒】囚拘之貌。(鵩鳥)

【徽】詳"揮"條。

【暗】國名也。(述德)

【槐】木名。(景福殿)

【牖】詳"楄"條。

【僚】詳"寮"條。

【嶘】詳"隩"條。

【獑猢】猨類而白,腰以前黑。
(西京)　一曰:頭上有髦,腰

以後黑。(上林)

【槅】大車枙也。(西京)

【蜷局】詰屈不行貌也。(離騷)

【跽】長跪也。(魯靈光殿)

【閩】越地名也。越有三,此其一
也。(檄司馬)　【閩】越名也。
秦幷天下,以其地爲閩中。
(吳都)

【膈】詳"擊"條。

【鈹捵】梁益之閒裁木爲器曰鈹,
裂帛爲衣曰捵。(蜀都)

【屣】草履可履。(移孔)

【腐刑】宮刑腐臭,故曰腐刑。
(書司馬)

【璃】詳"褵"條。

【輔】連也。(南都)

【斡】轉也。(鵩鳥)

【氂髥】作毛氈也。(西京)

【鉸】裝飾也。(赭白馬)

【賖】緩也。(雜詩玄暉捌)

【祕辭】詳"咇茀"條。

【瞍】詳"矇瞍"條。

【誓】詳"誥誓"條。

【幘】詳"纏"條。

【屢】數也。(東京)

【盡忠】死君之難爲盡忠。(詠史
曹)

【閾】限也。(西京)

【暠】白也。(懷舊)

【慓】憂也。(西京)

【樱】似松柏有刺。(南都)

【裸】詳"褊裸"條。

【樊】夷名也。(長楊)

【肇】始也。(詠史謝)

【蹇】跙也。(論劉壹　胡云:"蹇"當作"蹤"。)

【截】直度也。(江)

【衛】勒也。(西征)

【督】亂也。(寡婦)

【瞑】視也。(東都)

【榭】臺上起屋也。(月)

【榭陽】大殿無内室謂之榭。榭而高大謂之陽。(魯靈光殿)

【褐】毛布也。(江)　【褐】麤衣也。(藉田)

【篗于】詳"北方五狄"條。

【摧】猶專也。(設論班)

【觫箆】竹名。(南都)

【算】計也。(論陸叁)　【算】計謀也。(弔文陸)

【揭】去也。(蜀都)

【毓】與育音義同。(東都)　案:《廣雅·釋言》:"毓"即"育"字,"生也"。《周禮·大司徒》"以毓草木",《注》:"毓亦育也。"《易·蠱卦》"君子以振民育德",《釋文》引王肅本作"毓"。《周禮·太宰二》曰"園圍毓草木",《釋文》:"毓與育同。"《文選·琴賦》"盤桓毓養",《注》:"毓與育音義同。"育,《説文》"養子使作善也,或作毓"。《舜典》"教胄子",《周禮·大司樂注》作"教育子"。毓從每。每,草盛也,養之則盛矣。此毓、育通用之義。育又通作鬻。《洞簫賦》"桀跖鬻博,儃以頓顇",《注》:"鬻,夏育也。古字同。"《淮南·原道》"毛者孕育",《禮記·樂記》作"毛者孕鬻"。蓋鬻亦兼養義。(字會)

【福】同也。(西京　福從衣,依《匡謬正俗》之説。)

【爾】辭也。(詠史王)　【爾】汝也。(雜詩惠連壹)

【敻】遠也。(上林)

【搄】詳"鈫搄"條。

【皺】詳"皸"條。

【緙】詳"緹衣緙輅"條。

十五畫

【儀】宜也。(補亡)　【儀】禮也。(東京)　【儀】法也。(東京)　【儀】猶法象也。(連珠)　儀有可象謂之儀。(銘陸叁)　【儀】古義字。(江)　案:《説文》："儀，度也。故書儀作義。"鄭司農《周禮·典命》"掌諸侯之五儀"《注》："義讀爲儀。"《肆師》"治其禮儀"，《注》："故書儀但爲義。"今時所謂義，古書所謂誼也。《幽通賦》"舍生取誼"，明以誼爲義矣。王元長《三月三日曲水詩序》"接禮貳宫"，《注》引《尚書大傳》曰："維十月五祀，舜爲賓客，禹爲主人。樂正進贊曰：尚考太室之義，唐爲虞賓。鄭玄曰："義當爲儀。儀，禮儀也。"《漢書·鄒陽傳》"褒義父之後"，師古讀曰"儀"。儀又通作宜。《漢書·地理志》"伯益能儀百物"，與宜同。儀又通作依。《幽通賦》"儀遺讖以臆對"，《注》言"黄神邈遠，無所質問，依其遺讖文，以胸臆爲對也。"（字會）

【儀形】容儀形體也。（碑文仲寶）

【儀静】安静也。（洛神）

【僻】左也。（九章）又詳"辟"條。

【億】十萬曰億。（西都）

【億度之】言無限也。（論王）

【儠俕】猶勉强也。（文）猶俛

俛也。（詠史顏）

【儋】荷也。（設論楊）

【儋耳人】鏤其耳匡。（吴都）

【儩】疾也。（南都）

【僸】詳"四夷之樂"條。

【儉】少也。（藉田）

【儦】詳"亶觀"條。

【儓】仆也。（西京）

【價】價者物之數也。（琴）

【儆】詳"警"條。

【凜】寒貌。（閑居）【凜】寒也。（雜詩古詩）

【凜凜】詳"凄凄凜凜"條。

【劍閣】小劍戍北去大劍三十里，連山絶險，飛閣相通，故謂之劍閣也。（銘張）

【劇】甚也。（蜀都）

【厲】仆也。（西都）【厲】嚴貌。（樂府陸）【厲】嚴整也。（射雉）【厲】高也。（行旅安仁壹）【厲】摩也。（蕪城）【厲】急也。（洛神）【厲】疾貌。（贈答曹伍）【厲】猛也。（南都）【厲】列也，惡也。（獻詩潘）【厲】烈也，謂清烈也。（雜詩蘇）【厲】上也。度也。（贈答叔夜）又詳"迣慄"二條。

【厬】岸側空處。（江）

【嘲】《字書》：嘲亦啁字也。（哀傷任） 案：《楚辭・悲秋》鵾雞啁哳而悲鳴”，《江文通雜體・王徵君詩》“欸吸鵾雞悲”，《注》作“鵾雞嘲哳而悲鳴”。《一切經音義》十二：“古文謿，今作嘲，又作啁，同。”《說文・新附》：“嘲，謔也。從口朝聲。”《漢書》通用“啁”。《說文》：“啁，嘐也，從口周聲。”啁，陟交切，與嘲音同。《倉頡篇》：“啁，調也，謂相戲調也。”戲調即嘲謔。東方朔《畫贊》“故詼諧以取容”，《注》：“《字書》曰：詼，啁也。”詼諧亦嘲謔也。《漢書・東方朔傳》“談啁而已”，《注》：“與謿同，竹交反。”《楊雄傳》“解謿”，《注》：“與嘲同。”古人周、朝二音相叚借。《周南》“惄如輖飢”，毛《傳》云：“輖，朝也。”（字會）

【嘲哳】聲繁細貌。（笙）

【嘿嘿】世莫論也。（卜居）

【噴】《韓詩外傳》曰：“魯哀公噴然太息。”《說文》曰：“噴，太息也。” 噴與喟同。（舞） 案：《爾雅》“欪，息也”，《釋文》：“欪，苦怪反。”《字林》以爲

‘喟’，且愧反。又作‘噴’，噓愧、苦怪二反。”《說文》“喟”字下云：“太息也。”“噴”字下云：“喟或從貴。”《禮運》“喟然而歎”，《晏子・雜篇》“噴然而歎”，語意正同。是喟、噴偏旁雖異，而實一字也。（疏證）

【嘽咺逸豫】舒緩自放縱之貌。（洞簫）

【嘽諧】聲也。（笙）

【嘻】詳“譆”條。

【噌吰】聲也。（長門）

【噓】吹噓也。（七命）

【噓噏】猶吐納也。（海）

【喝】口不正也。（論劉壹）

【噍】與啾同。（羽獵） 案：焦聲、秋聲之字古多通用。《說文》：“啾，小兒聲也，從口秋聲。”《禮記・樂記》“其聲噍以殺”，《釋文》：“噍謂急也。”《三倉》：“啾，聲也。”又訓衆聲，聲衆故急也。《禮記・三年問》“猶有啁噍之頃焉”，蓋叚“噍”爲“啾”也。本賦“啾啾蹌蹌”，《注》：“啾或作秋。”乃同音通用之字。《漢・律厤志》曰：“秋，䜆也，物䜆歛乃成熟。”此噍、啾同用義也。（字會）

【噴】吹氣也。（東都） 【噴】咤

也。(江) 【噴】《倉頡篇》曰：
"噴，吒也。"或作憤，妨粉切。
(長笛) 案：噴、憤賁聲，均訓
慸氣盈于中而出之爲噴。故
噴亦通歕。《東都賦》"欱野歕
山"是也。心鼓其氣謂之憤。
《論語》"不憤不啓"是也。《嚴
訢碑》"噌嘆歔欷，發憤授
事"，作"噴"。《論語》"發憤忘
食"，作憤。通用字也。噴又
通作潰。本賦"漰瀑噴沫"，
《蜀都賦》"龍池漰瀑潰其隈"，
叚潰爲噴。(字會)

【噴沫】跳沫也。(長笛)

【墂】塗地也。(雜詩鮑貳)

【墨】色下也。(魏都) 【墨】燒
田也。(七發)

【墨井】其深八丈。(魏都)

【墟】居也。(游覽靈運壹) 【墟】
下基也。(對問) 【墟】故所
居也。(西征)

【墜】失也。(勸勵韋) 【墜】隤
也。(離騷) 【墜】下也。(高
唐)

【隤】慚隤也。(七發)

【墳】高也。(東征) 【墳】青幽
之閒，土高且大者，通之曰墳。
(射雉) 又詳"塘"條。

【墳羊】土之怪，墳羊。墳羊，雌

雄未成者也。一曰羊土神。
(思玄)

【墳素】三墳八索也。(閒居)

【增】重也。(西京) 又詳"曾"
條。

【增成】舍名。(西都)

【增欷】累歎息也。(九辯)

【增進】詳"布薩"條。

【增響】重聲也。(西京)

【橙】詳"隥"條。

【墥墥】詳"翳翳"條。

【嬌】美也。(神女)

【嫽】好貌。(舞)

【媧】陳姓也。(幽通)

【嫻】詳"閒"條。

【嬉】戲也。(西京) 【嬉】樂也。
(思玄)

【嫿】好也。(神女) 【嫿】靜好
也。(魏都)

【嬈】奇也。(洞簫) 又詳"嬲"
條。

【嬈嬈】柔弱也。(寡婦)

【嫵媚】悅也。(上林)

【嬋娟】詳"便娟"條。

【嬋媛】索引也。(哀傷玄暉)
【嬋媛】枝相連引也。(南都)

【嫛】詳"蹴躇"條。

【寮】小窗也。(西京) 【寮】同
官爲寮。(贈答仲宣壹) 案：

寮同僚。《詩‧大東》"百僚是
試"，《釋文》："字又作寮，同。"
《爾雅‧釋詁》"寮，官也"，《釋
文》："字又作僚。"《左氏‧文
七年傳》"同官爲寮"、《釋文》:
"字本又作僚。"《書‧皋陶謨》
"百僚師師"，《釋文》："本又作
寮。"《西都賦》"朝堂百寮之
位"，引《尚書》"百寮師師"，作
"寮"。《東京賦》"百僚師師"，
引《尚書》作"僚"。乃通用之
證。至僚之本義訓好，作同僚
者爲叚借。(字會)

【康】詳"楝"條。

【審】度也。(東京)

【履】踐履也。(令) 【履】所履
之界也。(公讌顏壹)

【層】重也。(西京) 又詳"曾"
條。

【層城】掘崐崙墟以下，地中有層
城九重。(游天台山) 其高
萬一千里一十四步二尺六寸。
(樂府陸)

【嶒崚】深空貌。(魯靈光殿)

【嶓冢】山名。(銘張)

【嶢】高也。(魏都)

【嶪】山高而相戾也。(南都)

【嶙峋】山貌。(魏都)

【嶵嶵】槷桀也。(甘泉)

【嶔岑碕礒】山阜峻峭也。(招隱
士)

【嶔巖】深貌。(甘泉) 【嶔巖】
欹貌。(上林)

【嶬峨】山相對而危險之貌。(南
都)

【嶢】高也。(七命) 【嶢】山之
關也。(公讌沈)

【嶢崢】高貌。(思玄)

【嶢峴】不安貌。(魯靈光殿)

【嶬嵯】高貌。(魏都)

【嶻嶪】山貌。(上林)

【嶕嶢】高貌。(挽歌陶)

【嶠】舉也。(羽獵)

【嶭】小山別大山曰嶭。(吳都)
又兩山夾澗也。(長笛)

【幡纚】飛揚貌。(上林)

【幢幢】羽貌。(東京)

【廣】大也。(東京) 【廣】閒也。
(高唐) 又詳"徑廣"條。

【廣莫】洛陽城門名。(雜歌劉)
【廣莫】北方風謂之廣莫。
(海)

【廣莫風】詳"八風"條。

【廣成子】仙人名。(游覽江)

【廣武】縣名。(樂府鮑)

【廣袤】南北曰袤，東西曰廣。
(碑文簡栖)

【廣陵】曲名。(琴)

【廣陵國】屬吳。（七發）

【廡】盛也。（東京）【廡】庌也。（蜀都）【廡】堂下周屋也。（西京）【廡】大屋曰廡。（雪）【廡】（思玄）案：《書·洪範》"庶草蕃廡"，《傳》："廡，豐也。"《東京賦》"草木蕃廡"，薛《注》："廡，盛也。"善曰："《尚書》曰：'庶草絲廡'。"《說文·林部》作"蕃無"，籀文作"廡"。蓋廡爲廡之籀文。廡訓堂下周屋。《釋名》曰："大屋曰廡。"《洪範》"蕃廡"，皆假廡爲無也。廡、廡均無聲。廡與無乃通假字。霖爲正字，無爲隸變。今全借爲有無字。（字會）

【庰】賤也。（彈事沈）

【廟謀】廟算也。（史述贊范）

【廛】一百畝也。（藉田）【廛】謂城邑之居。（樂府陸）【廛】市物邸舍也。（西都）都邑之空地也。（西京）市中空地也。（西征）民居區域之稱也。（蕪城）又詳"鄽"條。

【廢】止也。（七發）

【弊】壞也。（哀傷秘）【弊】盡也。（上書枚壹）

【徵】驗也。（東京）

【徵舒、段干、吳娃、傅予】皆美女也。（七發）

【徹】去也。（長笛）

【澀】不及也。（琴）

【澀嘉】聲多也。（琴）

【德】首文曰德。（論王）又詳"鳳"及"刑德道"二條。

【德牧】詳"螭龍德牧"條。

【德宮】里名也。（誄潘貳）

【德獸】令德徽獸也。（碑文仲寶）

【撟】善曰：王逸《楚辭注》曰："撟，舉也。"撟與矯同。（甘泉）案：馬季長《長笛賦》"撟揉斤椒"，《注》："《蒼頡篇曰》：矯，正也。撟矯同。"《書·呂刑》"奪攘撟虔"，鄭《注》："撟虔謂撓擾。"撟虔卽矯虔也。《易·說卦》"坎爲矯揉"，《釋文》："一本作撟，同。"（疏證）

【撝】撝與麾音義同。（符命班）案：《易·謙》六四爻詞"无不利，撝謙"，王《注》："指撝皆謙。"張平子《西京賦》："洪涯立而指麾。"是撝與麾皆有指義。《周易釋文》："撝，指撝也。"義與麾同。《書》云"右秉白旄以麾"是也。《說文》有"撝"無"麾"。麾蓋麾之俗字也。《説文》:"撝,手指撝也。"
"麾,旌旗所以指麾也。"撝字
爲聲,麾字靡聲,爲、靡古音同
部,且二字義本相近,故可通
用。(疏證)

【撅】詳"蹷角"條。

【撤】除也。(七命)

【撐】柱也。(長門)

【揮】渳也。(洞簫)

【撎】拜,舉手下也。(西征)

【撧】詳"撝"條。

【撜】詳"丞"條。

【撓】亂也。(碑文簡栖) 【撓】
　靡也。(子虛) 【撓】敗也。
　(誄顔壹) 胡云:"敗"當作
　"曲"。)

【撲】盡也。(蕪城)

【撠】擊也。(西京)

【撠夷】詳"貌"條。

【橪】挺也。(西征)

【播】布也。(藉田) 【播】散也。
　(思玄) 【播】揚也。(公讌士
　龍)

【摩訶】秦言無大,亦言勝大。
　(碑文簡栖)

【摹】法也。(東京) 【摹】規也。
　(長笛) 又詳"薔"條。

【撫】安也。 【撫】猶據也。(東
京)【撫】以手按之也。(江)

【撫】持也。(藉田) 【撫】覽
也。(神女) 抵也。(招魂)

【撥】除也。(七命)

【撥剌】不正也。(思玄)

【撰】具也。(藉田) 【撰】定也。
(書魏文貳) 【撰】猶擇也。
(東征) 【撰】猶博也。(招
魂)

【攔】詳"瞷"條。

【攔然】忿勁貌也。(誄潘肆)

【撮】四圭曰撮。(銘陸貳)

【撞】猶擊也。(東都) 【撞】鏗
也。(東京)

【撇】拂也。(甘泉) 【撇】《説
文》曰:"擊,擊也。"擊與撇同。
(論王) 案:撇、擊均從手取
義,從敝得聲。《上林賦》"轉
騰潎洌",《注》:"孟康曰:潎
洌,相撇也。"《洞簫賦》"聯
縣漂撇",《注》:"漂擊,餘響
少騰相擊之貌。"撇擊互僞,
通用字。《廣絶交論》"繽微
影撇",《注》引侯瑾《箏賦》曰:
"微風漂擊。"作"擊",可證。
(字會) 又詳"潎"條。

【欋】被也。(北征)

【憱惆】惆恨失望,志錯越也。
(思玄)

【懑】詳"閔"條。

【懡】邪也。（西征）　【懯】惡也。
（東京）

【憒】亂也。（幽通）　【憒】懣也。
（登樓）　【憤】怒氣充實也。
（洞簫）　又詳“噴”條。

【憂】勞也。（登樓）

【憖】謹也。（東京）　【憖】貞也。
（舞）

【慫】慄也。（西京）　又詳“竦”
條。

【慭】荊揚之閒曰慭。（魏都）

【憚】驚也。（招魂）　【憚】難也。
（離騷）　【憚】哀也。（贈答士
衡參）

【憚慢衍凱】歡樂貌。（洞簫）

【憫】憂也。　【憫】痛也。（風）

【慰】居也。（雜詩鮑貳）　【慰】
安也。（詠懷阮）　【慰】猶安
存之也。（公讌應）

【憓】順也。（魏都）　又詳“譓”
條。

【憻】詳“𧮴”條。

【慶】詳“卿”條。

【慶霄】即慶雲也。（詠史謝）

【慶雲】喻尊顯也。（雜擬謝）
　【慶雲】若煙非煙，若雲非雲，
郁郁芬芬，蕭索輪囷，是謂慶
雲。（寡婦）　又詳“景雲”條。

【慶膺】猶膺慶也。（哀顏）

【憫】詳“閔”條。

【憮然】猶悵然也。（西京）

【憭慄】悲傷貌。（九辯）

【潰】傍決也。（南都）　亂流也。
（海）　【潰】水相交過也。（高
唐）　凡民逃其上曰潰。（冊）
又詳“沸”條。

【潰洇泮汗】謂直望無崖也。（吳
都）

【潰濩泧漻】詳“霘灒瀠淑潰濩泧
漻”條。

【潼潼】高也。（高唐）

【潏】水湧出也。（上林）

【潏水】今名沇水。（上林）

【潏湟潗㴸滵淴瀾淪】皆水流㵗
疾之貌。（江）

【潟】詳“舄”條。

【潎】潎流也。（江）

【潛】藏也。（東都）　【潛】嘿也。
（西京）

【潛牛】形角似水牛。（西京　按:
“形”上當重“牛”字。）　【潛
牛】沈牛。（上林）

【潛瑤】水玉。（江）

【潛穎】謂潛深而有光穎。（吳都）

【潛鶴】似鵠而大。（江）

【潭】淵也。（魏都）　楚人謂深
水爲潭。（述德）　楚人名淵
曰潭府。（江）

【潭府】詳“潭”條。

【潭沲】隨波之貌。（江）

【潭瀹】動搖之貌。（海）

【潰】詳“噴”條。

【濆泉】濆泉者何，涌泉也。（蜀都）

【濆淪】相紏貌。（海）

【漦】沫也。（幽通）

【潢】積水池也。（南都）

【潢汙】蓄小水謂之潢，不洩謂之汙。（設論班）

【潢潰】旁決貌。（洞簫）

【潤】詳“瀾”條。

【潒】水潒瀁也。（西京 胡云：袁本、茶陵本“瀁”作“潒”，是也。）

【澉澹】猶洗滌也。（七發）

【澄】湛也。（公讌曹）【澄】清也。（詠史左）

【澄澹汪洸瀇混囦沄】皆水深廣之貌。（江）

【澌】水索也。（難）【澌】流冰也。（魏都 按：此引《說文》，“澌”當作“凘”。）

【澆】回波爲澆。（南都）【澆】《莊子》曰：“唐虞始爲天下滐滈散樸。”許慎《淮南子注》曰：“澆，薄也。”滈與澆同。（招隱陸）案：王元長《永明九年策

秀才文》“自萌俗澆弛”，《注》亦引《莊子》、許慎《淮南子注》，云：“澆與滈同。”又《頭陀寺碑文》“澆風下黷”，《注》：“滈與澆音義同。”蓋澆字堯聲，滈字梟聲，堯與梟古音本同部也。（疏證）

【潁川】郡名。（碑文蔡貳） 又詳“汝南潁川許”條。

【潦】雨水也。（南都）【潦】善曰：潦卽澇水也。《說文》曰：“澇水出鄠縣，北入渭。”（上林） 案：潦，《說文》“雨水大貌”。《詩·洞酌傳》：“行潦，流潦也。”《曲禮上》“水潦降”，《釋文》：“雨水謂之潦。”潦亦叚澇爲之。《海賦》：“飛澇相濺。”故潦卽訓爲澇水之澇也。《漢書·司馬相如傳上注》引應劭：“潦，流也。”與善訓“澇水”殊。陝西澇水亦作“潦水”，是通用之證。（字會）

【淆】亂貌。（海）

【潤】膩也。（吳都）

【潗湁】水沸之聲也。（海）

【潯】水厓也。（江）

【澇】大波。（海） 又詳“潦”條。

【澒溶沆瀁】水形貌也。（吳都）

【潺湲】流貌也。（思玄）

【潔】詳"清廉潔"條。

【澎濞】水聲也。（海）

【澍】時雨，所以澍生萬物者也。（魏都）　【澍】《說文》曰："注，灌也。"澍與注古字通。（洞簫）　案：澍、注同音通用。水流注下謂之注。時雨灌物謂之澍。《魏都賦》"水澍粳稌"，《注》："《說文》曰：'澍，時雨，所以澍生萬物者也。'"澍生萬物，亦灌注義。（字會）

【潎】潎潎，遊貌也。（秋興）　案：司馬長卿《上林賦》"轉騰潎洌"，《注》："孟康曰：潎洌，相撇也。潎，匹列切。"王子淵《洞簫賦》"聯緜漂潎"，《注》："漂擊，餘響少騰相擊之貌。"擊卽撇也，與潎同。（疏證）

【潎洌】相撇也。（上林）

【獝狖】飛走之貌。（江）

【獝狖】詳"翽翽"條。

【獠】獵也。（七啟）

【獟】詳"趫"條。

【隤】壞也。（高唐）　又詳"穨"條。

【隥】阪也。（序顏）　【隥】閣道也。（西都）　案：張平子《西京賦》"墱道邐倚以正東"，善《注》引《西都賦》作"墱"。《說文》有"隥"無"墱"，"隥"字下云"仰也"，其字從登字得聲，有仰登之意。上閣道者必仰而登，故閣道亦名隥道也。《廣雅·釋邱》："隥，阪也。"登閣道者必仰，登阪道者亦必仰，義正相近。（疏證）

【鄭女】夏姬也。（子虛）

【鄭白】二渠名也。（吳都）

【鄭舞】鄭國舞也。　【鄭舞】鄭褎也，楚王之幸姬，善歌舞，名曰鄭舞。（舞）

【鄧】詳"鄭鄧"條。

【鄧林】林名。（蜀都）　夸父之杖所化。（鸚鵡）

【鄧塞】鄧塞者，卽鄧城東北小山也。（論陸壹）

【鄰菌繚糾】相著貌。（洞簫）

【勶】并也。（文）　【勶】并力也。（子虛）　【勶】猶辱也。（論東方）　陳尸爲勶。（思玄）　【勶】畫衣冠異章服謂之勶。（文壹）

【敺】古驅字。（風）　案：《思玄賦》"敺儒墨以爲禽"，善曰："敺音驅。"《漢書·禮樂志》"上獨敺以刑罰"，《韓信傳》"經所謂敺市人而戰之也"，《注》："敺與驅同。"《百官公卿表下》

"廷尉歐","讀與驅同"。《東京賦》"成禮三歐",《注》引《周易》曰:"王用三歐,失前禽。""歐與驅同",是其證也。歐、驅區聲,歐即驅字重文。又按:"三歐",《周易》作"三驅",《釋文》云:"鄭作歐。"(字會)

【數】曆數也。(雜擬江)【數】猶理也。(公讌應)【數】術也。(文)

【數術】歷數占術也。(長笛)

【敷】布也。(西京)【敷】已布而生也。(秋興) 又詳"勇"、"煦"二條。

【敷蕭】華開貌。(吳都)

【暐】盛貌。(長笛)【暐】草木白華貌。(西都 績溪胡氏《文選箋證》:云"暐當作暐。")

【暴】詳"賦"條。

[暴虎]空手以搏也。(吳都)

[暵]乾也。(南都)

【膠】欺也。(魏都)

【膠言】言語辯聰之説而不度於義者,謂之膠言。(魏都)

【膠戾】詳"膠盭"條。

【膠葛】曠遠之貌也。(吳都) 又詳"轇轕"條。

【膠緻理比】言細密也。(洞簫)

【膠盭】邪屈也。盭,古戾字。(上林) 案:木元虛《海賦》"狀如天輪,膠戾而激轉",《注》引《上林賦》曰:"宛潭膠盭。"案:《方言》三:"膠,詐也。涼州西南之間曰膠。自關而西或曰譎,或曰膠。"故膠盭有邪曲之義。《前漢‧膠西王傳》"爲人賊盭",《史記》作"戾",可證盭、戾二字本通。蓋賊盭、賊戾,皆邪曲之意也。(疏證)

【樊】蕃也。(蜀都) 案:謝希逸《月賦》"長自邱樊",《注》:"《爾雅》:曰樊,藩也。郭璞曰:藩,籬也。孫炎《注》:樊,圃之藩也。"《管子‧侈靡》"云有差樊",《注》:"樊,蕃也。"《詩》"青蠅止于樊",《説文‧爻部》作"止于棥",《史記‧滑稽傳》作"止于蕃",《論衡‧商蟲篇》作"止于藩"。《説文》"樊"字下云:"鷙不行也,從棥,棥亦聲"。"棥"字下云:"藩也""藩"字下云:"屏也。""蕃"字下云:"艸茂也。" 棥與蕃同訓,當是正字。樊與蕃皆別一義,因同聲而通用耳。(疏證)

【樊川】秦嶺根水所流,即秦川也。(西征)

【樘】詳"掌"條。

【榴】械楔也。凡楔皆謂之榴。（景福殿）

【樕】詳"轐"條。

【槽】槽者，齊俗名之如酒槽也。（頌劉 胡云：上"槽"字當作"蠦"。）又詳"㑑"條。

【槺】《方言》曰："窠，虛也。"窠與槺同，音康。（長門）案：《說文》："窠，屋窠㝩也。"屋之虛者曰窠，穀之虛者曰穅，凶年無穀亦曰穅。《春秋‧穀梁傳》："四穀不升謂之康。"《莊子》："塵垢秕穅。"《說文》："穅，穀之皮也。"段曰："穅之言空也，空其中以含米也。"因而木之虛者曰槺，本賦"委參差以槺梁"是也。水之虛者曰滰，《說文》："滰，水虛也。"（字會）

【槷】詳"臬"條。

【榻】詳"閨輢"條。

【椴】詳"薂"條。

【槾】荆。（南都）

【模】法也。（歸田）

【槤】木名。（江）

【樞】娶也。（雜擬袁壹）

【標】末也。（西京）【標】表也。（江）【標】書也。（登樓）

【樂】德音之謂樂。（笙）【樂】

樂者，天地之命，中和之紀。（琴）又詳"音樂"及"療"條。

【樂土】有德之國也。（軍戎）

【樂正】姓也。（碑文仲寶）

【樂浪】郡名。（江）

【樂遊苑】晉時藥園也。（公讌范）

【樂陵】縣名。（贊夏侯）

【樓船】船有樓也。（吳都）作大船，上施樓，故號曰樓船。（辭漢武）

【樓煩】縣名。（雜擬鮑壹）

【樓蘭】鄯善國之本名也。（游覽徐）

【樵】樵之言聚也。（東京）

【槩】詳"槩"條。

【槩】志節也。（雜擬江）【槩】猶操也。（史論范肆）【槩】毛萇《詩傳》曰："漑，滌也。"槩與漑同。（七發）案：馬季長《長笛賦》"漑盥汗濊"，《注》："毛萇《詩傳》曰：'漑，滌也。'古載切。"本或爲槩，音義同。《大宗伯》"宿眠滌濯"《注》"滌濯，漑祭器也"，《釋文》："漑，古愛反，本或作槩。"（疏證）

【槩】《廣雅》："扢，摩也。"槩與扢同，古字通。（贈答曹肆）案：《說文》："槩，所以扢平斗也。""扢，平也。"《廣雅》曰：

"扢,摩也。"《月令》"正權槩",
鄭、高皆云:槩,平斗斛者。"槩
本器名,用之平斗斛亦曰槩。
凡平物曰扢,所以平斗斛曰
槩。扢者平物之謂,平之必摩
之,故又訓摩。槩從扢訓,故
通用。班固《終南山賦》"槩青
宮",亦從扢訓也。扢字俗誤
作扢。(字會)

【樝】似梨而甘。(子虛)

【樧】彫柯貌也。(射雉) 枝空
之貌。(秋興)

【樧樧】凋柯貌也。(雜詩盧)

【樛】求也。(思玄) 木下曲曰
樛。(游天台山 《行旅玄暉
貳》無"下"字。)

【樛流】高曲之貌。(甘泉) 【樛
流】曲折貌也。樛音虯。(北
征) 案:《詩》"南有樛木",
《傳》:"木下曲曰樛。"《爾雅·
釋木》"下句曰朻"。《集韻》:
"朻或作樛。"是樛與朻一字
也。虯本作虬。《吳都賦》"輪
囷虬蟠",《注》"虬蟠,謂樹如
龍蛇之盤屈相糾也"。此言樛
流,亦言水之紆曲如龍蛇然。
故樛、虯字通。《江賦》"驪虯
樛其址",《注》引宋衷《太玄經
注》曰:"樛,糾也。" 蓋樛與糾

同訓。糾,曲糾,以三股繩為
之。亦詰曲意也。樛亦作繆。
《檀弓》"繆絰",《注》云:"繆讀
為{喪服不摎垂' 之摎。"(字
會)

【歍】傷也。(北征) 【歎】太息
也。(雜詩古詩) 【歗】吟也。
(詠史盧) 【歈】猶歌也。(書
曹貳)

【殣】道瘗謂之殣。(班論)

【磔】張也。(長楊)

【毅】詳"果毅"條。

【毅玉】大者如魁斗,小者如雞
子。(南都)

【氂】《漢書音義》曰: "十毫為
氂。"(獻詩曹) 案:氂與氂音
同形近。《墨子》"禽滑氂",
《漢書·儒林傳》作"禽滑氂",
《禮記·經解》"差若毫氂",
《釋文》:"氂本作釐。"《公
羊》昭二十四年"杞伯鬱氂",
《釋文》:"氂本作釐。"《西
京賦》"剖析毫釐",《注》引《漢
書音義》曰:"十毫為釐。"作
"釐",乃同用之徵。至氂之本
字則作氂。《說文》:"氂,微畫
文也。" 釐之叚借則為僖、為
賚、為理,其本義則為家福。
(字會) 又詳"釐"條。

【燁煜】聲之盛。（東都）

【熠】光也。（景福殿）

【熠熠】燐也。（勸勵張）

【熠耀】燐也。燐，螢火也。一曰
　　耀夜，腐草爲之，食蚊蚋。（秋
　　興）【熠燿】鮮明貌。（七啟
　　又《笙》：熠燿，光明貌。）

【熛】亦火餕也。（吳都）　一曰
　　火飛也。（甘泉）　又詳“猋”
　　條。

【熛起】言疾也。（嘯）

【熛怒】如熛之聲。（風）

【熛闕】赤色闕也。（甘泉）

【牖】穿壁以爲牕也。（鸚鵡）

【㸌】黑色，出西南徼外。（西都）

【瑾】玉名。（琴）

【璆】玉名。（贈答越石貳）

【瑳錯】詳“瑳錯”條。

【璀璨】珠垂貌。（游天台山）

【瑩】磨也。（招隱左）　又詳“瓊
　　瑩”條。

【璅】璅璅，小也。（東京）　案：
　　楊德祖《答臨淄侯牋》：“季緒
　　璅璅，何足以云。”《周易·旅》
　　“瑣瑣”，《釋文》：“或作璅字
　　者，非也。鄭云：瑣瑣，小也。
　　王肅云：細小皃。”《毛詩》“瑣
　　瑣姻亞”，《釋文》：“或作璅，非
　　也。”按：璅字巢聲，瑣字肖聲，

古巢聲、肖聲之字同部，故可
通用。《釋文》以“璅”字爲非，
蓋未知古人通假之例也。（疏
證）

【璂琲】長寸餘，大者長二三寸，
　　腹中有蟹子如榆莢，合體共
　　生，俱爲蛣取食。（江）

【罷】極也。（離騷）

【翼】抑魚之器也。（吳都）

【罦】詳“罝罦”條。

【罻羅】鳥獸網也。（蜀都）

【膚】四指爲膚。（雜詩景陽
　　《書應肆》“膚”作“扶”。）　又
　　詳“扶”條。

【膚受】詳“末學膚受”條。

【蕓芥】張揖《子虛賦注》曰：“蕓
　　芥，刺鯁也。”蕓與蔕同，并丑
　　介切。（西京）　案：《説文》：
　　“檋，洛帶切。”蕓、蔕一聲之
　　轉。《吳都賦》“抗白蔕”，劉
　　《注》：“蔕，花本也。”《莊子·
　　天運》：“其知憯於蠣蠆之尾。”
　　《説文》：“蠆，毒蟲也。”義本各
　　殊。張訓蔕芥爲刺鯁，殆以花
　　本之刺人比蠆尾之螫人也。
　　又《鵩鳥賦》“細故蔕芥兮”，
　　《注》引《鶡冠子》曰：“細故袃
　　蒯。”云袃蒯即蔕芥，古字通
　　也。（字會）

【蓼】水草也。（七發）　【蓼】辛菜。（此條失注）

【蕫】菜也。（閒居）

【蔽蔽】風聲也。（蕪城）

【蕡】積也。　【蕡】緑蕡。盛如積也。（西京）

【蔗】詳"柘"條。

【蕅】詳"藕"條。

【蓱】萍也。（樂府陸）

【蔑】小也。（長笛）　【蔑】無也。（冊）　【蔑】輕也。（詠史左）

　【蔑】《呂氏春秋》"氣鬱處目則爲蔑爲盲"，高誘《注》："蔑，眵也。"蔑與瞕古字通。按：《呂氏春秋》當作"瞕"。（風）案：《釋名·釋疾病》："目眥傷赤曰瞕。瞕，末也，創在目兩末也。"《小爾雅·廣言》："蔑，末也。"《方言》："蔑，小貌也。小，江淮陳楚之內謂之蔑。"與末義同。《吕覽注》瞕訓眵。《説文》則云："瞕，蔑兜，目眵也。"段云："蔑者假借，瞕者或體。"又謝靈運《鄰里相送方山詩》"音塵慰寂蔑"，《注》："蔑一作滅。"《劇秦美新》"回而昧之者極娎愸"，《注》："昧或爲蔑。"沈休文《奏彈王源》"蔑祖辱親"，《注》引

《説文》曰："蔑，輕易也。"蔑與懱古字通。《易·剥》初六曰"蔑貞凶"，馬云："蔑，無也。"鄭云："蔑，輕慢。"《説文》："懱，輕易。"此又從蔑末蔑小之訓引申之也。（字會）

【蓬池】或曰即蓬澤也。（詠懷阮）

【蓬萊】詳"海中仙山"條。

【蓬龍】山名。（論陸壹）

【藍】華也。（吳都）　又詳"煦""舅"二條。

【蔕】花本也。（吳都）　【蔕】果鼻也。（西京）

【蔕介】刺鯁也。（西京）　又詳"蕚芥"條。

【蓫】牛蘈。（七啟）　又詳"蓄"條。

【蔱】茱萸。（南都　《離騷》"蔱"作"樧"。）　似椒而非。（離騷）

【蔓蔓】盛也。（九歌）

【蔓衍】長也。（閒居）

【蔓荆】實味苦。（長笛）

【蔓藻】海藻之屬。（吳）

【蔚】文貌。（魯靈光殿）　【蔚】草木盛貌。（西都）

【蔚若】詳"灌叢蔚若"條。

【蔦】寄生也。（遊仙郭）

【蓮】詳"苓"條。

【蓺】猶樹也。（藉田）　【蓺】種

也。（雜詩景陽） 又詳"伎
蓺"條。

【蔡】龜也。（西京）

【蔡子】蔡澤。（歸田）

【蔡氏五曲】《遊春》、《渌水》、《坐
愁》、《秋思》、《幽居》也。（琴）

【蔡莽螫刺】多毒草。（魏都）

【蔣】菰蔣。（南都） 浮於水上，
故曰游菰。（江）

【蔣生】蔣詡也。（雜詩靈運貳）

【部】覆暖障光之物也。（七命）

【蓽門】荆竹織門也。（遊覽沈貳）

【蔥蘢】詳"芊萰蔥蘢"條。

【適】遇也。（雜詩魏文）【適】
謂往嫁也。（寡婦）【適】歸
也。（雜詩靈運貳）【適】之
也。（文）【適】中適也。（長
笛）

【遯】去也。（東京） 又詳"遁"
條。

【蓮】脆也。（魏都）

【蓮脆】江南卑溼，丈夫多夭。巴
蜀輕易淫泆，柔弱褊阨。（魏
都）

【遮迾】天子出虎賁伺非常，謂之
遮迾。（赭白馬）

【遲】思也。（獻詩曹壹）【遲】
待也。（西征）

【遭】遇也。（幽通）

【畿】疆也。（贈答叔夜）【畿】
孔安國《尚書傳》曰："分其圻
界。"圻與畿同。（射雉） 案：
《說文》："畿，天子方千里地。"
畿之爲言垠也，垠或作圻，故
畿同圻。古斤聲與幾聲合韻最
近。王畿可作王圻，王圻亦可
作王垠。《周禮·職方氏》"方
千里曰王畿"，《周書·職方》
作"方千里曰王圻"。《穀梁·
隱元年注》"天子畿內"，《釋
文》："畿本作圻。"《左氏·昭
三十三年傳》"今土數圻"，
《注》："方千里爲圻。"《書·酒
誥》"矧爲若疇圻父"，鄭《注》：
"圻父謂司馬，主封畿之事。"
《儀禮·喪服注》"天子圻內之
民"，《釋文》："本作畿。"劉越
石《勸進表》"自京畿隕喪"，
《注》引《周禮》曰："乃辨九服
之國。方千里曰王圻。"此通用
之證。（字會）

【瘢痍】謂瘢痕也。（西京）

【瘮鬼】詳"三疫鬼"條。

【瘠】磽埆爲瘠。（西京）

【皚皚】白也。（北征）

【皛皛】詳"雝雝"條。

【皞】詳"皓"條。

【皛】通白曰皛。（行旅陶貳）

【皛】明也。(射雉)

【皛皛】光明貌也。(行旅陶貳)

【皛瀁】深白之貌。(江)

【皬皬】《毛詩》曰:"白鳥皬皬。"皬與皬音義同。(景福殿) 案:《說文》:"皬,鳥白肥澤貌。"《大雅》"白鳥皬皬",《毛傳》曰:"皬皬,肥澤也。"皬,《說文》"鳥之白也",與皬同訓。《賈誼書》作"皜皜",《孟子》作"鶴鶴"。段云:"皬與皬音義同。"今按:作皜皜者,從白取義;作皬皬、鶴鶴者,從白取義,從隺得聲。《易》"確乎其不可拔"之"確"亦作"塙",是其證也。(字會)

【盤】樂也。(西京)【盤】大石也。(嘯) 【盤】山石之安也。(樂府陸) 又詳"頠"條。

【盤曲】紆屈幽邃也。(琴)

【盤珊】詳"婆娑"條。

【盤桓】便旋也,不進也。(西京)【盤桓】不進貌。(琴)

【盤盬】旋遠也。(海)

【瞫】視也。(海)

【瞋菌硱枒】詳"充屈鬱律瞋菌硱枒"條。

【碾轢】足所踏爲碾,車所加爲轢。(西京)

【磧】礒也。(西都)

【磈磈】石在山中之貌。(吳都)

【磈碨硊砠】不平貌。(江)

【磊】大也。(海) 又詳"礧"條。

【磊磊】石貌也。(九歌)【磊磊】衆石也。(雜詩古詩)

【磊砢】衆多貌。(吳都)【磊砢】壯大貌。(魯靈光殿)【磊砢】魁壘貌也。(上林)

【磊落】實貌。(閒居)

【磕磕】大聲也。(洞簫)

【磐】詳"礐硞砰礐"條。

【碩】詳"實"條。

【磅硠】聲也。(思玄)

【磅礚】詳"旁唐"條。

【磅礚】雷霆之音。(西京)

【磐】大石也。(海) 又詳"頠"條。

【磐礴】詳"旁魄"條。

【磓】猶激也。(海)

【磤】雷聲也。(景福殿) 又詳"隱隱"條。

【磳】堅也。(高唐)

【磳磳】堅也。(思玄)【磳磳】高也。(魯靈光殿)【磳磳】白也。(七發)

【禜】祭名也。(郊廟)

【稼穡】種曰稼,收曰穡。(東京) 又《補亡》"收"作"斂"。

【縠】水名。（行旅顏壹）　又詳
　　"伊瀔"條。

【積】稠概也。（海）

【稻】稌也。（魏都）　【稻】苽蔬
　　之屬。（江）

【稽】考也。　【稽】留止也。（西
　　都）

【稷】側也。（赭白馬）

【稾】所作起草爲稾。（令）　又
　　詳"槁"條。

【稸】《周禮》曰："以瀦蓄水。"《字
　　林》曰："稸、積也。"與畜同。
　　（高唐）　案：《說文》"畜，田畜
　　也。"段云："畜與蓄義略同。
　　畜從田，其源也。蓄從草，其
　　尾也。"今按：田所畜者禾也，
　　故稸與畜同。經典蓄與畜通
　　用，稸與蓄亦通用。《衡元碑》
　　"無擔石之稸"，蓄作"稸"。《藉
　　田賦》"無儲蓄以虞災"，《注》
　　引《禮記》曰："國無九年之蓄
　　曰不足。"是其證。（字會）

【窰】詳"窒窔"條。

【窴赦】聲緩也。（長笛）

【窳】弱也。（七發）　【窳】病也。
　　（魏都）　【窳】窊窳。（西京）

【窫圙】聲下貌。（長笛）

【窮】盡也。（西京）

【窮天】季冬之日月窮盡，故曰窮
　　天。（行旅顏壹）

【窮奇】狀如牛而蝟毛，其音如嗥
　　狗，食人。（此條失注）

【篁竹】墟名。（西京）　一曰叢
　　竹也。（景福殿）

【箴】箴刺王闕也。箴，古針字。
　　（景福殿）　案：箴，本作鍼，通
　　作箴，亦作針。《聲類》："鍼，今
　　作針，同。支諶反。"《說文》：
　　"箴，綴衣箴也。""鍼，所以縫
　　也。"段云："以竹爲之，僅可聯
　　綴。以金爲之，始可縫。"然此
　　自段說。《禮記》"左佩箴管"。
　　蓋從箴者象藏鍼之管，從鍼者
　　象器也。針者俗字。《歸田賦
　　注》引《列子》曰："詹何以獨
　　繭爲綸，芒針爲鉤。"作"針"。
　　（字會）

【箴疵】似魚虎而倉黑色。（上林）

【箭】竹名也。（此條失注）

【箭竹】細小而勁實，可以爲箭，
　　通竿無節。（吳都）

【箭幹】詳"稾"條。

【篋】笥也。（哀傷任《百一》
　　"篋"上有"筐"字，蓋衍。）

【箾】詳"簫"條。

【篇】詳"楄"條。

【節】制也。（東京）　【節】度也。
　　（離騷）　【節】所杖信節也。

（長楊）　【節】所以明信輔君命也。　【節】猶操也。（詠史盧）

【箱】大車也。（思玄）

【箱籠】竹器盛媒者也。凡竹器，箱方而密，籠圓而疏。盛媒器籠形者，養鳥宜圓也。箱密者，不欲令見明也。（射雉）

【糇】糒也，乾食糧也。（思玄）食也。（招隱左）

【糊】黏也。（蕪城）

【糈】精米也。（離騷　胡云："米"當作"美"。）

【糅】雜也。（雪）

【練】猶汰也。（七發）【練】委也。（勸勵韋）【練】簡也。（離騷）【練】擇也。練與揀音義同。（月）　案：《說文》："練，湅繒也。"段曰："《攷工記》所謂練帛也。已湅之帛曰練，引申爲凡精簡之稱。"練，擇也；揀，瀾也；瀾，亦擇也；故用同。瀾揀亦作簡練。《蘇秦傳》："簡練以爲揣摩。"練亦訓簡。《楚詞·離騷》"苟余情其信姱以練要兮"，王逸《注》："練，簡也。"練又通鍊。江文通《雜體·殷東陽》"鍊藥矚虛幌"，《注》引《說文》曰：

"鍊，花金也。"鍊與練古字通。《漢書·路溫舒傳》"鍛練而周內之"，讀作鍊。鍊又通煉。《說文》："煉，爍冶金也。"（字會）　又詳"瓣"條。

【緦麻】謂之緦者，縷細如絲也。（碑之蔡貳）

【緄冤蜿蟺】盤屈搖動貌。（長笛）

【締】結也。（吳都）【締】連結也。（論賈）

【緡】以絲貫錢也。（文壹）【緡】以絲綸曰緡（七命）　又詳"愍"條。

【緡綸】皆釣繳也。（吳都）

【編】連也。（西京）

【編列】謂編戶也。（檄司馬）

【編都】縣名。（誅曹）

【編結】即編髮也。（論王）

【緘】束篋也。（雜詩惠連貳）

【緹】丹色也。（贈答公幹壹）又詳"緹衣韎韐"條。

【緹衣韎韐】武士之服。緹，帛丹黃色。韐者，茅蒐染也。（西京）

【緹騎】緹騎一百人，屬執金吾。（游覽顏壹　"一"當作"二"。）

【緣】順也。（魏都）【緣】因緣也。（贈答靈運壹）　又詳"著緣"條。

【緣袿】詳"袿"條。

【緝】會聚也。（誄顏壹） 又詳"輯輯"條。

【緬】盡也。（西征） 【緬】思也。（寡婦） 【緬】思貌。（贈答仲宣叁） 【緬】邈也。（雜擬江）

【緒】末也。（書司馬） 【緒】餘也。（游覽靈運叁） 【緒】胤緒也。（哀潘） 【緒】業也。（書阮） 【緒】統也。（西京） 又詳"野"條。

【緪】詳"亘"條。

【緯】織謂之緯。（思玄） 【緯】《六經》及《孝經》皆有緯也。（碑文蔡壹） 又詳"圖緯"條。

【緯蕭】簫，蒿也。織蒿爲薄。（誄顏貳）

【緯繣】乖戾也。（離騷）

【縶】猶擊也。（東京） 【縶】攣也。（西京） 【縶】馬絆也。（思玄） 又詳"絓踦"條。

【縶紖靮】皆所以繫制犬者。（西京）

【縣】纏也。（招魂） 【縣】連也。（思玄）

【縣縣】長而不絕貌。（南都 又《行旅陶壹》：縣縣，細微之思難斷絕也。） 【縣縣】密意也。（洛神）

【縣縣連連】微也。（論東方 按：正文"縣縣連連"，《注》引《說文》"縣聯，微也"，聯與連古通。）

【縣邈】詳"䁓眇"條。

【縣聯】猶連蔓也。（西京） 又詳"縣縣連連"條。

【縣纜】纜，細縣也。房子出御縣。（魏都）

【縣藐】遠視貌。（上林） 又詳"䁓眇"條。

【縣冪】微貌。（魏都）

【縣攣】係貌。（思玄）

【緐】詳"蕃"條。

【翬】詳"揮"及"翬翬"條。

【翬翬】飛也。（西京） 翬者，鳥之奇異者也。（碑文簡栖）

【翩】疾飛也。（鵃鵝）

【翩翩】往來貌。（吳都） 【翩翩】飛疾貌。（贈答仲宣叁 又《鵃鵝》：翩翩，自得之貌。）

【翩翩】鳥之形貌。 【翩翩】戲橦形也。（西京）

【翩飄】疾貌。（思玄）

【翫】習也。（東京） 【翫】貪也。（贈答士衡叁） 【翫】猶悅也。（贈答張） 又詳"玩"條。

【殫】盡也。（西京） 又詳"鑽"條。

【翦扞】翦除而防衛之也。（檄陳貳）

【翦拂】《國策》："君獨無湔拔僕也。"云湔拔、翦拂，音義同也。（論劉貳）　案：湔、翦均從前得聲得義。《説文》："前，齊斷也。"《釋器》："鏃矢翦羽謂之鍭。"翦者斷齊也。《説文》："湔，半澣水也。"半澣者，澣其垢處也。斷齊其羽，澣濯其垢，意略近。此同音之字也。《方言》三、《廣雅釋詁》三："拂，拔也。"又："拂，去也。"拔亦訓去。《易》："拔茅連茹。"拔、拂互訓，乃同義之字也。弗、犮亦同音。（字會）

【耦】諧也。（文）【耦】廣二寸二耜爲耦。（藉田）

【䝔】詳"郭"條。

【蝸】螺。（南都）

【蜏】復陶也，可食。（西京）

【蝮】大蛇。（招魂）

【蝦】蝦蟇。（弔文賈）【蝦】蝦大者長一二丈。（蜀都）又詳"瑕"條。

【蝦蟇】詳"蝦"條。

【蝦蛤】獸名。（上林）

【蝡】似蝦，中食，益人顔色，有愛媚。（江）

【蝱】詳"蚊蝱"條。

【蟊賊】喻災害也。食根曰蟊，食節曰賊。（雜擬謝）

【蝶】蛺蝶也。（雜詩景陽）

【蝘蜓蜥蜴】在壁曰蝘蜓，在草曰蜥蜴。（設論楊）

【衝】突也。（蕪城）【衝】隧也。（連珠）【衝】班固《漢書述》曰："戎車七征，衝輣閑閑。"《字略》作"䡴"，樓車也。（論陸）　案：《毛詩》"與爾臨衝"，《傳》："衝衝，車也。"《釋文》："衝，昌容反。"《説文》作"䡴"，"䡴，陷陣車也"。定八年《左傳》"主人焚衝"《釋文》亦同。葢衝字重聲，䡴字童聲，重與童古音同部也。（疏證）

【衝牙】凡帶必有佩。佩玉有衝牙居中央，以前後觸也。（藉田）

【衝陣】詳"八陣"條。

【衝飇】詳"飇"條。

【褫】奪也。（東京）【褫】奪衣也。（雪）　又詳"掯"條。

【褵】詳"纚"條。

【靚】貞也。（思玄）【靚】謂粉白黛黑也。（蜀都）【靚】卽静字。（甘泉）　案：《説文》："静，審也。"段曰："靚者静字之叚借。采色詳審得其宜，謂之靜。分布五色，疏密有章，則雖絢爛之極，而無淟涊不鮮，是曰静。人心審度得宜，一言一事必求義理之必然，則雖繁勞之極，而無紛亂，亦曰静。引伸叚借之義也。"《禮記·雜記注》"拭，靚也"，《釋文》："本作静。"《史記·司馬相如傳》："靚莊刻飾。"《漢書·賈誼傳》："深淵之靚。"《王莽傳》："清靚無塵。"即静字。安静字宜作竫。又靚即彰，《説文》："彰，清飾也。"（字會）又詳"靖"條。

【詠】猶譜也。（離騷）

【誹】非上所行也。（論東方）

【諑】詳"愬"條。

【誰】何也，謂責問之也。（藉田）

【誰何】問之也。（論賈）

【諏】詳"咨諏"條。

【誼】詳"儀"條。

【諒】信也。（東京）

【諒闇】今謂凶廬，寒涼幽闇之處，謂之諒闇。（閒居）

【調】選也。（史論范叁）【調】猶韻也。（詠史顏）【調】猶辭也。【調】聲音之和謂之調。調猶運也。（行旅靈運肆）

【調露】調和致甘露也。（啟任壹）

【課】試也。（藉田）【課】第也。然今考第爲課也。（移孔）

【請】詳"朝請"條。

【請室】請罪之室，若今之鍾下也。（書司馬）

【誶】諫也。（離騷）

【諔詭】詳"俶儻諔詭"條。

【論】説也。（西京）

【論輸】謂論其罪而輸作也。（文叁）

【諐】《大戴禮記》曰："禮義之不諐，何恤人言。"同愆。（景福殿）案：《一切經音義》三："僁，古文愆、遃二形，籀文作諐，今作愆，同。"《詩·氓》"匪我愆期"，《釋文》："愆"字又作"諐"。《詩·抑》"不愆于儀"，《禮記·緇衣》作"不諐于儀"。《詩·蕩》"既愆爾止"，《釋文》："愆"本又作"諐"。《漢書·劉輔傳》"元首無失道之諐"，《注》："與愆同。"此諐、愆通用之證。（字會）

【豎】豎者千里。（書陳）【豎】小也。（雜擬江）

【貏豸】漸平貌。（上林）

【賤事】家之私事也。（書司馬）

【賤子】自稱之辭也。（樂府鮑）

【質】木椹也。（誄潘肆）【質】問也。（表任叁）【質】軀也。（魏都）【質】地也。（景福殿）又詳“致”及“華質”條。

【質劑】質，大賈也。劑，小賈也。質劑，謂兩書一札而別之也，若今下手書保物要還矣。（魏都）

【賢】善也。（東京）【賢】猶勝也。（論李）

【賦】鋪也。（琴）【賦】布也。（景福殿）【賦】誦也。（招魂）【賦】不歌而頌謂之賦。一曰：賦，敷也，敷布其義謂之賦。（序皇甫）

【賦】謂口出泉。（文叁）

【賨布】槃瓠之後所輸。（魏都）

【賜】盡也。（西征）

【趣】節也。（吳都）【趣】意也。【趣】走也。（東京）【趣】趣也。（羽獵）【趣】向也。（西京　胡云：“趣”當作“趨”。）又詳“促織”條。

【趦趄】局小貌也。（東京）

【踢】跌也。（吳都）

【踣】前覆也。（七發）

【踐】登也。（論賈）

【踔】踰也。（羽獵）

【踟躕】躑躅也。（鸚鵡）

【跔蹏】詳“躑躅”條。

【踤】觸也。（吳都）【踤】蹴蹋也。（長楊）

【踞】卻倚也。（西京）　又詳“裾勢”條。

【踞躍】不行也。（論王）

【踧汨】蹙聚也。（海）

【踠】詳“宛足”條。

【踦𨂂】傾側也。（魏都）

【踤】跳也。（江）

【跂踞】《漢書》曰：“尉佗魋結箕倨。”（頌劉）　案：潘安仁《悼亡詩》“莊缶猶可擊”，《注》：“方箕踞鼓盆而歌。”跂、箕皆其聲，踞、倨皆居聲，故通用。（疏證）

【輝】詳“揮”條。

【輝素】月光也。（雜詩何）

【輷輸】大聲也。（洞簫）

【輈】車後為輈。（文叁）

【輜重】有衣車。（東京）

【輟】止也。（西都）　又詳“掇”條。

【輬】詳“軒輬”條。

【輬車】駕白虎四。（羽獵）

【輬】臥車也。（西都）

【𩢍】兵車名也。（論陸壹）

【軏】軏者，轅端橫木以縛軶也。（論王）

【璠】車蘭閒皮篋，以之安弩者曰璠。（東京）

【輅軻】不遇也。（雜詩古詩）又詳"轗軻"條。

【輧】衣車也。（樂府陸）【輧】車前衣。（文叁）

【輧匐】聲也。（西京）

【輦】王者所乘，故京邑之地通曰輦焉。（吳都）又詳"雕輦"及"宏璉"條。

【輦下】喻在轂輦之下，京城之中。（獻詩曹表）

【輦道】閣道也。（西都）

【輦路】輦道也。（西都）

【輪】轉也。（海）【輪】縱也。（西都）【輪】釣輪也，謂爲車以收釣緡也。一曰緡綸也。輪或爲綸。（西征）案：輪、綸命音。《詩·采綠》"言綸之繩"，鄭《箋》："綸，釣繳也。"《江賦》"或揮輪于懸碏"，《注》："輪，釣輪。"《爾雅·釋詁》："貉縮，綸也。"《注》："綸者繩也。謂牽縛縮貉之。"《易繫辭》"彌綸天地之道"，《釋文》引王肅云："綸，纏裹也。"《釋名·釋車》："輪，綸也，言彌綸也，周帀之言也。"綸、輪通訓，亦通用。舊說輪爲釣輪，謂爲車以收釣緡也。一字而兩義備焉。（字會）

【輪困】屈曲貌。（吳都）【輪困】委曲也。（七發）

【輪囷】筍虡之形。（景福殿）

【輪陣】詳"八陣"條。

【醇】厚也。（東京）

【醇粹】不變曰醇，不雜曰粹。（魏都）

【銳】疾也。（論陸叁）

【鋪】布也。（西都）【鋪】著門拊首也。（舞）

【鋌】銅鐵璞也。（七命）

【鋋】小矛也。（東都　按：《西京注》引《説文》作"鋋，小戈也。"胡本同。《魏都注》所引同《東都》，今《説文》亦同《東都》。）

【銷】散也。（恨）【銷】生鐵也。（七命）【銷】鑠金也。（七命）

【銷鑠】焦枯也。（九辯）

【鋒】兵端也。（魏都）

【闇闇】中正之貌。（論李）【闇闇】香氣盛也。（長門　王念孫《讀書雜志·餘編》云："闇闇"當作"闉闉。"闉與䡳同。）

【閲】猶數也。（公讌顏壹）【閲】總也。（歎逝）又詳"回穴"及"閥閲"條。

【閬閬】高大也。（甘泉）

【閬風】崑崙虛有三山：閬風、桐
版、元圃。層城九重。（思玄）
又詳“福地”條。

【閻閭】閻，里門也。閭，里中門
也。（西都）

【閻閻闐噎】言人物遍滿之貌。
（吳都）

【閬陝】梁王魏嬰之美人也。（七
發）

【閾】門限也。（甘泉）

【閫闈】闈門之内也。（史述贊班
貳）

【震】猶威也。（詠史左）　【震】
驚也。（東都）　又詳“振”條。

【震震】盛也。（藉田）

【震震燁燁】光明貌也。（西都）

【震矜】色自美之貌。　【震矜】
震之者何？猶曰振振然。矜
之者何？猶莫若我也。（論陸
叁）

【震聲日景】言威聲如雷，光景若
日也。（符命楊）

【震澤】詳“太湖”條。

【震盪】動也。（九辯）

【震鱗】龍謂之震鱗。（幽通）

【霄】冥也。（魯靈光殿）　雲也。
（補亡）　【霄】微雲也。（思玄）

【霈霈】聲也。（高唐）

【霆】霹靂也。（西京）

【霄】散也。（甘泉）

【霄煜】光明貌。（設論班）

【霄曄】急疾貌。（笙）

【窱】詳“洞”條。

【螫】狹也。（魏都）

【頌】鼻莖也。（設論楊）

【頡頏】飛而上曰頡，飛而下曰
頏。（魏都）　【頡頏】奇怪之
辭也。（設論楊）

【頫】低頭也。（西京）　【頫】《聲
類》曰：“頫，古文俯字。”（上
林）　案：《説文》：“頫，低頭
也，從頁逃省聲。太史卜書
‘頫仰’字如此。揚雄曰：人面
頫。”“俛”下云：“頫或從人
免。”《禮記·月令》“蟄蟲咸
俯”，《疏》：“俯，垂頭也。”《禮
記·曲禮》“俯而納屨”，《注》：
“俯，俛也。”《西京賦》“伏櫺檻
而頫聽”，《注》：“善曰：頫，古
字，音俯。”《七啟》“頫眺流
星”，《注》：“頫音俯。”《漢書·
項籍傳贊》“頫首係頸”，《注》：
“古俯字也。”段曰：“頫、俛音
皆近免。俯由音誤而製，字之
俗而謬者。”大徐亦云：作俯非
是。（字會）

【頫聘】眾來曰頫，寡來曰聘。（東
京）

【飆】急風貌。(江)

【餌】食也。(書秘) 【餌】魚食也。(贈答傅)

【養】樂也。(琴)

【駝】背上有肉,似橐,故曰橐駝。(上林)

【駐】主也。(東征 胡云:"駐,主也",疑"止也"之譌。)

【駘蕩】猶施散也。(雜詩玄暉貳) 【駘蕩】安翔貌。(長笛)

【駘盪】殿名也。(西都) 【駘盪】臺名也。(西京)

【駑】駘也。(贈答盧壹) 謂馬遲鈍者也。(雜詩古詩) 今謂馬之下者爲駑。(論班)

【駕】陵也。(蕪城 按:《江賦》作"駕,淩也"。)

【駕辯】曲名。(吳都)

【駙】副馬。(東京) 【駙】近也。(表曹貳) 又詳"傅會"條。

【駔】壯也。(赭白馬) 【駔】壯馬也。(魏都)

【駔牙】詳"岨峿"條。

【駔駿】良馬名也。(赭白馬)

【駓駓】走貌也。(招魂)

【駊騀】高大貌。(甘泉)

【㬢】月所生也。(長楊) 又詳"朏"條。

【髪】額上毛也。(赭白馬)

【髪秀】猶秀眉也。(序任)

【髻】髮也。(七命) 【髻】髦也。(藉田) 又詳"䯰"條。

【魄】月始生魄然也,月三日而成魄。(月) 又詳"營魄"及"魂魄"條。

【魅】怪物。(西京) 【魅】老物精也。(蕪城)

【魦】捕魚也。(西京)

【魵】比目。(吳都)

【魯】鈍也。(贈答公幹壹) 又詳"鹵"條。

【魯陽】關名。(雜詩景陽) 【魯陽】山名。(行旅江)

【魯陽公】楚將也。(吳都)

【魯般】詳"般爾"條。

【魦】鮀也。(西京) 【魦】似鮒。(蜀都)

【鳩鳥】一名雲白。(胡云:"白"當作"日"。孫注《上林》"旋目"云:"旋目即運目。"《繫傳》本《說文》:"鳩,運目也。"按:依孫說,則"白"當作"目"。然《淮南》"暉日知晏",晏,天無雲也。天無雲,則日益暉。是暉日之名本因知晏而得。暉日即雲日,則作日是。)黑色,長頸,赤喙,食蝮蛇,體有毒。(吳都) 羽有毒殺人。(離

騷）

【猷】如鼄。（江）

【鴉】烏也。（雜擬江）

【鴰鶋】觀名也。（上林）

【鴇】似雁，無後指。（西都）

【麤】（嘯） 案：《周禮·司市注》引《王制》"布帛精麤"作"布帛精麄"。《禮記·儒行》"麤而翹之"，《釋文》："麤本作麄。"《左氏傳》哀十三年："麤則有之"，《釋文》："麤本或作麄。"《禮記·檀弓注》"謂精麄廣狹"，《釋文》："麄本作麤。"或曰麄俗字。麤又通作粗。《說文》："粗，疏也。"粗又通作麤。《辨亡論》"百度之缺麤修"，《注》："麤，古粗字。"粗又通作俎。《史記·王翦傳》"秦王俎而不信人"，通作"粗"。至麤之本訓爲鹿行超遠。訓疏訓不精者，爲今義。（字會）

【麧】詳"麩"條。

【麾】舉手曰麾。（離騷）【麾】指麾也。（詠史顏貳）【麾】旌旗之名，州將之所執也。（碑文沈） 旌謂之麾。謂麾幢曲蓋者也。（思玄） 又詳"撝"條。

【黎】《倉頡篇》曰："遲，徐也。"遲與黎同。（舞） 案：《說文》：

"遲，徐也，從辵黎聲。"段云："遲或叚黎。《史記·衛霍傳》'遟明'，《注》'遟，待也。一作黎。'"黎訓徐，亦待意。遲從黎聲，故同黎。亦作犂。《史記·尉陀列傳》："犂旦城中皆降伏。" 犂旦卽黎明。《漢書》"黎旦"爲"遟曰"。遟訓待，亦徐意。《辨亡論上》"丁奉離斐以武毅稱"，《注》引《吳志》作"黎斐"，云"黎與離音相近"。是又音近互出之字也。（字會）

【黎丘】梁國之北地名。中有奇鬼。（思玄）

【黎陽】津名也。（雜擬謝）

【齒】列也。（西征）【齒】年也。（獻詩曹壹）【齒】猶觸也。（上書枚貳） 又詳"齡"條。

【齒危】謂高年也。（序任）

【瞑】臥也。（招魂）

十六畫

【橐】詳"郭"條。

【橐】詳"洄"條。

【儕】等也。（羽獵）

【儐】導也。（贈答范壹） 案：《說文》："儐，導也。擯，儐或從手。"《儀禮·聘禮》"儐勞者"，《釋文》：儐，劉《注》作擯，同。《禮記·文王世子》“退儐于東序”，《釋文》：“儐”本作“擯”。《周禮·宗伯注》“出接賓曰儐”，《釋文》：“儐”本作“賓”。《論語·鄉黨》“君召使擯”，《釋文》：“擯”本作“賓”，又作“儐”。《禮記·曲禮》“其擯于天子”，《釋文》：“擯”本作“儐”。蓋儐、擯均從賓聲，擯、儐爲禮賓而設，故亦專用賓字也。《漢書·主父偃傳》“相與排儐，不容於齊”，讀作“擯”。亦擯、儐通用之證。（字會）

【儔】匹也。（思玄）【儔】等也。（哀傷秘）又詳“疇”條。

【儒生】能該一經者爲儒生。（論劉貳　《雜擬江》“該”作“説”。）

【儗】引也。（舞）【儗】猶比也。（洞簫）

【儛】（雜詩景陽）案：《説文》：“舞，樂也，用足相背，從舛無聲。”《易繫辭》：“鼓之舞之以盡神。”《禮記·明堂位》“冕而舞《大武》”，《楚辭·招魂》“起鄭舞些”。則是舞爲本字。《詩·太叔于田》“兩驂如舞”，《家語·好生》作“兩驂如儛”。陸士龍《爲顧彥先贈婦詩》：

“西城善雅儛”，《注》引崔豹《古今注》曰：“魏文帝宮人尚衣，能歌舞，一時冠絕。”《史記·樂書》：“以四時歌儛宗廟”。與舞同。《東都賦》“舞八佾”作“舞”，《藉田賦》“抃儛乎康衢”作“儛”，又皆儛、舞通用也。（字會）

【儛絙】索上長繩，繫兩頭於梁，舉其中央，兩人各從一頭上，交相度。所謂儛絙者也。（西京）

【冀】幸也。（離騷）【冀】國名也。（魏都）【冀】賈逵《國語注》曰：“覬，望也。”冀與覬同。（登樓）案：《説文》：“覬，欲幸也。”《小爾雅·廣言》：“覬，望也。”《後漢書·盧芳傳》“臣非敢有所貪覬”，《注》：覬，望也。”《國語·魯語》：“吾冀而朝夕修我”，《史記·孝武紀》“冀至殊庭焉”，《注》：“望也。”冀又訓幸。《離騷》“冀枝葉之峻茂兮”，《悲回風》“吾怨往昔之所冀兮”，《注》：“冀，幸也。”又叚作幾。《王命論》：“貪不可冀。”幾亦望幸意。覬、冀義同音轉，故通。《吳都賦》“觀海陵之倉”，《注》引《倉頡篇》

曰："覬,索視之貌。"亦取冀望
意。則覬通乎覬矣。(字會)

【幎】墁也。(魏都)

【凝】止也。(游天台山) 【凝】
成也。(雜擬江) 【凝】嚴也。
(贈答公幹叁) 【凝】結也。
(七命) 【凝】冰也。(懷舊)
【凝】冰堅也。(詠懷阮) 【凝】
冰之絜也。(七命) 【凝】徐
引聲謂之凝。(樂府玄暉)
【凝】定也。(詠史顏貳)

【劑】和也。(魏都) 又詳"質
劑"條。

【勳】功也。(東京)

【叡】哲也。(南都)

【噎】饐也。(西都) 【噎】噎也。
(思玄 "噎"同"欭"。) 【噎】
食也。(蜀都)

【噞】猶猛也。(魏都)

【噞喁】魚在水中羣出動口貌。
(吳都) 【噞喁】魚出頭也。
(長笛 胡云:袁本、茶陵本作
"喁,魚口上見也"。)

【噤】閉也。(西征)

【噤害】口不言心害之爲噤害。
(誄潘肆)

【嘯】嘯者陰也。(招魂) 【嘯】
鄭玄《毛詩箋》曰:"歗,蹙口而
出聲也。"籀文爲歗,在吹部。

《毛詩》曰:"其嘯也歌。"(嘯)
　案:《說文》"嘯,吹聲也。歗,
籀文嘯。"《欠部》重出"歗"字,
引《詩》"其歗也謌。"今《詩》惟
"條其歗矣"作"歗","其嘯也
謌"仍作"嘯"。此賦後《注》引
"阮籍因長嘯而退"、"乃登之
嘯也"云云,均作"嘯"。蓋亦
通用之字。《小雅·白華》"歗
歌傷懷",本亦作"嘯"。(字會)

【嘯率】吸嘄之貌。(羽獵 葉本
"嘯率"作"潚率"。)

【嗷嗷】和鳴聲。(東京)

【噫氣】氣悟也。(笙 胡云:袁
本、茶陵本不重"氣"字。)

【嚶嚶】鳴也。(九辯)

【噫】飽出息也。(長門) 一曰
恨辭也。一曰沸窹之聲。(舞)

【噱】口之上下名爲噱。(羽獵)
【噱】大笑也。(書陳)

【嗷】鳴也。(長門)

【嗷嗷】鳴也。(游覽靈運柒)

【器】成物曰器。(贊袁) 【器】
謂品物也。(碑文簡栖) 【器】
猶性也。(誄潘肆) 【器】猶
用也。(碑文仲寶)

【圜】卽錢也。(文壹) 【圜】善
曰:《字書》曰:"圜,亦圓字
也。"(西京) 案:《呂覽·序

意》“爰有大圜在上”，《注》：“圜，天也。”《呂覽·圜道》“圜道也”，《注》：“圜天道也。”《淮南·本經》“戴圓履方”，《注》：“圓，天也。”《大戴禮·曾子天圓》：“天道曰圓。”《攷工記·輪人》“取諸圜也”，司農《注》：“故書圜或作員。”《魯靈光殿賦》“圜淵方井”，《注》引《爾雅》曰：“荷，芙蕖。”種之於員淵方井之中，以爲光輝。《思玄賦》“泯規矩之員方”，《注》：“規，圓也。矩，方也。”圓卽圜，故員卽圓也。《説文》圜、圓、圓三字各別：“圜”謂“天體”，“圓”謂“規”，“圓”謂“渾全”。然其義自相屬。（字會）

【圜丘】大壇，祭天也。（甘泉）

【圜陣】詳“八陣”條。

【圜牆】獄也。（書司馬）

【壃】（贈答安仁） 案：《周易》“德合无疆”，《釋文》：“疆，或作壃同。”《説文》：“畺，界也。”疆，或從壃土。壃蓋疆之省也。（疏證）

【塩】許慎《淮南子注》曰：“塩，埃也。”塩與壈同。（西都） 案：《説文》訓“塩”爲“壁間隙”，不訓爲埃。《淮南子注》與《説文》皆許君所作，而彼此不同者，蓋壁間之隙恒爲塵埃所聚，故塩字亦可訓埃。《説文》用本義，《淮南子注》用引申義耳。《説文》無“壈”字，《新附》始有之，訓爲“塵也”，乃後出之字。壈字蓋聲，塩字曷聲，曷、蓋古音同部，故通。（疏證）

【壄】古野字。（長笛） 案：野，古作壄，亦作埜。《説文》：“壄，古文野，從里省從林。”《書·禹貢》“至于豬野”，《漢書·地理志》作“至于豬壄”。“大野既豬”，《漢書·地理志》作“大壄既豬”。《書·武成》“放牛于桃林之野”，《漢書·張良傳》作“息牛于桃林之壄”。《爾雅·釋地》“牧外謂之野”，《釋文》：“野”本作“壄”。本賦“子壄協呂”，《注》引《左氏傳》曰“師曠侍於晉侯”杜預曰：“曠，晉樂太師子野也。”《羽獵賦》“張竟壄之罘”，壄卽野字。（字會）

【壄羊】麢羊，似羊而青。（上林）

【墾】耕也。（上林） 又詳“墾”條。

【壇】猶堂也。（蜀都） 又詳“亶觀”條。

【壇曼】平博也。（子虛）

【壅】詳"邕"條。

【奮】動也。（思玄）【奮】發也。（設論班） 又詳"揚奮"條。

【奮五穀】詳"葛天氏之樂八闋"條。

【嬛】詳"惸"條。

【嬴】容也。（雜詩古詩）【嬴】利也。（西京）【嬴】過也。（幽通）【嬴】長也。（論劉壹"嬴"與"盈"通。）【嬴】秦姓也。（東京）

【嬖】倖也。（西京）

【學】省國學也。（雜詩沈肆）【學】太學也。（文壹）

【學校庠序】郡國曰學，縣道侯國曰校，鄉曰庠，聚曰序。（東都）

【褰】縮也。（子虛）【褰】開也。（射雉）

【憲】法也。（東京） 又詳"文憲"條。

【寰】猶畿也。（雜擬江）

【蹇姐】詳"左驂史姍蹇姐"條。

【導】擇也。（符命司馬）

【嶰谷】崑崙北谷名。（七命）

【嶂隗】高貌。（甘泉）

【嶪嶪】高也。（景福殿）

【嶮】高也。（西京）

【嶮巇】猶傾側也。（長笛）

【嵬崀】殿形也。（魯靈光殿）

【崒嵬】山石崔嵬高而不平也。（南都）

【嶢嵼】高峻之貌。（南都）

【廩】翳中盛飲食處曰廩。今俗呼翳曰倉也。（射雉） 又詳"倉廩"條。

【徼】塞也，以木柵水中爲夷狄之界也。（七命） 又詳"僥"條。

【徼宮】謂徼巡其宮也。（銘陸貳）

【擅】專也。（東京）

【撼】搖也。（長門）

【據】依也。（西京）【據】引也。（羽獵） 又詳"裾勢"條。

【撨撨】中聲。（西京）

【擁】曲隈也。（上林）【擁】抱也。（牋謝） 又詳"邕"條。

【擁樹】今京師謂抱小兒爲擁樹。（頌陸）

【擊】撃也。（論王） 又詳"撇"條。

【撙】貫也。（檄陳壹）

【擗】析也。（九歌）

【擗摽】拊心貌。（長笛）

【撾】肶也。（射雉）

【憨】愚也。（射雉）

【憺】詳"澹"條。

【憺怕】靜也。憺與澹同，怕與泊同。（子虛） 案：揚子雲《長楊賦》"澹泊爲德"，《注》:"善曰: 澹泊與憺怕同。"《漢書注》:"澹泊,安静也。"《説文》:"憺,安也。"安静者必無爲,故憺與泊連文。蓋正字當作憺怕,從水者俗字耳。(疏證)

【懔】危也。(獻詩潘)

【懔懔】危懼也。(文) 【懔懔】危懼貌。(牋吳貳)

【懔冽】寒氣也。(風)

【憝】惡也。(西征)

【憑】滿也。(西京) 【憑】楚人名滿爲憑。(離騷) 【憑】大也。(長笛 《七命》"馮,大也",疑即憑字。) 【憑】升也。(西征)

【憑虛公子】憑，依託也。虛,無也。言無有此公子也。(西京)

【憑噫】氣滿貌。(長門)

【憖】謹敬也。(思玄)

【儌】詳"僥"條。

【憲】蒸也。(嘯)

【懊咿】内悲也。(琴)

【澮】所以通水於川也。(長笛) 又詳"畎澮"條。

【澮浼嶙壑】深平之貌。(長笛)

【澹】静也。(神女) 【澹】安也。(長楊 《游覽靈運陸》作"憺",同。) 【澹】摇也。(長門)

【澹】水摇也。(琴) 【澹】猶足也。(游覽靈運陸) 【澹】水名。(贈答仲宣貳) 又詳"淡"條。

【澹澹】水摇也。(高唐) 【澹澹】水摇貌也。(東京)

【澹泞】澄深也。(海)

【澹泊】詳"憺怕"條。

【澹淡】隨風貌。(西都 又《七發》:澹淡,摇蕩之貌。)

【潎】水行出也。(南都) 【潎】疾貌。(七啓)

【潎淡】小水貌。或曰: 淡,絶小水也。(甘泉)

【澶】詳"亶觀"條。

【澶湉】安流貌。(此條失注)

【澶漫靡迆】陵原之形。(西京)

【頮】洗面也。(七發) 又詳"沬"條。

【澤】質之潤也。(離騷) 又詳"醳"條。

【潭】絶小水也。(七命)

【濁】貪也。(離騷) 又詳"清濁"條。

【潚】清深也。(思玄)

【潚箾】罕形。(西京)

【潚率】詳"嘯率"條。

【濞漫瀁潚潰濩泌潏】皆水勢相激洶涌之貌。(江)

【澧水】武陵郡充縣歷山,澧水所

出,入江。（江）

【澡】洗手也。（長笛）

【瀚】漬也。（海）

【澳】詳"郁"條。

【濊】水多也。（長笛）

【澨】水厓也。（雜擬江）

【激】衝激急風。（上林）【激】流急曰激。（雜詩盧）【激】感也。（東京）

【激卬】激厲抗揚之意。（舞）【激卬】怒也。（設論楊）

【激朗】激切清朗也。（長笛）

【激楚】清聲也。（嘯）【激楚】曲名。（舞）

【激徵】曲名。（舞）

【激曜】清疾貌。曜音翟。（嘯）案：潘安仁《笙賦》"劉檄曜以奔邀"，《注》："檄曜，疾貌。檄音激。"《說文》："激，水礙衺疾波也。""檄，二尺書。"激水有疾義，檄書亦有疾義，且二字皆敫聲。《說文》"敫，光景流貌"。本有疾義，故激、檄可通。曜字爲《說文》所無。其字從翟字得聲，《說文》："翟山雉尾長者。"《周禮·司服》鄭《注》謂"鷩畫以雉"。《釋名》云："鷩，憋也，性急憋。"雉之性急，蓋有疾義。故字之從翟字

得聲者，多有疾義。《說文》訓"趯"字爲"迅"，是其例也。"糴"字《說文》訓爲"市穀，從入從糶"。"糶"字《說文》訓爲"穀，從米翟聲"。糴、穀者，有急義，又有疾義，而糴、曜又同聲，故可通也。（疏證）

【澱】劉淵林《吳都賦》"掘鯉之淀"《注》："淀，如淵而淺。"澱與淀古字通。（江）案：澱、淀音轉。《爾雅·釋器注》："澱，滓澱也。江東呼爲垽。"《說文》："澱，滓垽也。""淤"字下云："澱滓濁泥也。"滓澱之義近于淺淵，淵淺必有滓澱濁泥，故淀與澱通也。又淀通作定。《水經注·巨洋水篇》曰："西北流注於巨淀。"《說文》云："洋水出齊臨朐高山，東北入鉅定。"蓋鉅定本水名，因以爲縣名。定、淀古今字。（字會）

【獫狁】今匈奴也。堯曰薰粥，周曰獫狁，秦曰匈奴。一曰黃帝曰薰粥，唐舜曰蠻夏，殷曰鬼方，周曰匈奴，秦曰胡。（獻詩潘）

【獝狂】惡戾之鬼。（東京）

【隧】墓道也。（誄謝）【隧】掘

地通路曰隧。王葬禮也。（思
玄）　【隧】列肆道也。（西都）
　　【隧】塞上亭，守烽火者也。
篆文從火，古字通。（北征）
案：古燧字作㸐。《漢書・韓安
國傳集注》云：“㸐，古燧字。”
隧義通燧。《攷工記・鳧氏注》
“隧在鼓中，窐而生光，有似夫
隧。”《攷工記・輿人》“去一以
爲隧”，司農《注》：“隧謂車輿
深也。讀如鑽燧改火之燧。”
漢人“讀如”之字卽通用之字。
《周禮・秋官・司烜氏》：“夫遂
取明火于日。”此隧通燧之義。
顏延年《三月三日曲水詩序》：
“列燧千城。”蓋叚燧爲隧也。
（字會）

【隤】猶遺也。（歎逝）

【險】危也。（西京）

【險險戲戲】水貌也。（七發）

【險易】喻治亂也。（東都）

【險阻】喻傾危也。（離騷）

【險巇】顯危也。（鸚鵡）

【隩】今江東人呼浦爲隩。（祖餞
　　宜遠　毛本“隩”作“隈”。）
　　【隩】四方之土可定居者也。
　　（西都）　【隩】藏也。（蕪城）
　　又詳“郁”條。

【隨】不能屈伸也。（七發）

【隨光】卞隨、務光也。（長笛）

【隨夷】卞隨、伯夷也。（弔文賈）

【隨侯之珠】明月珠也。一曰夜
　　光之珠有似明月，故曰明月
　　也。（西都）

【隨會】隨武子士會也。（敎壹
　　又《碑文仲寶》稱“隨武”。）

【鄭詹尹】工師姓名也。（卜居）

【整】理也。（東京）

【曄】詳“曄”條。（原作“曤”）

【曈曨】欲明也。（文）

【暴】詳“爆”條。

【曀】陰而風曰曀。（北征）

【曀曀】如常陰曀然。（雜詩景陽
　　胡云：．下句當重“曀”字。）
　　又詳“翳翳”條。

【暾】日始出，其形暾暾而盛大
　　也。（雜詩靈運肆）　【暾】漸
　　出貌也。（射雉）

【曆草】詳“佞枝曆草”條。

【曆命】曆數天命也。（論陸壹）

【曆紀】曆數綱紀也。（符命楊）

【曆數】占術也。（論陸壹）　【曆
　　數】謂天道也。（論班）

【曁】及也。（西京）　【曁】至也。
　　（西京）

【曉】知也。（游天台山）

【朣朧】欲明也。（秋興）

【膬】腠易破也。（七發）

【縢】緘也。（魏都）

【膳】具食也。（西京）　膳之言善。（樂府曹）

【榮榮】垂貌也。（雜詩盧）　又詳"惢"條。

【橇木】龍燭也。《注》："《山海經》曰：'橇木長千里。'"（吳都）　案：張平子《東京賦》"尋木起於藃栽"，《注》："善曰：《說文》曰：'尋，八尺也。'《山海經》曰：'尋木長千里。'"《說文》無"橇"字。尋木爲長木，亦猶尋竹爲大竹。蓋八尺曰尋，本有長義，《山海經·大荒北經》"有岳之山，尋竹生焉"是也。後人肊加木爲橇字耳。（疏證）

【橄欖】生山中，實如雞子，正青。（吳都）

【橙】橘屬。（南都）　似橘而非，若柚而有芬香。（七命）

【樹】植也。（西京）　【樹】立也。（祭文王）

【樹】種也。（離騷）

【樹領】叩頭時項下向，則領樹上向也。（長楊　胡云："項"當作"頂"。）

【橈】顧望也。（彈事任壹）　【橈】曲木也。（行旅江）　【橈】小

楫也。（游覽惠連）

【橦】其華柔毳，可績爲布。（蜀都）　【橦】百尺也。（海）

【樵蘇】樵，取薪也。蘇，取草也。芻蕘薪采者也。（誄潘肆）

【機】弩牙也。（西都）　【機】主發之機也。（史述贊范）　【機】樞機也。（雜詩曹）　【機】機者事之微也。（鸚鵡）　【機】謂機心也。（碑文簡栖）　又詳"璣"、"几"二條及"懸刀"條。

【機衡】轉運者爲機，持正者爲衡。（論李）

【機駭蠭軼】疾貌。（長楊）

【橫】塞也。（海）　【橫】自縱也。（長楊）　又詳"衡"及"從橫"條。

【橫波】言目邪視如水之橫流也。（舞）

【橫流】多也。（符命司馬）

【橫潰】以水喻亂也。（雜擬謝）

【橫屬】從橫猛屬也。（贈答越石壹）

【橫橋】在長安北二里橫門外也。（魏都）

【樸】質也。（東京　《魯靈光殿》作"朴"同。）

【樸】包木也。（西京）

【樸斲】樸，治；斲，削也。（魏都）

【櫟】櫟支木。（上林）

【橘柚】大曰柚，小曰橘。犍爲南安縣出黃甘橘。（蜀都）

【橑】椽也。（西都）

【橪】木名。（江）

【縻騑】馬口中長銜也。（西征《上書司馬》“縻”作“橛”。）

【歔】悲也。（洞簫）　又詳“噓”條。

【歔欷】啼聲也。（鸚鵡）【歔欷】啼貌也。（七發）

【歙】詳“脅息”條。

【歕】詳“噴”條。

【歷】干也。（羽獵）【歷】猶疏也。（好色）【歷】逢也。【歷】試也。（魏都）【歷】選也。（甘泉）【歷】過也。（哀傷潘）【歷】算也。（上林）

【歷陽】縣名。（論劉壹）

【殫】盡也。（西都）

【殰】殺也。（東京）【殰】壹發死爲殰。（上林）

【燕】國名也。（雜詩古詩）【燕】幽州也。（魏都）【燕】安也。（七啟）

【燕尾】詳“臀”條。

【燕雀】鳥之通稱也。（書陳）

【燂】火熱也。（七發）

【燐】詳“炳炳麟麟”條。

【熺】熾也。（舞）【熺】大明貌。（贈答公幹壹）

【熺炭】熾炭也。（海）

【熿】與晃音義同。（甘泉）　案：郭景純《江賦》“或爆采以晃淵”，《注》：“《廣雅》曰：‘晃，暉也。’”《一切經音義》四云：“晃，古文熿同。”按：《荀子》“熿然兼覆之”，楊倞《注》：“熿與滉同。”亦其例也。（疏證）

【燎】謂燒之。（西京）

【熾】赤也。（蜀都）

【燈】詳“鐙”條。

【燀】炊之也。（七命）【燀】炎起貌。（景福殿）

【燧】詳“隧”條。

【璜】玉名。（招魂）　半璧曰璜。（思玄）　又詳“琨”條。

【璣】珠屬。（吳都）　小珠也。（長楊）【璣】《尚書考靈曜》曰：“璿璣玉衡，以齊七政。”云璣與機同。（哀文顏）　案：《説文》：“璣，珠不圓者。”段曰：“凡經傳，沂灣謂之幾，門廔謂之機。故珠不圓之字從幾。”蓋機主轉運，璣亦取轉運義。《舜典》“在璿璣玉衡”，

《傳》："璣，衡玉者。璣爲轉運。"馬融曰："璇璣渾天儀可轉旋。"鄭玄曰："轉運者爲機。持正者爲衡。"《堯廟碑》"據旋機之政"，《周公禮殿記》"旋機常離"，璣作機，是其證。機又通幾。《東京賦》"訪萬機"，《注》引《尚書》曰："一日二日萬幾。"（字會）

【璣衡】渾天儀可轉旋。（論李　按: 璣通作機。）

【璘班】文貌。（景福殿）

【璘彬】玉光色雜也。（西京）

【璘瑞】文貌。（甘泉）

【璞】周人謂鼠之未腊者爲璞。鄭人謂玉之未理者爲璞。（序任　胡云:"璞"當作"樸"。）

【璞】玉未理者璞。（南都）

【罾】魚網也。（九歌　按:《七啓》: 舉挂輕罾。似鳥獸之網亦曰罾。）

【罾罶】皆網名也。（江）

【罾罦】皆鳥網也。（吳都）

【膴膴】肥美也。（哀傷張）

【膩】滑也。（招魂）

【蕣華】詳"日及"條。

【蕕】詳"軒于"條。

【蕅】詳"薔"條。

【蕳】詳"蕑"條。

【蕘】詳"芻蕘"條。

【蕩】動也。（西京）

【蕩蕩】法度廢壞之貌。（雜擬謝）

【葉】詳"蔆"條。

【蕉葛】葛之細者。（吳都）

【蕨】山菜，初生紫色。（贈答靈運參）

【蕁蕁】盛也。（南都）

【蔽】斷也。（論陸參）【蔽】塞也。（論劉壹）

【蕤】草木華垂貌。（吳都　《琴》作"草木花貌"。）　草木華曰蕤。（文）【蕤】草木華盛貌也。（雜詩陸）【蕤】綏也。（甘泉）　又詳"綏"條。

【蕃】多也。（西京）【蕃】盛也。（設論班）

【蕃】滋也。（東京）【蕃】草茂也。（西征）【蕃】善曰:《左氏傳》衛子魚曰:"分魯公以封父之繁弱。"蕃與繁古字通。（上林）　案:《說文》:"緐，馬髦飾也。"蓋集絲條下垂爲飾曰緐。引申爲緐多，俗改作繁。緐從每。每，草盛也。緐從草盛取義，故蕃可通緐。《書·洪範》"庶草蕃廡"，《史記·宋微子世家》作"庶草繁廡"。《景福殿賦》"桑梓繁

廡"，《注》引《尚書》曰："庶
草蕃廡。"是其證也。蕃又通
藩。《幽通賦》"木偃息以蕃魏
兮"，作"蕃"。（字會）　又詳
"樊"條。

【蕊】蕊者、或謂之華。或謂之
實。（蜀都）　【蕊】香菜。（胡
云："蕊"當作"蘁"。）根似茆
根。蜀人所謂菹香。（南都）
又詳"惢"條。

【叢】聚也。（西征）

【叢爾】小貌。（魏都）

【蕪】穢也。（雜詩玄暉壹）　【蕪】
草也。（詠史顏）

【蕪穢】不治曰蕪，多草曰穢。（招
魂）

【萋】垂也。謂垂下也。（魏都）
【萋】實貌。一曰花頭點也。
（南都　胡云："花"下當有
"鬖"字。）　又詳"叢"條。

【蕙】葉似蛇牀而香。（南都）

【蕙草】殿名也。（西都）

【蕙肴】以蕙草蒸肉也。（九歌）

【蕙櫋】以折蕙覆櫋屋。（九歌
胡云："折"當作"析"。）

【薜苫】詳"芰"條。

【傳】詳"夛"條。

【遹皇】往來貌。（江）

【遲】晚也。（游覽叔源）

【遷】移也。（思玄）　【遷】易也。
（西京）

【遷引】遷謂徙之於彼，引謂納之
於此。（西京）

【遷延】退旋也，引身也。（西京）
【遷延】卻退貌。（南都）

【遷延徙迤】皆蟲之形也，卻退
貌。（洞簫）

【選】擇也。（七命）　【選】善也。
（頌陸）　【選】選者謂於倫等
之中最上也。（雜詩玄暉伍）
【選】數也。（符命司馬）

【遺】與也。（九歌）　【遺】餘也。
（西京）　【遺】棄也。（公讌
士龍）　【遺】離也。（九歌）
【遺】亡也。（七啟）　【遺】失
也。（七啟）

【遺風】千里馬。（子虛）　又詳
"青龍遺風"條。

【遺視】竊視也。（招魂）

【遺讖】謂占夢書也。（幽通）

【遼水】出遼山，在玄菟高句麗
縣。（別）

【遼東】郡名。（雜詩平子）

【遼落】詳"牢落"條。

【遼陽】縣名。（書孫）

【甋】詳"碗"條。

【甌瓵】江東呼甇爲甌瓵。（長門）

【瓵】詳"甌瓵"條。

【甍】棟也。（西京）

【瘴】詳"障"條。

【瘳】差也。（弔文陸）【瘳】愈也。（思玄）

【瘼】《韓詩》曰"亂離斯瘼，爰其適歸"，薛君曰："莫，散也。"《毛詩》曰"亂離瘼矣"，毛萇曰："瘼，病也。"今此既引《韓詩》，宜爲"莫"字。（獻詩潘）案：沈休文《齊故安陸昭王碑文》"而皇情眷眷，慮深求瘼"，《注》引《毛詩》曰："求民之莫。"班固《漢書》引《詩》則作"瘼"。《爾雅》曰：瘼，病也。"《説文》："莫，日且冥也。"《毛詩》之"莫"，蓋假借字。其正字自當作"瘼"。瘼字莫聲，故通用耳。《勸進表注》："《羽獵賦》曰'杖莫邪而羅者，萬計矣'。"《辯亡論注》："《羽獵賦》曰'杖鏌邪而羅者以萬計'。"《詠史詩》"君平獨寂漠"，《注》："《楚辭》曰'野寂寞其無人'。"《赴洛詩》"寂漠聲必沈"，《注》："《淮南子》曰'寂寞，音之主也'。"由偏旁例推，亦通用之證。（疏證）

【蓋】持也。（哀傷任）

【盧】黑也。（上林）又詳"旅"及"鸕鶿"條。

【盧跗】盧，扁鵲。跗，俞跗。古良醫也。（蜀都）

【盧敖】仙人名。（琴）

【盧橘】詳"給客橙"條。

【瞠】直視貌。一曰直下視貌。（長笛）

【瞢】愧也。（魏都）【瞢】視不審諦也。（洞簫）又詳"懵"條。

【瞭】視也。（魏都）

【瞜】失意視。（魏都　胡云："瞜"當作"睸"。）

【磢】郭璞《方言注》曰："澌，錯也。"澌與磢同。（海）案：澌訓錯。磢，《廣韻》"甋同"。《廣雅・釋詁》三："甋，磨也。"磨、錯一義。《説文》："甋，瑳垢瓦石也。"段曰："瑳字當作厝。厝，厲石也。《詩》曰'他山之石，可以爲厝'。"因瓦石去垢曰甋。《江賦》"奔流之所磢錯"，"磢"即"甋"字，亦即"澌"字。本賦蓋叚磢爲澌也。（字會）

【磥】詳"礧"條。

【磥磥】衆石貌。（高唐）

【磥硌】壯大貌。（琴）

【碱】硬類也。（西都）

【磬襄】詳"易京"條。

【磬折】言其聲若磬形之曲折也。（笙）

【磞硠震隱】聲也。（嘯）

【磪嵬】高峻之貌。（琴）

【磓】舂也。（長笛）

【磧】詳"磧礫"條。

【磧歷】不平也。（上林）

【磧礫】淺水見沙石之貌。一曰：磧、水渚有石也。（吳都）

【硠嘈】聲也。（嘯）

【禦】止也。（長楊）

【積】積本作漬。（公讌邱）　案：積、漬責聲。《公羊‧莊十七年傳》"漸，積也"，《釋文》："積"本作"漬"。蓋積物曰積，積水曰漬也。《西京賦》"芳草如積"，《注》："善曰：《韓詩》曰：'綠蘀如簀。'簀猶積也。"亦以簀從責聲而通用也。（字會）　又詳"委積"條。

【積石】山名。（魯靈光殿）

【積冰】八絃北方曰積冰。（思玄）

【穎】垂穎也。禾穗謂之穎。（西都）　【穎】穗也。（魏都）

【穆】敬也。（九歌）【穆】信也。（哀顏）【穆】猶默，靜思之貌也。（論東方）　又詳"繆"條。

【穆穆】美也。（樂府陸）

【褰數】四股鉤也。（景福殿）

【邃】深也。（離騷）

【窺】視也。（西都）　又詳"闚"條。

【窳】虛也。（長門）　又詳"槬"條。

【篔簹】生水邊，長數丈，圍一尺五六寸，一節相去六七尺，或相去一丈。（吳都）

【篡】逆而奪取曰篡。（檄陳壹）

【篤】詳"督"條。

【篛箁】詳"蒻茸"條。

【篍】《方言》曰："捎，動也。"篍與捎同。（長笛）　案：《說文》："陳留謂飯帚曰篍。"段曰："飯帚者，所以掃殄餘之飯。"《攷工記》"捎其藪"，"捎溝"，《注》："捎，除也。"與篍爲飯帚同義。《羽獵賦》"曳捎星之旃"，《注》引韋昭曰："捎，拂也。"《方言》"撟捎，選也。自關而西秦晉之間，凡取物之上，謂撟捎。"與篍之訓動亦同。但《博雅》、《廣韻》有"篍"無"篍"。《說文》"篍"，後人增入之字也。今本《選注》"篍"誤作"篍"，"捎"又誤作"稍"。據《說文》"篍，飯筥也"，"篍"下曰"一曰飯器"，則篍與篍猶

可通。詳此賦當是"箾",通
"捎"。若云"奮稍",則上明云
"纖末"矣,於文爲不辭。(字
會)

【篍】詳"壎篍"及"吹"條。

【篆素】篆書於素也。(吳都)

【籌】落也。(招魂)

【糗】乾食也。(頌王)

【緻】密也。(西都) 又詳"致"
條。

【縑】詳"綃"條。

【緆】赤白色。(南都)

【縈】紆也。(思玄)

【縈紆】猶回曲也。(西都)

【縟】數也。(舞) 【縟】繁采飾
也。(西京 《文》及《序顏》飾
作"色"。 又《江》無"飾"字,蓋
脫去。)

【縟繡】言草木花光似繡文。(吳
都)

【縞】白色也。(藉田) 【縞】練
也。(雪) 繒之精者曰縞。
(雜詩曹貳 《書陳注》"精"作
"細"。)

【緯】善曰:緯,事也。《毛詩》曰:
"上天之載,無聲無臭。"緯與
載同。(甘泉) 案:劉越石
《勸進表》"臣每覽史籍,觀之
前載",《注》:"《小雅》曰:'載,

事也。'"緯、載同韵,故通。《說
文新附》有"緯"字,云"事也"。
《漢書・揚雄傳》"上天之緯",
師古曰:"緯,事也。讀與載
同。"(疏證) 又詳"載"條。

【縝】緻也。(祭文謝) 【縝】黑
也。(行旅玄暉肆) 又詳"鬒"
條。

【縝紛】眾多貌。(上林)

【顈】絆前兩足也。(吳都)

【縣市】詳"三市"條。

【縣圃】神山也,在崑崙之上。(離
騷) 又詳"曾城縣圃"條。

【縣景】詳"飛轡縣景"條。

【繰】裁也。(子虛)

【羲皇】伏羲爲三皇,故曰羲皇。
(符命楊)

【羲和】日御謂之羲和。(蜀都)

【嶈嶈】肥澤也。(景福殿) 又
詳"嶉嶉"條。

【翰】幹也。(論李) 【翰】高也。
(書孫) 【翰】飛也。 【翰】
高飛貌。(海) 【翰】高飛也。
(鵁鶄) 【翰】白色馬曰翰。
(文壹) 【翰】其中毫俊。(雜
擬江 《七命》"其"作"鳥"。
"俊"下有"也"字。) 【翰】筆
也。(長楊) 【翰】毛也。(樂
府陸) 【翰】 毛之長大者曰

翰。（羽獵）

【翰林】文翰之多若林也。（長楊）

【翮】管形類羽者，謂之翮也。（笙）　又詳"擎"條。

【耨】耘耔也。（子虛）

【斸】詳"斵"條。

【臻】詳"轃"條。

【興】悅也。（獻詩潘）　【興】發也。（贈答曹壹）　【興】起也。（雜詩景陽）　【興】興者記事於物。（秋興　胡云：茶陵本"記"作"託"。　案：作"託"者是。《史論沈壹》正作"託"。又"物"下有"也"字。）

【興會】情興所會也。（史論沈壹）

【艘】船總名。（吳都）

【䶯】善曰：《毛詩》曰"不敢暴虎"，毛萇曰："暴虎，空手以搏也。"䶯與暴同。（吳都）　案：鮑明遠《蕪城賦》"伏䶯藏虎"，《注》："《字書》曰：'虠，古文暴字，蒲到切。'"王子淵《洞簫賦》"剛毅彊䶯，反仁恩兮"，《注》："《字書》曰：'䶯，古文暴字也。'"今《周禮》多以"䶯"爲"暴"。《地官》云："司䶯十肆則一人。"又云："司䶯掌禁鬭囂者與其䶯亂者。"皆其證也。（疏證）

【融】明也。（月）　【融】朗也。（海）　【融】通也。（景福殿）　【融】猶銷也。（游天台山）又詳"肜"條。

【融風】詳"炎風"條。

【融裔】聲長貌。（笙）

【螎蜦】行貌。（江）

【螳】詳"蟻"條。

【衡】猶稱之衡也。（上書鄒壹）

【衡】枰也。（東京）　【衡】平也，平輕重也。（文）　【衡】所以任權而鈞物，平輕重也。（論劉貳）　稱上曰衡。（論曹）

【衡】平其大小也。（西都）

【衡】眉上曰衡。（魏都）　【衡】軛也。（論陸壹）　【衡】用昏建者杓，夜半建者衡。衡，斗之中央也。（雜詩惠連貳）

【衡】杜衡，狀若葵，臭如蘼蕪。（上林）　【衡】山名。（思玄）

【衡】文穎曰：關西爲橫，衡音橫。（論賈）　案：《釋名·釋車》："衡，橫也，橫馬頭上也。"《詩·衡門釋文》："衡，古橫字。"《詩·南山》"衡從其畝"，《釋文》"衡"卽訓爲"橫"。《五等諸侯論》"一夫從橫"，《注》："衡，古橫字。"橫、衡通訓同用字。衡又通作珩。《思元賦》

"雜技藝以爲珩"，《注》:"珩與衡音義同。" 蓋《韓傳》作珩。《玉藻》作衡。衡又通作桁。《景福殿賦》"桁梧複疊"，《注》:"桁與衡同。"《魯靈光殿賦》"朱鳥舒翼以峙衡"，《注》引《淮南子》曰:"桁題不枅。"《禮記·雜記》"雜飯筲衡實其間"，《注》:"衡當爲桁。桁所以庋苞筲甕甒也。"(字會) 又詳"機衡"、"阿衡"二條及"提衡惟允"條。

【衡巫】三江名。(碑文沈)

【衡門】橫木爲門。(碑文蔡壹)

【衡館】衡門之館也。(碑文仲寶)

【衡闈】衡門也。(贈答范壹)

【衛】國名也。(別)

【褵】帶也。(思玄) 【褵】《毛詩》"親結其褵"，毛萇曰:"褵，婦人之幃也。"褵與離古字通。(箋) 案:《漢書·外戚傳下》"申佩離以自思"，《注》:"離，袿衣之帶也。"褵訓褘。《爾雅·釋器》:"婦人之褘謂之褵。褵，緌也。" 郭云:"即今之香纓。"褘亦作幃。《説文》:"幃，囊也。" 《離騷》:"蘇糞壤以充幃。"香囊、香纓，均婦人所佩物，與離訓正相足。褵、離同

音同形，故通。離又通作璃，《漢書·地理志》"市明珠璧流離"，《注》:"與琉璃同。"離又通作罹。《史記·張良贊》:"高祖離困者數矣。"《漢書》師古曰:"離，遭也。與罹同。"《詩》"逢此百離"，毛萇曰:"離，憂也。一作罹。"(字會)

【襂纚】羽垂之貌。(海)

【覵】見也。(東京)

【覬】欲也。(册) 又詳"覦"條。

【諝】智也。(論陸壹)

【謀】謨也。(西都) 【謀】察也。(思玄)

【謁者】寺人也。(西京)

【謁者符節】魏臺閣名。(魏都)

【謚】號也。(洞簫) 【謚】謚者行之迹也。(笙)

【諫】諤言也。(勸勵韋)

【諷】誦也。(牋楊) 【諷】不敢正言謂之諷。(甘泉)

【諷誦】背文曰諷，以聲節之曰誦。(書曹貳)

【諸】之也。(西京) 【諸】於也。(雜詩景陽)

【諸越】以喻流俗也。(雜詩景陽)

【諠】詳"萱"條。

【諜】詳"牒"條。

【諜賊】反閒爲國賊者。(碑文沈)

【諦】詳"諟"條。

【諀】違也。（西京）

【諤】詳"謇愕"條。

【諤諤】正直貌。（勸勵韋）

【諼】忘也。（雜擬靈運肆）　又詳"萱"條。

【諗】告也。（論陸貳）【諗】說也。（西京）

【諾】應辭也。（行旅靈運叄　又《雜擬袁壹》：諾，相然許之辭也。）

【諶】曹大家曰："忱，誠也。"項岱曰："《尚書》曰'天威棐忱'，諶與忱古字通。"（幽通）　案：諶、忱均訓誠。《爾雅·釋詁》："諶，誠也。"《書·湯誥》"尚克時忱"，《傳》："忱，誠也。"《爾雅·釋詁注》"天威棐諶"，《釋文》："諶，今本作忱。"《詩·蕩》"其命匪諶"，《說文·心部》作"天命匪忱"。乃諶、忱通用之證。本賦"用棐忱而祐仁"，即以忱代諶矣。諶又通煁。《說文》："煁，烓也。"《春秋傳》"神諶字竈"，諶即煁字。諶亦湛。神諶，《漢書·人表》作"卑湛"。（字會）

【諟】與諦同。（魯靈光殿）　案：《說文》："諟，理也。"理者是正之意，使之有條理可尋也。《禮記·大學》"顧諟天之明命"，《注》："諟，正也。"諦，《說文》"審也。"審有分別之義，有詳視之義，與是正之義合，故用同。《甘泉賦》"猶彷彿其若夢"，《注》引《楚辭》曰："時彷彿以遙見。"亦引《說文》曰："彷彿，相似。視不諟也。"諟即諦字，音帝。（字會）

【豫】樂也。（景福殿）【豫】東京也。（魏都）【豫】猶豫也。（九章）【豫】秋行曰豫。（東京）【豫】《孫子兵法》曰："雖優游暇譽，令猶行也。"譽猶豫，古字通。（序王）　案：豫本訓象之大者。大必寬裕，寬裕則樂，故《釋詁》曰："豫，樂也。"有所樂者則譽，故豫借爲譽。豫又借爲與。《儀禮》古文"豫"作"與"。與形近譽，豫作與，故豫亦通譽也。《孟子·梁惠王下》"一遊一豫"，《左氏·昭二年傳》服《注》作"一遊一譽"，是其證。又預通豫。《說文新附》："預，安也。"經典通用豫。（字會）【豫】或爲務。（魏都）　案：豫、務亦聲近通用。《史記·酈生陸賈傳集解»引徐廣:"務,一作豫"是也。«左傳»襄十一年"公叔務人",«檀弓»作"禺人",«疏»云:"禺、務聲相近。"豫與務通,亦猶禺與務通,皆一聲之轉耳。(疏證)

【豫州】河漢之閒爲豫州。(南都)

【豫章】臺名也。(西京) 【豫章】觀名也。(西都)

【貏貐】龍首。(吴都) 又詳"窫窳"條。

【賭】賜也。(論章)

【賮】禮贄也,財貨也。(魏都又«赭白馬»:贐,會禮也。)【賮】«孟子»曰:"行者必以賮。"(公讌顏) 案:«説文»:"賮,會禮也。"«倉頡篇»:"賮,財貨也。"«魏都賦»"襁負賮贄",劉«注»:"賮,禮贄也。"贐爲送行贈賄之禮,贈賄者必以財貨,故作貝。«孟子»"辭曰餽賮"是也。賮或假進爲之。«漢書·高紀»曰:"蕭何爲主吏主進。"從賮之字盡亦聲。進與盡亦一聲也。又贐即賮字重文。(字會)

【赮】詳"瑕"條。

【赮駮】如赮之駮也。(江)

【赬】赤也。(吴都)

【赬鼈】珠鼈之魚也,其狀如胏而有目,六足有珠。(江)

【赭堊】陸郈之山,其下多堊。若之山,其上多赭。赭,赤土。堊,似土白色。(南都)

【踰】鳥踰跳也。(舞)

【蹀】躡也。(魏都) 【蹀】蹈也。(南都)

【踽僂】傴僂也。(好色)

【蹁】蹋地聲也。(長笛)

【蹁蹴】迫蹙貌。(長笛)

【踶】躡也。(詔壹)

【踶跋】促遽貌。(吴都)

【踸踔】無常也。今人以不定爲踸踔,不定亦無常也。(文)

【踰】越也。(東京) 又詳"隃"條。

【踰波】後波淩前波也。(上林)

【踳】司馬彪«莊子注»曰:"踳讀曰舛。舛,乖也。"(魏都) 案:«説文»:"舛,對卧也,從夂㐄相背義。踳,楊雄作舛,從足春。"舛字亦作僢。«王制注»釋"交趾"云:"浴則同川,卧則僢足。"又引申之,凡足相抵皆曰僢。«典瑞»"兩圭有邸",«注»云:"僢而同本是也。"«淮南書»及«周禮注»多用"僢"字。僢、踳亦音轉。(字會)

【蹻駁】言惡也。（魏都）

【踩】踐也。（西京）

【踵】足跟也。（藉田）【踵】蹈也。（符命司馬）【踵】繼也。（東京）【踵】至也。（公讌顏）

【輸】寫也。（南都）

【輴】殯車也。（誄謝）

【輻湊】如衆輻之集於轂也。（文叁）

【輯輯】風聲也。《毛詩》曰“習習谷風”，毛萇曰：“習習，和舒之貌。”輯與習同。（補亡）案：習本訓學，從鳥數飛義。鳥飛故有和舒之貌。《詩·谷風》“習習谷風”，《傳》：“習習，和舒貌。”輯，《說文》“車和也。”引申爲和輯之輯。《詩·板》“辭之輯矣”《傳》，《詩·抑》“輯柔爾顏”《傳》，均云：“輯，和也。”本詩“文化内輯”，《注》亦訓“和”。習、輯同義，故同用。輯又通集。《上林賦》“雜襲絫輯”，善曰：“輯與集同。”輯又通緝。王仲寶《褚淵碑文》“衣冠未緝”，《注》引《爾雅》曰：“緝，和也。”緝與輯同。輯又通楫。《史記·百官表》：“輯濯。”輯與楫同，音集。（字會）

【辨】別也。（東京 《論劉壹》作“辯”。）【辨】捷也。（公讌應）

【辨】《尚書》“平章百姓”，云辨與平古字通。（符命班）案：《説文》：“采，辨別也，象獸指爪分別也。凡采之屬皆從采。讀若辨。平，古文采。”惠氏棟曰：“《尚書》‘平章’、‘平秩’，‘平’字皆當作‘釆’。與古文平相似而誤。”蓋平、辨均有分別意。平從八亐，八者分別也，分之而勻適，則平舒矣。辨者別也，辨別亦從八分取意。平、辨音轉，故字通。又辨同辯。辯通徧。《東京賦》“物牲辯省”，《注》：“皆徧省視之也。”平又通枰。《上林賦》“華楓枰櫨”，《注》引郭璞曰：“枰，平仲木也。”（字會） 又詳“瓣條”。

【醋】粹也。（碑文蔡貳）

【錮】禁固勿仕也。（表曹貳）又詳“固”條。

【錙】八兩爲錙。（文）

【錄】詳“篆”條。

【錚】金聲也。（長笛）

【錚鎗】玉聲也。（藉田）

【錡】詳“蘭錡”條。

【錫】與也。（甘泉）【錫】鐵也。（南都）【錫】錫杖也。（碑文簡栖）　又詳“錫”條。

【錯】交也。（江）【錯】厠也。（七命）【錯】置也。（上林）【錯】猶治也。（景福殿）治玉曰錯。（長笛）【錯】摩也。（江）

【錯刀】以金錯其文也。（雜詩平子）

【錯迕】雜錯交迕也。（風）

【錯翡翠之威蕤】錯其羽毛以爲首飾也。（子虛）

【錯繆】聊亂貌。（吳都）

【錯繆】雜亂貌。（南都）

【閻易】衣長大貌也。（上林）

【閾】門限也。（西都）【閾】門梱也。（獻詩曹貳）

【閹尹】主領閹豎之官也，於周則爲内宰。（史論范叁）

【閽】守門者。（離騷）【閽】守門也。（魏都）

【閼】止也。（論劉壹）

【閼氏】如漢皇后也。（樂府石）

【閼與】邑名。（頌陸）

【閶】詳“閶軨”條。

【閶門】詳“閶闔”條。

【閶闔】天門也，一曰帝閽。（甘泉）【閶闔】宫殿門名也。（西京）【閶闔】洛陽城門。（贈答士衡壹）又吳王闔閭所作爲閶闔門，一曰昌門。（樂府陸）【閶闔】秋風曰閶闔。（東京）

【閶闔門】詳“閶闔”條。

【閶闔風】詳“八風”條。

【雕】治玉名也。（西都）【雕】刻鏤也。（東京）又詳“彫”、“琱”二條。

【雕玉之輿】刻玉以飾車也。（子虛　又《思玄》：琱輿，琱玉之輿。）

【雕玉瑱以居楹】言雕刻玉礩以居楹柱也。（西都）

【雕刻】喻造物也。（論劉貳）

【雕輦】輦，人挽車。雕謂有雕飾也。（東京）

【雕題】詳“黥首”條。

【雕龍】赫修騶衍之術，文飾之若雕鏤龍文，故曰雕龍。（別胡云：袁本、茶陵本“赫”上有“言”字。梁氏云：《史記正義》引劉向《别録》，“言赫”作“騶奭”。）

【雕鶚】惡鳥，喻小人也。（思玄）

【霖】凡雨自三日已往爲霖。（贈答曹貳）

【霏】雲飛貌。（游覽靈運陸）

【霑】濡也。（離騷）

【霍】疾已貌。（七發）

【霍濩】盛貌。（琴）

【霍繹紛泊】飛走之貌。（西京）

【霓】天邊氣也。（東京）

【澹寥寂】幽深之貌。（魯靈光殿）

【靜】潔也。（東京）【靜】安也。（史論干貳）【靜】審也，貞也。（神女）

【靜閒】無聲曰靜，室寬曰閒。（招魂）

【懰】憂貌。（洞簫）

【鞙】履也。（雜詩景陽）

【頷】搖頭也。（魯靈光殿）又詳"頤"條。

【穎】鋒也。（吳都 胡云："鋒"當作"鐶"。）

【頭陁】天竺言頭陁。此言斗藪。斗藪煩惱，故曰頭陁。（碑文簡栖）

【頹】懷也。（長門）【頹】落也。（長笛）【頹】墜也。（寡婦《書司馬》、作隤。）又詳"西隤"條。

【頹唐】隤墜貌。（洞簫）

【頷】頭頷也。（長笛）

【餗】《説文》曰："饙，鼎食也。"饙與餗同，音速。（論班）案：《爾雅·釋言》："饙，餴也。"《易·鼎》"覆公餗"，馬《注》："餗謂餴也。"《易繫辭》"覆公餗"，《釋文》："餗，馬本作粥。"《説文》"餗"字下云："饙，或從食束。"蓋鼎食有菜有肉有米，馬《注》但舉米爲言耳。粥同饙，餗作粥，故饙與餗同也。至今本《説文》則云："饙，鼎食也。陳留謂键爲饙。饙或從食束。""饙，键也。"键亦餴類。故饙可通饙。而饙、餗之通叚，則于音尤切。（字會）

【餐】吞也。（長笛）【餐】夕食也。（琴）【餐】美也。（碑文仲寶）

【餓】飢也。（論班）

【餘甘】如梅李，核有刺。初食之味苦，後口中更甘。（吳都）

【餘暉】言將夕也。（軍戎）

【駱漠】駱驛汾漠，奔馳之貌。（舞）

【駱驛】不絕貌。（魯靈光殿）【駱驛】相連貌。（洞簫）

【駱驛繽紛】往來衆多貌。（南都）

【駱驛縱橫】不絕也。（論劉貳）

【駃】良馬名也。（赭白馬）

【駮】白馬而黑畫爲文如虎者。（西京）形白雜毛曰駮。（赭白馬）【駮】白身，黑尾，一角，虎爪，音如鼓。（吳都）

【駮】色雜不同也。（魏都）

又詳"表"條。

【䮵】詳"莘"條。

【駴】起也。（風）【駭】驚也。（甘泉）雷擊鼓曰駭。（七啓）又詳"駴"條。

【駭雞】犀角有光，雞見而駭驚。（吳都）

【骼】骨也。（吳都）骨枯曰骼。（祭文謝）

【骹】脛也。（西京）

【髻】詳"結"、"紒"二條。

【髽髻】髽頭茸騎也。（東京）

【髹】黑多赤少謂之髹。一曰：刷漆爲髹。（景福殿）

【魿】魚名。（西京）【魿】似鱧。（江）

【魿鰊】裝飾重疊貌。（笙）

【鮆】刀魚，狹薄而長，頭大者長尺餘。（江）

【鮭】比目，狀似牛脾，細鱗紫色。（上林）

【鮊】海魚。（七命）

【鯈】如鳧，青身而朱目赤尾。（江）

【鴟夷】楄形。（上書鄒貳）

【鴟夷子】詳"東方朔"條。

【鴟梟】以喻小人也。（贈答曹伍）

【鴟鴞】詳"老菟"條。

【鴟鴉】鵯鳩。鵯鳩，工雀也。（橄

陳貳）

【猷】詳"回穴"條。

【鴻】疾也。（蜀都）

【鴛鴦】匹鳥也。（贈答曹叄）【鴛鴦】水名。（魏都）

【鴛鸞】殿名也。（西都）

【鴐鵝】野鵝。（西京）

【麈】詳"巨筵"條。

【麈】似鹿而大。（上林）

【麇】麇也。（蕪城）又詳"麕"條。

【默默】不得意也。（弔文賈）

【黗】黑貌也。（藉田）

【黬黬】不明貌。（吳都）

【黔】黑也。（設論班）

【黔首】秦皇更名民曰黔首，謂黑頭無知也。（東京）

【齔】毀齒也。（誄潘貳）

【龍】寵也。（書吳）【龍】爲水獸。（東京　胡云：袁本、茶陵本"水"作"木"，是也。）【龍】《毛詩》曰"既見君子，爲龍爲光"，毛萇曰："龍，寵也。"（誄曹）案：《易‧師》"承天寵也"，《釋文》引《王肅》本："龍，寵也。"《詩‧長發》"何天之龍"，《箋》："龍當作寵。"《大戴記‧衛將軍文子》作"何天之寵"。蓋寵從龍聲。龍與隆同

音，崇隆卽寵意也。吳季重
《答東阿王書》“非敢羨寵光之
休”，《注》亦引《毛詩》“既見君
子，爲龍爲光”云云。又《招
隱》“山氣隴嵸兮石嵯峨”，隴
嵸卽隆嵸也。《孟子》“龍斷”
之“龍”，丁公箸讀爲“隆”，是
其證。（字會） 又詳“震鱗”、
“龜龍”二條及“虯”並“蛟龍”
條。

【龍山】在廣平沙縣。（魏都）

【龍子】詳“蛟螭”條。

【龍火】東宮蒼龍房心。心爲火，
故曰龍火。（七命）

【龍文魚目】良馬名也。（序顏）

【龍舟】大舟也。（海） 天子龍
舟鷁首。（思玄） 船頭象鷁
鳥，厭水神，故天子乘之。（西
京）

【龍池】在朱提南十里，地周四十
七里。（蜀都）

【龍首】山名。（西都） 又詳“貘
貐”條。

【龍罔象】水之怪:龍罔象。（海）

【龍門】魯地名也。（雜詩玄暉
伍） 【龍門】楚東門也。（牋
謝） 又詳“河津”條。

【龍門山】在河東之西界。（七發）

【龍眼】如荔枝而小，圓如彈丸。

（吳都）

【龍荒】荒，蒙也。在傍曰帷，在
上曰荒，皆所以衣柳。龍荒，
畫龍於荒。（挽歌陸）

【龍馬】凡馬八尺以上爲龍。龍
馬赤文綠色。（赭白馬） 馬
有龍稱，而雲從龍，故曰雲龍。
（七啓）

【龍旂】旗上畫龍，謂之龍旂。（勸
勵韋）

【龍雀】詳“蜚廉”條。

【龍魚】詳“龍鯉”條。

【龍楠】畫椽爲龍。（魯靈光殿）

【龍輈】輈，車轅也。轅端上刻作
龍頭曰龍輈。（東京）

【龍興】殿名也。（西京）

【龍軼】凶飾也。軸，軼軸也，狀
如轉鱗，刻兩頭爲軹。軼狀如
長牀，穿桯前後著金而關軸
焉，天子畫之以龍。（哀顏）

【龍輈】畫轅爲龍也。（寡婦）

【龍鳳五彩】故以喻文。（論韋）

【龍豴】龍尾。（東京）

【龍淵、太阿】韓之劍戟也。（雜
歌劉） 龍淵、太阿、工市、楚
王令歐冶子干將所爲劍也。一
曰:干將、莫邪，吳人干將所造
劍也。（東京）

【龍鯉】陵居，其狀如鯉。或曰龍

魚，一角也。（江）

【龍臺】觀名也。（上林）

【龍顏】似龍也。（江）

【龍鱗結絡】如龍之鱗連結交絡
也。（江）

【龜沙】龜茲流沙也。（祭文王）

【龜蒙】山名。（賤阮）

【龜鼎】國之守器，以喻帝位也。
（史論范叁）

【龜龍】介蟲之精者曰龜，鱗蟲之
精者曰龍。（碑文蔡壹）

十七畫

【優】謂優游也。（符命班）【優】
饒也。（西京）【優】俳優也。
（書司馬） 又詳“俳優”條。

【優游】不仕也。（設論班）

【儐】接賓曰儐。儐，贊也。（甘泉）
【儐】導也。（贈答范壹）

【儡】壞也。（西征） 【儡】敗也。
（寡婦） 【儡】羸貌。（寡婦
又《洞簫》儡，羸疾貌。）

【勴】詳“礪”條。

【勵】勉也。（西征） 【勵】勸也。
（勸勵張） 又詳“勸勵”條。

【匵】詳“韇”條。

【嚇】開也。（江） 口拒人曰嚇。
（蕪城）

【嚊】喘息聲也。（羽獵）

【嚌嚌】衆聲也。（北征）

【嚄】詳“嚄”及“啗齰啾嚄”條。

【壖】緣河邊地也。（游覽靈運伍）

【壑】坑谷也。（游覽靈運捌引西
京注）

【塹】坑也。（誄潘肆）

【壔篗】土曰壔，竹曰篗。（鸚鵡）

【嬪】婦也。（哀謝）

【嬰】繞也。（甘泉）【嬰】詳“櫻”
條。

【嬰兒】人初生曰嬰兒。（游仙郭）

【嬲】摘嬈也，音義與嬈同。（書
嵇） 案：《説文》：“嬈，苛也。
一曰擾也，戲弄也。”玄應引
《三倉》：“嬲，乃了切，弄也，惱
也。”嬲訓同嬈矣。嵇康書草蹟
作“娚”。嬲乃嬈之俗，故許書
不録嬲字。嬈又通嬥。《説文》
“嬈”下曰“嬥也”，“嬥”下曰
“嬈也”，二篆爲轉注。其云嬲
爲嫋字艸書之譌者，非。（字
會）

【嬥】《爾雅》曰：“嬥嬥契契，愈遐
急也。”佻或作嬥，音苕，一音
徒了反。（魏都） 案：佻義近
挑。顏延年《陽給事誄》：“佻
身飛鏃。”《詩》：“挑兮闥兮。”
《七發注》引《漢書》張晏《注》：
“挑，嬈也。”《説文》：“嬥，直好

貌。一曰嬈也。"《詩·大東》:"佻佻公子,既往既來。"《廣韻》:"嬥嬥,往來貌。" 蓋音近同訓之字。《詩·大東》"佻佻公子",《韓詩》作"嬥嬥"。(字會)　又詳"嬲"條。

【嬥歌】巴土人歌也。巴子謳歌,相引牽連手而跳歌也。(魏都)

【孺】小也。(幽通)

【孺人】大夫妻曰孺人。(恨)

【孺子】幼少稱也。孺子,宮人也。(雜歌陸)

【屨】謂踐履之也。(羽獵)

【對】高也。(魏都)

【嶼】海中洲上有山石謂之嶼。(吳都)

【巎嶷】山名。(羽獵)

【巉嶷】高峻之貌。(南都)

【幬】牀帳也。(神女)【幬】在上曰帳,在旁曰帷,單帳曰幬。(寡婦)【幬】鄭玄《毛詩箋》曰:"裯,牀帳也。"幬與裯古字同。(贈答曹伍)　案:《楚辭·九辯》"披荷裯之晏晏兮",《注》:"裯,帷帳也。"《寡婦賦注》引《纂要》:"軍帳曰幬。"《廣雅·釋器》:"幬,帳也。"《爾雅·釋訓》:"幬謂之帳。"裯、幬同音同訓。《詩·小星》"抱衾與裯",《爾雅·釋訓疏》作"抱衾與幬"。《説文》:"幬,襌帳也。"《詩·毛傳》:"裯,襌被也。"音訓均近。幬又通作燾。《中庸》"無不幬燾",《注》曰:"幬或作燾。"(字會)　又詳"衾裯"條。

【壍】詳"廥"條。

【彌】廣也。(游天台山)【彌】徧也。(上林)【彌】久也。(招魂)　【彌】遠也。(西京)　【彌】猶極也。(西京)　【彌】猶掩也,猶覆也。(西京)

【彌】益也。(東京)【彌】彌與弭古字通。(羽獵)　案:《周禮·男巫》"春招弭以除疾病。"《注》:"杜子春讀如彌兵之彌。"《漢書·王莽傳》"彌射執平",《注》:"彌讀與弭同。"《王莽傳下》"以彌亂發姦",《注》:"彌讀曰弭。"《説文》:"弭,弓無緣,可以解轡紛者。"弭可以解紛,故引申之訓止。弭或從兒,爾、兒聲同,故弭與彌通。"弭節" 亦作"麛節"。《郊特牲》之"由辟","辟"亦"弭"字。(字會)

【彌彌】猶稍稍也。(勸勵韋)

【彌天】喻志高遠也。(弔文陸)

【彌節】安志也。（獻詩曹貳）

【彌綸】纏裹也。（文）

【彪】詳"頌"條。

【徽】美也。（南都）【徽】大索也。（西征）【徽】鼓琴循絃謂之徽。（文）【徽】疾也。（羽獵）【徽】旌旗之名也。（閒居）【徽】幡也。（檄陳壹）又詳"揮"條。

【徽】詳"帷"條。

【徽徽】美也。（文）

【觓】詳"觝"條。

【撎】《説文》曰："擪，一指按也。"擪與撎同。（南都）案：《廣雅‧釋詁》："擪，按也。"《荀子‧解蔽篇》"厭目而視者，視一以爲兩"，《注》："厭，指按也。"擪正字，厭者叚借字。從手或在下，或在旁者，傳寫之不同耳。説亦見於薛書"擪捻"條。又《洞簫賦》"挹抐撎籟。"《注》："撎、撎皆同擪。"《韓子》曰："田連鼓上成竅，撎下而不成曲。"作"撎"，是撎卽撎、擪之證。（字會）

【擩】揾也。（子虛）

【撽】詳"柝"條。

【擘】破裂也。（西京）

【擠】墜也。（弔文陸）

【攟】棄也。（江）又詳"儐"條。

【攓】謂掘取之也。（西京）【攓】爪持也。（射雉）

【攓地】爪持也。（射雉）

【擢】抽也。（西都）【擢】拔也。（贈答安仁）【擢】引也。（贈答士龍壹）【擢】獨出貌也。（西京）

【擢本】高聳貌。（吳都）

【擊】鄭玄曰："擊音攻擊之擊。"《史記》"擊"字作"翮"。（弔文賈）案：楊子雲《長楊賦》"拮隔鳴球"，《注》："韋昭曰：古文隔爲擊。"《荀子》"尚拊之膈"，楊倞《注》："膈，擊也。"楊子雲《長楊賦》曰："拮膈鳴球"，韋昭曰："古文膈爲擊。"隔、膈、翮皆鬲聲，與擊字一聲之轉。隔、膈可與擊通，則翮亦可與擊通矣。（疏證）

【擊柝】兩木相敲行夜時也。（行狀）

【擊壤】擊壤者，以木作之，前廣后鋭，長四尺三寸，其形如履。將戲，先側一壤於地，遙於三四十步，以手中壤擊之，中者爲上部。（行旅靈運陸 張云："長四尺三寸"，《太平御覽》作

"長尺三四寸",是也。)

【懃懃懇懇】忠款之貌也。(書司馬《符命楊》"懃"作"勤"。)

【憼】詳"警"條。

【懦】下也。(樂府陸)

【懋】盛也。(西征)　【懋】悦也。(東京)

【應真】謂羅漢也。(游天台山)

【應龍】天有九龍。應龍有翼。(設論班)

【應龍虹梁】梁形似龍而曲如虹也。(西都)

【濫】泛也。(西都)

【濟】度也。(洛神)

【濟濟】多威儀也。(東都)

【濱】涯也。(西都)　水湄也。(思玄)

【澹波】喻法海也。(碑文簡栖)

【濤】大波。(西都)

【濤波】潮水之急者爲濤波。(設論班)

【澤】泥也。(吳都)

【濡】漬也。(文)

【瀾】相連漸平之貌。(蕪城)

【濮陽】郡名。(誄顏壹)

【濦瀑】水沸之聲也。(蜀都)

【濞】水暴至聲也。(高唐)

【濛濛】雨貌也。(補亡)

【澩】雷下貌也。(七命)　又詳"護"條。

【渠】詳"灂渚渠澗"條。

【渠獡】衆相交錯之貌。(吳都)

【濯】滌也。(西征)　【濯】洗也。(游天台山)　【濯】浣也。(論劉貳)　又詳"棹"條。

【濯龍】厩名。(赭白馬)

【淡】詳"淵淡"條。

【獱】似狐,青色,居水中食魚。(羽獵)

【獲】《聲類》曰:"嚄,大唤也。"獲與嚄古字通。(風)　案:獲、嚄曇聲。《聲類》:"嚄,大笑。"又:"嚄,大唤也。"《禮記·坊記》"笑語卒獲",蓋有所獲而笑語也。此轉相訓也。《儀禮·鄉射禮》"獲者坐而獲",《注》云:"射者中,則大言獲。"獲訓唱,獲有大唤意。(字會)　又詳"臧獲"條。

【隝】水中之洲曰隝,音島。(西京)　案:司馬長卿《上林賦》"阜陵別隝",《注》:"郭璞曰:隝,水中山也。隝音擣。"左太沖《吳都賦》"曡嶼縣邈",劉淵林《注》:"曡,海中山也。"《説文》有"曡"而無"隝"、"隝"。"曡"字下云:"海中往往有山可依止曰曡。"蓋曡爲本字,

隝、隅皆假借字耳。（疏證）

【隝】水中之洲曰隝。（西京）
【島】島，海中山也。隅，水中山
也。（吳都）　海中往往有山可
居曰島。（海）　海曲謂之島。
（行旅靈運玖　隝、隅同島。）

【隋】詳“齊”條。

【隱】私也。（赭白馬）【隱】蔽
也。（海）　閑靜安居謂之隱。
（招隱左）【隱】度也。（銘崔）
【隱】築也。（七啓）【隱】盛
也。（魏都）【隱】痛也。（東
京）

【隱隱】盛也。（上林）【隱隱】
一作“殷殷”，音義同。（閑居）
案：《詩·北門》“憂心殷殷”，
《楚辭章句》十六作“憂心隱
隱”。《易·豫》“殷薦之上帝”，
《釋文》：“京本作隱。”《上林
賦》“殷天動地”，《注》：“殷猶
隱也。”《羽獵賦》“殷殷軫軫”，
《注》：“殷音隱。”殷、隱之音義
蓋同。又《說文》：“慇，痛
也。”《詩·栢舟》“耿耿不寐，
如有隱憂”，《傳》曰：“隱，痛
也。”此謂隱卽慇之假借也。
碬亦用作殷。《景福殿賦》“聲
訇碬其若震”，《注》：“毛萇
《傳》曰：‘碬，雷聲也。’”（字

會）

【隱隱展展】重車聲也。（西京
胡云：袁本、茶陵本無“車”字
是也。）

【隱淪】謂幽隱沈淪也。（游覽鮑）
【隱淪】天下神人五：一曰神
仙，二曰隱淪，三曰使鬼物，四
曰先知，五曰鑄凝。（江）

【隱鏻鬱律】山形容也。（西京）

【戲】游也。（東京）

【戲馬】臺名也。（公讌謝）

【斟】酌也。又曰：斟，挹也。《爾
雅》曰：“斟，酌也。”（思玄）
案：《廣雅·釋詁》四：“斟，酌
也。”《典引》“斟酌道德之淵
源”，蔡《注》：“斟酌，飲也。”
《國語·周語》“而後王斟酌
焉”，《注》：“斟，取也。”與斟之
訓酌訓挹合，蓋同用字也。但
《說文》：“斟，勺也。”斟，挹
也。”斟甚聲。斟爽聲，舉朱
切。其音則各別矣。斟訓勺，
勺亦酌，義則同。（字會）

【暖】溫貌。（碑文仲寶）【暖】不
明也。（誄謝）【暖】闇也。
（南都）【暖】闇昧貌也。（樂
府靈運）

【暖暖】闇昧貌。（詠懷謝）【暖
暖】《楚辭》曰“時暖暖其將

罷",王逸曰:"曖曖,昏昧貌。"
丁儀妻《寡婦賦》曰:"時曀曀
而稍陰。"(寡婦)　案:宋孝武
《宣貴妃誄》"金釭曖兮玉座
寒",《注》:"曖,不明也。"《方
言》十三:"曀,掩也。"《漢書·
楊雄傳注》訓"曀"爲"蔽"。掩
蔽與不明義本相因。且曖字愛
聲,曀字壹聲,古愛聲、壹聲之
字多以音近互通,如《方言》訓
"曀"爲"薆",是其例也。(疏
證)

【檄】橈也。(吳都)

【檀】木名。(南都)【檀】天竺
言檀。此言布施。(碑文簡栖)

【檀桓】地名。(七發)

【檢】法度也。(贈答越石壹)
【檢】謂定檢,不瀾漫也。(連
珠)

【檉】似柏而香。(南都)

【檄糴】疾貌。(笙)　又詳"激
矐"條。

【檠】弓柙也。(魏都)

【櫚】詳"欂"條。

【檟】木名。(吳都)【檟】中車
材。(南都)

【檇】詳"植"條。

【檿】皮可染。(子虛)

【檣】帆柱也。(江　《軍戒》引作
"檣帆柱曰檣"。)

【檐】板承落也。(西京)

【檟楚】《禮記》曰:"夏、楚二物,
收其威也。"鄭玄曰:"夏,榎
也。楚,荊也。"夏與檟古今字
也。(論劉)　案:《爾雅·釋
木》"榎,山榎",郭《注》云:"今
之山楸。"《釋文》云:榎,舍人
本作檟。"《說文》有"檟"無
"榎","檟"字下云:"楸也。"蓋
檟是本字,夏乃音近假借字,
若榎則後出字耳。(疏證)

【歠】蹙口而出聲也。(嘯)　又
詳"嘯"條。

【毚】狡兔。(西京)

【氈裘】匈奴所服也。(書司馬)

【氈帶】以氈爲帶身,謂之氈帶。
(雜擬鮑壹)

【燡燡】光明貌。(魯靈光殿)

【燠】詳"郁"條。

【燮燮】葉奪貌。(雜擬江)

【燧】火也。(西京)　又詳"燧"
及"烽燧"條。

【營】度也。　【營】市居也。(東
京)　【營】布居也。(論陸叁)
【營】治也。(羽獵)　【營】惑
也。(西京)　又詳"徑營"條。

【營營】往來貌。(羽獵)

【營丘】齊曰營丘。(樂府陸)

【營魄】經護爲營，形氣爲魄。（贈答士衡陸）

【燭】猶明也。（詠史謝）

【燭陰】詳"燭龍"條。

【燭龍】鍾山之神，名曰燭龍，視爲晝，瞑爲夜。（吳都） 赤水之北有章尾山，有神人面蛇身，其瞑乃晦，其視乃明，是燭九陰，是謂燭龍。一曰鍾山之神。燭陰，即燭龍也。（雪）

【燦】明也。（東京）

【牆】垣蔽也。（上書鄒貳）

【環】珠也。（思玄） 【環】繞也。（西京）

【環堵】堵長一丈，高一丈，面環一堵，内方丈，故曰環堵，言其小也。（碑文簡栖）

【璫】耳珠曰璫。（洛神）

【璐】美玉也。（雪） 亦謂之寶璐。（九章）

【羂】係取也。（上林） 【羂】縊也。（西京）

【襭】詳"襦"條。

【罾】詳"罾罶"條。

【臆】胸也。（長笛） 【臆】當也。（贈答士衡貳） 【臆】猶受也。（東都）

【臆】臆也。（射雉）

【膿】少汁臛也。（樂府曹） 【膿】

小臛也。（招魂）

【膾】詳"肴膾"條。

【膿】肥貌也。（七啟） 【膿】厚之味也。（案：疑當作"味之厚"也。）

【薊】故燕國也。（樂府鮑）

【薁】山李。（上林） 又詳"郁"條。

【薌】亦香字也。（甘泉） 案：《儀禮‧士虞禮》"香合"，《釋文》："本又作薌。"《荀子‧非相》"欣驩芬薌以道之"，《注》："薌與香同。"《説文》："香，芳也，從黍從甘，《春秋傳》曰：黍稷馨香。"《匡謬正俗》云："薌者黍稷。"此香、薌通用之義。《禮記》曰："燔燎羶薌"，即香字。薌亦同薌。《上林賦》"胅薌布寫"。胅薌亦作胅薌。（字會）

【薜荔】香草也。（南都） 【薜荔】緣木而生。（離騷）

【薪蒸】麤曰薪，細曰蒸。（甘泉）

【薇】菜。（西京）

【薇蕪】詳"靡蕪"條。

【薆】詳"荌"條。

【薖】飢意。（序王）

【薀】詳"蘊"條。

【藏】薉與藏同。（南都） 案：

《廣雅·釋草》及《蜀都賦》引
《埤倉》云:"菹,蕺也。"《後漢
書·馬融傳》"茈萁芸蒩",《注》
引《廣雅》曰:"蕺,蒩也。"《風
土記》曰:"蒩,香菜根,似茆
根,蜀人所謂蒩香。"故云蒩與
蕺同。以蒩訓菹,蕺亦訓菹
也。蒩與蕺同,側立切。音訓
均近之字。(字會)

【薈】盛也。(江)

【薙】翦草也。(碑文簡栖)

【蘋】青蘋,似莎而大。(南都)

【薑彙】大如累,氣猛,近於臭。
(吳都)

【薛】藾蒿。(子虛)

【薛燭】薛燭也。(七命)

【薛談秦青】二人薛、秦之善歌者
也。(贈答士龍壹)

【薦】藉也。(雜擬江)【薦】獻
也。(郊廟)

【薦車】魂車也,亦曰魂輿。(挽
歌陸)

【蕭】蒿也。(雜詩盧)【蕭】香
蒿。(藉田 又詳"綷蕭"條。)

【蕭蕭】風聲也。(別)【蕭蕭】
葉奪貌。(九歌)

【蕭瑟】聲也。(吳都)【蕭瑟】
陰令促急也。(九辯)

【薄】賤薄也。(誄顏貳)【薄】

輕鄙之也。(詠史左)【薄】
猶輕易也。凡日蝕皆於晦朔。
不於晦朔蝕者,名曰薄。(詠詩
謝)【薄】微也。(神女)【薄】
附也。(公讌宣遠)【薄】謂
相附也。(行旅靈運貳)【薄】
猶集也。(上林)【薄】辭也。
(藉田)【薄】迫也。(西都)
【薄】至也。(琴)【薄】草蓁
生曰薄。(甘泉) 草木交曰
薄。(蕪城) 深草曰薄。(碑
文簡栖)【薄】王逸《楚辭注》
曰:"泊,止也。"薄與泊同,古
字通。(游覽靈運叄) 案:謝
惠連《西陵遇風獻康樂詩》"曲
汜薄停旅。"《注》:"王逸《楚辭
注》曰:泊,止也。" 又《楚詞·
哀郢》"忽翱翔之焉薄",《注》:
"薄,止也。"是泊與薄古字通。
蓋薄字溥聲,泊字白聲,溥與
泊古音本同部也。(疏證)

【薄伐】言逐出之而已。(頌史)

【薄伎】薄才也。(書司馬)

【薄耆】薄切獸者之肉而以爲炙
也。耆,今人謂之耆頭。(七
發)

【薄具】肴饌也。(長門 胡云:
"薄"字衍。)

【薄蝕】喻羽也。(詠史謝)

【還】轉也。（招魂） 【還】繞也。（上林） 【還】音旋。（羽獵）

案：《廣雅·釋詁》曰："旋，還也。"《小爾雅·廣言》："旋，還也。"《切韻》："旋，還也。"旋、還互訓，古通用也。《詩·還》"子之還兮"，還亦回旋意。《儀禮·鄉射禮》"司射還"，《注》："同旋。"《史記·天官書》"殃還至"，《漢書·律曆志》"周還五行之道"，《鼂錯傳》"死不還踵"，《徐樂傳》"不得還踵"，音旋。本賦"璧壘天旋"，作"旋"，是其證。《齊風》"子之還兮"，《韓詩》作"嫙"，嫙，好皃。（字會）

【還舟】聚舟也。（上書鄒壹）

【還會】相交也。（高唐）

【邀】求也。（論劉貳） 【邀】要也。（琴） 【邀】遮也。（西京）

【遽】急也。（神女） 【遽】促也。（西京） 【遽】窘也。（羽獵） 【遽】競也。（文貳）

【邁】行也。（思玄）

【避】詳"辟"條。

【遭】楚人名轉爲遭。（離騷） 【遭】遭迴也。（長笛）

【遭迴】水流也。（序王）

【甂】罌也。（誄潘肆）

【嶙】詳"蹸"條。

【癉】難也。（東京）

【療】愈也。（思玄） 【療】《毛詩》曰"泌之洋洋，可以樂飢"，鄭玄曰："泌水洋洋然，飢者見之，可飲以療飢。"療音義與療同。（文王） 案：《說文》："療，治也。"《方言》曰："療，治也。"《周禮·瘍醫》"凡療瘍以五毒攻之"，《注》"止病曰療"。療、療義同。《詩·衡門》"可以樂飢"，《列女傳·賢明》作"可以療飢。"《思玄賦》"羞玉芝以療飢"，《注》："療，愈也。"是療同療之證。蓋《詩經》文作"樂"，鄭讀"樂"爲"療"。療音義與療同也。（字會）

【皤】老人貌也。（東都）

【皤皤】豐多貌也。（魏都）

【皢】詳"皎"條。

【盥】滌也。（長笛）

【盪】除去也。（琴）

【瞥】蹔見也。（思玄）

【瞪】直視也。（洞簫）

【矙】望也。（東都） 【矙】視也。（游覽鮑）

【瞷】戴目也。（七命） 【瞷】《左氏傳》曰"今執事瞷然授兵登陴"，杜預注曰："瞷然，勁忿貌也。"搁與瞷同。（誄潘）案：
《説文》："瞷，戴目也。"段云：
"戴目，上視如戴然。目上視則
多白。"勁怒之人必戴目，義固
相通也。瞷、搁均閑聲。《説
文》有"倜"無"搁"，"倜，武貌。
《詩》'瑟兮倜兮'。《四子講德
論》"燋齒梟瞷"，《注》："大宛
深目多鬚，蓋梟瞷也。"與搁訓
勁忿合。《説文》之"倜"，《左
傳》、《方言》、《廣雅》皆作
"搁"。（字會）

【瞬】開闔目也。（雜詩惠連壹）
開闔目數搖也。（文 案："開"
上疑脱"瞬"字。今《説文》"開"
上有"瞋"，瞋即瞬。）

【瞭】明也。 【瞭】明目也。（神
女）【瞭】睞也。（魯靈光殿
胡云："睞"當作"瞭"。）

【瞵】視也。（射雉）【瞵】目精
也。（吳都）

【瞲】驚視貌也。（魯靈光殿）

【矰】結繳於矢謂之矰。矰，高
也。繳，生絲縷也。（西都）
即繫箭線也。（鳷鷯）一曰
繳射矢長八寸，其絲名矰也。
（西京）

【矯】正也。（長笛）【矯】直也。
（離騷）【矯】擅也。（雜歌陸）

【矯】稱詐以爲是也。（西
征）【矯】飛也。（游天台山）
【矯】舉手也。（樂府陸）
又詳"撟"條。

【矯矯】輕舉之貌。（贊夏侯）

【磝磝】山深險連延之狀。（吳都）

【磴】猶益也。（江）

【磷磷爛爛】皆玉石符采映耀也。
（上林）

【磺】詳"礦"條。

【礄】礌也。礄與舄古字通。（西
京）案：何平叔《景福殿賦》
"玉礄承跋"，《注》引《西京賦》
作"玉舄"。知善當日所見之本
定作"舄"也。考古止作舄，無
礄字。楹舄所以承柱，如人舄
之承足。俗人加石作礄，復又
從楚作礎，皆俗體也。（疏證）

【磻】沙石膠絲爲磻。磻，以石著
繳也。（西京）"以"本作
"似"，依何、陳校改。）

【禧】詳"僖"條。

【禪】傳也。（思玄）

【齋】莊也。（好色）

【機】祅祥也。（論陸壹）

【穜稑】先種後熟謂之穜，後種先
熟謂之稑。（藉田）

【竆】音窟。杜子春《周禮注》曰：
"今南陽人名穿地爲竆。"（郊

廟顏）　案:揚子雲《長楊賦》
"西厭月嶬"，《注》:"服虔曰:
嶬音窟。月所生也。"《說文》無
"嶬"、"窟"而有"堀"。"堀"字
下云:"突也。""突"字下云:
"從犬在穴中。"突有穴義,故
堀亦有穴義。《鄒陽傳》"則
土有伏死堀穴巖藪之中耳",
《注》:"堀與窟同。"蓋古止作
堀,嶬、窟皆後出字耳。《說文》
"窡"字訓"穿地",與《周禮注》
合。穿地與堀穴義本相因,而
窡與堀、窟、嶬三字音復相近,
故可通耳。（疏證）

【復】窟也。（長笛）

【簉】副也。（西京）【簉】倅也。
（長笛）

【簉弄】蓋小曲也。（長笛）

【篠】出魯郡山,堪爲笙。（南都）
又詳"簫"條。

【篛竹】穴如載槿,實中勁強。（吳
都）

【簀】詳"積"條。

【簹】詳"篲"條。

【蓳】皮白如霜,大者宜爲篙。（南
都）

【簙】楚人名結草折竹卜曰簙。
（離騷）

【篾】桃枝。（南都）

【糒】乾飯也。（弔文陸）

【糟粕】酒滓曰糟,爛食曰粕。
（文）

【糜】饘也。（長楊）

【繆】穆或作繆。（東京）　案:《禮
記・中庸》"所以序昭穆也",
《釋文》:"穆"本作"繆"。《仲
尼燕居》"所以仁昭穆也",《釋
文》:"穆"本作"繆"。《荀子・
王制》"分未定也,則有昭繆",
《注》:"繆讀爲穆。"《穀梁》隱
五年"葬宋繆公",《釋文》:"繆
本亦作穆。"繆、穆互用,故通。
《史記・魯世家》"召公乃繆
卜",徐廣曰:"古書穆字多作
繆。"《孟子》作"魯繆公",此其
證。（字會）

【繁】衆也。（九歌）【繁】盛也。
（文）【繁】《周禮》曰"玉輅錫
繁纓",鄭玄《注》:"繁讀如
鞶。"繁與鞶古字通。（七啟）
案:《說文》:"鞶,大帶也。"
"緐,馬髦飾也。"段云:"蓋集
絲條下垂爲飾曰緐,引申爲繁
多。鄭注《周禮》、《禮記》之
'緐纓',緐讀鞶帶之鞶,謂今
馬大帶也。此易字之例,與許
說絕殊。"蓋緐爲馬飾,取下垂
義;鞶爲大帶,亦取下垂義。

《詩》"垂帶而厲"是也。此鄭易字之旨也。《東京賦》"咸龍旂而繁纓"，彼《注》引《周禮》作"樊纓"，引鄭《注》作樊，讀如聲。樊、繁同音，故錯舉。（字會） 又詳"蕃"條。

【繁弱】夏后氏之良弓也。（子虛） 大弓名也。（雜歌劉）

【繁縟】聲之細也。（琴）

【縹】綠色而微白也。（七啟）
【縹】帛青白色。（藉田）

【縹繚潎冽】聲相糾激之貌。（琴）

【縷】線也。（招魂）【縷】《上林賦》曰"布結縷"，顏監《注》："蔓生著地之處，皆生細根如相結，故名縷。"今俗呼鼓箏草，而幼童對銜之，手鼓中央，則聲如箏，因以名。彼雖草名，抑亦義兼似縷也。（長笛） 案：《爾雅·釋草注》"一名結縷"，《釋文》："縷"本亦作"蔞"。《選》本《上林賦》作"縷"，郭璞曰："結縷，蔓生如縷相結。"《長笛賦注》據《漢書》也。（字會）

【縮】短也。（東京）【縮】不及也。（幽通）

【縶】拘執也。（哀傷秘）【縶】羈也。（思玄）

【縶剞】危貌。（長笛）

【縶】辭也。（西征）

【總】著馬勒，直兩耳與兩鑣。（誄謝）【總】聚也。（行旅安仁壹）【總】合也。（景福殿）【總】結也。（離騷）【總】會也。【總】猶括也。（東京）【總】皆也。（游覽顏貳）【總】絹也。（魏都）

【總總撙撙】束聚貌也。（甘泉）

【總角】結髮也。（藉田）

【總章】觀名也。（序王） 又詳"總期"條。

【總章伎】晉之總章伎，卽古之女樂也。（贈答士龍壹）

【總期】舜之明堂以草蓋之，名曰總章。章，期，一也。（東京）

【總禽獸】詳"葛天氏之樂八闋"條。

【縱】以長繩繫牛也。（長笛）

【縻】索也。（贈答越石壹）【縻】牛轡也。（藉田） 又詳"靡"及"羈縻"條。

【纆徽】墨索也。徽，攣也。所以拘罪人。（書司馬）

【縱】《說文》曰："縱，冠織也。"縱與纚同。（高唐） 案：從徙、從麗之字古多通用。《內則注》："縱，韜髮者也。"《說文》：

"纚,冠織也。"段曰："所以韜
髮者。"亦作縰。《問喪》"雞
斯"即"笄纚"之叚借也。《魏
都賦》"岌岌冠縰",《注》"纚與
縰同。"(字會)

【縰縰】衆多也。(高唐)

【縱】放也。(離騷)【縱】緩也。
(七啓)

【縱誕】縱恣而傲誕也。(行旅靈
運捌)

【縱橫】四散也。(魯靈光殿)

【繇】道也。(上林)【繇】卜兆
辭也。(西征)【繇】占也。
(符命班)【繇】與由古字通。
(勸勵韋) 案:《史記·文帝
紀》"福繇惠興",讀作"由"。
《漢書·文紀》"亦無繇教訓其
民",與"由"同。故繇辭亦謂
之由辭。《史記·弟子傳》"魯
顏無繇",《家語》作"顏無由"。
《漢書·古今人表》"繇余",《韓
子·十過》作"由余",是其證。
繇亦通游。《漢書·叙傳》"陸
子優繇",《新語》"以興言優游
不仕也",讀作"游"。游亦通
由。漢史游《急就章》,《文賦
注》引作"史由《急就章》",曰:
"急就奇觚。"游又通作圝。《射
雉賦》"恐吾游之宴起",又"良

游呃喔",即《説文》之"圝。"
《説文》:"圝,囮也。"由亦作
粵。《古文尚書》"由枿",《説
文》作"粵枿"。(字會) 又詳
悠、猷二條。

【罅發】栗皮拆罅而發也。(蜀都)

【翳】覆也。(西京)【翳】蔽也。
(離騷)【翳】隱也。(甘泉)
翳者,所隱以射者也。(射雉)
【翳】薆也。謂蔽薆也。(詠
史左) 又詳"曖"條。

【翳翳】奄也。(文)【翳翳】《毛
詩》"曀曀其陰",云翳與曀古
字通。(雜詩景陽) 案:翳訓
華蓋。引申爲凡蔽之偁。《釋
名·釋天》:"陰而風曰曀。
曀,翳也。言雲氣掩翳日光,
使不明也。"曀主不明,翳主蔽
障,蔽則不明,義以轉訓而通
也。此與鏡之爲鑑、硯之爲
研、檠之爲杖一例,以訓詁之
字爲通叚之字。《詩·終風》
"曀曀",許書引作"壒壒"。(字
會)

【翳薈蓊茸】深槪貌。(射雉)

【聱】不聽也。(吳都)

【聱耴】衆聲。(吳都)

【聲音】雜比曰聲,單出曰音。
(舞)

【聳】西秦之閒相勸曰聳。（長楊）秦晉之閒相勸曰獎。（哀謝）又詳"竦"及"騫聳"條。

【聰明神武】聽於無聞曰聰；照臨四方曰明；以內知外曰神；尅定禍亂，闢土斥疆曰武。（史述贊班壹）

【聯】詳"宏璉"條。

【聯娟】詳"連娟"條。

【聯最】聯得第一也。（序任）

【聯猭】聯猭，走也。（西京）案：左太沖《吳都賦》"獮猭杞柟"，《注》："善曰：《埤蒼》曰：'獮猭，逃也。'"王子淵《洞簫賦》"密漠泊以獑猭"，《注》："獑猭，相連延貌。《字書》：'獮猭，獸逃走也。'"據此，則聯猭與獮猭皆有逃走之義，且獮從聯字得聲。故可通用。（疏證）

【聯翩】將墜貌。（文）

【臨】親也。（長門）

【臨圃】殿名也。（景福殿）

【臨海】殿名也。（吳都）

【臨硎】宮殿門名也。（吳都）

【艚】船也。（史論沈貳）

【艱】難也。（離騷）

【虧】負也。（詠史王）【虧】歇也。（思玄）

【螫】行毒也。（西都）

【螭】山神，獸形。（西京）又詳"虯"條。

【螭龍德牧】鳥形也。（七發　葉本作"並鳥名"。）

【螬】蟲也。（雜詩景陽）

【螯蟲】猛獸也。（論劉壹）

【螾】丘螾也。（弔文賈）

【蟋蟀】蛬，初秋生，得寒則鳴噪，濟南謂之嬾婦。（秋興）亦曰促織。（洞簫）俗謂之蜻蛚。（哀傷張）又詳"莎雞"條。

【蟃蜒】郭璞曰："蟃蜒，大獸，似貍，長百尋。"（子虛）案：張平子《西京賦》"巨獸百尋，是爲曼延"，薛綜《注》作："大獸，長八十丈，所謂蛇龍曼延也。"善曰："《漢書》曰：武帝作漫衍之戲也。"蓋蟃字與漫字俱從曼字得聲，蜒字從延字得聲，與衍字聲近，故均可通。班叔皮《北征賦》"遵長城之漫漫"，《注》："《楚辭》曰：'路曼曼其修遠。'漫與曼古字通。"司馬長卿《長門賦》"夜曼曼其若歲兮"，《注》："曼曼，長也。一作漫漫。"尤曼、漫通用之證。《甘泉賦》："駢交錯而曼衍兮。"《莊子·齊物》："因之以曼衍。"皆與漫衍同義。（疏證）

【螻蛄】詳"括螻"條。

【蟉虯】曲貌。（魯靈光殿）

【蟱獺】水蟲，害魚者。（弔文賈）

【襄】詳"泂"條。

【檥】詳"弢"條。

【襃】猶贊美也。（西征）

【襃斜】萬石城泝漢上七里曰襃斜谷。南口曰襃，北口曰斜。（西都 《銘張》"谷"下有"口"字。）

【襄】反也。（贈答顏貳）【襄】高也。（西京） 又詳"驤"條。

【襄羊】詳"逍遥"條。

【覬】望也。（登樓）【覬】幸也。（冊） 又詳"冀"條。

【覯】見也。（詠史顏貳） 又詳"遘"條。

【謇謇】忠言貌也。（離騷）

【謠】毀也。（離騷）

【謙】詳"嗛"條。

【謠】淫也。（離騷） 又詳"滔"條。

【謦】小聲也。（長笛）【謦】音大也。（西都）

【謝】辭也。（別）【謝】辭別也。（游仙郭） 以辭相告曰謝。（詠史盧）【謝】去也。（魏都）【謝】絕也。（游仙郭）【謝】次也。（史論干壹）【謝】猶

憖也。（贈答顏壹）

【谿子柘弩】南方谿子，蠻夷柘弩，皆善材也。（閒居）

【谽】深貌。（蜀都）【谽】空也。（西京）

【谽達】門通之貌。（景福殿）

【谽䶗】空虛也。（上林）

【豳】邠與豳同。（西征） 案：《北征賦》"息郇邠之邑鄉"，《注》："《詩》豳國，公劉所治邑也。邠與豳同"。《一切經音義》十一："古文邠、豳二形，今作邠同。"《詩》·甫田箋》"吹《豳》《雅》"，《釋文》："豳"本作"邠"。《爾雅·釋地》"西至邠國"，《釋文》："邠"本作"豳"，是邠、豳通用之證。段曰："邠，古地名。豳，古山名。而地名因於山名，同音通用。然則豳者正字，邠者滋生之字。"《上林賦》"玢豳文鱗"，《注》："玢豳，文理貌。音紛彬。"豳、彬亦同音字。邠亦用作彬。《太元》："斐如邠如。"斌亦用作豳。《藉田賦》"士女頒斌而咸戾"，段曰："頒斌"即"玢豳"。（字會） 又詳"頒"條。

【豰】類犬，腰以上黃，以下黑。（南都） 一曰似貆而大，腰以

後黃，一名黃要，食獼猴。（上
林）

【貔】摯夷，虎屬也。（論劉壹
“摯”，何校改“執”。）

【趣】多也。（景福殿）【趣】向
也。（贈答盧壹）【趣】所向
也。（書司馬）又詳“趣”及
“促織”條。

【趣洭】輸於淵也。（上林）

【蹐】恐也。（東京）又詳“跼蹐”
條。

【蹳】兔網。（吳都）

【蹌蹌】行貌也。（羽獵）

【蹌捍】馬走疾之貌。（舞）

【蹇】跛也。（詠史謝）【蹇】辭
也。（九歌）

【蹇】難也。（幽通）

【蹇脩】古臣也。（游仙郭）伏
羲之臣也。（離騷）

【蹇孟】蹇，蹇叔。孟，孟明也。
（西征）

【蹇愕】失志貌。（笙　胡云：“愕”
當作“諤”。）

【蹇產】詰曲也。（上林）【蹇產】
臺形貌。（西京）

【蹋鞠】兵勢也。（景福殿）

【蹉】擛也。七何切。一作搓。
（長笛）案：搓從搓得義。《埤
倉》：“搓，擛也。”《國語·魯

語》“山不蹉巢”，《注》：“蹉，斫
也。”《東京賦》“山無蹉巢”，
《注》：“斜斫曰蹉。”蹉搓一音，
故同。又《西京賦》“柞木翦
棘”，《注》引賈逵《國語注》曰：
“蹉，斜斫也。”柞與蹉同，柞搓
音轉。蹉從足，用足踢物，亦
搓擛使倒之義。今《選注》引
《埤倉》作“蹉”。（字會）

【蹉跎】失足也。（西京）

【蹊】徑也。（西京）

【蹍】蹈也。（長笛）

【輿】眾也。（東京）又詳“堪
輿”及“七萃之士”條。

【輼輬】車形廣大，有羽飾。（誄
謝）如今喪轜車。（行狀
胡云：袁本“轜”作“轜”，是
也。）

【輳】與臻同，至也。（甘泉）案：
《説文》：“臻，至也。”“輳亦秦
聲，讀若臻。從車者，言車之
至耳。”《漢書·王莽傳上》“百
蠻並輳”，《注》：“輳即臻字
也。”《王吉傳》“卽福祿其輳，
而社稷安矣”，《注》：“輳與臻
同。”《禮樂志》“四極爰輳”，
《注》：“輳字與臻同。”（字會）

【篲】篲之言卻也。（東京）

【輾軛】犂輾軛也。輾端壓牛領

曰軔。（藉田）

【輾轉】詳"展轉"條。

【躃】詳"躄"條。

【穢】穢也。（書司馬）

【醃】詳"菹醃"條。

【醜】詳"九醜"條。

【鍧】聲也。（東都）

【鍱】鋌也。（七命）

【鍛】錘也。（甘泉）

【鏤會衰厠】鏤會，謂鏤鏤其縫會也。衰厠，謂衰縺其填厠之處也。（琴）

【鍠】詳"鐄"條。

【鎮】詳"顛"條。

【鍔】刀刃也。（七命）【鍔】劍刃也。（頌王）

【鍔鍔】高也。（西京）

【鍊】化金也。（雜擬江 《七命》"化"作"冶"。）又詳"練"條。

【鍾】酒器也。（東都）【鍾】當也。（舞鶴）【鍾】聚也。（樂府陸）【鍾】釜十則鍾。鍾，六斛四斗也。（彈事任貳）

【鍾山】在北海外。（鵁鷯 又《舞鶴》"外"作"中"。）

【鍾離】齊無鹽之醜女鍾離春也。（景福殿）

【鍉】箭足也。一曰扦頭鐵也。（論賈）

【鏗鈜】聲不進貌。（洞簫）

【錯】九江謂鐵爲錯。（南都）

【鍼】詳"箴"條。

【闇】闇猶奄也。古人呼闇，殆與奄同。（舞） 案：《書·無逸》"乃或諒闇"，鄭《注》："闇謂廬也。"《釋名·釋宮室》："草圓屋曰蒲。又謂之庵。庵，奄也。所以自覆奄也。"《說文》："闇，閉門也。"借以爲幽暗字。《方言》云："奄，息也。"《周官經》宦者謂奄人，從精氣閉藏自覆蓋義引申之也。闇、奄均有息義，閉義，故字同。《文賦》"乃闇合乎曩篇"，即闇借爲暗之徵。（字會） 又詳"重瘖"條。

【闇闇】詳"闇闇"條。

【闇漠感突】濤形貌。（七發）

【闇跳】行疾貌。（舞）

【闊】廣也。（符命司馬）

【闉】城曲也。（游覽鮑）【闉】城曲重門也。（祖餞宣遠）【闉】戰鬭自障蔽如城門女垣也，候望敵者也。（羽獵）

【闃】空也。（吳都）【闃】静也。（登樓）【闃】靖也。（誄謝）

【闋】希也。（哀傷潘）【闋】猶晚也。（誄謝）【闋】盡也。（行旅靈運壹）【闋】半在半

罷謂之闌。（琴）【闌】飲酒半罷半在謂之闌。（笙）

【闌干】猶縱橫也。（吳都）

【闋】訖也。（七命）【闋】終也。（東京）【闋】息也。（贈答顏貳）

【隸】小臣也。（上林）【隸】猶羣輩也。一云徒隸，賤人也。（西征）

【隸首】黃帝史也。（西京）

【霡】詳“雾”條。

【霚】《文字集畧》曰：“霚，雲狀。”霚亦靄也。（雪）案：陸士衡《挽歌詩》“傾雲結流藹”，《注》：“藹與霚古字同。”《説文》：“霚，雲貌，從雨藹省聲。”藹，《説文》：“謁臣盡力之美，從言葛聲。”此霚從雲之靄然取義也。霚即靄之省文字。靄亦作霭。（字會）

【霞】赤雲也。（蜀都）又詳“瑕”條。

【霜刃】言其殺利也。（吳都）

【鞠】高也。（南都）【鞠】告也。（西征）【鞠】養也。（寡婦）【鞠】毛丸可蹋戲者。（樂府曹）

【鞈】詳“鞞”條。

【鞞】佩刀削上飾。鞈，下飾。（東京）又詳“鼙”條。

【鞥】馬勒鞥也。（雜擬鮑壹）

【韓】天下之喉咽也。（魏都）又詳“寒”及“王韓”條。

【韓公】韓康也。（雜擬江）

【韓國盧】天下之駿狗也。韓盧犬，謂黑色毛也。（西京）韓國之盧犬，古之名狗也。（ 曹壹）

【韓盧犬】詳“韓國盧”條。

【頜】詳“痎”條。

【頰】色也。一曰怒色青貌，斂容也。（神女）

【頤】頤也。（洞簫 《好色》“頤”作“頷”，同。）

【頤淡】水搖蕩貌。（長笛）

【颸】風遲也。（江）

【餞】祖而舍軷，飲酒於其側曰餞。（西征）送行飲酒曰餞。（公讌謝）

【館宮室】諸侯傳也。（魏都）

【餦餭】餳也。（招魂）

【餲】詳“餫”條。

【馘】所格者左耳也。（冊 案：《表曹壹》“格者”作“獲之”，是也。又《論陸壹》與《冊》同。）

【黤】詳“闇闇”條。

【黤黕】詳“晻薆”條。

【駴】詳“冉駴窂卭”條。

【駴】駴與駭同。（西京）案:曹子建《七啓》"於是駴鐘鳴鼓",《注》:"《周禮》曰'鼓皆駴'。鄭玄曰:'雷擊鼓曰駴。駴古駭字。'《釋文》:'駴,本亦作駭,胡楷反。李一音亥。'是駭、駴字通。"或作戒,《太僕》"戒鼓傳達于四方",《注》:"故書戒爲駴。"蓋亥聲、戒聲本同部也。（疏證）

【駿】《爾雅》曰"駿,速也",郭璞曰:"駿猶迅速,亦疾也。"（海）案:《詩·噫嘻》"駿發爾私",《箋》:"駿,疾也。"《爾雅·釋詁》:"迅,疾也。"《西京賦》"紛縱體而迅赴",《東京賦》"若疾霆轉雷而激迅風也",薛《注》:"迅,疾也。"駿訓馬行疾,迅訓鳥飛疾,通用字也。《歎逝賦》"日望空以駿驅",駿驅即迅驅之謂。駿亦通爲峻。《大雅》"崧高維嶽,駿極于天",《傳》曰:"駿,大也。"《中庸、孔子閒居注》皆曰:"峻,高大也。"駿乃峻之叚借。（字會）

【騁】馳也。（招魂）【騁】直馳也。（西都）【騁】施也。（射雉）【騁】平也。（九歌）

【駩馬】牛尾,白身,一角,其音如虎。（江）

【駼】詳"騊駼"條。

【駸駸】驟貌。（詠懷阮）

【駻駻】調利也。（贈答越石壹）

【騊駼】趣曰騊,行曰駼。（西京）

【髳首】夷國名也。（序王）

【臀】燕尾也。襪與燕尾皆婦人袿衣之飾。（子虛）

【鮪】鱣屬。大者王鮪,小者叔鮪。（江）【鮪】鮥鯕。（蜀都 "鮪"本作"鱏",今依胡校改。）又詳"鮥鯕"條。

【鮥鯕】鮪。（吳都）周洛曰鮪。蜀曰鮥鯕。（上林）又詳"鮪"條。

【鮂】無鱗,長三尺許,身中正四方如印。扶南俗云:諸大魚欲死,鮂魚皆先封之。（吳都）

【鮦】細魚族類。（西京）

【鮮】生也。（子虛）【鮮】潔也。（西都）【鮮】魚膾。一曰生肉。（蜀都）鳥獸新殺也。（東都）

【鮮支】支子。（上林）

【鮮卑】國名也。（冊）【鮮卑】在羌之東,東胡之餘。（西京）燕北有東胡山戎。或曰鮮卑。（樂府曹）

【鮮扁】戰鬪車陣貌也。（羽獵
　案：葉本“車”作“軍”。）

【鮫】錯屬。皮有斑文而堅。（南
　都）鮫魚長二三尺，背上有
　甲，珠文堅强，可以飾刀口爲
　鐔。（吳都）

【鮫函】鮫魚甲可爲鎧。（吳都）

【鴻】鴻鸕也。（招魂）【鴻】孔
　安國《尚書傳》曰：“洪，大也。”
　鴻與洪古字通。（論王）案：
　大鳥曰鴻，大水曰洪，引申爲
　凡大之偁。《書·益稷》“洪水
　滔天”，《史記·夏本紀》作“鴻
　水滔天”。《洪範》“鯀陻洪水”，
　《宋微子世家》作“鯀陻鴻水”。
　《樂記注》“聲之鴻殺也”，《釋
　文》：“鴻”本作“洪”。蔡伯喈
　《郭有道碑文》“將超鴻涯之遐
　跡”，《注》引《西京賦》：“洪涯
　立而指麾。”《魯靈光殿賦》“羌
　瓌譎而鴻紛”，《注》引《甘泉
　賦》曰：“上洪紛而相錯。”其
　證也。（字會）

【鴻洞】詳“鴻絧”條。

【鴻雁】大曰鴻，小曰雁。（西都）
　雁飛則成行。（雜詩沈伍）

【鴻黃】黃帝也。（史論干壹）

【鴻絧】相連貌。（羽獵《洞簫》
　作“鴻洞”。《七發》作“虹洞”。）

【鴻溝】於滎陽下引河東爲鴻溝，
　卽今官度水也。（雜擬謝）

【鴻漸】以喻仕進也。（贈答宣遠
　貳）

【鴻濛沆茫】廣大貌也。（羽獵）

【鴻鸞】喻賢人也。（符命楊）

【鴟鵙】詳“交精”條。

【麇】詳“麊”條。

【趁】猶演也。（長笛）

【趁纊】言以黃縣大如丸，懸冠兩
　邊當耳，不欲妄聞不急之言
　也。（東京）

【黏】相著也。（西征）

【懃】長貌。（閒居）

【懃懱】茂盛貌。（蜀都）

【黜】退也。（東京）

【點】辱也。（書司馬）【點】《孝
　經鉤命訣》曰：“名毀行虧，玷
　辱先人。”王逸《楚辭注》曰：
　“點，污也。”點與玷古字通。
　（補亡）案：《說文》：“點，小
　黑也。”段云：“今俗所謂點染
　是也。或作玷。”《廣雅·釋
　詁》：“點，污也。”《報任少卿
　書》“適足以見笑而自點耳”，
　《注》：“點，辱也。”玷訓玉缺，
　有污辱意。《詩·抑》“白圭之
　玷，尚可磨也。”亦磨去污辱
　義。以點、玷均從占聲也。沈

休文《奏彈王源》"玷辱流輩",
《注》亦引《孝經鉤命訣》曰:
"名毀行廢,玷辱先人。"乃點、
玷通用之證。又玷、刮古今字。
《説文》:"刮,缺也。《詩》曰
'白圭之刮'。"(字會)

【黻】《倉頡篇》曰:"紱,綬也。"黻
與紱通。(雜擬江) 案:《説
文》:"黹,鍼縷所紩衣也。"段
云:"縷,線也。"絲亦可以紩
衣,故黻字或從絲。《揚荆州
誄》"亦朱其紱",《注》:"黻與
紱古今字,同。"曹子建《求自
試表》"俯媿朱紱",用紱爲黻
也。《論語》"而致美乎黻冕",
作"黻"。《西都賦》"紱冕所
興",作"紱"。可證。據《説文》,
紱爲俗字,黻爲篆文,市爲古
文。經傳中多借芾、沛、茀等
字爲之。(字會) 又詳"黼
黻"條。

【黿】大龜也,其緣中又似璿珇。
俗名曰靈又。 (蜀都 胡
云:"黿"字當作"元龜"二字。
二"又"字並當作"叉"。)

【黿鼉】龜屬,其形如笠,四足縵
胡無指,甲有黑珠,文采如璿
珇,可以飾物。(吳都)

十八畫

【儲】蓄也。(詠史左) 【儲】積
也。(海) 【儲】待也。(東京)
【儲】謂蓄積之以待無也。(贈
答曹陸) 【儲】具也。(西京)

【儲邸】猶府藏也。(序王)

【儲胥】蕃落之類。高其儲蓄,以
待所須也。(長楊)

【儲偫】待也。(羽獵)

【儲與】相羊貌。(羽獵)

【叢】柴棘爲叢。(招魂) 又詳
"灒"條。

【叢臺】臺名也。(東京)

【嚚】口不道忠信之言爲嚚。(洞
簫)

【嘈囃嘽嘽】衆聲疾貌。(洞簫)

【壘】營也。(西征) 【壘】重也。
(哀傷張)

【壘壘】重也。(懷舊) 【壘壘】
塚相次之貌。(雜詩古詩)

【壙】冢中也。(祭文謝)

【嬺】悦也。 【嬺】静也。 【嬺】
密也。 【嬺】淑善也。(神女)

【嫚】詳"嫚嫚"條。

【屩】詳"蹻"條。

【彝】宗廟之器稱彝。 【彝】常
也。(東京)

【擪】一指按也。(南都) 又詳

"撇"係。

【摰】持也。（離騷）

【舉】飛也。（西京）【舉】行也。（書司馬）【舉】盡也。（游天台山）

【擿搜】謂一一周索也。（西京）

【擺】謂破磔懸之。（西京）

【擽】舒也。（西都）【擽】散也。（舞）

【操】捎也。（上林）【操】擊也。（琴）

【擾】亂也。（海）【擾】馴也。（東京）

【攄】猶"攬"條。（海）

【揮】詳"揮"條。

【懑】煩也。悶也。（雪）

【懱】輕易也。（彈事沈）又詳"蔑"條。

【瀏】清也。（文）【瀏】風疾貌。（游覽惠連）【瀏】宿留也。（笙）

【瀏瀏】疾貌也。（寡婦）

【瀏亮】清明之稱。（文）

【瀏睋】目清貌也。（西征）

【瀏灆】猶言清淨而汎灆也。（甘泉）

【瀆山】蜀之岷山也。（陵阮）

【瀳滉困泫】詳"澄澹汪洸瀳滉困泫"條。

【瀰漫】水無厓際貌也。（七發）

【瀑布】懸霤千仞謂之瀑布。（游天台山）

【瀇漾】廣深之貌。（海）又詳"蓼蕩"條。

【潚汨】去疾貌。（琴）

【濺濺】詳"淺淺"條。

【擽】折也。（洞簫）【擽】聲也。（洞簫）【擽】取也。（羽獵）【擽】歷也。（風）

【擽擺】不齊也。（笙）

【獦】詳"蠍"條。

【獷】覺悟之貌。（碑文沈）【獷】犬獷不可附也。（吳都）

【鄭鄧】鄭今鄧鄉縣。鄧今潁州邵陵縣。（碑文沈）

【廛】（軍戎）　案：廛即廛字。《管子·五輔》"市廛而不稅"，《注》："廛，市中置物處。"《周禮·廛人》"凡珍異之有滯者"，司農《注》："廛謂市中之地未有肆而可居以蓄藏貨物者也。"《禮記·王制》"市廛而不稅"，《注》："廛，市物邸舍。"廛、廛同訓；廛從廛音，通用字也。（字會）

【戴】覆也。（西都）【戴】奉也。（東京）

【戴記】《禮記》戴聖所傳，故號

"戴記"。（銘陸壹）

【斲】猶決也。（史論貳）

【嘈】茂貌。（高唐）

【曙】旦明也。（魏都）

【曛】黃昏時也。（游覽靈運貳）

【曝】謂偃卧日中也。（上林）

【曝辛】周平王時諸侯。（長笛）

【曜】照也。（長門）【曜】光也。（西京）

【曜曜】光明貌也。（郊廟）

【曜靈】日也。（蜀都）

【檳榔】一名椶。（上林）　檳榔樹高六七丈，正直無枝，葉從心生，大如楯。其實作房，從心中出。一房數百實，實如雞子，皆有殼，肉正白。（吳都）

【檬】戒夜者所擊也。（西京）

【檻】楯也。（西都）　從曰檻，橫曰楯。（鸚鵡）【檻】板也。（別）【檻】船上下四方施板者曰檻。或曰上下重牀曰艦。（吳都）

【檻車】上施闌檻，以格猛獸。亦囚禁罪人之車也。或曰有封檻也。（長楊）

【櫂】楫謂之櫂。（西都）　櫂謂楫也。（論曹）　又詳"棹"條。

【櫂歌】引櫂而歌也。（西京）

【歟】辭也。（詔貳）

【歸】詳"懷"條。

【歸昌】集鳴曰歸昌。（七命）　又詳"鳳"條。

【歸途】順也。（贈答士衡陸）

【歸耕琴歌】曾子之所作也。（思玄）

【歸墟】詳"大壑"條。

【歸華別葉】華落向本，故云歸華。葉下離枝，故云別葉。（雜詩鮑貳）

【殯宮】於西壁下塗之曰殯。亦曰殯宮。（挽歌陸）

【薰】香草也。（蕪城）【薰】風至之貌也。（魏都）【薰】火煙上出也。（雪）　一曰香氣也。（別）【薰】《說文》曰："蒜，葷菜也。"薰與葷同。（論秕）　案：《說文》"葷，臭菜也。古作薰。"段云："臭得名薰，猶治曰亂也。"《禮記‧內則注》"一薰一蕕"，《釋文》："薰"本作"葷"。《儀禮‧士相見禮注》："古文葷作薰。"《漢書‧霍去病傳》"葷允"，服虔曰："熏鬻也。"師古曰："葷與薰同。"薰又通矄。《齊語》"三矄三浴"，或爲"三薰"。又熏通煇。《史記》"斷戚夫人手足，去眼煇耳"，叚煇爲熏也。（字會）

【薰粥】詳"獫狁"條。

【燿夜】詳"熠燿"條。

【燾】詳"幬"條。

【燾杲桔桀睽眾序檔】皆臺形貌。（西京）

【爐】火餘之木也。（西征 按：《魏都》"餘之"作"之餘"，蓋誤倒。）【爐】薪也。（雜詩景陽） 又詳"蓋"條。

【爵】詳"觚爵"條。

【爵堂】堂名。（蜀都）

【爵釵】釵頭及上施爵也。（樂府陸 《樂府曹注》無"及"字。按：今《釋名》有"及"字，知《曹注》脫去。）

【爵蹄】足不絕地也。（行狀）

【璿】《說文》曰："璇亦璿字。"（誄顏） 案：《書·舜典》"在璿璣玉衡"，《史記·律書》作"旋璣玉衡"，《爾雅·釋詁注》"在璿璣玉衡"，《釋文》："璿"又作"璇"。《說文》："璿，美玉也。"《中山經》、《海內西經》言琁者，皆美玉也，故用同。《甘泉賦》"攀琁璣而下視兮"，作"琁"。王仲寶《褚淵碑文》"天鑑璿曜"，《注》引《舜典》云："琁與璿同。"是其證也。（字會）

【璿瑰】玉名。（江）

【璵璠】美玉，君所佩也。（贈答曹壹）【璵璠】魯玉也。（牋任壹）

【瓊】亦玉也。（雪 胡云："亦"當作"赤"。）【瓊】玉枝也。（九歌）

【瓊枝】南方積石千里，名瓊枝。高百二十仞。（吳都 《雪》引《莊子》作"樹名瓊枝"。）

【瓊蕤】瓊樹生其華蕤，仙人所食，令人長生。（吳都）

【瓊瑩】石似玉也。一曰：瑩，玉色也。（神女）

【瓊茅】靈草也。（離騷）

【瓊瑤】謂玉音也。（雜擬江）

【瓊漿】詳"玉漿"條。

【瓊巘】玉山也。（七命） 又詳"玉山"條。

【瓊鸞】以瓊爲鸞，以施於旗上。（樂府陸）

【璧門】宮殿門名也。（西都）

【璧帶】謂璧中之橫帶也。（西都）

【羃】墁也。（魏都）

【羃歷】分布覆被貌。（吳都）

【臏】膝蓋也。（西征）

【臑若】熟爛也。（招魂）

【釐】麥芒也。（七發）

【蕡】崑崙之丘有草，名曰蕡，如

葵。（雜擬陸　蕡卽蘋。）
又詳“蘋”條。

【蕊】詳“蕊”條。

【蕥】詳“霾”條。

【薵】藗草也。（七發）

【藍脇號鍾】琴名也。（長笛）

【蕭】極貌。（行旅靈運貳）

【藏莨】草名。（子虛）

【藐】小也。　【藐】小兒笑也。
（寡婦　胡云：“藐”當作“孩”。）
　　【藐】陵藐也（勸勵韋。《表
陸》“藐”作“邈”。）【藐】好視
容也。（西京）

【藐藐】遠也。（魏都）

【藐眇】窈藐顧眄也。（游覽顏三）

【藉】所以藉飯食也。（九歌）
　【藉】薦也。（公讌丘）以草
薦地而坐曰藉。（游天台山）
　【藉】資藉也。（誄顏貳）又
詳“他他籍籍”條。

【藉藉】地名。（七發）

【舊要】猶久要也。（歎逝）

【舊醽之酒】謂昔酒也。（魏都）

【臕】善丹也。（雜擬江）【臕】
臞屬。（南都）

【蕘】《方言》曰：“爐，餘也。”蕘與
爐同。（長笛）案：《毛詩》
“具禍以燼”，《釋文》作“蕘”，
云：“才刃反。災餘曰蕘。本

亦作爐，同。”《方言》二：“蕘，
餘也。周鄭之間曰蕘。自關而
西，秦楚之間，炊薪不盡曰
蕘。”《廣雅・釋詁》：“爐，餘
也。”蓋物之災餘不盡者，雖未
盡而有將盡之意。故蕘、爐皆
從盡字得聲，而彼此通用也。
（疏證）

【薧】詳“槁”條。

【邇】近也。（符命司馬）

【邈】遠也。（游天台山）【邈】縣
邈也。（詠史左）　又詳“藐”
條。

【邈邈】遠也。（離騷）

【甒】今謂之甈。（祭文謝）　又
詳“瓶甈”條。

【甕】汲瓶也。（上書李）

【癘疫】氣不和之疾也。（獻詩潘）

【癘氣】不和之氣。（蜀都）

【皦】詳“皎”條。

【盬】詳“苦”條。

【礐】石聲也。（海）

【礐硞礧礹】皆水激石礉峻不平
之貌。（江）

【礎】礩也。（雜擬江）　又詳
“礩”條。

【禮】謂典禮五：吉、凶、軍、賓、嘉
也。（碑文仲寶）

【禮器】言禮使人成器，如耒耜之

爲用也。（公讌顏壹）

【禮經】謂《周禮》也。（此條失注 胡云：“禮經”二字當乙。）

【穢】行之惡也。（離騷）【穢】蕪也。（西都）【穢】不潔清也。（東都） 又詳“蕪穢”條。

【穢貂】詳“北方五狄”條。

【窾】空也。（魏都）

【竄】逃也。（高唐）

【簡】畧也。（贈答安仁）【簡】省也。（西京）【簡】今簡札也。（雪）【簡】習也。（長楊）【簡】猶閱也。（弔文陸）

【簡珠】喻賢人也。（公讌應）

【簡書】戒命也。（行旅安仁貳）

【箾】詳“筲”條。

【簧】笙中簧也。大笙謂之簧。（長笛） 又詳“琴瑟簧塤”條。

【簪】幘道曰簪。（公讌沈）古曰笄，今曰簪。（雜詩惠連貳）

【簩竹】有毒，夷人以爲觚刺。（吳都）

【簞笥】員曰簞，方曰笥，盛衣亦曰笥。（思玄）

【緡】錢貫也。（此條失注 《蜀都》“緡”作“鍲”，蓋誤。）

【緡褓】緡，織縷爲之，廣八寸，長丈二，以約小兒於背上者也。褓若今時小兒腹衣。一曰小兒

大藉也。（哀傷嵇）

【繒】帛總名也。（雪）

【繒綾】不平貌。（魯靈光殿）

【緦】凡布細而疏者謂之緦。（哀傷玄暉）

【緂】蠻夷貨名也。（吳都）

【繕】修也。（北征）

【繀】破聲也。（西征）

【縶】詳“忞”條。

【繞】謂曲也。（舞）【繞】裹也。（西京）

【繞梁】詳“鳴琴”條。

【織】詳“緯”條。

【織女】詳“牽牛”條。

【織皮】西戎國也。（魏都）

【織紝】織繒布也。（東都）

【繚】束縛也。（九歌）【繚】結也。（招隱士）【繚】繞也。（景福殿）

【繚垣】猶繞了也。（西京 胡云：陳氏謂“垣”當作“亘”，是也。）

【繚眺】詳“飄眇”條。

【繚繞】袖長貌。（南都）

【繢】畫文也。（誄潘叁）【繢】似纂，色赤。（神女）【繢】《書》作“繪”，鄭玄曰：“繪讀曰繢。”（景福殿） 案：《説文》：“繢，織餘也。一曰畫也。從

糸貫聲。《漢書·王莽傳》"赤
繢方領",《注》:"繢者會五采
也。"《食貨志下》"緣以繢",
《注》:"繢,繡也。繪五采而爲
之。"繢、繪同音,繢又從繪取
義,故通。《禮記·玉藻》"緇
布冠繢緌",《注》:"繢或爲
繪。"《魏都賦》"襲偏裻以繢
列",《注》:"音會。"亦以貴、會
音同也。蓋繪訓五采繡,故鄭
注《書》必易"繪"爲"繢"。鄭司
農注《周禮》,引《論語》作"繢
事後素"。(字會)

【翱翔】浮遊也。(思玄)

【翱翔容與】言自得也。(子虛)

【翩】飛貌。(詠史謝)【翩】動
也。(海)

【翩翾】鄭玄曰:"獝狘,飛走之
貌。"翩與獝同。(江)案:翩
狘均從矞得義得聲。矞訓矞
詭,矞詭即有狂義。《禮記·
禮運》"故鳥不獝",《周禮·大
司樂注》作"故鳥不矞"。矞其
本字也。獝狘訓飛走貌。飛
走統偁,故或從犭,或從羽。
《甘泉賦》"捎夔魖而抶獝狂",
《東京賦》"斬獝狂",皆作
"獝"。又狘亦作忱。《公羊
傳》"曷爲以二日卒之忱也",

《注》:"忱者狂也。"(字會)

【翼】輔也。(雜詩玄暉壹)【翼】
法也。(符命班)【翼】猶承
也。(游天台山)【翼】疾貌。
(琴)【翼】送也。(樂府玄
暉)【翼】左右甄也。(七命)
【翼】屋榮也。(西都)【翼】
魚腮邊兩鬣也。(高唐)【翼】
放縱貌,如鳥之翼隨意放縱。
(神女)又詳"三翼"條。

【翼翼】光明貌也。(補亡)【翼
翼】壯健貌。(七發)【翼翼】
飛貌。(贈答仲宣壹)【翼翼】
和也。(離騷)

【翼軫分野】楚地,翼軫之分野。
(吳都)

【翹】猶懸也。(雜詩茂先貳)
【翹】羽名。(東都)【翹】盛
也。(歎逝)【翹】舉也。(景
福殿 《論賈》作"招"同。)
【翹】尾之長毛也。(射雉)尾
也。(江)【翹】善曰:《列子》
曰:"孔子勁能招國門之關,而
不肯以力聞。"招與翹同。(吳
都)案:賈誼《過秦論》"招八
州而朝同列,百有餘年矣",
《注》:"鄧展曰:招猶舉也。蘇
林曰:招音翹。"《周語》"好盡
言以招人過",《注》:"招,舉

也。”《廣雅・釋詁》：“翹，舉
也。”《漢書・禮樂志》“恩兼雲
招，給祠南郊”，《注》：“招讀與
翹同。”（疏證）

【翹翹】危也。（東京）　【翹翹】遠
也。（贈答越石壹）

【翹遥】輕舉貌。（南都）

【虡】詳“虡”條。

【蟪蛄】蚗蟬。（招隱士）

【蚓】詳“蚚蟥”條。

【鏻】詳“熠燿”條。

【蟅蟒】如今之所謂山雞。雄色
斑，雌色黑。（蜀都）

【蟜】蟲也。（七發）

【蟠】屈也。（七命）　【蟠】曲也。
（上書鄒貳）

【蟠婉半漢】皆形容也。（東京）

【蟠龍】未升天龍謂之蟠龍。（蜀
都）

【蟬】飲而不食，三十日而蛻。（幽
通）　楚謂蟬爲蜩。（洞簫）

【蟬蜎】言竹妍雅也。（吳都）
又詳“便娟”條。

【蟬聯】不絶貌。（吳都）

【蟬翼】言薄也。（七啓）

【襜襜】搖貌。（長門）

【襜褕】詳“褕”條。

【襟】詳“衿”條。

【襛】衣厚貌也。（神女）

【禮闈】尚書省二門名禮，故曰禮
闈。（序任）

【覆】盡也。（上書鄒壹）

【覆冒】謂掩覆冠冒也。（長笛）

【覲】見也。（東京）

【觴】爵也。（東都）

【謩】（銘陸）　案：謨之作謩，猶
模之作㒱也。謨訓謀。《說文》：
“謨，議謀也。”謩亦訓謀。《左
氏・襄二十一年傳》“聖有謩
勳”，《注》：“謩，謀也。”《書序》
“皋陶矢厥謨”，《釋文》：“字又
作謩。”《楊統碑》“謩兹英猶”，
作“謩”。謨亦作謩。《管子・
形勢》“謩臣者”，《注》：“爲天
下計者謂之謩臣。” 以無、莫
音近義同故也。謨亦通作㒱。
《漢書・高紀》“規㒱弘遠。”
（字會）

【謨】詳“謩”條。

【謳】齊歌也。（西都）　又詳“嘔”
條。

【謬】誤也。（雜擬鮑壹）

【謫】罰罪曰謫。（論賈）　【謫】
遣也。（鵩鳥　案：《弔文賈》：
謫，譴也。同。）

【豐】滿也。（贈答越石壹）　【豐】
多也。（游覽沈叄）　【豐】饒
也。（西京）

【豐沛】喻帝鄉也。（哀謝）

【豐盈】肥滿也。（神女）

【豐隆】雷公也。（思玄）雲師謂之豐隆。（西京）亦謂之雲中君。（九歌）

【豐融】盛貌。（琴）

【豐麗博敞】殿形也。（魯靈光殿）

【貙】似貍而大。（子虛）

【貙人】詳“貙氓”條。

【貙氓】貙人，生江漢間，能化虎。（蜀都）

【磧】深也。（贈答盧參）

【贄】禮也。贄之言至也。（東京）

【贅】謂假相連屬也。（檄陳壹）【贅】猶綴也。（西都）案：潘元茂《册魏公九錫文》“當此之時，若綴旒然”，《注》：《公羊傳》曰‘君若贅旒然’，何休曰：‘旒，旗旒也。’贅猶綴也。”劉伯倫《酒德頌注》：“《春秋感精符》曰：‘禍亂鋒起，君若贅旒。’”按：《春官・典路注》“贅路在阼階面”，今《顧命》正作“綴路”。（疏證）

【趲趲】詳“參譚”條。

【趲趲狐㹠】相隨驅逐衆多貌。（吳都　又《琴》：參譚，相隨貌。）

【𣂪】成也。（檄陳壹　陳云：當作“就。”）又詳“𢧵”條。

【蹤】軌也。（雜詩惠連壹）

【蹕】止行者也。（吳都）

【蹢躅】跢跦也。（文）

【蹢躅】詳“躑躅”條。

【蹺】躋也。（長門）又詳“蹻”條。

【蹋】履也。（七啟）【蹹】踏也。（舞）又詳“跖”條。

【轊】《漢書》王恢曰：“轊車相望。”又《高祖令》曰：“士卒從軍死者，爲槥歸其縣。”應云：“轊，小棺也。”服虔曰：“轊與槥古字通。”（誄顏）案：《說文》“轊”爲“𣝗”之或體。𣝗訓車軸耑，槥訓小棺，義各別。而《漢書》叚“槥”爲“轊”者，以轊、槥均從彗得聲也。古之葬者，轊用車輦而行之，故曰輴車。祭行神亦曰載。載柩車謂之輇車，或作輇，或作槫。又古大夫載以輴車。因叚轊爲槥耳。（字會）又詳“轊”條。

【轉】音聲謂之轉。（雜詩玄暉伍）【轉】移也。（樂府古辭）【轉】搖也。（招魂）

【轉騰】相過也。（上林）

【轉續】相傳與也。（鵬鳥）

【繆轇】雜亂貌。（東京）【繆轇】

善曰:《上林賦》曰"張樂乎膠葛之㝢",郭璞曰:"言曠遠深邈貌。"(魯靈光殿) 案:木玄虛《海賦》"瀴㵘浩汗",《注》:"瀴㵘,廣深之貌。" 廣深之訓正與曠遠深邈之訓相合。若張平子《東京賦》"闒㠔繆輵",薛綜《注》:"繆輵,雜亂貌。"善曰:"王逸《楚辭注》曰:'繆輵,參差縱橫也。'" 訓雖微別,然物之雜亂參差縱橫者,由於其數之多。而所謂曠遠廣深者,亦有多義。其理原屬相因。蓋繆輵、膠葛與瀴㵘、繆輵,皆以聲近通用,故字異而義同也。(疏證)

【繆輵】詳"繆輵"條。

【辯華】敷大也。(西京)

【醧】私宴飲也。(雜詩鮑貳)

　【醧】《韓詩》云:"賓爾籩豆,飲酒之醧。"能者飲,不能者已,謂之醧。許氏曰:"醧,美酒也。"(魏都) 案:《說文》:醧,私宴飲也,從酉區聲。"《字林》:"醧,私宴飲也。"《說文》:"飫,燕食也,從食芺聲。"引《詩·常棣》曰:"飲酒之飫。"今按:《詩·常棣》毛《傳》作"飫",《韓詩》作"醧"。段以《國語》斷之,

以《韓詩》之"醧"為私宴正字。飫之禮大於宴。醧與飫為音近叚借字。考《東都賦》"登降飫宴之禮既畢",《注》引《毛詩》作"飫",又引薛君《韓詩章句》曰:"飲酒之禮不跣而上坐者謂之宴。"《角弓傳》曰:"醧,飽也。"醧卽飫。《爾雅》亦云:"飫,私也。"知飫用為醧者,舊矣。杜預《春秋左氏傳序》"厭而飫之,使自趨之"。飫與趨韻,益見醧、飫一音也。(字會)

【醪】汁滓酒也。(南都)

【釐】謂祭祀餘胙也。(郊廟)

【釐】福也。(甘泉)【釐】理也。(公讌士衡)【釐】寡婦為釐,亦曰嫠。(七命)【釐】十豪為釐。(西京 《獻詩曹壹》"釐"作"氂"。) 又詳"僖"、"氂"二條。

【鎔】錢模也。範鑄作模器用也。(文壹)

【鎔炭鑪】所以行銷鐵也。(啟任叁)

【鎬】詳"鄗"條。

【鎬鎬鑠鑠】光明貌也。(景福殿)

【鎌】鍥也。(樂府鮑) 又詳"㝢飛"條。

【闒】獷劣也。(書司馬) 又詳

"闟鞈"條。

【闟茸】闟茸，猥賤也。張揖《訓詁》以爲："闟，獰劣也。"呂忱《字林》曰："闟茸，不肖也。"（書司馬）案：賈誼《弔屈原文》"闟茸尊顯兮"，《注》："胡廣曰：'闟茸，不才之人。'"任彥昇《奏彈劉整》"閭閻闟茸"，《注》引《弔屈原文》亦作"闟茸"。蓋闟字昂聲，闟字翕聲。昂、翕一聲之轉，故可通用。闟又與鈒同。潘安仁《藉田賦》"瓊鈒入藥"，《注》："臧榮緒《晉書》曰：'戟車載闟。'與鈒音義同也。"《史記·商君列傳》"持矛而操闟戟者"，《索隱》云："闟亦作鈒，同。"蓋闟與鈒亦一聲之轉也。（疏證）

【闓】音愷。（符命司馬）案：豈、凱、愷、闓、闓一字。《詩·載驅》"齊子豈弟"，《箋》："豈讀當爲闓。"《漢書·司馬傳下集注》："闓讀曰凱。"闓與豈、凱通訓，即與愷通訓矣。《說文》："愷，康也。"《詩毛傳》："豈，樂也。"康樂一義。本注文穎曰："闓、澤，皆樂也。"是闓、愷通用之義。又凱通作飀。《海賦》"颺凱風而南逝"，《注》引《呂

氏春秋》作"凱"。《幽通賦》"飀飀風而蟬蛻兮"，曹《注》："南風爲飀風。"《洞簫賦》"則若飀風紛披"，《注》引《呂氏春秋》曰"南方曰飀風"，作"飀"。（字會）

【闓澤】樂也。（符命司馬）

【闐】鄭玄《禮記注》曰："闐，滿也。"闐與閴同。（西都）案：《說文》："閴，盛貌也。"段茂堂《注》："謂盛滿於門之中也。"《詩》"振旅闐闐"從門，《孟子》"闐然鼓之"從土，均訓盛滿之意。《藉田賦》"震震闐闐"，《注》引郭璞《爾雅注》曰："闐闐，羣行聲也。"此闐、閴通用之證。闐又通作顚。《玉藻》"盛氣顚"，實叚顚爲闐也。闐又通作輑。《魏都賦》"振旅輑輑"，《注》引《倉頡篇》曰："輑輑，衆車聲也。"今爲輑字，言車之盛滿也。（字會）又詳"敤"條。

【闐闐】羣行聲也。（藉田）

【闕疎】如闕之疎也。（江）

【雖】詳"邕"條。

【雛鷇】生而自食曰雛，待哺曰鷇。（橄陳貳）

【雜】廁也。（招魂）

【雜沓叢頓】衆多貌。（思玄）

【雜詩】雜詩者，不拘流例，遇物
　即言，故云雜也。（雜詩仲宣）

【雜遝】衆多貌。（藉田）

【雜襲】重疊也。（吳都）

【雜襲絫輯】相重被也。（上林）

【雞】詳“巽羽”條。

【雞睨】詳“魚瞰雞睨”條。

【雞翹】詳“鸞旗”條。

【雙枚】屋內重檐也。　又詳“重
　桴”條。

【雙表】華表也，堯所設誹謗木
　也，以橫木交柱頭。古人亦施
　之於墓。（懷舊）

【雙起】猶雙立也。（銘陸壹）

【雙笛】笛元羌出。又有羌笛。
　羌笛與笛二器不同。長於古
　笛，有三孔，大小異，故謂之雙
　笛。（長笛）

【雙乘】飛鳥曰雙，四雁曰乘。（設
　論楊）

【雙崤】二陵。（雜詩玄暉陸）

【雙鳳】曲名。（笙）

【雙瞳夾鏡】謂目中清明如鏡。
　或曰兩目中央旋毛爲鏡。（赭
　白馬）

【霤】屋宇也。（雪）【霤】屋承
　水也。（哀傷潘）【霤】屋水
　流也。（魏都）　凡水下流曰

霤。（補亡）

【霧】詳“霏”條。

【霧縠】縠細如霧，垂以爲裳也。
　（子虛）　縠，今之輕紗薄如霧
　也。（神女）

【霣】卽隕字。（上林）　案：霣、
　隕均員聲。《廣雅·釋天》：
　“霣，雷也。”引申爲凡廢墜之
　隕。《左氏·宣十五年傳》“有
　死無霣”，《注》：“霣，廢墜也。”
　《左氏·莊七年經》“夜中星隕
　如雨”，《公羊》作“霣”。《穀梁
　傳》“隕石于宋五”，《公羊》作
　“霣”。《穀梁》定元年“隕霜殺
　菽”，《公羊》作“霣”。其證也。
　《說文》“隕”又作“磒”。隕又通
　抎。《左傳》“隕子辱矣”，《說
　文》“抎”下引作“抎”。（字會）

【鞮】詳“鼅”條。

【鞮鞻】周掌樂官名也。（魏都）

　【鞮鞻】四夷舞者扉也。（魏都）

【鞮鍪】詳“冑”條。

【鞬】詳“服鞬”條。

【鞅】夾尾閜也。（射雉）

【鬷】善也。（東京）【鬷】是也。
　（魏都）

【顏】額顙也。（贊袁）　額有龍
　犀入髮，左角日，右角月，王天
　下。（論劉壹）

【顓頊玄冥】皆北方之神，主殺戮者。（羽獵）

【顅】肩前也。（子虛）

【顤顤卬卬】波高之貌。（七發）

【顑頷】不飽貌也。（離騷）

【題】視也。（設論東方）【題】名也。（誄顏壹）【題】額也。（上林 《雜詩惠連貳》"雛"作"額"，同。）【題】頭也。（誄謝）

【題湊】詳"黃腸題湊"條。

【顡頹顡】大首深目之貌。（魯靈光殿）

【颺】邪起也。（海）

【颶】疾風。（吳都）

【飅】大風貌。（江）

【餮】詳"饕餮"條。

【餮切】微動之聲。（射雉）

【馥】香貌。（雜詩蘇）【馥】中聲。（射雉）

【馥馥】香也。（文）

【騊駼】如馬。（子虛）

【騑】詳"驂騑"條。

【騑騑】行不止之貌。（洛神）

【騈】列也。（甘泉）【騈】並也。（游覽惠連）【騈】猶併也。（東都） 案：謝惠連《泛湖歸出樓中翫月 詩》"輟策共騈筵"，《注》："李宏軌《法言注》曰：'騈，並也。'"《尚書大傳》

"然後得乘飾車騈馬"，《注》："騈，併也。"《甘泉賦》"騈羅列部"，《注》："騈猶併也。" 皆與此同。（疏證）

【騈田】聚也。（笙）

【騈田偪仄】聚會之意。（西京）

【騈田磅唐】詳"鄧琅磊落騈田磅唐"條。

【騈脅】詳"骿脅"條。

【騏】馬驪文如綦也。（七發） 蒼白曰騏。（挽歌陸）

【騏驥騄駿】良馬名也。（七命）

【騏驥】喻賢也。（行旅正叔）

【騎】詳"步騎"條。

【骿脅】骿脅，今騈榦也。骿、騈通。（吳都） 案：《說文》："骿，骿脅，并榦也。"其字《左傳》、《史記》作"騈"。《國語》及此賦作"骿"。骿、騈均從并得聲，從并取義。二馬曰騈，故或從馬。《史記·管蔡世家》"欲觀其騈脅"，《集解》引韋昭："骿，并榦也。"《莊子·騈拇》"騈拇枝指"，《釋文》引李《注》："騈，并也。" 又《荀子·子道》"手足胼胝，以養其親"，《注》："胼謂手足勞騈，併也。"從月從骨，義均相通。（字會）

【髀】股外也。（七命）

【鬂】詳"權"條。

【鬡】詳"緆"條。

【灪】詳"沸"條。

【魍魎】《莊子》曰："罔兩問景曰：'曩子行，今子止。曩子坐，今子起。'"郭象爲"罔兩"，司馬彪爲"罔浪"。（幽通） 案：罔兩訓景外重陰。加鬼者，俗製字耳。罔通作惘。《思元賦》"魂漇惘而無傳"，《西征賦》"惘輟駕而容與"，《注》："惘猶罔罔失志之貌也。" 古文省作罔，後乃加心作惘，所謂滋生之字也。《國語》："木石之怪夔罔兩，水之怪龍罔象。"《淮南子》曰："水生罔象，木生畢方。"罔兩均古文。《周禮·服不氏》"敺方良"，《注》："卽罔兩。" 此以音近而通訓也。罔又通作网。《封禪文》"罔若淑而不昌"，《注》："罔與网同。" 按：罔兩，《許書》作"蝄蜽"，《孔子世家》作"罔閬"。（字會） 又詳"夔魍魎"條。

【魋】詳"椎"條。

【魏】天下之胸腹也。（魏都）

【魖】鬼也。（東京）

【鯢】似鰌。（蜀都）

【鶼鶋】鳥名。（蜀都）

【鵠】黃鵠也。（西都）

【鵁鶄】鷺雉也。（吳都）

【鵝鵯】陣名。（東京）

【鵙】詳"鵙鴃"條。

【麿】詳"廬"條。

【麎麀】鹿形貌。（西京）

【熿朗】光明之貌。（魏都）

【黰】黑皺也。（牋任貳 毛本"皺"作"皴"。）

【鼂】古朝字。（長笛） 案：《說文》："鼂，匽鼂也。讀若朝。"大凡古訓"讀若"之字，多通用之字。杜林以爲朝旦。《楚辭·哀郢》"甲之鼂吾以行"，《注》："鼂，旦也。"《上林賦》"鼂采琬琰"，《注》："鼂古朝字。"又《羽獵賦》"天子乃以陽晁始出乎元宮"，善曰："陽明之朝。晁，古朝字。"晁、朝同聲故也。（字會）

【黿】龜形，薄頭，喙似鵝指爪。（江）

【獝犬】露犬也，能飛食虎豹。（序王）

【隳】壞也。（西征） 【隳】廢也。（高唐）

十九畫

【嶢】過也。（幽通）

【儵忽】疾貌。（甘泉）

【儵爚】電光也。（西都）【儵爚】有餘光也。（西京）

【嚮】詳“蠁”條。

【顑鹫】憂貌。（魯靈光殿）【顑鹫】謂人顑眉鹫顏，憂貌也。（弔文陸）

【墾】《廣雅》曰：“墾，治也。”墾與墾音義同。（海）　案：墾從墾得義得聲。《列子‧湯問》“扣石墾壤”，《釋文》：“墾，起土也。”墾陵㟝，亦起土義。《上林賦》“地可墾闢”，《注》：“《倉頡篇》曰：‘墾、耕也。’”耕亦起土意。墾山、墾土，義訓均同，故通。（字會）

【壘】丘也。（懷舊）

【疆】田畔也。（東京）又詳“壇”條。

【壠】秦晉之間，塚謂之壠。（哀傷顏）

【壝】謂壇及塥埒也。（甘泉）

【嫵媡】美好之貌。（西京）

【嬾婦】詳“蟋蟀”條。

【寵】驕也。（東京）又詳“龍”條。

【嶜岑】高峻之貌。（南都）

【龍嵸】聚貌。（舞）【龍嵸】高貌。（此條失注　《招隱士》作“隴嵸”，同。）

【巍峚】高也。（雜詩玄暉肆）

【廬】居也。（西京）　直宿曰廬。（西都）

【廬九】廬，廬江。九，九江。二郡名也。（銘陸壹）

【廬山】在江州潯陽之南。（江）

【廬江】地名。（招魂）

【攏】猶括束也。（江）

【攀】詳“扳”條。

【攕】止也。（江）

【攝】詳“摺”條。

【懵】不明也。（雜擬江）【懵】目不明也。（月　按：《說文》“懵”作“瞢”。）

【懲】恐也。（西都）【懲】艾也。（離騷）【懲】騰也。（思玄）

【懷】歸也。（思玄）【懷】來也。【懷】安也。（東京）【懷】和也。（贈答士衡叁）【懷】抱也。（北征）【懷】念也。（思舊）【懷】念思也。（哀傷潘《贈答盧貳》作“懷，思念也”。）

【懷】藏也。（詠史顏貳）

【懷】在衣曰懷。（詠懷阮）

【懷】亦歸變文耳。（上林）

案：張平子《思玄賦》“痛火正之無懷兮”，《注》：“善曰：懷，歸也。”《緇衣》“私惠不歸

德”，《注》：“歸或爲懷。”是其
證矣。（疏證）

【懷抱】謂包輯也。（公讌顏貳）

【瀨】急湍也。（吳都）　【瀨】水
流沙上也。（月）

【瀺㳿硠砢】沙石隨水之貌。（江）

【瀚海】海名也。（詠史虞）

【灌沸濩渭】衆波之聲。（海）

【瀛】池中也。楚人名澤中曰瀛。
（招魂　《蜀都》引首句“池”作
“澤”。《游覽惠連》引次句“澤”
上多一“池”字。）　楚人名澤
中爲夢中。（招魂）

【瀛洲】詳“海中仙山”條。

【瀝】流也。（思玄）

【獺】如貓，其毛如彄鼴。（江）

【隴阪】天水有大阪，名曰隴阪。
（《設論楊》下“阪”字作“坻”，
又云：“其山堆傍著崩落作聲，
聞數百里，故曰坻隤。”）　隴
阪九曲，不知高幾里也。（雜
詩平子）

【隴坻】曲名。（吳都）

【隴嵸】詳“巃嵸”條。

【旚】詳“九旗”條。

【曠】遠也。（贈答士衡壹）
　　【曠】久也。（同上捌）【曠】
　　大也。（招魂）【曠】空也。
　　（挽歌陸）【曠】疏曠也。（贈

答公幹壹）【曠】明也。（行
旅靈運叁）

【曠曠】遠也。（七發）

【疊】詳“疉”條。

【臘】臘者，夏曰嘉平，殷曰清祀，
周曰大蜡，漢改爲臘。臘，獵
也，言獵取禽獸以祭其先祖
也。始皇改臘曰嘉平。（閒居）

【櫳】《說文》曰：“櫳，帷屏屬。”然
則門窗之櫺通名櫳。櫳與楑
音義同。（吳都）　案：楑從櫳
取義得聲。《文字集略》：“楑，
以帛明窗也。”段曰：“櫳之字，
一變而爲楑，再變而爲幌。蓋
以帛明窗，取日光也。光、廣
聲轉，故用同。”晃，《說文》“明
也”，段曰：“晃者，動之明也。
凡光必動。楊雄賦‘北熿幽
都’，李善《注》：‘熿與晃音義
同。’”熿同晃，櫳亦可同楑矣。
《北山移文》“宜扃岫楑”，《雪
賦》“月承幌而通暉”，即以
“幌”爲“櫳”也。（字會）

【櫝】詳“韣”條。

【櫟】擊搏也。（射雉）【櫟】採
木。（上林）　又詳“櫪”條。

【櫓】望樓也。（上林）

【櫛比】喻其多也。（吳都）

【櫛風】以疾風爲梳篦也。（雜詩

玄暉陸）

【歠】飲也。（七發）

【爍】亦熱也。（七發）【爍】言光明也。（哀顏）

【爆】灼也。（江）

【爌炾爐閬】皆寬明也。（魯靈光殿）

【牘】書版也。（月）

【犢子】仙人名。（吳都）

【璽】印也，信也。古者尊卑共之，秦以來天子獨以印稱璽，又獨以玉也。（游覽靈運壹）天子印曰璽。（西京）

【羅】水名。（銘陸壹）【羅】列也。（景福殿）【羅】綺屬也。（招魂）鳥罟曰羅。（長楊）【羅】或為覼。（雜擬靈運）案：左太沖《吳都賦》"嗟難得而覼縷"，《注》："善曰：王延壽《王孫賦》曰'嗟難得而覼縷'，覼，力戈切，即羅縷也。"（疏證）

【羅浮山】高三千丈，長八百里。舊說浮山從會稽來，博於羅山，故稱博羅。（行旅靈運柒）

【藪】澤無水曰藪。（西都）【藪】大澤。（西京）

【藩】屏也。（魏都）又詳"樊"、"蕃"二條。

【藩落】藩，籬也；落，亦籬也。（西京）

【藩國】九州之外謂之藩國。（魏都）

【藟】猶蔓也。（寡婦）

【薊】刪屬。（此條失注 "刪"原作"荊"，依胡校改。）又詳"苞"條。

【薊蓤】薊，耗也。甕苗為蓤。（勸勵張）

【蓺】樹也。（述德）所射準的為蓺。（上林）

【劙苷艸歒】衆聲貌也。（上林）

【藕】一名水芝。（魏都）莖下曰藕，在泥中者蔤。（景福殿）

【邊郡】有障徼曰邊郡。（別）

【邌】徐也。（舞）又詳"黎"條。

【瓣】《說文》曰："瓣，瓜中實也。"一作辯字，音練。瓣與練字通。（祭文謝）案：辨、練音近義同之字也。練訓練絲，引申為凡簡練之偁。辨訓分辨，從柬取義，分辨亦簡練之謂也。瓣訓瓜中實，瓜實分瓣。辨者判也。瓣與辨同，瓣即與練通矣。瓣、辨聲轉，辨、辯同音同形故也。《廣韻》："瓟，瓜瓟。"此其證也。（字會）

【齇】以鼻搖動也。（七命 胡

云:“甀”當作“瓬”。)

【疇】等也。(魏都)【疇】昔也。(赭白馬)　家業世世相傳爲疇。(銘陸貳)【疇】畛埒小畔際也。(蜀都)【疇】耕治之田也。或曰一井爲疇。(登樓　又《祖餞曹》,毛本“一井”作“二井”,蓋譌。)　竝畔爲疇。(游覽顏叁)【疇】猶酬也。(西征)　案:《說文》:“醻,獻醻,主人進客也。醻或從州作酬。”《詩·彤弓》“一朝醻之”,《釋文》:“本又作酬。”是酬卽獻醻之醻。酬有匹義。《國語·齊語》“人與人相疇,家與家相疇”,《注》:“疇,匹也。”《荀子·勸學》“草木疇生”,《注》:“疇與儔同。儔生者,類生也。”《書·堯典》“疇咨若時登庸”,魏《元丕碑》作“詶咨羣寮”,《劉寬碑》作“詶咨儒林”。疇作詶,疇卽通酬矣。陸士衡《漢高祖功臣頌》“帝疇爾庸”,《魏都賦》“疏爵普疇”,叚疇爲酬也。疇又通作仇。《登樓賦》“實顯敞而寡仇”,《注》引《爾雅》曰:“仇,匹也。”仇通作讐。《景福殿賦》“夫何足以比讐”,《注》亦引《爾雅》曰:“讐,匹也。”疇又通作譸。本賦“譸一姓之或在”,《注》引《聲類》曰:“譸亦疇字。”《思元賦》“疇可與乎比伉”,潘安仁《關中詩》“疇真可掩”,《注》引《爾雅》曰:“疇、孰,誰也。”均以疇爲譸。(字會)

【疇人】編者案:疇與儔通。凡同術相聚者,皆得稱爲疇人,非專指明曆者言。《史記·歷書》“疇人子弟”亦當作此解。(補亡)

【疇昔】猶前日也。(鵩鵬)

【疇華】南方地。(論劉壹)

【癡】詳“蚩”條。

【瞍】視也。(魯靈光殿)

【瞍瞍】目不正也。(魯靈光殿)

【矆】詳“矆”條。

【矇】不明也。(誄曹)【矇】善曰:《禮記》曰:“昭然若發蒙矣。”矇與蒙古字通。(長楊)　案:《說文》:“矇,童蒙也。”段曰:“此與《周易》‘童蒙’異,謂童子如蒙覆也。從目蒙聲。”《廣雅·釋訓》“矇,瞍疾也。”《詩·靈臺》“矇瞍奏公”,《白帖》六十一作“蒙瞍奏公”,是知蒙訓童子之無識,加目訓瞳子之無見也。鮑明遠《行藥至

城東橋詩》“孤 賤 長 隱 淪”，《注》引《後漢書》黃香上疏曰：“江淮孤賤，愚矇小生。”是又以矇爲蒙矣。（字會）

【矇矇】不明也。（幽通）

【矇瞍】無珠子曰矇。珠子具而無見曰瞍。（連珠）

【㜷】詳“㜅”條。

【礚礚】詳“洶洶礚礚”條。

【禱】祭也。（高唐）

【襭】詳“西隤”條。

【簿】鹵簿。天子出，車駕次第，謂之鹵簿。（西都）

【簿領】謂文簿而記錄之也。（雜詩劉）

【䇲】馬策也。　【籧】麤者曰籧。細者曰枚。（長笛　藩按：籧，管也。古謂樂之管爲籧。）

【簫】《説文》曰：“篍，小竹也。”簫與篍通。（長笛）　案：《詩·有瞽》“簫管備舉”，《箋》：“簫，編小竹。”《周禮·小師注》：“簫，編小竹管，如今賣飴餳所吹者。”篍，《廣韻》同“筱”，“箾屬小竹也。”《爾雅·釋文》引《字林》：“筱，小竹也。”條本攸聲。簫、篍音同訓同，故通。簫又通箾。《長笛賦》“上擬法於韶箾南籥”，《注》：“箾音簫。”

簫又同櫹。《上林賦》“紛容蕭蓁”，《九辨》作“箾櫹慘之可哀”。（字會）　又詳“吹”及“洞簫”條。

【簫史】仙人名。（樂府鮑）

【簫韶】詳“韶夏”條。

【簫襦】詳“複襦”條。

【簳】小竹。（南都）

【簸】揚也。（西京）

【繫】繫辭也。（碑文簡栖）　又詳“系”條。

【繪】畫也。（魏都）　凡畫者爲繪。（景福殿）【繪】會五彩也。（琴）　又詳“繢”條。

【繳】旗上繫也。（羽獵）

【繹】尋繹也。（論王）【繹】理也。【繹】悦也。（雪）【繹】猶緒也。繹或爲液。（符命楊）案：《射義》云：“射之爲言者繹也。”是繹字與射字同音。射字與夜通。《高唐賦》“青荃射干”，《注》：“見《本草》：夜干，一名烏扇。”射與繹通，則夜亦與繹通矣。液字夜聲，自可假借爲繹。《考工記·弓人注》：“鄭司農云：液讀爲醳。”《釋文》：“醳音亦。”由偏傍例推，亦繹、液互用之證。（疏證）又詳“醳”條。

【繹繹】盛也。（甘泉）

【緂】帛青色。（藉田）

【繡栭雲楣】皆雲氣畫如繡也。（西京）

【繡裳】五色備曰繡。（思玄）

【繩樞】以繩局戶爲樞也。（論貢）

【羹臛】有菜曰羹，無菜曰臛。（招魂）

【翩】飛也。（思玄）【翩】小飛也。（鷦鷯）

【翾翾】初起也。（笙）

【艤】南方俗謂正船迴濟處爲艤。（蜀都　胡云："迴"當作"向"。按：《祭文顏》作"南方人謂整船向岸曰艤"。）

【螘】《爾雅》曰："蚍蜉，大螘。"螘與蟻同。（洞簫）　案：《禮記·檀弓上》"螘結于四隅"，《注》："螘，蚍蜉也。"《詩·東山傳》："垤，螘冢也。"《疏》："螘是小蚍蜉也。"蟻、螘同訓，故同用。《釋蟲》曰"螘子，蚳"，郭云："螘，卵也。"訓亦同。又《長楊賦》"扶服蛾伏"，《注》："蛾，古蟻字。"段曰："古書説蛾爲螘蠹。蛾是正字，蟻是或體。"（字會）

【蠅】蠅之爲蟲，汙白使黑，汙黑使白。（論王）

【蠅蠅翊翊】游行貌。（洞簫）

【蠁】與響同。（羽獵）　案：嚮、響、蠁均從鄉聲。嚮，受也，應聲也。《易繫辭》"受命也如嚮"，《釋文》："本作響。"《荀子·勸學篇》"君子如嚮矣"，《注》："嚮與響同。"蠁，知聲蟲也，從蟲鄉聲。蛕，司馬相如説：蠁從向。是知嚮、響一字。蠁爲知聲之蟲，與響、嚮亦音近形近義近之字也。（字會）　又詳"蜽"條。

【蠁曶】疾也。（羽獵）

【襞襀】簡齰也。（子虛）襞襀，衣縫也。（思玄）

【襞積】詳襞襀條。

【覈】驗也。（西京）【覈】實也。（東京）【覈】考實事也。核與覈古字通。（長笛）　案：《説文》："覈，實也。考事两笮邀遮其辭得實曰覈。"《漢書·司馬遷傳》"贊其事核"，《注》："核，堅實也。"因而桃梅之屬謂之核，肉曰肴，骨曰覈，亦從堅實取義。《典引》"肴覈仁誼之林藪"，作"覈"。《詩·賓之初筵》"殽核維旅"，作"核"。是覈、核通用之證。覈又通籺。《説文》："籺，堅麥也。"

《史》《漢》皆云"食糠覈"，孟康曰："覈，麥糠中不破者。"晉灼曰："覈音紇。"（字會）　又詳"檽"及"肴覈"條。

【罐】詳"厄"條。

【譓】音惠。文穎曰："譓，順也。"（符命司馬）　案：左太沖《魏都賦》"荊南懷憓"，張孟陽《注》："憓，順也。"司馬相如《封禪書》曰："義征不譓"，彼《注》所引"譓"作"憓"。此二字通用之證。蓋譓、憓皆惠聲也。（疏證）

【譆】愁恨之聲也。譆與嘻古字通。（七啓）　案：《說文》："譆，痛也。"段云："痛聲。《春秋傳》曰'譆譆出出'。亦作誒誒，亦從口。"今嘻噫字均從口，均訓痛嘆聲。《詩·噫嘻》"噫嘻成王"，《傳》："噫，歎也。"《公羊·僖元年傳》"慶父聞之，曰：'嘻'"，《注》："嘻，發痛語首之聲。"《列子·天瑞》"國氏曰：'嘻'"，《注》："嘻，哀痛之聲。"嘻、譆以音同形同義同而通用也。（字會）

【譈】詳"薵"條。

【譅】詳"沸"條。

【譅列】中止也。（魏都）

【譌】異也。（舞）　【譌】詭也。（魯靈光殿）

【譌詭】變化也。（東京）

【譚】猶著也。（嘯）

【證】驗也。（琴）　【證】告也。（獻詩潘）

【譄】詳"嘲"條。

【譖】旁言曰譖。（勸勵韋）　又詳"訊譖"條。

【識】用也。（論陸貳）　又詳"心識"條。

【譈谺】開貌。（江）

【礀】《爾雅》曰："山夾水曰礀。"礀與澗同。（江）　案：謝元暉《郡內登望詩》"山積陵陽阻"，《注》引《江賦》曰"幽澗積阻"，直作"澗"。《說文》無"礀"有"澗"，"澗"字下云："山夾水也。"澗、礀皆閒聲，蓋古今字耳。（疏證）

【贊】明也。（神女）

【趫趫】張設貌。（西京）

【趬】詳"趫"條。

【趫】趫行也。（七啓）　【趫】善緣木之士也。都盧國其人善緣。　【趫】《史記》曰："誅猿趫狿。"狿與趫同。（西京）　案：喬、堯同音。《說文》"堯"訓"高"。記曰："喬樹高而仰。"

是喬亦得高訓也。趫古通爲
蹻。《七啓》"蹻捷若飛"，《注》
引《廣雅》曰："趫，趨行也。"今
爲蹻。蓋蹻爲舉足小高，趫爲
趨行，趨行者足自高，義本相
屬。《說文》："趫，行輕貌。一
曰：趫，舉足也。"亦與趨行之
訓合。《說文》："獢，犬也。"
"犺，獢犬也。"犬之獢者，必蹻
健也。《赭白馬賦》"捷趫夫之
敏手"，《注》引《廣雅》曰："蹻，
健也。"故趫、獢字同。（字會）
　【趫】《毛詩》曰"四牡有趫"，
毛萇曰："趫，壯貌。"趫與蹻
同，並綺嬌切。（赭白馬）　案：
本賦"捷趫夫之敏手"，《注》：
"《廣雅》曰：'蹻，健也。'"曹子
建《七啓》"蹻捷若飛"，《注》：
"《廣雅》曰：'趫，趨行也。'今
爲蹻。"《說文》："趫，善緣木走
之才。""蹻，舉足行高也。"舉
足行高與善緣木義本相因，皆
壯健敏捷之意。且二字皆喬
聲，故可通用。（疏證）
　【躪】轢也。（西都）　又詳"蹮"
　條。
　【蹲】詳"踆"條。
　【蹲跠】踞也。（魯靈光殿）
　【蹲鴟】大芋，其形類蹲鴟。（蜀

都）
　【蹭蹬】失勢之貌。（海）
　【蹙】毛萇《詩傳》曰："蹙，促也。"
　古字通。（羽獵）　案：《儀禮・
　士相見禮》"容彌蹙"，《注》：
　"蹙，猶促也。"蓋蹙從戚足聲，
　戚聲與足聲近。《孟子》"已頻
　顣"，顣與蹙同。本賦"蹴竦詟
　怖"，善曰："蹴與蹙同。"《上林
　賦》"浸淫促節"，作"促"。則
　知蹙、蹴、蹙均從足字得聲、促
　字得義也。蹙卽蹴。蹴又通
　欨。《孟子・公孫丑》"曾西蹴
　然"，《說文》"欨"下引作"欨"。
　（字會）
　【蹻】踶跳也。（西都）　【蹶】頓
　也。（羽獵）　【蹶】敗也。（魏
　都）　【蹶】動搖之貌也。又疾
　起貌。（七命）　又詳"麎"條。
　【蹶角】《孟子》曰"武王之伐殷
　也，百姓若崩厥角"，趙岐曰：
　"厥角，叩頭。以額角犀厥地
　也。"（書邱）　案：《前漢・古
　今人表》"吳厥由"，《注》作"蹶
　由"。王元長《三月三日曲水
　詩序》"屈膝厥角，請受纓縻"，
　《注》引趙岐曰："厥角，叩頭。
　以額角犀撅地也。"又作"撅"。
　蓋蹶、撅皆從厥字得聲也。

（疏證）

【壓】躡也。（上林　案:《思玄》、《設論班》"壓"作"蹙"。《羽獵》作"蹙，踏也"。並同。）

【壓】逆寒疾也。（七發）

【壓機】門內之位也。（七發）

【蹻】舉足也。（長楊）【蹻】壯貌。（赭白馬）　【蹻】草履也。（表任貳）　【蹻】應劭曰:"離此蔬食，釋此木屩。"瓚案:"屩，以繩爲履也。"（頌王）　案: 任彥昇《爲范尚書讓吏部封侯第一表》"蹻屩齊楚"，《注》:"《史記》曰'虞卿蹻蹻檐簦，說趙孝成王'，徐廣曰:'蹻，草履也。'"按此亦蹻、屩互見，知屩與蹻古多通用。（疏證）　又詳"趫"條。

【蹩屑】詳"蹴躠"條。

【蹴躠】《上林賦》曰:"便姍蹩屑。"（南都）　案: 躠、屑一音。《說文》:"屑，動作切切也，從尸𡨊聲。"《方言》十"屑屑，不安也"，《注》:"屑屑，往來之貌也。"與蹩躠意合，音義俱近之字也。又"蹴"，《上林賦》作"蹩"。（字會）

【轊】車軸頭。（子虛　《蕪城》作"轛，車軸端"。）

【轔】轢也。（子虛）　又詳"蹸"條。

【轔轔】車聲也。（東京）

【轒轀】匈奴車也。（長楊）

【櫓】樓也。（論陸壹　胡云:"樓"下脫"車"字。）　又詳"衝"條。

【轍】車迹也。（七命）

【轒】詳"轐"條。

【辭】言語也。（詠史盧）

【醰】美也。（魏都）

【醰醰】長味也。（寡婦）

【醮】祭也。（高唐）

【鏑】矢鏃也。（射雉）　矢鋒也。（魏都）

【鎩】殘也。（蜀都）【鎩】殘羽也。（詠史顏貳）【鎩】鈹有鐔也。一曰鋋，似兩刃刀也。（西京）　一曰長刃矛刀之類也。（論陸壹）

【鎩羽】殘羽也。（論劉壹）

【鏙錯】間雜之貌。（江）　案: 司馬長卿《上林賦》"崔錯癹骪"，《注》:"郭璞曰: 崔錯，交雜。"王文考《魯靈光殿賦》"下崋蔚以璀錯"，《注》:"善曰. 璀錯，衆盛貌。"凡物之衆盛者，無不間雜交雜，故鏙、崔、璀字異而義同。蓋鏙、璀二字皆从崔字得聲也。（疏證）

【鏌邪】大戟也。(羽獵)
【鏃】以金爲箭鏑也。(論買)
【鏓】大鑿中木也。然則以木通其中,皆曰鏓也。(長笛)
【鏘】鳴聲也。(誄謝)
【鏞】鐘之大者曰鏞。(東京)
【鏜鞨】詳"闛鞈"條。
【鏡】詳"鑒"、"鑑"二條。
【鏡機】鏡照機微也。(七啟)
【鏨】鐫謂之鏨。(海)　又詳"嶄"條。
【鏗】擊也。(東京)【鏗】佩聲也。(九歌)
【鏗鏗】行貌也。(吳都)
【鏗鋐】大聲也。(吳都)
【鏗揳】撞鍾謂之鏗,鼓瑟謂之揳。(招魂)
【鏗鎗】鐘聲。(上林)
【鏤鍚】鏤,彫飾也,當顱刻金爲之。(東京　胡云:陳校"當"上疑脫"鍚"字,是也。)
【鏤象】象路也,以象牙疏鏤其車路。(上林)
【鏤檻】詳"重軒鏤檻"條。
【鏟】削平也。(蕪城)
【闚】傾頭門内視也。又小視也。(好色　又《表劉》:窺,小視也。窺同闚。)
【闤市】謂占會百物也。(文叁)
【闢闢嚶嚶】音聲和也。(東京)
【闛鞈】鼓聲。闛與鏜、鞈與鞨古字通。(上林)　案:《説文》:"鼞,鼓聲也。《詩》曰'擊鼓其鼞'。"今《詩》作"鏜"。《金部》:"鏜,鼓鐘聲也。"鼓鐘謂擊鐘也,字從金。于鼓言鏜,爲叚借字。蓋闛卽鼞字,鏜爲闛之叚借字。《司馬法》:"鼓聲不過閶。"此又叚"閶"爲"鼞"也。《投壺音義》曰:"□,鄭呼爲鼓。其音高,其音鏜鏜然。"闛、鏜均堂聲也。鼛,鼙聲也。《司馬法》曰:"鼙聲不過闒。"闒卽鼛字也。《投壺音義》:"○,鄭呼爲鼙也。其聲下,其音榻榻然。"榻亦卽鼛也。聶、合一音。鞈卽《説文》"鼛"也。(字會)
【離】應也。(符命楊)【離】遭也,罹也。【離】附也。【離】開也。(思玄)【離】別也。(招魂)【離】山梨。(子虛)　又詳"離"、"黎"二條及"虎螭"條。
【離離】垂貌也。(西京)
【離朱】卽離婁也。(景福殿)
【離朱】《淮南子》曰:"離朱之明,察鍼末于百步之外。"又

云：“按慎子爲離珠。”（琴）

案：《論語》“朱張”，《釋文》：“鄭作‘侏張’。”《書·益稷》“無若丹朱傲”，《說文·亐部》作“無若丹絑昺。”《古今人表》“朱庶其”，《春秋》作“侏庶其”。《東都賦》“僬侏兜離”，《注》引《孝經鉤命決》曰：“西夷之樂曰《株離》。”又引毛萇《詩傳》曰：“西夷之樂曰《朱離》。”易朱爲珠。古人隨文生訓，同音者皆可通叚，無一定也。《說文·絲部》：“絑，純赤也。”段曰：“是純赤正字。”朱，《說文》“赤心木”。今則朱行而絑廢矣。（字會）

【離身】夷國名也。（序王）

【離珠】詳“離朱”條。

【離別】近曰離，遠曰別。（離騷）

【離宮別館】秦始皇上林苑中作離宮別館一百四十六所。（東京）

【離宮閣道】詳“清廟”條。

【離婁】刻鏤之貌。（景福殿）

【離婁】古之明目者，蓋黃帝時人。（長楊）　又詳“離朱”條。

【離靡】離而邪靡，不絕之貌也。（上林）

【離褷淋滲】毛羽始生之貌。（此

條失注）

【離樓】衆木交加之貌。（魯靈光殿　又《長門》：離樓，攢聚衆木貌。）

【離灑】鏤鏤之貌。（洞簫）

【霧集】言衆瑞之多也。（符命楊）

【靡】蔓也。（魏都）【靡】細也。（上林）【靡】美也。（吳都）【靡】緻也。（招魂）【靡】邊也。（子虛）【靡】水崖也。（上林）【靡】奢侈也。（羽獵）【靡】《說文》曰：“靡，爛也。”靡與糜古字通。（設論東方）　案：《說文》：“糜，糂糜也。”“粥，米使爲饘也。”引申爲糜爛之糜。靡訓披靡，義同無。無亦糜爛意。《漢書·文紀》：“爲酒醪以靡穀者多。”音“糜”。糜又通作眉。《漢書·王莽傳》“赤糜聞之，不敢入界”，《注》：“糜，眉也。以朱塗眉，故曰赤眉。古字通用。”靡又通作湄。《上林賦》“的皪江靡”，《注》引應劭曰：“靡，江邊也。”靡又通作糜。《離騷》“瓊靡”，王逸《注》云：“靡，屑也。”《說文》：“糜，碎也。”靡即糜。（字會）　靡又與縻通。（贈答盧）案：《廣雅·釋詁》二：
"靡，係也。"《荀子·儒效篇》
"鄉也胥靡之人"，《注》："靡，
繫也。" 又《正論篇》"藉靡舌
纆"，《注》："靡，繫縛也。"《小
爾雅·廣言》："縻，縛也。"縻、
靡本通訓同用之字。《解嘲》
"《呂刑》靡敝"，《注》引《禮記》
曰："國家靡敝。鄧展曰：靡音
縻。"《史記·主父偃傳》"靡敝
中國"，音"縻"。亦其證也。
（同上） 又詳"彌"條。

【靡靡】盡貌。（歎逝）【靡靡】
細也。一曰細好也。（魯靈光
殿）【靡靡】行貌。（贈答
士龍叁）【靡靡】順風貌。
（琴 又《高唐》：靡靡，相依倚
也。）

【靡靡愔愔】言樂容與閒麗也。
（吳都）

【靡拉摧殘】言揩突之皆搦碎毀
折也。（西京）

【靡曼】好色也。（論東方）

【靡蕪】一名薇蕪。一名蘄茝。
（南都）

【鞨】烏也。（長楊）

【鞶】馬大帶。（東京）【鞶】所
以帶佩也。（梁云："鞶當作
幋，從巾殷聲。"）一曰覆衣大
巾也。或以爲首飾。一曰帶
也。一曰小囊盛帨巾者也。
（思玄） 又詳"繁"條。

【鞶帶】帨巾也。（碑文沈）

【鞶厲】紳帶之垂者。（東京）
鞶必垂厲以爲飾也。（行旅士
衡叁）

【韝】形如射韝，以縛左右手，於
事便也。（書李）【韝】臂衣
也。（西京）

【韜】藏也。（雪） 又詳"弢"條。

【韞】藏也。（文 《行旅靈運伍》
作"蘊"，同。） 又詳"蘊"條。

【韻】謂德音之和也。（贈答盧
壹） 又詳"均"條。

【顚】仆也。（論陸叁）【顚】隕
也。（東京）【顚】自上下曰
顚。（離騷）【顚】末也。（上
林）【顚】與滇同。（上林）
案：左太沖《蜀都賦》"殆而揭
來，相與第如滇池"，劉淵林
《注》："譙周《異物志》曰：'滇
池在建甯界，有大澤水，周二
百餘里。水乍深廣乍淺狹，似
如倒池，故俗云滇池。'然則取
名於滇者，正取顚倒之義。蓋
顚、滇皆從眞字得聲也。（疏
證） 又詳"闐"條。

【顚沛】僵仆也。（甘泉）

【纇】事祭也。（雜詩玄暉 伍）
【纇】勤施無私曰纇。（史論干 貳）
【顝】獨也。（思玄）
【飂飍】詳“飀瀏飅飍”條。
【颽】詳“闉”條。
【飅】詳“搖”條。
【颿】船帳也。（吳都）
【騕褭】馬金喙赤色，一日行萬里。（上林）【騕褭】赤喙元身，日行五千里。（思玄） 又詳“飛兔腰褭”條。
【騝瞿】走貌。（西京）
【騖】疾也。（射雉） 【騖】馳也。（招魂） 【騖】東西交馳謂之騖。（設論班） 【騖】亂馳也。（西都）
【䯏】腰骨也。（設論楊）
【髓】骨中脂曰髓。髓，古髓字。（長楊） 案:《說文》:“髓，骨中脂也,從骨隓聲,息委切。隸作髓。”《漢書·郊祀志》“先灕鶴髓”,《注》:“古髓字。”《漢書·楊雄傳》作“髓”。（字會）
【鬋】鬢也。（招魂） 刻,刻畫鬋鬢也。（上林）
【鬆】詳“雲髦”條。
【鯪】鯪鯉。（江）
【鰱】詳“魚牛”條。

【鯩】黑文,狀如鮒,食之不腄。（江）
【鯤鯉】魚名。（西征）
【鯖魚】出交趾合浦諸郡。（吳都）
【鯔】如鯢,長七尺。（吳都）
【鯢】詳“鯨鯢”條。
【鯨】詳“京魚”條。
【鯨鯢】鯨魚長者數十里。（胡云: 袁本、茶陵本“十”作“千”。） 小者數十丈。雄曰鯨,雌曰鯢。鯨猶言鳳,鯢猶言凰。（吳都）【鯨鯢】大魚名也。以喻不義之人吞食小國也。（雜詩玄暉陸）
【鵬】小如雞,體有文色,土俗因形名之,不能遠飛,行不出域。（鵬鳥）
【鵰眈】如鵰之視也。（魯靈光殿）
【鶉】鵰也。（贈答仲宣）
【鶉首】自井至柳,謂之鶉首之次。秦之分也。（西京）
【鶇鵃】匹鳥,腹下白。（東京）
【鶬黃】詳“鶬黃”條。
【鶏】大如鳩,羣飛。（南都） 一謂之山鶏。（七啟）
【鶘鶴】出南海桂陽諸郡。（吳都）

【鶵雛】鳳屬。（南都）

【鶵】水鳥名。（西都）

【鷗】詳“鴨”條。

【鷗雛】曲名。（南都）

【麗】美也。（西京） 【麗】好也。（思玄） 【麗】光華也。（甘泉） 【麗】著也。（吳都） 【麗】連也。（贈答玄暉叁）

【麗黄】詳“鸝黄”條。

【麗豔】美貌。（招魂）

【麚】詳“鹿子”條。

【鱀】詳“京魚”條。

【麓】錄也。（碑文沈） 【麓】林屬於山曰麓。（西都） 【麓】山足也。（西京） 又詳“籙”條。

【麒】似麟而無角。（上林）

【麒麟】狼題肉角。（符命班） 【麒麟】殿名也。（西都）

【麘】羣也。（公讌顏貳） 【麘】劉兆曰：“麜，麘也。”麘與麜音義同。（蕪城） 案：《説文》：“麜，麘也。”陸璣《詩疏》：“麘，麜也。青州人謂之麘。” 今按麜、麘、麘一字。麜者小篆省囷爲禾，麘者籀文不省，而囷、君音同，故或作麘，或作麘。《爾雅·釋獸》“麘父麜足”，《釋文》：“麜”本作“麘”。《詩·

野有死麘序釋文》本作“麘”，《禮記·内則》“麘脯”，《釋文》本作“麘”，皆音同通用之證。（字會）

【黿】蝦蟆也。（魏都）

【攞咬】淫聲。（東京 按：《舞》作“哇咬”。）

【鼙】小鼓也。（東京） 又詳“鞱”條。

【鼛】大鼓也。（東京） 又詳“賁”條。

【鼞】詳“闐鞳”條。

【齗】齒根也。（魯靈光殿）

【鞞】詳“龔”條。

二 十 畫

【勸】勵也。（七啟）

【勸分】有無相濟也。（册）

【勸勵】勸者進善之名，勵者勖己之稱。（勸勵韋）

【嚶】詳“罃”條。

【嚶嚶】鳥聲也。（琴） 【嚶嚶】兩鳥鳴也。（思玄）

【嚴】畏也。（離騷） 【嚴】壯也。（論劉貳）

【嚴】風霜壯謂之嚴。（論劉貳）

【嚴春】莊春也。（洞簫）

【嚴節】急節也。（七命）

【嚴樂】嚴安、徐樂也。（別）

【嚴陵瀨】詳“七里灘”條。

【礜】詳“俈”條。

【㘚】詳“㵓”條。

【壤】塵也。（射雉）【壤】地也。（連珠） 土也。（離騷）【壤】梁益之閒所愛諱其肥盛曰壤。（上書鄒壹）

【壤東】地名。（頌陸）

【夔】木石之怪，如龍，有角，鱗甲光如日月。見則其邑大旱。（西京）【夔】人面。（甘泉）【夔】如牛，蒼身，無角，一足。入水則風，其聲如雷。（吳都）

【夔魍魎】木之怪：夔、魍魎。（海）

【嬰】詳“媒嬰”條。

【㜷】詳“釐”條。

【孅】自關而西凡物小謂之孅。（上林）【孅】音纖。（子虛） 案：司馬長卿《上林賦》“嫵媚孅弱”，《注》：“郭璞曰：孅弱，弱顏也。善曰：《方言》曰：‘自關而西，凡物小謂之孅。’”孅即纖字。《説文》“孅”字下云“鋭細也”，“纖”字下云“細也”。孅與纖同訓細，又皆韱聲，故古字通用。又本賦“蜚襳垂髾”，善曰：“襳音纖。”《舞賦注》所引，“襳”作“纖”。由

偏旁例推，亦通用之證。（疏證） 又詳“纖纖”條。

【孅阿】古之善御者。（子虛）

【孽】蟲豸之妖謂之孽。（景福殿）【孽】孺子爲孽。孽猶樹之孽生者也。（贈答越石壹）

【孽子】庶子也。（恨）

【寶祚】猶寶命也。（史論沈貳）

【寶璐】詳“璐”條。

【嬰溟鬱岪】山氣暗昧之狀。（吳都）

【嚴】險也。（西都）

【巇道】嶮巇之道也。（洞簫）

【嶒】聲也。（高唐）

【襀徉】詳“逍遥”條。

【攘】疾行貌。（舞）【攘】卻也。謂卻扱衽也。（表曹壹）【攘】除也。（離騷）

【攘袂】卷袂也。（樂府曹）

【攕攕】詳“纖纖”條。

【攉】詳“榷”條。

【攙捔】貫刺也。（西京）

【攙搶】喻羽也。（詠史謝）

【懸】詳“宮懸”條。

【懸刀】弩牙後刀也，一名機。一曰弩牙外曰郭，下曰懸刀。（射雉）

【懸火】懸鐙也。（招魂）

【懸車】日出陽谷，至於悲泉，爰

息其馬,是謂懸車。(思玄)

【懸解】有繫謂之懸,無謂之解。懸絕曰解。　生曰懸,死曰解。(吳都)

【懸匏】詳"匏"條。

【懸圃】詳"元圃"條。

【懸磴】石橋也。(游天台山)

【懸璧】懸黎以爲璧也。(贈答越石貳)

【瀼瀼溼溼】開合之貌。(海)

【澒】湊漏之流也。(江)

【瀴溟】猶絕遠杳冥也。(海)

【濩】水浸也。(江)

【瀺】水注聲也。(長笛)

【瀺灂】出没之貌。(西征)　【瀺灂】小水聲也。(上林)　一曰石在水中出没之貌。一曰水流聲貌。(高唐)

【瀲】泛也。(江)　【瀲】波際也。(西征)

【瀲灔】相連之貌。(海)

【瀾】水中大波也。(序任)　【瀾】善曰:《毛詩》曰:"河水清且漣漪。"《爾雅》曰:"大波爲瀾。"(吳都)　案:《說文》"瀾"字下云"大波爲瀾","漣"字下云"瀾或从連",是瀾、漣一字也。《釋名》云:"瀾,連也,波體轉流相及連也。"亦其明證。(疏證)

【瀾汗】長貌。(海)

【瀎】瀎者漬也。(魏都)

【獻】主人酌賓曰獻。(公讌謝)古人致物于人,尊之曰獻。(贈答惠連)　【獻】進也。　【獻】貢也。(東京)　【獻】賢也。(贈答士衡壹)　【獻】劉熙《孟子注》曰:"獻猶軒,軒在物上之偁也。"(景福殿)　案:獻近巘。《說文》:"巘,載高兒。"《衛風》"庶姜孽孽",《韓詩》作"巘"。巘,長貌,亦高出貌。《西京賦》"飛檐巘巘",《注》:"巘巘,高貌。"是巘有軒舉義。巘、獻同形,故獻與軒通也。《海賦》"翔霧連軒",《注》:"軒,舉也。"曹子建《與楊德祖書》"猶復不能飛軒絕跡",軒即高出之意。獻、軒一音之轉。此賦蓋叚"獻"爲"軒"。(字會)

【玃㺒】獸逃走也。(洞簫　毛本"玃"作"貜"。)　又詳"聯猭"條。

【獼猴】詳"猱"條。

【酃酒】以酃湖水爲酒也。(吳都)

【䡙】馬銜也。(西京)　馬勒旁

鐵也。（舞）

【蘄茝】詳"靡蕪"條。

【旜】詳"九旗"條。

【曝】詳"爆"條。

【臚】陳也。（思玄）【臚】傳也。
（東京）

【臚句】上傳語告下爲臚，下告上
爲句。（東京）

【騰】水涌也。（江）【騰】乘也。
（甘泉）【騰】升也。（洛神）
【騰】馳也。（月）【騰】超也。
（西京）【騰】過也。（離騷）
【騰】《儀禮》曰"騰觚千賓"，又
曰"小臣請膡爵"，鄭玄曰："今
文膡皆作騰。"（舞）案：《儀
禮》"衆人騰羞者"，《注》："騰
當作膡。"膡、騰皆從膡字得
聲，故通。（疏證）

【騰蛇】無足而騰。（吳都）龍
類，能興雲霧，而遊其中。（思
玄）

【騰黃】神馬。一名吉光。一名
吉良。縞身朱鬛。乘之壽千
歲。（東京）

【騰遠】獸名。（子虛）

【櫪】櫪與櫟同，來的切。（南
都）案：《說文》："櫟，櫟木
也，從木樂聲。"《詩》"隰有苞
櫟"，《傳》曰："櫟，木也。"《通

俗文》："考具謂之櫪㭊。"《字
林》："櫪㭊，押其指也。"蓋櫟、
櫪皆木，而櫟訓柞櫟。周處
《風土記》："舜所耕之歷山多
柞木，吳越之閒謂柞爲櫪，故
曰歷山。"是櫪、櫟一物之證
也。一物而同音，故用同。
（字會）

【欃槍】奔星也。（甘泉）

【櫧】似柃，葉冬不落。（上林）

【櫬】棺也。（挽歌陸）【櫬】親
身之棺。（哀潘）

【櫨】木名。（吳都）【櫨】栱也。
（長門）【櫨】欒櫨。（南都）

【櫳】房室之疏也。（吳都）

【橋】刺船曰橋。（吳都）

【爛】火貌。（西都）【爛】火餘
也。（蜀都）

【爉蠡】詳"煩蠡"條。

【爆】灼也。今以爲爆曬字也。
（江）案：《一切經音義》六：
"爆，古文㷸、曝二形同。"《廣
雅‧釋詁》二："爆，爇也。"以
火乾物曰爆，以日乾物曰曝，
故爆灼之字今即以爲曝曬字
也。《西征賦》"爆鱗骼于漫
沙"，即以"爆"爲"曝"矣。曝
又通作暴。《高唐賦》"水蟲盡
暴"，《注》引《方言》曰："曬，暴

也。"《孟子》"一日暴之",作"暴"。(字會)

【犧】色純曰犧。(高唐)

【攣】出也。(雜詩景陽)

【璺】瑕隙也。(獻詩曹表 毛本"璺"作"釁"。)

【瓌】異也。(魯靈光殿)

【瓌瑋】珍奇也。(西都)

【臛】肉羹也。(七啓) 又詳"羹臛"條。

【蘋】《山海經》曰:"崑崙之邱有草,名曰蘋,如葵。"《字書》曰:"蘋,亦蘋字也。"(雜擬陸)案:蘋,《廣韻》"蘋"同。《說文》:"蘋,大萍也,從艸賓聲。"《詩·采蘋》"于以采蘋",毛《傳》曰:"蘋,大蓱也。"蘋、蘋古今字。《詩·采蘋箋》"蘋之言賓也",蘋又從賓取義矣。(字會) 又詳"蘋"條。

【蘋藻】蘋之言賓。藻之言澡。(哀顏)

【蘋縈】詳"蘊藻蘋縈"條。

【藻】水草之有文者也。(西京)

【藻】文采也。(七啓) 又詳"蘋藻"條。

【藻火】大夫服之。(公讌陸)

【藻井】當棟中交木方為之,如井幹也。今殿作天井。井者,東井之像也。(西京)

【藻舟】畫舟也。(游覽顏参)

【藻扃】扃施藻畫也。(燕城)

【藻梲】梁上楹畫水草之文。(魯靈光殿 又《行狀》作"梲者,梁上楹畫以藻文"。)

【藻詠】文藻頌咏也。(魏都)

【藻絳】以韋爲之,所以藉玉也。(東京)

【藻翰】翰有華藻也。(射雉)

【藥】在池水上作室,可用罺鳥,鳥入則捕之。(東京)

【蘭石】城上礌石也。(詠潘肆胡云:"礌"當作"雷"。)

【藿】豆葉也。(閒居 《詠懷阮》"豆"下有"之"字。)

【藿香】交趾有之。(吳都)

【蔿】詳"蔦"條。

【藹藹】月光微暗之貌。(長門)

【藹藹】盛也。(吳都)

【蔡】聚也。(藉田)

【蘇】取也。(離騷) 【蘇】凡下垂爲蘇。(東京) 【蘇】寤之也。(魏都) 又詳"樵蘇"條。

【蕙】詳"萱"條。

【藷蔗】甘柘。(南都)

【蘐】詳"萱"條。

【蘊】積也。(東京) 【蘊】淵奥也。(碑文簡栖) 【蘊】崇也。

蘊與韞同。(牋任貳）　案：《説文》：“蘊，積也。”《左傳》“芟夷蘊崇之”，杜《注》：“蘊，積也。”“蘋蘩蘊藻之菜”，《注》：“蘊藻，聚藻也。”《左傳》“毋蘊年”，《注》：“蘊，積；年，穀也。”積聚故有韞藏之義。本作蘊，俗作蘊。蘊、韞均盈聲。《易繫辭》“乾坤其《易》之蘊耶”，虞《注》：“蘊，藏也。”《論語》“韞匵而藏諸”，作“韞”。《詩·都人士》、《禮記·禮運》又皆借“菀”、“苑”爲“蘊”。(字會）又詳“韞”條。

【蘊藻蘋蘩】皆水草。(蜀都）

【爍】詳“療”條。

【蹔】詳“韜”條。

【矍】驚視貌也。(東都）

【矔】詳“蔑”條。

【矊】眇也。(招魂）

【矊眇】矊眇，遠視貌。《法言》曰：“眇矊作炳。”矊音縣。(江）案：《文賦》“函縣緲于尺素”，蓋縣訓絲長，緲訓行遠。眇訓小，亦訓遠。《漢書·王褒傳》“眇然絕俗離世哉”，《注》：“眇然，高遠之意也。”從目，故訓視遠。《招魂》“遺視矊些”，矊縣、緲眇，一義也。《上林賦》“微睇縣藐”，《注》：“縣藐，遠視貌。”是又以藐通緲矣。(字會）

【礫】小石也。(高唐）【礫】石細者曰礫。(西京）

【礦】銅鐵璞也。(江　胡云：“礦”當作“鑛”，“璞”當作“樸”。按：《論王》“礦”作“鑛”。) 又詳“鑛”條。

【礨】詳“礧”條。

【礧】擊也。(江）【礧】杜篤《論都賦》曰：“一夫舉礧，千夫沈滯。”然礧與礨竝同，力對切。(誄潘肆）　案：礧、礨均從石取義，從晶得聲。礧、礨統訓石之累多。《莊子·秋水》：“不似礨孔之在大澤乎。”言石孔之礨多也。石三爲磊，猶人三爲衆。磊之言絫也。《上林賦》“水玉磊砢”，《注》：“磊砢，魁礨貌。”《吳都賦》“金鎰磊砢”，《劉注》：“磊砢，衆多貌。”均從石之累多取義也。《江賦》“駭崩浪而相礧”，《注》：“相礧，相擊也。音雷。”又礫通作磊。《琴賦》“蹉跎碌珞”，《注》：“碌與磊同。”《高唐賦》“礫礫碌而相摩兮”，《注》：“礫礫，衆石貌。”據許書，礧當作勵。

"勵,推也。"古用兵下礧石。《李陵傳》作"壘石"。《子虛賦》"礧石相擊",亦當作"勵"。（字會）

【礧珞】大石也。（魯靈光殿）

【穭】詳"稼穡"條。

【穭】大麥之無皮毛者曰穭。（誄潘肆）

【竇】孔穴也。（南都）

【競】逐也。（思玄）　【競】並也。（離騷　按：並同併。《游覽惠連》："駢,竝也。"《樂府陸》作"駢,併也"。可證。）

【籧鐘】籧音迭遞之遞。二十四鐘,聲之不常,故曰遞鐘。（頌王　胡云："聲"當作"擊"。）

【籌】算也。（景福殿）

【籌之】以籌度之也。（七發）

【籍】籍者,爲二尺竹牒,記其年紀名字物色,懸之宮門。案省相應,乃得入也。（雜詩玄暉壹）

【籍甚】狼籍甚盛也。（令）

【繼天】繼天者,君也。（東都）

【辮】交也。　【辮】交織也。（思玄）

【繽紛】盛貌。（西都）　【繽紛】亂貌。（思玄）　【繽紛】風吹貌。（東京）

【纂】古《咄喑歌》曰："棗下何攢攢。"攢,聚貌。攢與纂古字通。（笙）　案：攢與欑通。《上林賦》"欑立叢倚",《注》引《倉頡篇》曰："欑,聚也。"《說文·木部》"欑"下云："一曰叢木。"攢訓聚,即本叢聚得義。《說文》："籫,竹器也。讀若纂。"《廣雅》、《方言注》皆曰："籫箸箇。一曰叢也。"籫音同纂,籫訓同攢,故纂與攢同。箸述者,編竹紀字,有叢聚之義。纂、攢、籫三字義訓均通也。（字會）

【纂組】綏屬也。（招魂）

【艦】詳"檻"條。

【耀】明也。（幽通）

【耀耀】光明貌也。（長門）

【籫】所以御雨者謂之籫。（贈答玄暉貳）

【蠠】動也。（魯靈光殿）

【蠠聞罕漫】不明貌。（符命楊）

【蠑略蕤綏】龍行之貌也。（甘泉）

【議殿】殿名也。（蜀都）

【譟】讙也。（長笛）

【譯】傳也,傳四夷之語也。（檄司馬）　【譯】傳四夷之語者。（東京）

【警】戒也。(西京) 【警】敕戒也。(文) 【警】敕戒之也。(西征) 【警】起也。(游覽殷) 【警】謂清道也。(東京)

【警】猶驚也。(歎逝) 案:警、驚均從敬得義得聲。警,《廣韻》"儆同"。《一切經音義》一:"古文憼、儆二形,今作警,同。"《詩·雞鳴序》"夙夜警戒",《釋文》"警本作敬"。《説文》:"驚,馬駭也,從馬敬聲。"《易·震》"震驚百里",鄭《注》:"驚之言警戒也。"驚從警訓,乃通用字。《小雅》"徒御不驚",段注《説文》"警"字引作"徒御不警"。《爾雅》亦作"不警"。(字會)

【獬豸】似鹿而一角,主觸不直。(上林 《七命》"豸"作"廌",同。)

【膽】足也。(上林)

【躄】跛也。(七發)

【躅】迹也。(魏都) 【躅】三輔說牛蹄處爲躅。(蜀都)

【躩】謂之足戟持之。(設論班陳云:上"之"字"以"誤。) 又詳"裾勢"條。

【韅】車籍交革也。(七發)

【轙】車軛上環轡所貫也。(思玄 按:《東京注》"車軛"作"在軾"。考今《爾雅》郭《注》亦作"車軛"。蓋《東京》誤。)

【轙】詳"肆轙"條。

【轘轅】阪名。轘轅阪十二曲道,將去復還,故曰轘轅。(東京 胡云:"轘轅阪十二曲"云云,袁本、茶陵本無之。案:無者最是。)

【轗軻】輡軻,不遇也。轗與輡同。(雜詩古詩) 案:《楚辭·怨世》"然輡軻而流滯",《注》:"輡軻,不遇也。"《説文》:"怉,悘困也,從心臽聲。"怉,苦感切。輡、轗均從怉得義得聲,故用同。《楚辭》"然坎傺而沈藏",作"坎"。鮑明遠《結客少年場行》"培壌懷百憂",《注》引《楚辭》曰:"志坎壌而不違。"坎、培以音同而通也。蓋坎訓陷,窅爲坎中小坎,臽爲小阱,故通訓。(字會)

【醴】甜而不泲也。(南都) 即今甜酒也。(魏都)

【醴泉】瑞水也。(上林) 醴泉者,美泉也,狀如醴酒也。(論磇)

【醹】厚酒也。(魏都)

【醳】《禮記注》曰"舊醳之酒",謂

昔酒也。（魏都）　案：《說文》：
“酋，繹酒也。”段曰：“繹之言
昔也。昔，久也。‘多’下曰
‘從重夕’。夕者相繹也，故重
夕爲多。然則醳酒謂日夕之
酒。繹俗作醳，又從昔訓矣。
祭之之明日又祭謂之繹，祭亦
從昔訓也。《周禮・酒人》‘三
酒’，《注》曰：‘昔酒，今之酋久
白酒，所謂舊醳者也。’《郊特
牲》‘舊澤之酒’，《注》曰：‘澤
讀爲醳。’舊澤之酒，謂昔酒
也。”醳、昔互訓，蓋通用字。
（字會）

【釋】解也。（招魂）【釋】謂解
　說令散也。（游天台山）

【釋迦牟尼】天竺言釋迦牟尼。
　此言能仁。（碑文簡栖）

【鍠】與鐄同。（長笛）　案：《說
文》：“鍠，鐘聲也。《詩》曰‘鐘
鼓鍠鍠’。”皇，大也。故聲之
大，字多從皇。《詩》曰“其泣
喤喤”，“喤喤厥聲”。《玉部》
曰：“瑝，玉聲也。”黃與皇同
音。《禮・月令》“律中黃鐘。
黃鐘，宮聲也”。黃鐘爲萬事
根本，亦有大義。蓋從黃、從
皇之字，古多轉寫。《七發》
“黃池紆曲”，《注》：“黃當爲

湟。”黃可爲湟，故鐄亦爲鍠
也。（字會）

【鐇】東人謂斧斤之斤爲鐇。（吳
都）

【鐎】詳“刁”條。

【鐘】空也。内空受氣多，故聲大
也。（碑文簡栖）

【鐔】劍口也。（東京）

【鐙】與燈音義同。（贈答公幹
壹）　案：《爾雅・釋器》“登”
《注》“即膏登也”，《釋文》：“登
本又作鐙。”《廣雅・釋器》：
“錠謂之鐙。”《一切經音義》七
引《聲類》：“有足曰錠，無足曰
鐙。”“燈本作鐙，與登爲膏登
之訓合，故通。”此用徐氏説。
段氏則云：“鐙爲豆登，燈即今
俗用燈盞字。徐鉉曰：‘鐙，今
俗別作燈。’非是。意欲合燈
爲鐙，以符郭注《爾雅》登即膏
登之説。”（字會）

【闌】開也。（長笛）【闛】大開
也。（赭白馬）

【闑】鋌也。（東京）

【闒茸】詳“闒茸”條。

【闒戟車】戟戟。（藉田）

【闚】視也。（琴）

【闒】中隔門也。（西京）　又詳
“闒闒”條。

【霰】霙也。（雪）

【濿】詳“蜀”條。

【霶霈】露垂貌。（吳都） 又詳“靃霏”條。

【鞻】詳“躝”條。

【麿】碎也。（招魂）

【額】詳“菌”條。

【顠】詳“蹩”條。

【飄】風貌也。（九歌）【飄】迴風爲飄。（舞）【飄】搖蕩之也。（長楊） 又詳“影”條。

【飄飄】飛貌。（秋興）

【飄飄霏霏】雪下貌也。（西京 又《西京》：飄飄，雨雪貌。）

【飄眇】聲清長貌。（嘯 胡云：袁本、茶陵本“飄眇”作“繚眺”。）

【飄淚】詳“飂戾”條。

【飂戾】《四子講德論》曰：“虎嘯而風飂戾。”（西征） 案：飂、寥皆翏聲，古同聲之字多通用。《琴賦》“新聲廖亮”，《注》：“廖亮，聲清徹貌。”《笙賦》“勃慷慨以廖亮”，《注》：“廖亮，聲清也。”《思舊賦》：“鄰人有吹笛者，發聲寥亮。”廖亮與寥亮既同義，則飂戾與寥戾亦同義也。張平子《思元賦》“鹹泪飄淚，沛以罔象兮”，《注》：“善

曰：飄，力凋切。淚音戾。”左太沖《蜀都賦》“歌江上之飆屬”。飆與飄雙聲；戾與屬疊韵，淚又從戾得聲；故皆可通也。（疏證）

【飆屬】詳“飂戾”條。

【饋】進物於尊者曰饋。（祖餞曹）

【饉】五穀不升謂之饉。（論班）

【馨】芬香也。（補亡）【馨】香之遠聞者也。（九歌）

【騶吾】詳“騶虞”條。

【騶虞】騶虞者，邵國之女所作也。（雜詩李）【騶虞】蒐田以時，仁如騶虞也。 【騶虞】騶吾，大若虎，五彩畢具，尾長於身，出林氏。乘之日行千里。（東京）【騶虞】白虎黑文。（景福殿）

【騷】愁也。（思玄）

【騷騷】風勁貌。（思玄）

【騷殺】垂貌。（東都）

【鶱】《周易》曰“歸妹愆期，遲歸有時”，王肅曰：“愆，過也。”鶱與愆通也。（雜歌劉） 案：《列子》“不聚不斂，而己無愆”，殷敬順《釋文》：“愆，本又作鶱。”《詩·假樂》“不愆不忘”，《春秋繁露·郊語》作“不

憲不忘”。皆憲、惥通用之證。
（疏證）

【騫聳】皆驚懼之意也。（游覽顔
叄）

【鼈】詳“鶺”條。

【礜】脊也。（西京）

【鬐】黑髮也。縝與鬐同。（行旅
玄暉肆）　案：美髮爲鬐。《詩》
“鬒髮如雲”，㐱即鬐字，髮多
且黑也。《説文》：“㐱，稠髮
也。”稠者多也。《漢書・司馬
相如傳上》“縝紛軋芴”，《注》
引孟康：“縝紛，衆盛也。”亦與
髮之紛稠散多同義。鬐、縝均
真聲。蓋㐱者本字，髮多曰
㐱，禾多曰稹。《毛詩》作
“鬒”，㐱之或。《左傳》“顚”，
又鬐之或也。（字會）

【鬎】詳“剔”條。

【鰓】呼魚謂之鰓，猶呼車以爲軫
也。（七命）

【鰊】似鯉。（江）

【鰌】今泥鰍也。（論王）

【鯛】魚有文采。（南都）

【鯢鮐】如科斗，大者尺餘，腹白，
背青黑，有黃文，性有毒。雖
小獺及大魚，不敢餤之。（吳
都）

【鰵】石首，頭中有石，出南海。

（江）

【鼉】長二丈餘，四足似鼉，喙長
三尺，甚利齒。虎及大鹿渡
水，鼉擊之皆中斷。卵如鴨
子，亦有黃白，可食。其頭琢
去齒，旬日閒更生。（吳都）

【鸑鷟】似鳳。（吳都）

【鶗鴃】以秋分鳴。一名杜鵑，至
三月鳴，晝夜不止。一名鶗，
伯勞，順陰氣而生。（“陰”下
原有“陽”字，今依胡校删。）賊
害之鳥也。（思玄）　一名買
鶺，常以春分鳴。（離騷　按：
《思玄注》云：“王逸以爲春鳥，
繆也。”）

【鷲】形如雕，皆鷙鳥。（蜀都）
一曰即鶪也。（鶗鴃）【鷲】
大鵰也。（上書鄒壹）

【鷲視】詳“鷹瞵鷲視”條。

【鶞鶞】輕貌。（舞）

【鶡】似雞而大，青色有角，鬭死
乃止。（鵁鶄）

【鶡冠】虎賁騎所服。（東京）

【鶡冠子】楚人也，嘗居深山，以
褐冠，故曰鶡冠。（論劉壹
胡云：“以褐冠”三字當作“以
鶡爲冠”。）

【鶡鴠】詳“鴲鴠”條。

【鶬】即鶬雞也。（東都）　黃白

色，長頷，赤喙。（西京）　似鶴。（上林）　好鳴。（吳都）

【鶤】善曰：《穆天子傳》曰“鶤雞飛八百里”，郭璞曰：“鶤卽鵾雞也。”鵾與鶤同，音昆。（西京）　案：張平子《南都賦》“鶬鶊鵾鸝”，《注》：“鵾與鶤同。”司馬長卿《上林賦》“亂昆雞”，《注》：“張揖曰：昆雞似鶴，黃白色。”按《爾雅》“雞三尺爲鶤”，《釋文》“鶤音昆。字或作鵾，同。”《淮南子·覽冥訓》云“軼鶤雞於姑餘”，高《注》：“謂鶤雞鳳皇之屬。”與諸家義別。（疏證）

【鷄鶊】鳬屬。（南都）

【鷲】禿鷲，如鶖而大，長頸赤目，其毛辟水毒。（吳都）

【廗】詳“廗”條。

【䅪】大麥也。（符命班）

【鯨首】蓋雕題也。雕題國在鬱林南。（論王）

【黨】朋謂之黨。（離騷）

【齞】詳“弇”條。

【黼衣】詳“黼黻”條。

【黼黻】黼，繡也。（射雉）　黻，黼也。（思玄）　白與黑謂之黼。黻兩己相戾也。（東京）黼衣，衣上畫爲斧形，而白與

黑爲采。朱黻，上廣一尺，下廣二尺，長三尺，以皮爲之，古者上公服之。（勸勵韋）

【齲】詳“飛齲”條。

【齠】《埤倉》曰：“髫，髮也。”髫與齠古字通。（七命）　案：《說文新附》：“髫，小兒垂結，從髟召聲。”《後漢·伏湛傳注》：“髫髮，謂童子垂髮也。”齠本訓童齒，以從召得聲，經傳多與髫通用。《晉書音義下》：“齠一本作髫。”《廣韻》：“髫，小兒髮。齠，俗字。”（字會）

【齞】張口見齒也。（好色）

【齡】古者謂年爲齡。齒亦齡也。（碑文簡栖）

【龜】詳“黿”條。

二十一畫

【疊】水流進貌。（吳都　胡云：當作“疊疊，進也”。）

【疊疊】進也。（思玄）【疊疊】走貌也。（行旅士衡壹）【疊疊】猶勉勉也。（補亡）【疊疊】微妙之意也。（論劉貳）

【儷】偶也。（景福殿）　又詳“伉儷”條。

【劙】屑也。（思玄）

【囂】詍也。（吳都）【囂】譁也。

（西京）

【囂然】飢意也。（論稽）

【屬】近也。（贈答韓卿）【屬】猶接也。（公讌沈）【屬】續也。綴也。（文）著也。（誄謝）【屬】連也。託也。（甘泉）【屬】逮也。（東京）注也。（贈答張）【屬】謂注矢於弦也。（射雉）

【屬玉】觀名也。（西都）【屬玉】似鴨而大，長頸，赤目，紫紺色。（上林）

【屬車】副車曰屬，言相連屬也。（東京 "屬也"，本作"也屬"，今依胡校乙。）

【屬鏤】劍名也。（論李）

【歸崒庌鴻】皆高大之貌。（魯靈光殿）

【巍巍】高也。（思玄） 巍巍者，高大之稱也。（銘陸壹）

【巍然】高大堅固貌也。（魯靈光殿）

【廱】詳"邕"條。

【撋】指捻也。（笙）

【攜】離也。（思玄）【攜】提將也。（雜詩惠連壹）

【攝】持也。（吳都）【攝】謂張弓注矢而持之也。（檄司馬）

【攝】安也。（表劉）【攝】猶兼也。（表袁）

【攝提】有六星。（東京） 直斗炳所指以建時節，故名。其形似車。（思玄）

【懍懍】憂貌。（九歌）

【懼】詳"懾"條。

【懾】恐也。（西京）【懾】恐懼也。（論班）

【懾】懼也。（魏都） 又詳"竦"條。

【懽】《漢書音義》曰："田蚡卒飲極懽而去。"（公讌王） 案：歡與懽通用字也。劉公幹《公讌詩》"歡樂猶未央"，《注》引蘇武詩 "懽樂猶未央"。應德璉《五官中郎將建章臺詩》"爲且極歡情"，作"歡"。曹植《罷朝表》曰"奉懽宴而慈潤"，作"懽"。皆歡、懽通用之證。懽又通作驩。《漢書》"與灌夫交驩"，作"驩"。《孟子》"驩虞如"，作"驩"。（字會）

【瀑】實也。（江）

【瀂】詳"瀄潗泉瀄"條。

【灌】叢也。（招隱左）【灌】木叢生曰灌。（吳都） 又詳"辟灌"條。

【灌叢蔚若】皆盛貌也。（西京）

【瀁】《毛詩》曰"鳧鷖在瀁"，毛萇

曰："溇，水會也。"灂與溇同。（游覽靈運捌）案：《詩》"鳧鷖在溇"，《疏》："溇音如叢。"溇，《集韻》或作"澬"。蓋叢訓衆木，溇訓水會。水會謂之溇，木會謂之叢，其義一也。《說文》："小水入大水曰溇。"叢亦通作藂。《上林賦》："藂積乎其中。"衆亦用爲溇。《吳都賦》"效獲衆"，《注》："衆一作溇。溇，水會也。"（字會）

【鄧瑯磊落駢田磅唐】衆聲宏大四布之貌。（長笛）

【曩】猶向時也。（北征）

【欂櫨】柱枡也。（魏都 又《甘泉》、《長門》並作"薄櫨，柱上枡也"。）

【䙰】詳"簫"條。

【欃枂】大木。（蜀都）

【欃槍】詳"紛容簫蔘"條。

【欃爽欃槮】詳"鬱葐蒀蔚欃爽欃槮"條。

【櫻桃】含桃。（南都）【櫻桃】荊桃。（閒居）又詳"楔"條。

【櫼柳】屋四阿栱曰櫼柳。（景福殿）

【牖】窗閒孔也。（雜擬江）【牖】窗閒子也。（游天台山）【牖】楯閒子也。（西都）【櫺】臺上闌也。（西京）

【櫨】詳"斡"條。

【槐檀】檀別名。（上林）

【櫰樹】皮中有如白米屑者，乾擣之，以水淋之，可作餅，似麪。（吳都）

【櫱】善曰：枚乘上書曰："十圍之木始生而櫱。"韋昭曰："株生曰櫱。" 櫱與枿古字同。（東京）案：《尚書》"若顛木之有由櫱"，《傳》："如顛仆之木，有用生櫱哉。"《釋文》："櫱，五達反。本又作枿。馬云：顛木而肄生曰枿。"《淮南子》"百事之莖葉條枿"，高誘《注》："枿讀《詩·頌》'苞有三櫱'同。"《説文·木部》"櫱"字《注》："櫱，伐木餘也。"引《商書》"若顛木之有甹櫱"。"重文作藥，古文作枿。"《淮南子》與古文同。然《马部》"甹"字下引《商書》又作"甹枿"，蓋枿即枿之隸變，非有二字也。（疏證）

【櫾】詳"柚"條。

【殲】滅也。（東京）

【爁】與爛同。（海）案：班孟堅《西都賦》"光爛朗以景彰"，《注》："《字林》曰：'爛，火貌也。'" 又《東都賦》"吐燄生

風"，爛皆與燉同。《集韵》以
"燉"爲"爛"之或體，是也。
（疏證）

【爐】詳"權"條。

【爐】火光也。（景福殿）

【爛】光也。（九歌）　【爛】明也。
（西都）

【爛爛】詳"磷磷爛爛"條。

【瓀】馬帶玦以玉飾也。（東京）

【蘘荷】蓸菹。（南都）　似薑。
（閑居）

【纏】詳"縷"條。

【蔚】草之蔚薈也。（江）

【藟】敷藟，華開貌。《爾雅》曰
"藩，榮也"，郭璞曰："藩猶敷
藩，亦草之貌也。"藟與藩同。
（吳都）　案：《廣韻》："藟，蓸
藟，花貌。""藟"下云："上同。"
是藟同藩之證。蓋俞、育聲
轉。敷訓華開，取鋪華義；藩
訓榮，猶敷榮，亦敷華意；育訓
養，養華使開也；故用同。（字
會）

【蓮】芙蕖。（西京）　案：《荀子》
"有法而無志，其義則渠渠
然"，楊倞《注》："渠讀爲遽。"
蓮字遽聲，蕖字渠聲，渠、遽既
通，則蓮、蕖亦可通矣。《爾
雅》、《說文》訓"蘧"爲"蘧麥"，

與藕不相類。自當讀蓮爲蕖，
於義始合。毛公《澤陂傳》云：
"荷，夫渠也。"《說文》亦無"芙
蕖"二字。蓋夫渠爲正字。芙蕖
乃俗字也。（疏證）

【蓬蓬】高也。（魯靈光殿）

【蓬氏】蓬瑗也。（東征）

【蓬蓀】詳"籧蓀戚施"條。

【蘭】澤蘭。（江）

【蘭池】宮名也。（雜詩沈陸）
　【蘭池】觀名也。（公讌范）
　【蘭池】良馬名也。（赭白馬）

【蘭林】殿名也。（西都）

【蘭苕】蘭秀也。（游仙郭）

【蘭栭】以木蘭爲栭。（景福殿）

【蘭筋】一筋從玄中出，謂之蘭
筋。玄中者，目上陷如井字。
蘭筋堅者千里。（書陳）

【蘭膏】以蘭香鍊膏也。（雜詩茂
先壹）

【蘭橈】以木蘭爲橈。（九歌）

【蘭錡】受弩者曰錡。錡，架也。
受他兵則曰蘭。（西京）

【蘭澤】以蘭浸油，澤以塗頭，謂
之蘭澤。（神女）

【蘭臺】臺名也。（西京）

【瓵錡】瓵，甀也。錡，歃也。上
大下小，有似歃甀也。（上林）

【皽】詳"爆"條。

【矑】亦目童子也。(甘泉)

【礧石】拋石也。飛石重二十斤，爲機發行三百步。(閒居)

【礳】磨也。(長笛)

【礰】詳"礐硞礐礰"條。

【籟】簫也。(子虛)【籟】三孔籥也。(吳都)

【纆】詳"糾纆"條。

【纊】詳"緜纊"條。

【纆惷】帝耕之牛也。(藉田)

【纍】諸不以罪死曰纍。(論劉壹)

【纏】繞也。(招隱左)

【纇】瑕也。(論劉壹)

【耰】所以覆種。摩田器也。以耒推塊曰耰。(長楊)【耰】鋤柄也。(論賈)

【蠣】長七尺，形如馬蹄。(江)

【蠝】與猵同，并音壘。(南都)案：蠝、猵均從畾聲。《上林賦》"蜼玃飛蠝"，郭《注》："蠝，鼺鼠也。"本賦《注》："張揖曰：蠝，飛鼠也。" 以其蟲類而能飛，似鳥似獸，故又從猵。一名飛生，一名鼺鼠，毛蟲而似羽蟲者也。《史記·相如傳》作"鷚"。《本草經》作"鼺"。(字會) 又詳"飛蠝"條。

【蟣蟓】小於蚊。(甘泉)

【蠡】瓠瓢也。(設論東方)【蠡】猶羅也。(銘陸壹)

【襹】詳"督"條。

【覼】詳"羅"條。

【覽】望也。(九歌)【覽】視也。(東京)【覽】晤也。(離騷)

【觺觺】角利貌。(招魂)

【譻】古嚶字。(思玄) 案：嚶，《集韻》通作"譻"。《說文》："譻，聲也。"《廣雅·釋訓》："譻譻，鳴也。"《爾雅·釋訓》"丁丁嚶嚶，相切直也。"《詩·伐木》鄭《箋》："嚶嚶，兩鳥聲也。"昔人因嚶嚶似離黃之聲，故就嚶改鸎爲倉庚之名。其實嚶即譻字，嚶、譻均訓鳥聲之清也。(字會)

【辯】詳"辨"、"瓣"二條及"九辯"條。

【囂】不止也。(吳都)【囂】疾言也。(琴)

【護】湯樂也。(碑文簡栖 "護"同"濩"。)

【譽】詳"豫"條。

【譸】詳"噇"條。

【譸張】詳"輈張"條。

【酗】不飲酒而怒曰酗。(魏都)

【贔屭】作力之貌也。(西京)

【贉】詳"賣"條。

【躊跱】躊躇竦跱也。（琴）

【躊躇】躑躅也。又猶豫也。（思玄） 又詳"躑躅"條。

【躋】升也。（西都） 【躋】登也。（論陸壹） 又詳"齊"條。

【躍】跳也。（西京）

【躍波】言不凍也。（上林）

【躍龍】池名。（西都）

【轟轟】羣車聲也。（序王）

【轜】喪車也。（寡婦 胡云："轜"當作"輀"。按：《哀潘注》亦作"輀"。）

【醻】詳"疇"條。

【鐐】金銀之器名。（魏都） 又詳"虜"條。

【鐶】釧也。（樂府陸） 【鐶】六兩曰鐶。鐶，黃鐵也。（文壹）

【鐸】施號令而振之也。（吳都）

【鐵甲】鐵甲之馬。（銘陸壹）

【鐵柱冠】柱後以鐵爲柱，今法冠也。御史所冠。（魏都）

【闢】開也。（西京）

【闤】市營也。（西京） 市巷也。（蜀都）

【闤闠】市牆曰闤，市門曰闠。（西京）

【闥】宮中之門，小者曰闥。（西京） 【闥】疾貌。（琴）

【露】桑露也。（長楊） 【露】潤也。（誄潘壹）

【露英】英之含露者曰露英。（甘泉）

【露寒】觀名也。（上林）

【露雞】露棲雞也。（招魂）

【霿】陰貌。（思玄）

【贑】詳"贛"條。

【羈靮】轡在口曰羈，絡在頭曰靮。（赭白馬 《離騷》下句作"革絡頭曰靮"。）

【韡曄】明也。（西京） 【韡曄】盛貌。（琴）

【蟠】小蒜。（南都）

【顧】視也。（游仙郭） 【顧】卷也。（東京） 【顧】還視也。（詠史張） 【顧】迴首曰顧。（詠史左） 【顧】旋也。（游覽沈壹） 【顧】念也。（上林）

【顧命】臨終之命曰顧命。（碑文蔡貳）

【顧指】喻疾且易也。（吳都）

【顥】詳"皓"條。

【飇】喻亂也。（贈答盧壹 按："飇"上疑脫"衝"字。） 又詳"飈"、"猋"二條。

【飆】詳"飇"、"猋"二條。

【飇】詳"猋"條。

【飇】風疾貌。（海）

【翩翩】飛貌。（雜擬陸）

【饒】飽也。（軍戎　按：《西京》“飽”，疑“酶”之譌。）

【饋】祭名也。（祭文王）

【驂騑】在旁曰驂。（赭白馬）服中央兩馬夾轅者，在服之左曰驂，右曰騑（誄顏壹）　驂駕曰騑。（洛神）　驂，兩騑也。（祖餞玄暉）　騑，驂旁馬也。（贈答士衡拾）　兩驂，左右騑驂也。（獻詩曹貳）

【騾】詳“臝”條。

【驀】上馬也。（吳都）

【驅】隨後曰驅。（琴）　又詳“歐”條。

【髇】詳“髇”條。

【髻】帶髻頭飾也。露髻曰髻。以麻雜爲髻如今撮也。（西京　胡云：“髻”當作“鬜”。）

【鬖髵】髮亂曰鬖髵。（江）

【魑魅】山澤之神。（東京）

【鰌】魦屬。（歸田）

【鰭】背上鬣也。（上林）

【鰅】似鰣。（上林）

【鰨】鯢魚也，似鮎四足，聲如嬰兒。（上林）

【鰭】狀如魚而鳥翼，出入有光，其音如鴛鴦。（江）

【鷚雀】飛不過一尺，故曰斥鷚。（七啟）

【鶱】飛貌。（西京）

【鷗】鷺鳥也。（高唐）

【鷢】音脈，字亦從脈。（射雉）案：脈，視也。《漢書·東方朔傳集注》“脈脈，視貌。”脈者血之府。《素問·六節藏象論》：“諸脈者皆屬于目。”脈亦作脉。脈通脉，則通鷢矣。蓋人視物曰脈，鳥視物故從鳥也。《玉篇》有“眽”無“脈”。《楚辭》“含思眽眽”，則眽者正字，脈者叚血脈之字爲之。《古詩十九首》“脈脈不得語”，作“眽”。脉與脈同，故眽與眽同也。《運命論》“脉脉然自以爲得矣”，《注》引《爾雅》郭璞《注》，均作“脉”。脈非訓視之正字，訓視之字宜作覛、作眽。血脈之字宜作衇、作脈。此賦以血脈之脈爲相視之眽也。（字會）

【鴛鴦】鳥名。（蜀都　《七啟》作“振鷺”。）

【鸑】鳳屬，五色，飛蔽日，出蛇山。（思玄）　出九疑之山。（上林）【鸑】鳳凰別名也。（離騷）

【鶺鴒】似山鵲，頭尾青黑色。（東京　胡云：袁本、茶陵本“頭”

【鷛】鷛鷛也。（招魂）

【鸝鶹】鵹黃也，其色鷘黑而黃，因名之。一曰黃麗留也，或謂之黃栗留，幽州人謂之黃鶯。一名楚雀，齊人謂之摶黍，關西謂之黃鳥。一曰自關而東謂之倉庚，關西謂之黃鸝留也。（高唐）

【鷇】詳“雛鷇”條。

【麝香】形似麞，常食柏葉，五月得香。（論秘）

【黯】深黑也。（別）

【黸】深黑色也。（魏都）

【黮黮】雲色不明貌。（補亡）

【黮黮】黑貌。（景福殿）　案：王文考《魯靈光殿賦》“歇欻幽藹，雲覆霮䨴，洞杳冥兮”，《注》：“善曰：皆幽邃之貌。”《說文》“黮”字本訓爲“桑葚黑”，故引伸爲黑貌。《魯靈光殿賦》“霮䨴”亦取黑義，惟幽邃故黑也。張平子《思玄賦》“雲師黮以交集兮”，《舊注》：“黮，陰貌。”《集韵》：“霮，亦作黮。”皆取陰黑之義，故同。（疏證）

【黱】不明也。（論王）

【黿鼉】似黿鼊，形大如蕨。（江）

【鼙】小鼓也。（藉田　《雜詩景陽》“鼙”作“鞞”。）

【鼩鼬】一名奚鼠。（設論東方）

【齎】持遺也。（上書李）

【齎諮】王弼曰：“齎諮，嗟歎之聲也。”（長笛）　案：咨、諮同訓。《詩·皇皇者華》“周爰咨度”，《釋文》：“咨”本作“諮”。《淮南·修務》作“周爰諮謨”，《注》：“難也。”諮難，故嗟歎亦作諮者，諮從咨聲，諮、咨通用字也。今本易作“齎咨”。蓋謀事曰咨，嗞謷曰嗞，二字義異音同。故段本《說文》“諮”字下曰“嗞也”。大徐本“諮”下則曰“咨也”，殆本王訓而出之與。（字會）

【齧膝乘旦】良馬名也。（頌王）

【齩】齧骨也。（七命）

二 十 二 畫

【儻朗】不明之狀。（射雉）

【儻莽曠盪】寬廣貌。（洞簫）

【儼】好貌。（藉田）　【儼】矜莊貌。（洛神）

【鷩鷩】雉聲。（射雉）

【囅】大笑貌。（吳都）

【彎穴】月有御，故言彎。月有窟，故言穴。（海）

【孌】慕也。（贈答士衡叁　按："孌"疑"戀"譌。）

【巒】山也。（西京）【巒】山小而銳也。（羽獵）【巒】山小而高。（游覽徐）山形長狹者，荊州謂之巒。（景福殿《七命》"形長狹"三字作"隋長"。）

【巑岏】山銳貌。（高唐）

【彎】引也。（思玄）【彎】挽弓也。（西京）

【彎碕】宮殿門名也。（吳都）

【攦】詳"長離"條。

【攢】聚貌。（笙）【攢】聚也。（西都）【攢】猶叢也。殯君棺以龍輔，叢不題湊象椁。（碑文沈）又詳"欑"、"鑽"二條。

【攢仄】攢聚貌。（長笛）【攢仄】聚聲。（琴）

【灑】分也。（南都）【灑】散也。（江）【灑】猶汛也。（連珠）【灑】投也。（西征）又詳"汛"及"箭灑"條。

【灘㦿磣纚】龍翰下垂之貌也。（甘泉）

【瀟潤灦淪】詳"滈潢泬決瀟潤灦淪"條。

【權】猶勢也。【權】重也。稱錘曰權。（論劉貳）【權】平也。（文壹）權者何？權者反於經，然後有善者也。（同上貳）

【權】方便也。（碑文簡栖）

【權】秉也。（論陸叁）【權】猶苟且也。（魏都）【權】煩權也。（赭白馬）-【權】《毛詩》"無拳無勇"，曰"拳"與"權"同。（吳都）案：《五經文字·木部》"權"字下曰："從手作攗者，古拳握字。"從手之攗，字書、韻書皆不録，唯盧令之《詩鄭箋》云："鬈當讀爲攗。攗，勇壯也。攗訛作木。"韋昭《國語注》曰"大勇如拳"，此蓋叚拳爲捲也。《說文》："捲，氣勢也。"攗者捲之異體。攗卽古拳握字，故拳通爲攗，攗訛作權。故權衡之權亦訓爲攗勢。《左傳》莊十九年"鬻拳"，《後漢·孔融傳》作"鬻權"。此假權爲拳之證。拳又通作捲。《神女賦》"願盡心之惓惓"，《漢書·劉向傳》"惓惓之義"，與拳同。權又通作爟。《史記·封禪書》、《漢書·郊祀志》皆曰"通權火"。《周禮》曰："司爟掌行火之政令。"高誘注《吕覽》"爟火"曰："爟讀

曰權衡之權。"(字會)

【權家】兵家也。(贈答曹肆)

【懽】喜樂也。(七命) 又詳"懽"
　條。

【爤】詳"爁"條。

【臒】肉之瘦也。(行旅靈運陸)
　又詳"癯"條。

【疊】振疊也。(吳都)

【禳】卻變異曰禳。 【禳】除也。
　(東京)

【龢】與和音義通。(東都) 案:
　《東京賦》"雲和之瑟",《注》:
　"善曰:《周禮》曰'雲龢之
　瑟'。"王子淵《洞簫賦》"與謳
　謠乎相龢",《注》:"龢,古和
　字。"《答賓戲》"稟仰太龢",
　《注》亦同。《說文》:"咊,相應
　也,從口禾聲。""龢,調也,從
　龠禾聲。"和龢同聲,故通。
　(疏證)

【龢驩】殿名也。(東京)

【龢嘽】聲迭蕩相雜貌。(洞簫)

【籯】勝也。韋賢曰:"黃金滿
　籯。"善曰:"毛詩》曰"百室盈
　止"。(蜀都) 案:盈通嬴,嬴
　通籯,音同故也。《古詩》"盈
　盈樓上女",《注》:"盈與嬴同,
　古字通。"《左傳·宣四年》"伯
　嬴",《呂覽·知分注》及《淮

南》并作"伯盈",是嬴通盈之
證。《淮南·氾論》"麤蹻嬴
蓋",《注》:"嬴,籯囊也。"此籯
通嬴之證。(字會)

【籠】詳"箱籠"條。

【箽】竹皮也。(游覽靈運捌)

【籙】《尚書璇璣鈐》曰:"河圖,命
紀也。圖天地帝王終始存亡
之期,錄代之矩。"籙與錄同。
(文王貳) 案:錄,《說文》"青
金色也"。引申爲省錄之錄。
段曰:"錄從彔字引申之也。
省錄猶省慮。錄錄猶言無慮。
《書·舜典》'納于大麓',《尚
書大傳》曰:'麓者錄也,省錄
事也。'納錄爲舜攝位之事。
故後之登大位者曰膺圖受
籙。又叚籙爲錄也。《說文》:'籙,
箸也。'與此無涉。"江文通《雜
體·袁太尉》"豈慕巡河前",
《注》引《孝經鉤命訣》曰:"舜
即位,巡省中河,錄圖成文。"
此用錄爲籙也。潘安仁《爲賈
謐作贈陸機詩》"漢祖膺符",
《注》引《東京賦》曰:"高祖膺
錄受圖。"今《東京賦》作"籙"。
《思玄賦》"嬴摘讖而戒胡兮",
《注》引《秦語》曰:"秦三十二
年,燕人盧生奏籙圖,曰:亡秦

者必胡也。"録、鑢蓋通用。(字會)

【鑢】詳"辟鑢"條。

【聽政】闈名也。 【聽政】殿名也。(魏都)

【聾】不聞也。(七命)

【艫】詳"舳艫"條。

【儼】正也。(蜀都)

【蠹】木蟲也。(碑文沈)

【襲】受也。(赭白馬) 【襲】及也。(九歌) 【襲】入也。(吳都) 【襲】因也。(西征) 【襲】取也。(論陸叁) 【襲】重也。 【襲】服也。(西京) 【襲】衣也。(思玄) 【襲】重衣也。(藉田) 【襲】衣單複爲襲。(誄潘叁) 【襲】繼也。(甘泉) 【襲】大篋也。(論班) 【襲】還也。(哀潘) 【襲】覆也。猶言察也。(弔文賈) 【襲】與習通。(行狀) 案:顏延年《皇太子釋奠會詩》"獻終襲吉",《注》引《尚書》曰"乃卜三龜,一襲吉",孔安國曰:"襲,因也。"直作"襲",與今本異。《周禮》"胥云襲其不正者",《注》:"故書襲爲習。杜子春云:當爲襲。"皆襲、習通用之證。(疏證)

【櫻】采色相映也。(江)

【襪】衣毛形。(西京) 又詳"屫"條。

【襪襬】毛形也。(西京)

【囊】詳"橐"條。

【覿】見也。(東京)

【躑躅】住足也,躑與蹢同。(別) 案:蹢躅、踟躕、跢跦、躊躇、峙㠀,皆雙聲疊韻之字,古多通用。《易·姤》"羸豕孚蹢躅",蹢,一本作躑。《禮記·三年問》"蹢躅焉",蹢躅,不行也。《釋文》:"蹢"本作"躑"。《嘯賦》"跢跦步趾",《注》引《廣雅》云:跢跦,與踟躕通。司馬紹統《贈山濤詩》"撫劍起躑躅",《注》引《說文》曰:"蹢躅,任足也。"躑躅與蹢躅同。何敬祖《贈張華詩》"攜手共躊躕",《注》引《韓詩》曰"搔首躊躇",薛君曰:"躊躇,躑躅也。"(字會)

【躓】頓也。謂顛仆也。亦曰躓跌也。(贈答靈運壹)

【躔】舍謂之躔。(補亡) 【躔】處也。(序顏) 日運爲躔。躔,歷行也,次也。(月)

【躐】踐也。(長楊)

【輻轆】相連貌。(羽獵)

【輽】善曰:《毛詩》曰:"如輊如軒。"輊與輕同。(射雉)　案:輽、輕同音。《通俗文》:"前重曰輊。"《初學記》五引《埤倉》云:"輊,車轅兩尾。"《詩·狼跋》"載疐其尾",《傳》:"疐,跲也。"《爾雅·釋言》:"疐,跲也。"李善《注》:"跲卻頓曰疐。"《說文》:"疐,礙不行也。"《詩·六月》"如輊如軒",亦作"如輊如軒",《傳》:"輊,摯也。"《說文》無"摯"字。《玉篇》"摯"云:"前頓曰摯,後頓曰軒。"與疐訓跲之義合。摯即摯字。疐又作顚。顚、輊于音尤近,故忿怒之懥或作懫。《書》"叻懥"之懥,《說文》作"𡟬",讀若摯。(字會)

【輾】輾也。(上林)　又詳"碾輾"條。

【鑑】謂之鏡,照也。(魏都　《頌陸》作"鑒,照也。鑒謂之鏡。")【鑒】察也。(西京)【鑒】鏡屬也。取水者,世謂之方諸。(連珠)　案:《說文》:"鏡,景也。"段曰:"景,光也。金有光可照物謂之鏡,此以疊韻爲訓也。鑑亦曰鏡,雙聲之字也。"今按:鏡所以鑑,亦轉注之字也。陸士衡《漢高祖功臣頌》"鑒獻其朗",《注》亦引《廣雅》曰:"鑒,炤也。鑑謂之鏡。"云云。《周禮·司烜氏》"以鑒取明水于月",鄭玄曰:"鑒,鏡屬也。"鑒即鑑字。《西征賦》"衛鬢髮以光鑒",《注》引《左傳》曰:"光可以鑑。"又引《廣雅》曰:"鑑,照也。"《魏都賦》"此焉則鏡",《注》亦引《廣雅》曰:"鑑謂之鏡,照也。"鑑鏡通用字。(字會)

【鑄凝】詳"隱淪"條。

【霽】雨止曰霽。(月)　南陽呼雨止爲霽。(高唐)

【霾】《爾雅》曰:"風而雨土爲霾。"霾音埋。《詩·終風》"終風且霾",《傳》:"霾,雨土也。"《周禮·族師》"相與葬埋",《釋文》:"埋"本作"貍"。《禮記·月令》"掩骼埋胔",《周禮·秋官·序官》"蜡氏"《注》作"掩骼貍胔"。蓋霾從貍得聲,從埋得義,埋者以土掩覆人也。霾、埋通用字。《漢書·賈山傳》"爲葬薶之侈",《注》:"與埋同。"(字會)

【𪕏】征貌。(江)

【韛】觸與檳古字通。(符楊命)

案:《說文》:"韣,弓衣也。"《革部》"韇"下曰:"弓矢韇也。"服注《左氏》曰:"冰櫝,丸蓋也。如劍衣,在劍櫝之内。"《廣雅》:"㲋䩋,矢藏也。"韣、櫝義近音同,故通用。《詩·葛生傳》"韣而藏之",《釋文》:"韣本亦作櫝,又作𩊙。"是其證也。櫝又通匵。《論語》"韞匵而藏諸",韞匵卽韞韣。"龜玉毁于櫝中",作"櫝"。卽匵也。(字會)

【響】詳"蠁"條。

【響像】音影之異名。(弔文陸)

【響臻】如應而至也。(表孔)

【顠頯】詳"顡"條。

【頷】曲上曰頷。(設論楊 胡云:"頷"疑當作"頜",同領。)

【颾蕭條】清涼之貌。(魯靈光殿)

【饗】勸強之也。(論陸參)

【饔】熟曰饔。(西京) 饔者割烹煎和之稱。(西征)

【饕餮】貪財曰饕,貪食曰餮。(東京) 又詳"咆鴞"條。

【驕傲】倨簡曰驕,侮慢曰傲。(離騷)

【驒騱】駏驉類。(上林)

【驍】勇也,若六博之梟。(書李)

【驍】良馬也。(東都)

【鬻】賣也。(西京 《閒居》作"粥"。) 又詳"餗"、"粥"、"毓"三條。

【鬻博】鬻,夏育。博,申博。皆勇士也。(洞簫)

【魖】耗鬼。(東京)

【鱮】鰱也。(江)

【鰫】似鱮而黑。(南都)

【鱧】如鱯,蒼文赤尾。(江)

【鱒】如鮒而麄尾。(江)

【鷗】水鴞,大如鳩。(吳都)

【鷞鳥】大鷞。(吳都 胡本《七命》"鷞"上有"鵻"字。毛本《七命》同《吳都》。)

【鷓鴣】如雞,黑色,其鳴自呼。或言此鳥常南飛不北。(吳都)

【鷺】鳧屬也。(西都)

【鸂鶒】似鴨而雞足。(吳都) 灰色,一名章渠。(上林)

【鷙】執也,謂能執服衆鳥。鷹鸇之類也。(離騷)

【鷫】青黃,其所集者其國亡。(江)

【鶴】陽鳥也。因金氣,依火精。火數七,金數九。故十六年小變,六十年大變,千六百年形定而色白。二年落子毛易黑點,三年頭赤,七年飛薄雲漢,又七年學舞,復三年應節。(《西京》作"後七年學舞,舞又七年應節"。又本賦"舞飛容於金閣"《注》亦作"又七年舞應節"。則"三年"爲"七年"之譌無疑。)晝夜十二鳴。六十年大毛落,茸毛生。(《雪賦》作"復二千年大毛落,茸毛生"。"二千"二字蓋"六十"之譌。)色雪白,泥水不能污。百六十年雄雌相見,目精不轉,孕。千六百年飲而不食。食於水,故喙長。軒於前,故後短。棲於陸,故足高而尾凋。翔於雲,故毛豐而肉疏。行必依洲嶼,止必集林木。隆鼻短口,則少眠露眼。("眼"本賦一作"目"。)赤睛則視遠。頭銳身短則喜鳴。四翎亞膺則體輕。鳳翼雀毛則善飛。龜背鼈腹則能產。軒前垂後則善舞。洪髀纖趾則能行。高腳疏節則多力。(舞鶴)

【鶴鶴】詳"曜曜"條。

【鶴書】鶴頭書與偃波書俱詔板所用。在漢則謂之尺一簡。髣髴鵠頭,故有其稱。(移孔)

【鶴嶺】詳"鸞岡鶴嶺"條。

【鶴壽】鶴壽有千百之數。(舞鶴)

【鶴膝】矛也。矛骹如鶴脛,上大下小,謂之鶴膝。(吳都)

【顗】詳"顗"條。

【龏】《尚書》曰:"今予恭行天之罰。"(史論范叄) 案:龏、恭均從共聲。《甘誓》"今予惟恭行天之罰",《夏本紀》作"今予惟共天之罰"。《牧誓》"今予發,惟恭行天之罰",《周本紀》作"今予發,惟共行天之罰"。《書·堯典》"象恭滔天",《漢書·王尊傳》作"象龏滔天"。是其證也。至《說文》則"龏"訓愨,同恭;"龔"訓給,同供。與以上所引諸本別。蓋龔本同供,供多作共,而古之恭字或作共,故龏、恭字通。(字會)

【龕】取也。(碑文沈) 【龕】《尚書序》曰"西伯戡黎",孔安國曰:"戡,勝也。"龕與戡音義同。(雜詩玄暉伍) 案:《說文》:"龕,龍貌。"此篆之本義也。叚借爲戔亂字,古作龕,今作龕。古作戋,今作戕,又叚借之變體也。《說文》:"戋,殘也。""戕,刺也。"段曰:"漢

魏六朝人戗、堪、戡、龕四字不
甚區別。《左傳》‘王心弗堪’，
《漢書·五行志》作‘王心弗
戗’。勝也。”李少卿《答蘇武
書》“功難堪矣”，《注》曰：“《說
文》作‘戡’。戡，勝也。”蓋戗、
堪、龕、戡四字同聲。王仲寶
《褚淵碑文》“龕亂寧民之德”，
《注》引《墨子》曰：“予必使汝
大戡之。”是龕、戡通用之證。
（字會）

【儱】兼有也。（吳都）

二十三畫

【巘】深巘也。（長笛）【巘】岸
　側欹巘之處也。（羽獵）

【巘巘】高也。（魯靈光殿）【巘
　巘】積石貌也。（銘張）

【巘覆穿洿】不平之貌。（長笛）

【巘】小山別大山曰巘。（雜擬
　江）

【巘崿】崖之別名。（游覽靈運
　貳）

【攫】搏也。（東京）

【攫挐】詳“挐攫”條。

【攪】亂也。（歎逝）

【攪搜濘挏】水聲也。（洞簫）

【懰】敬貌。（論東方　胡云：懰
　當作懼。）

【戀】詳“變”條。

【玃】玃父，似獼猴而大，蒼黑色。
　（南都）

【玃父】詳“玃”條。

【變】猶更也。（長笛）

【曬】暴也。（高唐）

【欑】詳“攢”條。

【欘佹】支重累也。（上林）

【欒】柱上曲木，兩頭受櫨者，故
　曰曲枅曰欒。（西京）

【鑕鐵】斬腰之刑也。（設論楊）

【瓚】瓚受五升，口徑八寸，以大
　圭為柄。用灌鬯，以玄玉飾
　之，故曰玄瓚。（甘泉）　以圭
　為杓，謂之圭瓚。（冊）

【邐倚】一高一下，一屈一直也。
　（西京）　又詳“邐迆”條。

【邐迆】《法言》曰：“觀書者譬如
　觀山，升東嶽而知眾山之邐迆
　也。”（書吳）　案：《說文》無
　“迆”而有“迆”。迆即迆之或
　體，從也字得聲。古也聲、奇聲
　之字同部，故迆或通作倚。張
　平子《西京賦》“磴道邐倚以正
　東”，薛綜《注》：“邐倚，一高一
　下，一屈一直也。”邐倚即邐迆
　也。王子淵《洞簫賦》“邅延徙
　迆”，謝叔源《游西池詩》“徙倚
　引芳柯”，“徙倚”即“徙迆”，皆

其明證。成公子《安嘯賦》"藉
皋蘭之猗靡",《甘泉賦》"迆靡
乎延屬",由偏旁例推,亦通用
之證。(疏證)

【疊】小擊鼓謂之疊。(樂府玄
暉)　【疊】懼也。(論劉貳)

【癯】《爾雅》曰:"臞,瘠也。"與癯
同。(碑文沈)　案:《説文》:
"臞,少肉也。"《爾雅·釋言》:
"臞,瘠也。"《周禮注》:"瘠,臞
也。"臞有病義,故與癯同。
《爾雅·釋言釋文》:"臞本作
癯。"《廣韻》:"臞,瘠也。"癯同
臞,是其證也。(字會)

【矙】疏淨之貌也。(蜀都)

【蠱】惑也。　【蠱】女惑男謂之
蠱。　【蠱】媚也。(西京)
又詳"苦"條。

【穛】擇也。穛麥擇麥中先熟者
也。(招魂)

【籥】齊魯之閒,名門戶及藏器之
管曰籥。(樂府鮑)　【籥】舞
者所吹。(南都)　如笛三孔
而狹小。(笙)　一曰七孔。
(長笛)

【籧篨戚施】籧篨,觀人顔色而爲
辭,故不能俯。戚施,下人以
色,故不能仰。(論李)　咮噅、
籧篨、戚施,醜也。(論劉壹)

【籦籠】竹名。(南都)

【纆】詳"財"條。

【纕】佩帶也。(離騷)

【纓】頸毛也。(七發)　【纓】《説
文》曰:"嬰,繞也。"纓與嬰通。
(遊天台山)　案: 陸士衡《於
承明與士龍詩》"牽世嬰時
網",又陸士衡《赴洛道中作》
"世網嬰我身",《注》引《説文》
曰:"嬰,繞也。"　案: 今本《説
文》"嬰"字下云:"頸飾也,從
女賏。賏其連也。""賏"字下
云:"頸飾也,從二貝。"連貝以
飾其頸,亦有圍繞之意。蓋李
氏所見《説文》本有"嬰,繞也"
之訓,而今本脱之耳。纓字
《説文》訓爲"冠系"。冠系所
以繞項,引申之,亦可訓纓爲
繞。且纓字從嬰字得聲,本可
通用。故《内則》之"衿嬰"《音
義》亦云"嬰又作纓"也。(疏
證)　又詳"組"及"玉纓"條。

【纓絡】喻世網也。(游天台山)

【纖】細也。(西京)　【纖】謂羅
縠也。(招魂)　又詳"孅"條。

【纖纖】《韓詩》曰:"纖纖女手。"
又引毛萇曰:"摻摻,猶纖纖
也。"(雜詩古詩)　案:摻,《廣
韻》"攕同"。《説文》:"攕,好

手貌。《詩》曰'攕攕女手'。從手鐵聲。"《詩‧葛屨》"摻摻女手"，《玉篇‧手部》作"攕攕女手"。纖、攕音同形近。攕卽摻，故纖與摻同。許蓋用《韓詩》也。纖又通作孅。《上林賦》"嫵媚孅弱"，《注》引《方言》曰："自關而西凡物小謂之孅。"孅卽纖字。摻又通林。張揖《大人賦注》曰："林離，摻攦也。"段曰："蓋卽梦儷。"據《遵大路傳》："摻，擥也。"是摻自有本義。《詩‧葛屨》作"摻"者俗。攕爲正字。(字會)

【纖綍連白】綱也。連白，以白羽連綴網綍其上，於水中二人對引之。(西征)

【纖驪】良馬名也。(赭白馬)

【蠑龜】蠑龜噉蛇。(南都)

【蠦】善曰:《周禮》曰:"祭祀供蜃蠃蚳。"蜃與蠦同。(東京) 案: 蠦、蜃均卑聲，均訓蜃。《爾雅‧釋魚》"蚳蠦"，《注》:"今江東呼蚌長而狹者爲蠦。"《儀禮‧既夕》"蜃醢"，《注》:"蜃，蜌也。"音訓均同，故通。按鄭司農訓蠦爲蛤,杜子春則訓爲蜌。(字會)

【蠋】除也。(敎貳)【鷻】潔也。(思玄)

【祿】表也。(幽通)

【讋】失氣也。(京都)【慴】《爾雅》曰:"竦慴，懼也。"讋與慴同。(羽獵) 案:《說文》:"讋,失氣言。一曰不止也。從言聾省聲。"傅毅讀若慴。《說文》:"慴,懼也,從心習聲,讀若疊。"虞子陽《詠霍將軍北伐詩》"骨都先自讋",《注》引《漢書文穎注》:"讋,恐懼也。"讋、慴音訓均同, 故通用。恐懼, 則失氣也。慴,《毛詩》段作"疊"。《詩》"莫不震疊",《傳》曰:"疊,懼也。"(字會)

【讐】匹也。(景福殿) 又詳"嚋"及"校讐"條。

【讚】分別也。(魏都)

【轙】車轙,所以御熱也。(藉田)

【鑣】亦馬銜也。(南都)

【鑠】銷也。(雜擬江) 又詳"焯爍"條。

【鑠金】鑠金爲鐘，四時九乳。(長笛)

【鑛】《說文》曰:"礦,銅鐵璞也。"磺與礦同。(論王) 案:《說文》:"磺,銅鐵璞也,讀若穬,從石黃聲。"《周禮‧卝人》鄭《注》:"卝之言礦也。"卝人爲攻金玉之官,故卝訓磺。磺字或從鑛。磺、鑛均從黃取聲,故磺與鑛同。從磺者象銅鐵璞之尚蘊于石中也。今本《選注》引《說文》誤作"鑛"。(字會)

【靁欺頹息】欺聲若雷,息聲若頹也。《楚辭》曰:"呼增欺兮如雷。"靁與雷古今字。(長笛)案:《說文》:"靁,霆易薄動生物者也。從雨,晶象回轉形。"靁欺亦取回轉意。《上林賦》"車騎靁起",《注》:"靁,古雷字。"《楚辭‧九歌》"靁填填兮雨冥冥",《中山靖王傳》"聚蚊成靁",《注》:"靁,古雷字。"是其證。(字會)

【靨輔】美人頰有靨輔也。(洛神)

【薤露蒿里】並喪歌,出田橫門人。至李延年乃分二章為二曲:《薤露》送王公貴人,《蒿里》送士大夫庶人。使挽柩者歌之。世亦呼為挽歌也。(挽歌陸)

【顯】明也。(東京)

【顯陽】殿名也。(誄謝) 【顯陽】宮殿門名也。(魏都)

【蠃】驘、蠃同。(上林) 案:《楚辭‧憂苦》"同駕驘與棄駬

兮",《注》:"馬母驢父生子曰蠃。"蠃者本字,驘者今字。崔豹曰:"驢為牡,馬為牝,即生驘。"《抱朴子》曰:"世不信驘乃驢馬所生。"驢或從蠃。驘、蠃互見,故同。《史記‧相如傳》作"驘"。(字會)

【驚】動也。(羽獵) 又詳"警"條。

【驦驪】唐侯之馬也。(吳都)

【髓】詳"䯏"條。

【體】法也。(長楊) 【體】分也。(西征) 體猶親也。(論陸叁) 【體】裁制也。(史論沈壹) 【體】行也。(行狀) 【體】體者,四支股脚也。(論李) 【體】生也。(贈答士衡伍)

【體閒】謂膚體閒暇也。(洛神)

【鬣】首毛也。(七發) 毛長曰鬣。(西京 "長"原作"萇",依胡校改。)

【鬵】鼎實也。(論班 "鬵"原作"鬴",今依胡校。)

【鱓魚】似蛇。(論王)

【鱝】如圓盤,口在腹下,尾端有毒。(江)

【鱏魚】出江中,頭與身正半,口在腹下。(蜀都)

【鱗被】如鱗之被,言多也。(江)

【鱗眴】無涯也。（西京）

【鱗集】相次也。（難）

【鱗淪】相次貌。（長笛）

【鱄䱜】有橫骨在鼻前，如斤斧形。東人謂斧斤之斤爲鱄。（胡云：鱄當作鐇。）故謂之鱄䱜。（吳都）

【鷩雉】似山雞而小冠，背毛黃，腹下赤，項綠，其性悍戾憋害。（射雉）

【鷙】黑色，多力。（鸚鵡）

【鷸】疾也。（海）

【鷮】雉健者鷮，尾長六尺。（西京）

【鷫鵘】詳"焦明"條。

【鷦鷯】桃蟲，微小黃雀也。一曰桑飛，自關而東，謂之工雀。又云女工。一云巧婦。又云女匠。（鷦鷯）

【麟】一角，明海內共一主也。王者不刳胎，不剖卵，則出於郊。（表劉）

【麟閣】麒麟閣也。（詠史虞）

【麕】屑也。（離騷）

【黲】詳"慘"及"緇黲"條。

【嗛】詳"嗛"條。

【齰】詳"啗齰嗽獲"條。

二 十 四 畫

【攬】采也。（離騷）【攬】撮持也。（甘泉）

【灝】詳"皓"條。

【灝溔潢漾】水無厓際貌也。（上林）

【爓閭】詳"爤炠爓閭"條。

【羈】寄也。（思玄） 又詳"犧羈"條。

【羈縻】馬曰羈，牛曰縻，言四夷如牛馬之受羈縻也。（難）

【鹽池】出巴東北井縣。新水出地如湧泉，可煮以爲鹽。（蜀都）

【蠱】齊平也。（蕪城）

【蠱蠱】高也。（上林）

【矕】視也。（長笛）【矕】被也。（設論班）

【矚】詳"觀"條。

【繢】網中繩。【繢】幃，今之香囊。在男曰幃，在女曰褵。繫幃曰繢。然則繢者，繫囊之繩也。（思玄）

【蠵】龜類。（東京）【蠵】觜蠵，大龜。（吳都）

【蠶宮】詳"蠶室"條。

【蠶室】作密室廣大如蠶室也。衞宏《漢儀》以爲置蠶宮。（書

司馬）

【衢】道也。（魯靈光殿）

【襦】《方言》曰："複襦,江湖之閒或謂之簫襦。"郭璞《注》曰："襦卽袂字也。"（藉田）　案：《説文》："袂,褒也,從衣夬聲。"段云"彌弊切"。十五部又引郭説云："襦卽袂字。"此同義同用之字也。今《禮記》、《儀禮》、《論語》、《左氏傳》、《公羊傳》皆作"袂",無作"襦"者。然則襦爲袂之同音叚借。（字會）　又詳"複襦"條。

【讖】河洛所出書曰讖。【讖】驗也。（魏都）

【鑪】火所居也,搥排口鑪以灼火也。（論劉貳）　【鑪】熏鑪也。（雜擬江）

【鑪搥】喻造物也。（論劉貳）

【靈】明也。（東京）　【靈】神也。（離騷）　【靈】精誠也。（九歌）　【靈】陰之精氣爲靈。（游覽顏叄）　【靈】（祭文王）

案：《酒德頌注》："臧榮緒《晉書》曰：劉伶,字伯倫。著《酒德頌》。"顏延年《五君詠》"劉靈善閉關",《注》："臧榮緒《晉書》曰："靈潛嘿少言。"伶、靈互見,知古字本通。蓋靈字靁

聲,伶字令聲,古靁聲、令聲之字多通用。《説文》"轠"字爲"軨"字之或體,是其例也。（疏證）

【靈又】詳"靁"條。

【靈子】詳"巫覡"條。

【靈又】詳"靁"條。

【靈州】縣名。（牋阮）

【靈妃】詳"洛神"條。

【靈芝】詳"菌"條。

【靈居】衆仙所處也。（海）

【靈圉】衆仙之號也。《楚辭》曰："坐靈圉而來謁。"（上林）案：司馬長卿《封禪文》"鬼神接靈圉,賓於閒館",《注》："文穎曰：上求神置於上林苑中,號曰神君。有似於古靈圉。禮待之於閒館舍中。"《上林賦》及《封禪文》皆長卿所作。而或作"圉",或作"圄",蓋二字古本通用。《左氏·定四年經》之"孔圉",《公羊》作"孔圄",是其證矣。（疏證）

【靈氛】古明占吉凶者也。（離騷）

【靈圄】詳"靈圉"條。

【靈圉】猶靈圉也。（行旅安仁貳）

【靈胥】伍子胥神也。子胥,水仙

也。（吴都）

【靈液】謂玉膏之屬也。（游仙郭）

【靈脩】諭君也。（離騷）

【靈根】謂身也。（樂府陸）【靈根】祖禰也。（歎逝）

【靈威仰】詳“五帝神”條。

【靈契】地契也。（符命楊）

【靈鼓】六面鼓也。（東京）

【靈溪】溪名。（遊天台山）

【靈旗】欲伐南越，告禱太上。畫旗樹太一壇上，名靈旗。以指所伐之國也。（甘泉）

【靈曜】天也。（碑文蔡貳）

【靈輿】天子輿也。（羽獵）

【靈慶】謂天符也。（史述贊范）

【靈闕】山名。（蜀都）

【靈響】鄴西北鼓山上有石鼓之形。俗言時時自鳴。（魏都）

【靈臺】心爲神靈之臺也。（論劉貳）【靈臺】天子靈臺，以考觀天人之際，法陰陽之會也。（東都）【靈臺】臺名也。（胡云:“靈”當作“雲”。）【靈臺】《司歷紀》: 侯節氣者，曰靈臺。（東京）

【靈獻】漢靈帝、獻帝也。（贈答安仁）

【靃靡】隨風披敷也。（招隱士）

【靋靋霏霏】褰人應刃聲勢也。（西征）

【靄】雲狀。（雪 又《挽歌陸》“雲”下多“雨”字，蓋衍。）又詳“靄”條。

【靄靄】深也。（魯靈光殿）

【韤】足衣也。（洛神）

【韥】詳“韣”條。

【颼飀】風初貌。（吴都 胡云:“初”當作“利”。）

【驟】數也。（九歌）【驟】走也。（招魂）

【鬤】詳“鬞”條。

【鱣】似鱏。【鱣】鮦也。（西京 按:“鱣”當作“鱧”。此蓋引郭璞《爾雅注》。）

【鱟】形如惠文冠。青黑色，十二足似蟹足，悉在腹下，長五六寸。雌常負雄行。（吴都）一曰似便面。失雄則不能獨活。（江）

【鱧】詳“鱣”條。

【鷹隣鶚視】言勇士似之也。（吴都）

【鸀鳿】水鳥。（吴都）

【鷽鳩】小鳥。（雜擬江）

【鸊鷉】野鳧，甚小而好没水中者。南楚之外，謂之鸊鷉。（南都）

【鷞】詳"鷞鷞"條。

【鷞鷞】長脛，緑色，似雁。（西京）　一曰雁也。（七命）　鷞，鷞鷞。（上林）

【鸂鶒】水鳥，色黄赤，有斑文，食短狐。（吳都）

【黭】亦黑也。（魏都）

【鼇】巨龜也。（吳都）

【鼕鼕】鼓聲也。（東京）

【鼟】詳"闐鞈"條。

【齷齪】好奇局小之貌。（吳都）　又詳"喔嚌"條。

二十五畫

【爥】照也。（西京）

【蘺】詳"白芷"條。

【矔】大視也。（魏都　《海賦》"矔"作"暯"同。）

【籫】詳"纂"條。

【糜】詳"靡"條。

【纚】連也。（上林）　【纚】繫也。（哀顏）　【纚】今之幘也。（魏都）　冠織也。（高唐）　又詳"縰"條。

【纚纚】索好貌。（離騷）

【纚網】如箕形，狹後廣前。（西京）

【纛】毛羽幢，在乘輿衡左方上注之。（行狀）

【蠻荊】荊州之蠻也。（哀傷王）

【蠻夏】詳"獫狁"條。

【躚】履也。（甘泉）　【躡】蹈也。（南都）　【躡】追也。（藉田）　躡之言疾也。（七啓）

【躚蹀】小步貌。（南都）

【覩】視也。（東京）　【覿】見也。（西京）　【觀】闕也。（子虛）

【釃】飲酒盡曰釃。（西都）

【釁】兆也，謂罪萌兆也。（獻詩曹表）　又詳"釁"、"薰"二條。

【顡顡】昏闇貌。（海）

【顱】頭也。（射雉）　【顳】謂之顳顬。（海）

【鬻】《周禮》曰："凡齋事鬻鹽以待戒令。"鄭玄曰："鬻鹽謂練化之。"鬻，今之煮字也。（論秔）　案：《說文》："鬻，亨也。鬻或從煮。"按：今惟《周禮》從鬻。是知鬻者本字，煮者省文字。一作𩱧，象水在其中也。《漢書‧食貨志》"因官器作鬻鹽"，《注》："古煮字。"是其證也。（字會）

【鬻鹽】謂練化之。（論秔　按：今《周禮‧鹽人》鄭《注》"鹽"作"鬻"，"練化"作"凍治"。）

【鰟】似魴。（西京）

【鱨】揚也。（西京）

【鷞鴂】詳"鴟鴂"條。

【鴽】文章貌也。(射雉)

【鸑鷟】鳳別名。(南都) 一曰鳳屬。(琴) 神鳥也。(贈答司馬)

【䴢】䴢。(吳都)

【䴢狼】大如麂,角前向,有枝下出,反向上,長者四五尺。(吳都)

【䗶】似蜥蜴。(西京)

二十六畫

【䙡】亦"褻"字。王逸《楚辭注》曰:"褻,度也。"(長笛) 案:《說文》:"蒦,規蒦,商也。一曰:蒦,度也。"段曰:"鳥飛起止,多有中度者。故褻、蒦皆訓度。度高廣皆曰雘。"《說文》:"䙡,蒦或從尋。"尋亦度也。《說文·寸部》"度人之兩臂爲八尺",是也。《楚辭》"求矩䙡之所同",即以䙡代褻矣。《集韻》:"蒦或從尋矢。"(字會)

【䐑】脟也。(蜀都)

【矚】索視之貌也。(吳都 《雜詩惠連壹》、《雜擬江》"矚"作"矚",同。其《雜擬江》"索"作"曠",非也。) 又詳"冀"條。

【讚】稱人之美曰讚。(序皇甫)

【讚】佐也。(贈答安仁)

【躧】徐行貌。躡跟爲跕,挂指爲躧。一曰:跳,鞮屬也。鞮,革履也。(長門 《魏都》作"跕爲躧"。胡云:即"躡跟爲跕,挂指爲躧"之譌。)【躧】善曰:《漢書》武帝曰:"吾去妻子如脫躧耳。"《聲類》曰:"躧或爲鞾。"《說文》:"鞾,鞮屬也。"(吳都) 案:司馬長卿《長門賦》"躡履起而彷徨",《注》:"臣瓚《漢書注》曰:'躡跟爲跕,挂趾爲躧。'《說文》曰:'跳,履也。一曰:鞮,鞮屬。鞮,革履也。'《蒼頡篇》曰:'躧,徐行皃。'"跳與躧音義同,古麗聲、徙聲之字多通用。如《史記·周本紀》"其罰倍蓰",徐廣云:"一作蓰。"《詩·柏舟箋》引《禮》"世之昧爽而朝,亦櫛纚笄總",今《內則》作"櫛縰",是其證也。(疏證)

【鸝】詳"蠨"條。

二十七畫

【䵃】麥稍也。善曰:䵃與稍同。(射雉) 案:《集韻》:"稍,或作䵃。"《說文》:"稍,麥莖也。"

麥莖光澤娟好，故曰稍。一作
蕱。他如棄捐之字從捐。班
姬《團扇詩》："棄捐篋笥中。"
潔蠲之字從蠲。《劇秦美新》
"應時而蠲"，《注》："蠲，除
也。"義同捐。音同者義通也。
（字會）

【纜】維船索也。（祖餞謝）

【讜】美言也。（西都 《誄潘叅》
"美"作"善"。）

【讜】直言也。（符命班）

【躙】踐也。（上林）【躙】《説
文》曰："躙，轢也。"躙與躙同。
（西都） 案：轔轠、躙躙，均音
近通用之字。《廣雅·釋訓》：
"轔、轢也。"《淮南·説林》"不
發戶轔"，《注》："楚人謂門切
爲轔。"轔讀近藺，急舌言之乃
得也。轠亦作轔、轢也。躙，
《韻會》作"躙"。轠，轢也。
《後漢·班彪傳上注》亦云
"躙與躙同"。《上林賦》"躙元
鶴"，《注》："郭璞曰：躙、踐
也。"踐亦轢義。《羽獵賦》"轔
輕飛"，轔從轢訓也。藺、粦
蓋聲轉。又轢田之字作躙，與
躙、轠義均近。（字會）

【轠】詳"躙"條。

【轤】詳"讞"條。

【巘巘】高也。（上林）

【鑾輅】有虞氏之車。（東京）

【鑽】所以穿也。（長笛）【鑽】
善曰：《漢書》淮南王曰："越鑽
髮文身之人。"張揖以爲古剪
字也。（魏都） 案：《淮南子》
"是猶以斧剶毛"，高誘《注》：
"剶，剪也。剶讀驚攢之攢。"
由偏旁例推，亦通用之證。
（疏證） 【鑽】《倉頡篇》曰：
"攢，聚也。"鑽與攢同。（西
都） 案：《禮記·內則》"楂梨
曰攢之"，《釋文》："本作鑽。"
《爾雅·釋木》"楂梨曰鑽之"，
改"攢"爲"鑽"，通用之證也。
《羽獵賦》"攢以龍翰"，《注》：
"言若龍翰之聚也。"《西都》言
"鏃聚"耳。《説文》："欑，一曰
穿也。"與鑽同訓。攢與欑又均
訓叢聚，故攢與鑽同。（字會）

【鑽燧改木】鑽燧改木者，春取榆
柳之火，夏取棗杏之火，季夏
取桑柘之火，秋取柞楢之火，
冬取槐檀之火。（雜詩景陽）

【孎昱】疾貌。（海）

【驥子】惡貌而正走，名驥子。（蜀
都）

【驤】馳也。（西京）【驤】孔安
國《尚書傳》曰："襄，上也。"驤

與襄同。（琴）　案：《說文》：
"驤，馬之低仰也。"段曰："《吳
都賦》'四騏龍驤'古多借襄
爲驤。蓋襄訓上，有仰義。
《詩》"兩服上襄"，言馬之仰
也。驤從襄聲。高驤、龍驤、
騰驤，卽上襄之意。鄒陽上書
"蛟龍驤首奮翼"，《西征賦》
"雄霸上而高驤"，皆與上襄
合。據《說文》："漢令解衣而
耕謂之襄。"其訓上、訓舉者，
叚驤爲之。此古義今鮮用者。
（字會）

【韉】詳"冀"條。

【韊】詳"練"條。

【鸕】詳"旅"條。

【鷛鶋】似鴟而黑。（南都）　盧，
　鷛鶋。（上林）

【黷】垢也。（移孔）　【黷】慢也。
　（表任壹）

【黷】黑茂貌。（吳都）　【黷】媟
　也。（序石）

【籢】（同籢）竹爲也，尺四寸，圍
　三寸，一孔上出，寸三分。一
　名翹。（按："寸三分"，原譌作
　"三寸分"。"一名翹"，原譌作
　"右翹"。今校改。）　橫吹之，
　小者尺二寸。一云有八孔。
　（笙　按："有八孔"，本作"六

七孔"，今據《爾雅》郭《注》及
《廣雅》校。）

二十八畫

【豔】楚歌也。（吳都）　美色曰
　豔。（射雉）

【躞跕】動貌。（魯靈光殿）

【鑿】穿木也。（長笛）　又詳"笮"
　條。

【鑿齒】齒長五尺，似鑿，亦食人。
　（長楊）

【驙】詳"懽"條。

【鸚鵡】如鴟，青羽赤喙，人舌能
　言，舌似小兒舌，腳指前後各
　兩。西方爲金，毛有白者，故
　曰金精。南方爲火，觜有赤
　者，故曰火德。（鸚鵡）

【鸚鵡螺】狀如覆盃，形如鳥頭。
　向其腹視似鸚鵡，故名。（江）

【麢羊】詳"塵羊"條。

【鑪】詳"旅"條。

【䚡】詳"蝙"條。

【爨】灼也。（七命）

【驪】詳"贏"條。

二十九畫

【驪】猶羅列駢駕之也。（西京
　胡云："驪"當作"麗"。）　【驪】
　歷行也。（吳都）　【驪】純黑

曰驪。（招魂）

【驪蚪】驪龍也。（江）

【驪駒】逸詩篇名。（贈答公幹
　壹）

【鬱】大也。【鬱】積也。（長門）
　【鬱】暴怒也。（射雉）【鬱】
　木聚生曰鬱。（甘泉）【鬱】
　出也。（贈答曹壹）【鬱】愁
　也。（同上伍）【鬱】不舒散
　也。（贈答顏叁）

【鬱鬱】盛也。（雜詩古詩）【鬱
　鬱】憤懣也。（九辯）【鬱鬱】
　愁也。（思玄）　不舒散也。
　（長門）

【鬱林】鬱林郡，故秦桂林郡。
　（雜詩平子）

【鬱郁】香也。（論劉貳）

【鬱悒】不通也。（書司馬）

【鬱律】小聲。（甘泉）【鬱律】
　烟上貌。（江）

【鬱結】隆高之貌也。（七發）

【鬱陶】哀思也。（贈答靈運叁）

【鬱蓊薆薱橚爽櫹槮】皆草木盛
　貌也。（西京）

【鬱壘】詳“神荼鬱壘”條。

【鬱滯】不通也。（高唐）

【鸞】詳“鷖”條。

【鷁】水鳥名。（西都）

三十壹

【驫駥驫驫】衆馬走貌。（吳都）

【鶹黃】郭璞曰：其色黧黑而黃，
　因名之。一曰鶬鶊。《方言》
　曰：“或謂鴛黃爲楚雀。”（高
　唐）　案：黎聲、麗聲、離聲之
　字通用。鶹黃與鴛黃同。《爾
　雅・釋鳥》“鴛黃，楚雀。”鴛黃
　謂之黃麗留，亦謂之黃離留，
　鴛者黑而黃也。又謂之黃栗
　留。又謂之麗黃。《東京賦》
　“鳴鳩麗黃”，《注》引《爾雅》
　曰：“鶬鶊，鴛黃也。”郭璞曰：
　“鶹，黃黑也。”（字會）

【鸞】鸞鑣也。（思玄）　又詳“玉
　鸞”條。

【鸞和】鸞在衡，和在軾，皆以金
　爲鈴也。（西都）

【鸞旂】鸞旗也。（詠史謝）

【鸞岡鶴嶺】洪井有鸞岡，洪崖先
　生乘鸞所憩處也。鸞岡西有
　鶴嶺，王子喬控鶴所經過處
　也。（別）

【鸞鳥】女牀之山有鳥焉，其狀如
　鶴，五色文，名曰鸞鳥。（東
　京）

【鸞旗】謂以象鸞鳥也，俗人名曰
　鷄翹。（東京）

三 十 二 畫

【灂礐】高峻貌。（海）

三 十 三 畫

【鱻】小魚也。（南都）
【靐】詳"龐"條。

漢語拼音索引

A

bǎ		版	158	鴇	408	背	190
靶	343	板	165	**bào**		排	311
bà		**bàn**		暴	454	俏	274
罷	395	半	112	抱	173	備	308
bái		伴	140	暴	392	**bēn**	
白	107	瓣	468	爆	415	奔	192
bǎi		**bǎng**		爆	468	賁	299
擺	453	榜	356	爆	482	**běn**	
捭	264	**bàng**		報	312	本	103
百	114	傍	308	贔	423	畚	236
bài		蚌	221	豹	235	**bèn**	
敗	270	蟓	369	**bēi**		坌	131
粺	363	磅	398	卑	175	**bēng**	
稗	334	**bāo**		悲	314	崩	254
bān		包	112	庳	274	絣	364
般	215	苞	185	鵯	478	祊	205
班	227	褒	446	**běi**		**běng**	
斑	302	**báo**		北	108	鞆	449
辬	451	雹	340	**bèi**		**bèng**	
扳	138	**bǎo**		倍	234	迸	313
頒	331	保	181	被	209	进	308
彬	434	褓	382	貝	129	**bī**	
bǎn		寶	480	糒	442	畐	204
				悖	236		
				茇	198		

偪	265	辟	334	楄	319	颮	495
逼	342	璧	455	褊	380	飈	495
bī		楷	266	**biàn**		**biǎo**	
咇	166	祕	381	弁	112	表	145
bǐ		必	144	編	308	標	355
匕	78	柲	205	辨	427	**biē**	
比	99	蔽	418	辯	485	鱉	459
筆	315	躃	474	采	144	**bié**	
鄙	356	蓽	397	辯	494	別	134
貏	403	薛	438	變	504	咇	166
bì		弊	387	便	181	蟞	474
坒	143	驚	508	抃	140	**bīn**	
毖	207	愎	315	汴	140	濱	435
㻫	412	躎	460	**biāo**		邠	143
薆	471	嗶	380	彪	254	獱	435
鼊	486	畢	262	影	355	檳	454
躃	448	罩	395	摽	354	彬	263
陛	233	鼊	495	標	393	賓	354
髀	464	避	440	滮	358	斌	311
闗	495	潷	358	鑣	506	玢	175
閟	339	裨	345	熛	395	繽	485
詖	310	**biān**		藨	468	儐	408
痹	348	編	400	猋	290	豳	446
庇	141	邊	468	飆	495	**bìn**	
弼	305	**biǎn**		杓	143	擯	434
碧	372	貶	316	鬣	515		
		窆	218	彡	232		

粲 334

cāng

滄 320
鶬 497
倉 222
蒼 366

cáng

藏 456

cáo

艚 445
傮 339
槽 393
蠐 445
曹 264
漕 359
嘈 350

cǎo

懆 343
草 215
屮 126

cè

測 314
筴 346
策 299

316
惻 285
城 351
厠 258
册 111
側 246
徝 387

cēn

參 258
葠 355
嵾 354

cén

涔 211
岑 136

céng

曾 293
層 386
嶒 386

chā

杈 142
叉 84
扱 143
差 230
鍫 447

chá

察 354
槎 357

chǎ

叉 84
杈 142

chà

差 230
妊 124
詫 336
佗 166

chái

柴 184
儕 403
犲 235

chǎi

茝 226

chài

蠆 395

chān

襜 459
摻 353
攙 480

chán

塵 387
纏 494
僤 383
侪 272
澶 413
鑱 437
巉 466
蟬 459
嬋 453
槮 482
492
瀺 481
獑 381
嬋 385
篅 382
潺 390
躔 500

chǎn

諂 446
燀 417
鏟 475
嘽 384
滻 358
䌥 497

chàn

摲 353
闡 487

chuān		**.chuī**		歜	468	鏦	475
川	85	吹	133	綽	365	**cóng**	
chuán		**chuí**		**cī**		賨	404
傳	344	捶	273	傪	271	叢	452
椽	319	箠	363	泚	174	灇	491
	356	垂	153	批	173	淙	271
chuǎn		**chūn**		**cí**		悰	271
喘	314	杶	173	瓷	270	從	246
僢	349	輴	427	慈	353	**còu**	
chuàn		春	189	茈	201	湊	307
舛	127	**chún**		茨	227	楱	340
chuāng		淳	264	辭	474	腠	342
瘡	397	湻	306	雌	340	**cū**	
摐	354	鶉	478	**cǐ**		麤	516
chuáng		醇	405	跐	348	粗	255
幢	386	醕	427	**cì**		怚	173
橦	416	純	220	佽	174	麁	408
chuǎng		**chǔn**		賜	404	**cú**	
碀	420	蠢	426	次	118	徂	166
chuàng		**chuò**		**cōng**		**cù**	
愴	319	輟	404	聰	471	顣	488
		逴	282	蔥	397	欨	234
		啜	265	聡	445	踧	404
				總	494	蹴	460

蹴	459	爨	514	綷	365	存	114
趨	373			崒	254		
趣	404	**cuī**		毳	312	**cuō**	
蹙	473	摧	354	膬	415	蹉	447
促	182	鏙	474	脆	236	撮	388
		榱	357	顇	449		
cuán		崔	263	瘁	328	**cuó**	
攢	498	璀	395	焠	308	蓌	397
菆	315	磪	421	粹	364	嵳	347
攢	504			悴	249	嵯	346
鑽	498	**cuǐ**		萃	294		
		漼	359	啐	272	**cuò**	
cuàn		**cuì**		窭	441	挫	224
竄	457	翠	366			錯	428
篡	421	琗	310	**cún**		厝	237

D

dā		**dāi**		軑	232	儋	383
				岱	172		
趿	315	待	201	待	201	**dǎn**	
						紞	233
dá		**dài**		**dān**		撣	388
答	310	帶	272	丹	96	哒	311
達	330	戴	453	單	303	疸	497
怛	165	駘	407	簞	457	黕	430
靼	375	殆	205	賫	345		
		貸	314	殫	417	**dàn**	
dà		代	107	耽	213	但	134
大	81	怠	200	眈	273	窞	348

diān		調	403	滇	359	督	324
		掉	264	澱	413	頓	330
顛	477	**diē**				**dú**	
滇	321			**dìng**			
驛	502	跌	302	定	148	韇	501
diǎn		**dié**				牘	468
				dōng		犢	468
典	176	蝶	402	冬	112	顟	502
點	451	渫	279	東	145	匵	432
diàn		褋	380			毒	159
		迭	202	**dǒng**		韥	510
甸	140	疊	467	董	344	瀆	453
淀	240	疊	499			讟	514
澱	414	跕	313	**dòng**		皾	484
莫	301	喋	301	凍	236	**dǔ**	
阽	162	蹀	426	洞	176		
殿	324	睫	246	動	273	賭	426
玷	205	喋	312			篤	421
電	343	堞	312	**dǒu**		堵	313
刮	143	垤	198	斗	100	覩	424
diāo		牒	236			**dù**	
		諜	424	**dòu**			
刁	77	牒	341	豆	141	度	189
凋	221	絰	198	竇	485	杜	134
雕	428	**dīng**		逗	248	妒	127
彫	254			脰	269	蠹	500
鵰	478	丁	77	**dū**		**duān**	
琱	290	**dǐng**					
diào				都	286	端	357
		鼎	327				

		崖	338	弶	274	咄	166	
duǎn				惇	272	掇	251	
短	301	**duì**		憞	309	鐸	495	
		對	371	**dùn**		**duǒ**		
duàn		濧	467			朵	274	
鍛	448	瞪	454	遯	397			
段	198	隊	296	遁	326	**duò**		
斷	454	憝	413	沌	143	跢	348	
		霴	501	楯	333	沲	174	
duī		對	433	盾	345	墮	385	
磓	398				197	跢	199	
塠	348	**dūn**		**duō**		鵽	478	
堆	255	頓	330	哆	187			
陮	274	敦	291					
厬	235	蹲	473	**duó**				

E

		蛾	333	遷	335	鰐	489	
ē		鵝	465	搤	337			
阿	152			過	346	**ēn**		
痾	341	**è**		頌	406	唔	242	
		厄	100	鶚	489			
é		阨	136	鍔	448	**ér**		
俄	181	扼	136	餓	429	而	124	
莪	222	砐	205	愕	284	栭	234	
峨	222	惡	285	萼	321	轜	474	
娥	231	鄂	286	堨	300	臑	455	
訛	266	粵	312	閼	428	鮞	450	
職	314	崿	315	諤	425			

ěr

珥　212

F

fā

髮　407
戢　371
發　295

fá

乏　112
伐　121
瞂　342
茷　174
閥　380

fǎ

法　174

fà

髮　407

fān

幡　386
鐇　487
帆　126
鱕　508

耗　233
爾　382
餌　407

翻　495
翻　458

fán

凡　86
颿　478
棥　306
繁　442
緐　401
煩　324
蕃　418
蘋　439
樊　392
藩　468
蟠　495

fǎn

反　91

fàn

泛　163
汎　121
氾　109
范　205

邇　456

èr

fāng

方　93
芳　168
坊　131

fáng

防　133
肪　172
房　170
妨　143

fǎng

髣　376
扴　141
舫　235
仿　122

fàng

放　155

fēi

騑　464
扉　313

二　74
佴　174
貳　304

裶　337
蒳　268
菲　282
妃　111
　　127
飛　189
蜚　369
霏　428

féi

腓　304
肥　154
菲　282
痱　272
朏　199
誹　403
悱　272
棐　306
翡　366
斐　292

fèi

肺　174
廢　387

韍	382	拊	168	駙	407	赴	206
芣	174	撫	388	腹	344	副	273
鳧	208	頫	406	訃	191	覆	459
郛	236	黼	490	蒨	419	傅	281
fú		滏	344	蝮	402	馥	464
腐	381	斧	159	覆	442	復	280
府	172	俯	237	富	290	負	195
脯	269	俛	202	祔	236	阜	169
輔	375	**fù**		澓	389		
甫	135	附	152	複	370		
				賦	404		

G

gāi		**gān**		橄	416	港	308
垓	204	干	80	**gàn**		**gàng**	
陔	205	泔	174	幹	323	扛	124
該	337	竿	187	乾	258	杠	143
gǎi		甘	103	紺	268		
改	133	肝	140	泖	237	**gāo**	
gài		玗	140	旰	143	羔	236
匄	111	玕	377	榦	363	橋	482
溉	358	幹	323	**gāng**		高	211
蓋	362	乾	258	綱	364	膏	376
扢	142	**gǎn**		扛	124	**gǎo**	
概	393	感	334	釭	268	縞	422
槩	393	澉	390	剛	232	暠	381
		簳	470	**gǎng**		鎬	461

蒿	456	舸	273	緺	278	罛	452
槁	356			鮕	450	句	112
		gè				篝	346
稾	357	个	86	**gōng**		溝	348
稿	399			工	83	篝	422
		gěi		躬	227	鉤	323
gào		給	278	宫	223	韝	477
告	130			恭	240		
誥	372	**gēn**		龔	503	**gǒu**	
		跟	346	攻	143	耈	205
gē				公	97	苟	199
戈	100	**gèn**		功	112	枸	184
割	300	亘	122	共	114		
歌	371	楦	339	供	176	**gòu**	
骼	430					雊	341
		gēng		**gǒng**		够	273
gé		更	127	拱	204	覯	446
骼	430	緪	401	拳	234	詢	312
骼	343	耕	228	栱	236	遘	374
滆	348	羹	471			垢	208
革	193	庚	148	**gòng**		構	357
槅	381			供	176	媾	336
格	228	**gěng**		共	114	彀	297
膈	381	綆	237	玒	205	詬	318
隔	336	綆	336	貢	231		
閣	376	梗	245	鞏	479	**gū**	
葛	344	耿	231			沽	174
				gōu		箛	382
gě		**gèng**		勾	101	菰	313
葛	344						

姑	153			館	449	媧	385
柧	208	**guǎ**				圭	126
觚	298	寡	354	**guàn**		瑰	361
孤	151			屮	111	珪	230
酤	305	**guà**		灌	491		
		絓	278	冠	194	**guǐ**	
gǔ		挂	201	貫	256	鬼	229
賈	332	袿	267	爟	493	峗	198
蠱	505	卦	172	鸛	515	軌	179
扢	124			盥	440	宄	111
汩	138	**guāi**				晷	314
涸	246	乖	176	**guāng**		恑	209
谷	130			光	116	塊	198
鼓	326	**guǎi**		桄	232	姽	207
古	103	䣛	342			匭	269
穀	399			**guǎng**		詭	317
骨	234	**guài**		獷	453		
股	171	怪	173	廣	386	**guì**	
盬	456					貴	302
		guān		**guàng**		跪	341
gù		綸	365	迋	160	桂	217
顧	495	擐	412				316
固	170	官	176	**guī**		歷	474
錮	427	莞	242	瓌	483		
梏	245	觀	511	龜	431	**gǔn**	
故	200	關	475	歸	454	緄	371
痼	328			傀	281	蓑	366
		guǎn		摫	382	袞	212
guā		管	363	規	249		
咶	316						

gùn

棍 276

guō

郭 246

晛 273
曇 408

guó

虢 402
國 256

hāi

哈 175

hái

孩 180

hǎi

海 226
醢 448

hài

駭 430
駴 450

hān

蚶 269
谽 370
頷 488
憨 412
酣 313
犴 125

hán

寒 289
涵 241
唅 338
含 130
韓 449
函 239
函 157

hǎn

罕 138
斥 112

hàn

扞 124
撖 412
汗 125
漢 358
翰 422
瀚 467

䶄 449

guǒ

蜾 381
果 148
裸 249

H

旱 143
暵 392
頷 429
悍 222
菡 308
顄 449
閈 262

háng

远 168
行 120
航 237
頏 341

hàng

沆 139

hāo

蒿 366

háo

毫 256

猓 266

guò

過 326

豪 379
392

hào

耗 273
滈 338
灝 508
滈 359
浩 226
暠 381
昊 160
號 317
顥 495
鎬 461
皞 397
皡 397
皓 294
郜 336

hē

阿 175
訶 316

喝	306	荷	272	鴻	451	**hū**	
		鶴	502	吰	141		
hé		翯	422	粠	204	呼	170
				嶒	480	吻	174
何	130	**hēi**		耾	234	忽	164
雒	398	黑	303	紅	185	曶	158
閡	381			絃	223		
劾	169	**hēng**		紘	272	**hú**	
麧	408	亨	140	閎	277	嘝	534
河	156					糊	400
涸	240	**héng**		**hòng**		狐	173
鶡	489	橫	416	澒	390	壺	298
曷	205	桁	221			胡	196
穌	499	珩	221	**hóu**		鵠	465
合	117	衡	423	糇	400	弧	168
揭	382			鯸	489	鶘	496
盍	236	**hōng**		侯	198		
楅	381	轟	495			**hǔ**	
核	221	鍧	448	**hǒu**		滸	359
和	154	訇	198	吼	176	唬	275
翮	423			犼	208	琥	314
瑚	348	**hóng**		呴	238	虎	144
貉	348	虹	194				
覈	471	宏	129	**hòu**		**hù**	
		弘	108	後	205	糊	400
hè		泓	164	候	237	扈	256
褐	382	浤	237	厚	205	沍	134
喝	306	霐	429	后	126	馿	172
欱	232	洪	178	鱟	510	楛	347
赫	375						

婹	351	懽	491	荒	226	**huàng**	
觳	446	歡	499			榥	381
互	100	驩	514	**huáng**			
臚	483			揘	310	**huī**	
護	494	**huán**		潢	390		
		轘	486	湟	313	撝	387
huā		洹	206	遑	337	揮	288
芲	342	寰	412	喤	316	撣	453
		汍	125	篁	399	褌	370
huá		還	440	簧	457	噅	384
猾	340	圜	410	鍠	448	暉	340
鷨	496	鐶	495	鐄	487	恢	183
華	284	萑	294	煌	324	輝	404
劃	379	嬛	412	黄	285	煇	324
		繯	470	趪	472	猅	301
huà		環	438	皇	191	徽	434
畫	301	綄	344	磺	441	翬	401
劃	379	闤	495	璜	417	墮	385
嫿	385			隍	312	寲	408
繣	457	**huǎn**		凰	274	微	381
化	97	睆	316			寲	406
話	344	**huàn**		**huǎng**		隳	465
		宦	198	晃	229	詼	341
huái		豢	342	怳	164	麾	408
淮	273	焕	341	熀	417		
懷	467	奐	206	恍	204	**huí**	
槐	381			巟	205	回	115
徊	176	**huāng**		幌	340	迴	224
		慌	338	榥	467	洄	208
huān							

蠹	446	喙	348	昏	151		315
		戀	442	昬	198	蟪	485
huǐ		憓	389	闇	428	濊	435
悔	223	薈	439	渾	279	湝	310
誨	370	蕙	419	魂	377	濯	467
會	332	橞	393	溷	320	嚖	432
		卉	122	混	247	瞶	469
huì		繪	470			孈	470
會	332	彙	348	**huō**		蔓	380
誨	370	屮	196	豁	446	藱	483
惠	285	諱	425			獲	435
蟪	459	譓	472	**huǒ**		瓠	275
慧	256	讀	472	夥	380	壑	432
濊	414	頮	413	火	97	韄	512
晦	243	繢	457			霍	428
嘒	418	穢	457	**huò**		貨	271
噦	410			或	172	艧	456
賄	346	**hūn**		豁	446		
噫	380	葷	342	惑	309		

J

		朞	312	羈	508	幾	302
		基	271	稽	399	璣	417
jī		機	416	雞	463		
擊	434	韉	495	積	421	**jí**	
禨	441	刉	231	畿	397	棘	305
激	414	姬	180	隮	436	輯	427
躋	495	机	126	肌	126	潗	390
笄	312	期	305	齏	497	淑	360
箕	363						

礛	492		439	匠	126	蟜	459
瑊	347	灒	455	將	257	攪	504
		楗	338	降	179	摎	371
jiǎn		栫	236			湫	308
揀	310	檻	454	**jiāo**		矯	441
謇	446	僭	349			鉸	381
蹇	412	艦	485	蛟	296	憿	413
	447	腱	341	蟉	460	狡	199
	457	鑒	501	蟭	446		209
簡	401	建	180	澆	390	絞	297
蕳	437			膠	453	皎	252
檢	383	**jiāng**		鑔	487	勦	346
儉	478	江	120	蕉	418	曉	440
鬋	465	姜	203	姣	205	僥	348
		薑	439	椒	303	角	130
jiàn		壃	411	教	273	噭	456
漸	358	舡	237	嶕	386	徼	412
洊	204	橿	437	鮫	451		
韉	463		345	僬	349	**jiào**	
濺	453	疆	466	焦	278	教	273
澗	390	僵	383	鷦	508	徼	412
踐	404	將	257	鷦	508	挍	206
賤	403			驕	502	較	318
瞯	440	**jiǎng**		膠	392	嗷	410
鐧	472	蔣	397	郊	179	噍	384
箭	399	獎	372	鴂	451	叫	111
餞	449			交	114	校	217
劍	383	**jiàng**				矖	505
薦	344	絳	303	**jiǎo**		嶠	386
				播	387		

旌 253
京 150
麖 479

jǐng

井 86
穽 205
景 293
憼 435
警 486
儆 383
到 205

jìng

静 372
　 429
靓 402
淨 275
鏡 475
彭 274
婧 271
敬 327
徑 222
靖 327
競 485

jiǒng

扃 199
窘 296

炯 186
烱 252
僒 381
冏 143

jiū

摎 371
啾 310
杻 125
鳩 337
樛 394
糾 160

jiǔ

酒 233
九 75
韭 204
久 85

jiù

舊 456
柩 198
鷲 508
就 312

jū

鋦 370
沮 163
裾 329

罝 208
斞 436
狙 161
椐 316
俱 237
崌 271
雎 323
凥 86
且 112
居 172

jú

掬 275
踘 373
鵙 465
鞠 449
橘 417
局 138

jǔ

踽 426
咀 175
矩 231
莒 366
枸 184
岨 160
舉 453

jù

據 412
据 275

虡 459
詹 430
窶 421
遽 440
踞 404
距 302
躆 486
鐻 495
鉅 341
懼 491
秬 271
秬 232
劇 383
岠 174
虞 368
倨 236
句 112
巨 103
屨 433
具 171
聚 368

juān

捐 233
涓 225
鐫 506
悁 223
蠲 512
娟 232

槛	454			墾	411	枯	204
坎	138	**kào**				嶇	407
kàn		犒	371	**kēng**		骷	478
		kē		阬	139	**kǔ**	
衎	206	科	184	鏗	475	苦	185
瞰	440	搕	348			**kù**	
徽	472	窠	342	**kōng**		绔	311
阚	487	苛	200	崆	272	侉	207
kāng		薖	438	空	148	誇	480
康	386	珂	203	箜	380	庫	237
嵻	421	磕	470	倥	271	矻	174
慷	352	礚	398			酷	380
槺	393	**kě**		**kǒng**		硞	313
康	257	嶱	412	倥	235		
砊	204	嵑	315	孔	98	**kuā**	
káng		渴	312			姱	203
扛	124	可	112	**kòng**		夸	125
kàng		**kè**		控	243	誇	346
伉	122	溘	343	鞚	449	**kuà**	
抗	128	榼	380	**kòu**		跨	325
炕	172	堁	273	叩	109	**kuǎi**	
阆	226	匼	315	釦	247	劊	380
亢	99	課	403	殼	497	澮	413
kǎo		刻	154	**kū**		块	337
考	122	**kěn**		窟	337	膾	438
		壨	466	堀	247		
				刳	172		

蘭 493
藍 456
闌 448
嵐 306

lǎn

澬 414
攬 508
孄 466
覽 494
擥 453
纜 513

làn

濫 435
爛 493

láng

狼 211
粮 274
閬 406
廊 333
瑯 361
琅 264

lǎng

朗 273

làng

浪 216

láo

牢 129
簝 457
勞 295
砳 421
醪 461
嫪 380

lǎo

老 113
橑 417

lào

澇 390
酪 342

lè

勒 266
泐 174
樂 393

lēi

勒 266

léi

罍 438
轠 500
纝 514

雷 333
靁 507
纝 443
礌 484

lěi

鸓 512
壘 452
礧 484
攭 453
耒 126
藟 468
誄 347
礌 420
磊 398
儡 432
絫 314

lèi

絫 314
累 247
纍 494
頛 494
類 478
勵 432
肋 125
酹 371
礌 484

léng

輘 404
稜 325

lí

褵 402
褵 424
罹 420
罹 438
氂 394
劙 341
釐 461
犛 395
藜 390
灕 498
貍 235
驪 514
離 475
离 274
璃 381
纚 511
劙 235
鷖 478
黎 408
狸 372
犁 300

lǐ

邐 504
澧 413

蓼	396	鳞	474	浚	248	嶙	440
		鱗	459	泠	163		
liǎo		林	153	囹	176	**liū**	
料	235	臨	445	鈴	340	溜	342
瘹	484	麟	508	棱	267	雷	463
		磷	441	軨	298		
liè		璘	418	苓	206	**liú**	
列	121	砩	345	夌	175	瀏	453
烈	227	琳	316	櫺	492	蟉	446
裂	296	霖	428	欞	492	流	197
冽	156	淋	365	陵	249	鎏	468
洌	198	鱗	507	廬	514	飀	510
迣	204	嶙	386	靈	509	留	228
擸	453			聆	271	旒	317
獵	453	**lǐn**		玲	183	旐	208
埒	235	懍	413	酃	481	鰡	496
劒	236	凜	383	零	331		
躐	500	廩	412	鯪	478	**liǔ**	
迾	238	**lìn**		龄	490	柳	204
鬣	503	躏	513	舲	273	珋	205
		轥	513	伶	140		
lín		吝	140			**liù**	
淋	248	藺	483	**lǐng**		六	93
膦	441	膦	124	領	375	鹨	502
箖	363	膦	473	岭	174		
惏	249	橉	417	令	112	**lóng**	
鄰	380					籠	499
鄰	391	**líng**		**lìng**		櫳	482
燐	417	凌	209	令	112	蠪	504

嬴	507	裸	341			落	321
覼	494	瘰	380	**luò**		駱	429
luǒ		倮	234	洛	178	雒	376
				峈	398	絡	278

M

mǎ		蠻	511	戫	402	芼	158
		蔓	396	**mǎng**		茂	206
馬	216			莽	249	懋	435
mái		**mǎn**		漭	308	媚	313
埋	240	滿	358	蟒	358	楳	337
薶	456	矕	508	**māo**		貿	313
霾	501	**màn**		鬏	478	覒	274
mǎi		蔓	396	**máo**		瞀	382
買	316	蟃	445	毛	97	**méi**	
mài		漫	360	矛	109	枚	165
脈	233	曼	259	蛪	314	梅	271
眽	251	嫚	351	茅	185	楣	344
脈	316	**máng**		髦	376	腜	236
脉	200	哤	237	旄	218	糜	339
佅	142	芒	135	蝥	402	蝐	402
遪	440	茫	218	**mǎo**		湄	314
鷹	496	厖	194	昴	205	媒	275
mán		駹	449	**mào**		郿	316
		氓	170			眉	199
		盲	176			玫	174
鞔	429	宝	206	冒	203	**měi**	
						美	197

蟻	494	閔	307	摹	388	
滅	342	黽	343	模	393	**móu**
矊	484	慜	338	譕	472	眸	272
篾	442	僶	383	謨	459	謀	424
懱	453			劇	490	鍪	490
蔑	396	**míng**		摩	388	堥	309
		名	118	麼	352	牟	118
mín		瞑	408			侔	166
罠	206	冥	221	**mò**		繆	442
笢	272	溟	321	末	112		
民	111	煠	361	寞	354	**mǔ**	
忞	173	明	154	嶨	355	拇	173
珉	183	鳴	378		380	母	112
瑉	315	眳	273	漠	359	畝	211
	346	銘	376	沫	162	牡	140
緍	400	茗	234	没	140	沐	133
岷	174			墨	385	目	106
	213	**mìng**		默	430	睦	345
旼	175	命	151	嘿	384		348
				鏌	475	莫	242
mǐn		**miù**		驀	496	幕	371
泯	157	繆	442	莫	242	幙	380
湣	316	謬	459	陌	198	墓	371
懬	388			瘼	420	木	88
敏	271	**mó**		貃	344	穆	421
憫	389	嫫	379	秣	231	牧	168
閩	381	蘑	459	纆	494		

N

ná

挐 234
拏 187

nà

镎 366
纳 223

nán

娚 236
楠 344
南 188
枏 173
湳 294

nǎn

赧 273
㛢 316

nǎng

囊 500
蠰 492

náo

橈 416
猱 314

撓 388

nè

訥 269

nèi

内 96

néng

能 216

ní

柅 201
輗 404
蜺 370
泥 157
麖 479
霓 429
鯢 478

nǐ

薿 456
儗 409

nì

嫟 429
溺 321

逆 220
昵 205
睨 341
惄 339
匿 273
嫟 452
膩 418
愵 285

nián

年 124
黏 451

niǎn

辇 405
辗 448
捻 274
涊 236
碾 398

niǎo

嫋 327
嬲 432
蔦 396
鳥 246
裊 344

niè

梮 208
蘖 492
糵 513
齧 497
蒲 491
躡 511
爇 393
孽 480
孽 480
臬 237

níng

宁 111
甯 313
凝 410
鸋 512

nìng

濘 413
435
佞 142

niú

牛 100

niǔ

狃 144

杻	173	釀	486	奴	111		
紐	236					**nuǎn**	
		nòng		**nǔ**		暖	342
niù		弄	135	砮	236	**nüè**	
钮	203					瘧	397
	231	**nòu**		**nǚ**			
		耨	423	女	85	**nuò**	
nóng						搦	330
農	346	**nú**		**nǜ**		懦	435
襛	459	駑	407	朒	236	諾	425
膿	438	孥	176	衄	209		

O

ō		**ōu**		**ǒu**		嘔	349
喔	311	謳	459	偶	244	藕	468
		鷗	502	耦	402		

P

pā		扁	398	拚	173		
葩	321	**pāi**		攀	466	**pàn**	
		排	272	**pán**		盼	204
pà		俳	237	盤	398	畔	234
怕	173	**pài**		磐	336	判	135
		派	178	磐	398	叛	195
pāi		**pān**		媻	339	**páng**	
拍	151	扳	138	磐	477	滂	324
趨	316			蟠	459	旁	214

煸	381	嫠	385	蘋	483	剖	224
娩	275			苹	186		
骈	464	**pīn**		荓	396	**póu**	
骈	464	拼	271	萍	303	掊	273
便	181	砏	205	枰	184		
				屏	254	**pǒu**	
piāo		**pín**		帲	235	掊	397
漂	360	嚬	466		268		
飘	488	贫	268			**pū**	
標	382	嫔	432	**pō**		撲	388
影	355	玭	175	頗	372	仆	101
				陂	162	鏷	502
piǎo		**pìn**		岥	174	僕	349
麃	468	牝	125			鋪	405
		聘	340	**pó**			
piào				婆	264	**pú**	
剽	342	**pīng**		皤	440	僕	349
缥	443	甹	142	繁	379	濮	435
僄	348	頩	449	擎	407	瀑	453
		薲	455	叵	112		491
piē						蒲	367
瞥	440	**píng**		**pò**		璞	418
撇	388	平	104	摢	412	匍	193
		軿	405	迫	180		
piě		泙	413	粕	274	**pǔ**	
撇	388	憑	413	朴	417	浦	233
擎	412	溯	271	樸	417	溥	343
		瓶	346	魄	407	圃	224
piè		荓	314			普	297
潎	391			**pōu**			

千	80	綪	365	翹	458	篋	399
慊	349	倩	234	趫	472	愜	285
譽	403	嵌	312	樵	416	**qīn**	
厴	383	**qiāng**		喬	304	侵	181
阡	125	斨	175	**qiǎo**		嶔	386
qián		戕	171	悄	233	硻	441
拑	173	鏘	475	愀	285	頜	448
捷	297	羌	155	巧	108	駸	450
乾	258	**qiáng**		**qiào**		嵌	386
黔	430	檣	437	翹	458	**qín**	
鉗	345	強	314	殻	295	秦	221
前	199	牆	438	竅	457	懃	435
燂	417	**qiǎng**		誚	338	勤	317
鰜	496	繈	457	陗	227	衾	235
虔	231	**qiàng**		誚	380	禽	340
犍	342	蹌	447	峭	221	廑	351
qiǎn		**qiāo**		**qiē**		琴	300
慊	319	骹	430	切	98	瘽	386
潛	389	敲	371	**qiě**		**qǐn**	
淺	240	墝	472	且	112	寢	310
qiàn		翹	458	**qiè**		寑	354
塹	350	窲	272	切	98	**qīng**	
芡	174	蹺	474	契	199	青	145
蒨	366	**qiáo**		挈	210	輕	375
堑	432					蜻	369
歉	363						

		埏	232	商	260		
sè		山	85			**shē**	
色	118	珊	183	**shàng**		奢	316
瑟	323	痁	235	上	82	奓	196
颸	502			尚	155	賒	381
鈒	313	**shán**					
槭	394	烻	271	**shāo**		**shé**	
嗇	345			筲	347	舌	125
轖	486	**shǎn**		箱	421	蛇	273
穡	485	潸	338	籟	457		
		睒	344	梢	262	**shě**	
sēn		挵	337	捎	224	舍	155
森	276	陝	233	稍	313		
		閃	235	臀	450	**shè**	
shā				艄	344	舍	155
沙	133	**shàn**				歙	417
鍛	474	善	305	**sháo**		懾	491
莎	242	剡	224	芍	142	攝	491
蔱	396	禪	441	勺	86	涉	216
椴	393	贍	486	韶	373	設	275
殺	257	擅	412			射	228
鯊	407	掞	275	**shǎo**		麝	497
		扇	236	少	96		
shà		鱓	507			**shēn**	
唼	265	繕	457	**shào**		胂	235
厦	315	膳	416	少	96	葠	314
				袑	239	深	273
shān		**shāng**		邵	175	申	107
芟	168	鷓	459	劭	143	襂	500

糝	424	升	99	石	104	示	112
紳	267	識		識	472	侍	149
牲	235	**shéng**				釋	487
伸	141	繩	471	**shǐ**		氏	111
甡	304			矢	112	諡	424
侁	166	**shěng**		始	176	諟	425
參	258	眚	232	史	109	市	101
身	140			豕	144		
駪	430	**shèng**		纚	511	**shǒu**	
詵	334	盛	306	縰	443	首	195
		勝	289	使	176	守	125
shén						手	100
神	225	**shī**		**shì**			
		尸	84	湜	414	**shòu**	
shěn		師	228	嗜	343	壽	379
哂	204	施	202	賜	346	授	272
寀	272	詩	324	筮	344	售	273
審	386	蓍	367	恃	204	綬	365
沈	133			世	103		
		shí		耆	230	**shū**	
shèn		時	221	式	112	舒	313
滲	359	食	196	柿	184	菽	305
蜃	341	蒔	366	噬	410	姝	199
		樹	380	事	145	樞	393
shēng		寔	316	誓	381	淑	271
笙	252	十	77	軾	343	泜	203
聲	444	拾	205	室	208	書	235
牲	204	實	381	適	397	攄	453
生	107	什	97	逝	249	抒	140

胝	315	述	208			斯	298
輸	427	澍	391		**shuí**	澌	390
毹	513	術	263	誰	403	私	134
疏	293	倏	244			絲	278
叔	154	豎	403		**shuǐ**	緦	400
紓	223	庶	252	水	96	司	109
殊	231					廝	349
疎	292		**shuā**		**shuì**	颸	464
殳	100	刷	170	悅	236	廁	387
				稅	281		
	shǔ		**shuǎ**				**sǐ**
蜀	337	耍	201		**shǔn**	死	114
署	379			吮	140		
曙	454		**shuāi**	唬	237		**sì**
橾	437	衰	231	蕣	418	祀	161
屬	491			順	297	四	101
數	392		**shuài**	舜	314	笥	274
		帥	204	瞬	441	食	196
	shù	率	261			寺	126
數	392				**shuó**	泗	174
樹	416		**shuāng**	唰	265	嗣	342
恕	209	孀	480			耜	272
	237	霜	449		**shuò**	俟	205
漻	465	雙	463	朔	227	姒	236
	498			鑠	506	駟	450
漱	358		**shuǎng**	爍	468	肆	330
束	143	爽	257	碩	374	兕	175
戍	125	瓿	419				
裋	316	澳	359	思	**sī** 183	松	**sōng** 165

T

剔	232	惕	245	睼	382	跕	313
踢	404	逖	172	瑱	362	帖	176
鬄	489	涕	204				
		逿	342	**tiāo**		**tiě**	
tí		悌	233				
		摘	453	佻	166	帖	179
綈	400	剃	209	祧	204	鐵	495
稊	281	鬀	465	挑	187		
鶙	420					**tiè**	
綈	342	**tiān**		**tiáo**			
鮷	465					帖	176
荑	226	天	86	傜	311	餮	464
啼	315			條	244		
題	464	**tián**		齠	490	**tīng**	
蹏	447			嬥	432		
鶙	465	甜	272	苕	205	听	140
褆	380	恬	205	芀	125	汀	112
鵜	489	填	327	迢	180	聽	500
提	304	田	107	蜩	369		
瑅	272	寶	399	磬	407	**tíng**	
		沺	174	調	403		
tǐ		畋	193			霆	406
		摲	348	**tiǎo**		停	265
體	507	輖	375			挺	235
		闐	462	挑	187	婷	343
tì		磌	398	窕	270	莛	335
				朓	236	鋌	405
俶	231	**tiǎn**				淳	294
倜	234			**tiào**		庭	231
悐	274	悿	275			亭	195
薙	439	淟	272	眺	272		
逖	274			跳	343	**tǐng**	
		tiàn					
				tiē		梃	272

町	140	頭	429	兔	168	豚	271
挺	224						
		tǒu		**tuán**		**tuō**	
tōng		黈	451	團	350	拖	176
通	248			湍	305	扡	126
		tòu		剸	328	脫	251
tóng		透	273	摶	354	託	234
橦	441						
橦	416	**tū**		**tuī**		**tuó**	
桐	217	禿	140	推	261	佗	143
曈	415	怢	173			鼉	452
罿	418	突	200	**tuí**			512
銅	376			頹	429	橐	357
潼	389	**tú**		穨	**470**	駝	407
膧	415	塗	334	隤	391		
彤	143	腯	337			**tuǒ**	
同	115	屠	303	**tuǐ**		妥	140
童	301	徒	222	嶊	234	嫷	313
硐	272	茶	242			橢	385
		蒤	367	**tuì**			
tǒng		涂	240	侻	183	**tuò**	
統	278	途	249	蛻	240	侻	183
筒	343	圖	350	退	234	毻	345
	347	峹	340			擽	434
				tūn		檡	454
tōu		**tǔ**		暾	415	柝	203
偷	265	土	83			籜	499
				tún		魠	273
tóu		**tù**		忳	142	拓	162
投	133			屯	100	魠	379

W

wā

窊　236
涄　343
呱　175
哇　187
搲　479
鼃　479

wá

娃　205

wà

喎　322
韈　510

wài

外　109

wān

蜿　369
蜒　271
彎　498
眅　274

wán

完　139

忨　143
丸　86
刓　123
頑　347
貦　401
玩　161
紈　198

wǎn

挽　235
宛　161
涴　264
豌　344
晼　315
踠　404
莞　242
婉　251

wàn

萬　332
槾　393
腕　315

wāng

汪　140

wáng

王　88

亡　84

wǎng

瀇　453
蛧　369
惘　271
茵　314
枉　165
罔　171
网　125
逴　273
往　166
網　365
蛧　465

wàng

望　258
忘　143

wēi

蜲　369
威　192
逶　282
溾　307
煨　346
麥　308

葳　338
薇　438
朡　344
隈　303
崴　276
危　118
峞　312
微　332
委　150
倭　176

wéi

惟　249
幃　316
壝　466
帷　259
嵬　335
維　364
緯　401
巍　491
爲　304
唯　272

wěi

洧　208
委　150
娓　176

達	326	謂	425	滃	346	洿	202
躄	453	磑	398	箹	421	鳴	341
煒	340	衛	424	蓊	367	圬	126
愇	309	魏	465	塕	345	於	155
葦	338					巫	137
韡	495	**wēn**		**wèng**		鄔	347
猥	291	輼	447	甕	456	烏	213
隗	464	温	320			歍	377
歆	340	殟	381	**wō**			
骩	314			蝸	402	**wú**	
尾	129	**wén**		渦	316	吳	135
痿	347	蚊	233	喎	172	無	299
疿	270	鮫	407	倭	210	蕪	419
壝	490	汶	143	腛	456	梧	245
偽	349	文	94			鼯	490
碨	362			**wò**		毋	100
偉	264	**wěn**		渓	275	吾	140
鮪	450	吻	143	擭	434		
		紊	233	握	306	**wǔ**	
wèi		刎	126	沃	133	遷	335
爲	304			渥	303	迕	160
蜼	370	**wèn**		幄	316	甒	440
未	112	璺	483	斡	381	舞	370
韢	460	問	273	偓	265	憮	389
轊	474			龌	511	嫵	385
胃	204	**wēng**				膴	418
尉	395	翁	240	**wū**		㵘	433
蔚	396			污	119	廡	387
慰	389	**wěng**		汙	119	五	89

硙	346	扤	126	婺	312	兝	127
武	159	寤	354	務	275	軏	434
牾	258	沕	128	霚	449	勿	100
伍	121	悟	209	惡	285	物	154
儛	409	杌	144	兀	86		
wù		隖	356	霧	322		
		鶩	478	雺	463		

X

xī		蜥	369	僖	348	習	257
西	113	蟖	508	巇	480	鰼	496
腊	316	蟋	445	繱	508		
闟	487	薑	461		85	**xǐ**	
屖	240	歹	172	夕	209	屣	381
犀	302	禧	441	息	483	蒽	341
熙	324	嚱	452	犧	466	喜	313
肸	171	晰	313	欷	446	愢	291
譆	472	蹊	447	谿	467	憙	413
昔	169	唏	144			韘	488
嬉	385		234	**xí**		洗	177
娭	235	睎	269	狶	233	曬	504
析	155	睼	296	㰾	437		508
希	130	嘻	384	錫	427		460
欷	260	吸	134	榴	393	躧	512
謑	380	羲	422	襲	500	璽	468
奚	228	熺	417	席	238	徙	265
鸂	511	惜	246	廝	351		
稷	209	稀	308	碏	441	**xì**	
		俙	208	覡	370	隙	317

形	134	修	222	韶	424	軒	212
行	120			湑	279	蜎	337
xìng		**xiù**		煦	315	宣	179
行	120	秀	135		335	瞦	469
興	423	繡	471	楈	400	藼	483
性	153	**xū**		**xù**		蕙	483
婞	273	欨	204	蓄	367	騫	496
幸	175	欻	297	旭	125		
倖	273	肝	175	獝	391	**xuán**	
xiōng		藘	396		414	旋	253
洶	178	墟	385	畜	234	嫙	351
胸	236	姁	175	珬	234	玄	106
凶	100	楈	316	怴	205	璿	455
匈	125	噓	350	序	130	漩	358
xióng			384	洫	177	眩	224
雄	302	胥	198	潊	359	蜁	346
熊	361	頊	422	敍	274	懸	480
xiòng		須	306	稸	399	璇	246
夐	382	魖	502	緒	401	蠉	443
		虛	296	卹	167	**xuǎn**	
xiū		歔	417	鱮	511	選	419
羞	270	**xú**		**xuān**		**xuàn**	
鬃	430	徐	234	萱	322	眩	205
休	118	**xǔ**		儇	383	泫	164
脩	273	許	245	諼	425	袨	233
		詡	348	誼	424	昫	268
				翾	471	炫	204

贊	506	穴	106	馴	332	郇	208
絢	278	沈	162	詢	312		
		岈	174		347	**xùn**	
xuē		矏	441	恂	208	巽	205
薛	439	濊	435	荀	233		314
				枸	232	汛	121
xué		**xūn**		洵	205	迅	135
泉	435	薰	454	潯	390	遜	374
學	412	曛	454	巡	139	訊	209
		燻	432	樽	416	訓	234
xuě		塤	336	循	313	殉	229
血	125	勳	410	尋	300	鵋	465
雪	246	熏	360	蟫	507		
				徇	183		
xuè		**xún**		旬	117		

Y

				咽	187		
yā		**yǎ**		崦	273	**yán**	
呀	142	雅	298	焉	262	沿	139
鴉	408			鄢	356	炎	153
雅	298	**yà**		閹	428	鋋	405
		軋	171	關	428	嵒	306
yá		窡	368	嫣	351	筵	336
牙	100	貌	426	淹	264	嚴	479
睚	340				273	埏	232
涯	261	**yān**		奄	170	狿	274
厓	172	煙	333	燕	417	綖	364
崖	274	烟	235			崦	312

鼯	493	蝘	402	洋	178	巇	386
研	261			暘	340	嶢	386
閻	428	**yàn**		腸	346	嶕	273
鹽	508	嬿	466	楊	319	僥	348
妍	180	厭	349	揚	287	瑤	361
檐	437	雁	299	颺	464	遙	374
顏	463	鷃	496	陽	286	殽	311
巖	504	燕	417	煬	324	謠	446
延	127	焱	278			徭	341
		蜒	271	**yǎng**		飖	478
yǎn		晏	216	坱	171	菩	366
奄	170	宴	223	痒	310	搖	329
渰	294	豔	514	養	407	肴	169
黤	497	爓	492				
噞	410	爛	482	**yàng**		**yǎo**	
剡	224	硯	314	漾	359	咬	187
弇	206	堰	313			鷕	430
掩	243			**yāo**		膝	398
儼	497	**yāng**		夭	99	蟯	497
黶	490	鍈	340	妖	134	闄	478
晻	301	泱	164	微	412	腰	380
掞	294	映	175	幺	86	杳	165
沇	140	柍	204	邀	440	皎	497
巘	504	鞅	381	葽	341	窅	240
齞	490	殃	200			窅	238
魘	243	央	107	**yáo**		窈	218
衍	196	鴦	465	爻	100		
演	358			軺	315	**yào**	
鼴	348	**yáng**		窯	399	鷂	496
		羊	114				

衿	172	靨	507	貽	314	以	112
燿	455	魘	452	貤	240	倚	228
耀	485	葉	331	跠	348	乙	74
曜	454	拽	231	迤	139	已	84
葯	334	液	242	遺	419	阤	124
窔	272	嶫	412	怡	140	陷	158
突	205	殗	316	羨	226	旖	357
		業	342	迻	202		
yē		謁	424	移	263	**yì**	
椰	315	裛	332	彝	452	曀	415
		夜	148	宜	161	跇	302
yé		撒	434	儀	382	襀	509
耶	208			鬂	494	泆	174
邪	134	**yī**		酏	311	浥	233
		一	74	狋	173	邑	143
yě		伊	119	澄	338	異	295
野	260	袘	236	沂	141	義	332
埜	275	猗	256	訑	347	燡	437
壄	411	擨	388	夷	120	悒	235
冶	135	噫	410			熠	395
		依	152	**yǐ**		曳	126
yè		繄	496			藝	468
叶	111	繄	443	椅	314	貤	315
掖	243	壹	314	螘	423	瀷	481
曄	392	漪	359	錡	427	逸	282
擪	388	衣	127	轙	486	溢	338
鍱	448	椅	314	蟻	471	易	169
燁	395			扆	239	佾	166
曳	126	**yí**		艤	500	囈	493
				艤	471		

蓺	396	毅	394	垠	200	鸚	514
墻	385	誼	403	吟	133	櫻	492
弋	86	奕	191	訡	380	蠳	506
枻	205	意	342	圻	139	纓	505
刈	101	帝	206	猌	233	膺	438
凱	343	裔	332	嶾	271	鷹	510
乂	77	廕	380	齗	479	應	435
挹	210	瘞	337	闇	405	嚶	479
軼	290	醳	486	尢	100	鶯	512
抑	132			訡	236	罃	494
屹	124	**yīn**		淫	241	嬰	432
仡	111	因	125				
役	134	絪	315	**yǐn**		**yíng**	
鯢	479	愔	309	螾	445	籯	512
繹	471		316	隱	436	籯	499
億	383	愍	352	憖	383	塋	395
肄	330	茵	234	磤	398	營	446
佚	136	殷	215	引	97	塋	340
殈	417	絪	400	飲	342	營	437
翌	272	闉	448			熒	360
翼	458	闇	448	**yìn**		縈	398
异	125	湮	316	飲	342	縈	422
翳	444	禋	379	憖	413	迎	151
枌	165	陰	249	鮣	450	淡	435
嬿	351	音	193	胤	170	蠅	471
臆	438			印	125	瀅	467
議	485	**yín**				楹	357
詍	310	嚚	452	**yīng**		贏	412
譯	485	銀	376	英	186	盈	**196**

菊	341	**yǔ**		潏	389	颬	495
蕭	418			喻	315	閼	428
娱	227	禹	198	遹	419	隩	415
揄	305	圉	273	鴥	430	礜	494
畲	368	瘐	483	裕	316	嫗	351
馀	343	嶼	433	禦	421	郁	178
岖	307	窳	399	念	271	聿	124
虞	334	宇	115	奠	438	澦	516
于	83	寓	289	蓣	315	淢	263
雩	271	傴	333	獄	355	育	156
瑜	337	禹	205	棫	316	餵	449
璵	455	雨	160	域	268		
隅	303	羽	122		144	**yuān**	
腴	334	與	372	抅	240	淵	240
舆	447	庾	465	淯	274	痟	312
歟	454	庾	304	寓	290	蝛	369
隃	309			歈	430	鴛	479
迂	143	**yù**		魊	465	鳶	380
趱	426	蜮	381	御	246	鴛	430
榆	319	帟	274		272		
	344	遇	336	玉	102	**yuán**	
杅	140	吁	116	喬	314	援	305
媀	315	蔚	396	罭	502	圓	240
喁	316	飫	344	鴥	508	圜	410
於	155	愈	341	嫗	461	轅	447
旟	482	鋊	382	預	344	園	326
諛	424	惐	274	豫	425	員	215
盂	176	鬱	515	翻	458	圓	335
		薔	493	閾	428	緣	400

Z

诛	345	渚	305	鱒	502	贅	460
侏	166	瀦	515			墜	385
株	232			**zhuǎn**		缀	364
絑	308	**zhù**		轉	460		
洙	205	佇	142	篆	485	**zhūn**	
茱	238	住	140			奄	207
铢	376	杼	164	**zhuàn**		忳	142
橥	482	柱	201	轉	460		
諸	424	苧	174	傳	344	**zhǔn**	
藷	483	竚	185	僎	349	準	348
		注	157	撰	388		
zhú			164	篆	422	**zhuō**	
竹	117	祝	225			捉	235
柚	184	貯	221	**zhuāng**		拙	176
舳	273	貯	311	莊	262	稵	505
邃	396	筑	312	裝	348	蠿	360
躅	486	築	501				
邋	315	著	341	**zhuàng**		**zhuó**	
鸀	510	駐	407	壯	144	卓	144
燭	438			撞	388	倬	223
爥	511	**zhuā**				啄	271
		撾	412	**zhuǐ**		踔	404
zhǔ		簻	470	沝	125	斲	423
主	112	髽	450	追	220	擢	434
罜	204			椎	307	窏	233
陼	310	**zhuān**		魋	465	潃	491
麈	430	甎	419			濁	413
屬	491	箄	442	**zhuì**		濯	435
煮	348	顓	453	餟	345	焯	307

灼	135	子	84			崒	254

斮	302	梓	244	**zòng**	

梲	265	姊	143	縱	444

zǔ

椓	306	玼	201			阻	172

zōu

斲	357	滓	346			祖	225

諑	403	秄	204	諏	403	組	247

斫	206	呰	204	騶	488	岨	160

琢	305	第	234	陬	249	

zù

酌	236	訾	348			駔	407

		紫	311	**zǒu**		**zuān**

zī

				走	128	鑽	513

孜	143	**zì**		**zòu**		

赼	348	漬	358				**zuǎn**

輜	404	眦	233	奏	199	纂	511

孳	322	齜	269	騶	510	

兹	230	自	118	**zū**		**zuǐ**

錙	427	**zōng**		租	234	觜	297

咨	200			菹	342		342

資	333	宗	157	蒩	366	**zuì**

粢	313	鬷	489	蒩	308	最	297

滋	348	椶	346	媰	351	蕞	419

嗞	338	蓯	343	**zú**		晬	314

貲	348	樱	358			檇	412

觜	430	蹤	460	足	140	嶉	412

錙	272	綜	380	卒	170	

緇	365	嵏	307	族	254	**zūn**

鯔	478	**zǒng**		鏃	475	

zǐ

		總	443	崒	404	尊	306

嶟	386			作	131	坐	140

嶟　386

zǔn

尊　418

zùn

捘　235

zuō

作　131

zuó

岊　168
岝　174
昨　193

作　131

zuǒ

左　103
佐　144

zuò

作　131

坐　140
阼　174
祚　224
柞　203
怍　173
酢　316

四角號碼索引

0010	瘠 397	0 痼 328	2 庖 170
4 主 112	病 234	1 痁 235	3 充 121
童 301	8 疥 208	7 瘡 397	4 雍 331
甕 412	**0013**	**0018**	塵 362
6 亶 345	4 瘦 420	1 癡 469	廛 351
7 亹 490	疾 237	6 痕 237	廬 387
8 立 105	6 宦 206	**0019**	塵 430
0011	盧 506	4 藥 484	靡 491
1 瘖 397	蠱 402	6 療 440	座 197
4 痤 337	**0014**	**0020**	麾 408
痊 273	1 痔 272	1 亨 195	6 庵 274
癯 505	4 瘘 347	7 亨 140	競 485
0012	6 痹 348	**0021**	7 廥 430
1 痾 341	瘴 420	1 庇 141	亮 205
2 瘳 420	8 瘁 328	庀 109	廬 466
7 癘 456	**0015**	鹿 257	贏 507
痢 270	1 痒 310	麤 516	贏 412
痔 312	6 癉 440	靡 476	麾 479
痟 312	**0016**		亢 99
			0022
			1 廝 387

2	序	130		廳	387		庳	179
3	齋	497		廰	508	2	摩	388
	麢	512	2	康	257	6	庫	237
	齋	441		豪	379			
	齊	378		麼	352		**0026**	
7	廗	351	3	應	380	0	廟	312
	廲	512		廰	488	1	廬	479
	帝	206	4	麾	465	3	廬	514
	鴈	344	7	庚	148	7	麿	465
	帝	195		庚	304		唐	230
	方	93		廉	348			
	廊	333					**0028**	
	商	260		**0024**		6	廣	386
	廊	352	0	府	172			
	廗	381	1	麿	490		**0029**	
	庸	260		庭	231	3	廔	443
	育	156		廎	497	4	廩	442
	高	211		庰	235		廩	451
	旁	214		庰	268		廩	430
	席	238	2	底	146		廩	412
	廟	387	6	庫	274	6	廬	479
	膏	376	7	庠	236			
	齎	438		慶	389		**0031**	
	鷹	510		夜	148	1	忘	143
	裔	332		度	189			
				廢	387		**0033**	
	0023					2	烹	274
				0025		4	态	173
1	庶	252	1	廧	433	6	意	342
	應	435						

	0040	
0	文	94
1	辛	136
3	率	261
5	辜	405
6	章	408
	夐	408
	章	260
7	享	157
8	交	114
	卒	170
	0041	
4	離	475
	0042	
7	离	274
	0043	
1	奕	191
	0044	
1	瓣	468
	辨	427
	辯	485
	辯	461
2	辯	494

0050		
3	牽	256
0060		
1	盲	176
	音	193
3	畜	234
4	吝	140
0061		
4	誰	403
0062		
7	諦	425
	謫	459
0064		
7	謫	403
8	諄	403
0066		
1	壹	494
0068		
2	該	337
0069		
6	諒	403

0071		
0	亡	84
4	亳	256
7	甕	456
0073		
2	玄	106
	衷	231
	衰	231
	衣	127
	袞	212
	哀	208
	襄	446
	褻	445
	裹	332
0080		
0	六	93
0090		
3	紊	233
4	稟	345
	棄	306
	橐	357
	橐	399
6	京	150
0091		
4	雜	462

0110		
4	壟	466
0121		
1	龍	430
7	龐	419
0124		
7	敲	371
0128		
6	顏	463
	頏	341
0140		
1	聾	500
0144		
1	斝	479
0148		
6	頜	449
0160		
1	誓	494
	誓	506
0161		
1	誹	403

6	謳	459
0162		
0	訶	316
0163		
2	諑	403
0164		
0	許	237
6	譚	472
0166		
1	譖	472
0173		
2	襲	500
0180		
1	襲	503
0211		
4	甎	437
0212		
7	端	357
0220		
0	劇	490

剗	410	4 話	344	**0363**		諶	425
				2 詠	312	7 詣	310
0242		**0267**		4 誒	380	**0462**	
2 彰	355	2 謠	446			7 誇	346
		7 訕	304	**0365**		訥	259
0260				0 識	472		
0 誦	336	**0280**		誠	372	**0463**	
剖	224	0 刻	154	識	509	4 護	459
訓	234						
		0292		**0380**		**0464**	
0261		1 新	346	1 譝	473	1 詩	324
4 託	234					譸	495
		0314		**0391**		7 詖	310
0261		7 竣	312	4 就	312	護	494
8 證	472						
		0332		**0428**		**0465**	
0262		7 鷟	508	1 麒	479	6 諱	425
7 誘	380	**0344**		**0442**		**0466**	
0263		0 斌	311	7 效	160	0 諸	424
1 訴	310	**0360**		**0460**		1 譆	472
0264		0 訐	191	0 計	191	詰	324
0 詆	310			謝	446	誥	372
1 誕	372	**0361**				4 諸	425
7 諼	425	4 詫	336	**0461**		**0468**	
		訧	274	0 訛	266	6 讚	512
0266		6 誼	424	1 詵	334	9 詼	341
1 詬	318	7 誼	403				

0469	謀 347	7 鸝 502	2 謬 459
4 謀 424	**0612**	鷗 502	7 誃 347
譕 424	7 竭 357	郶 336	謂 424
0482	**0662**	酈 453	謠 472
7 劾 169	7 竭 424	**0724**	誦 370
		7 毅 394	379
0492	**0662**		**0763**
7 勖 236	7 譚 425	**0728**	7 諛 424
	諝 425	2 歆 362	
0512	**0664**		**0764**
7 靖 327	1 譯 485	**0742**	0 諏 403
		7 鄆 356	7 設 275
0519	**0668**	郭 246	
6 竦 272	1 諟 425	鶂 478	**0766**
	6 韻 477	郊 179	2 詔 310
0562		鳹 451	詔 373
7 請 403	**0669**		**0767**
	4 課 403	**0761**	2 諞 403
0563	諜 485	0 訊 209	7 諎 446
0 訣 267		諷 424	
3 譳 472	**0710**	2 詭 317	**0768**
	4 望 258		0 歅 211
0568		**0762**	2 歆 332
6 讀 472	**0711**	0 詢 312	
	0 颯 357	詾 347	**0774**
0569		詡 348	7 䟓 170
0 誄 346	**0722**	謝 472	**0821**
		調 403	2 施 202

3	旋	317				豆	141
	旐	310	**0833**		**0925**	靈	509
4	旆	218	4 憨 413	9 麟 508	9	丕	111
	旌	253					

0822　　**0844**　　**0962**　　**1011**

1	旖	357	0 敦 291	0 訬 264	1	靇	488
	旌	224	效 237	7 誚 380		霏	428
7	施	201			3	疏	293

0861　　**0963**

旒 344　　7 訖 234　　1 讞 513　　**1012**

	旛	381	謚 424			7 霈	406
			1000		璃	381
			0 一 74		靄	488

0823　　**0862**

2	旅	218	7 論 403		**1010**		**1013**
3	於	155			0 二 74	2 瓊	483
	旟	467	**0863**		工 83	璡	493
4	族	254	1 譙 472	1 三 78	3 灦	429
7	斿	253	7 謙 446	正 102		

0824　　**0864**

0	放	155	0 許 245	3 玉 102		**1014**
7	斿	208			璽 468	3 霸	501
	旅	218	**0865**	4 王 88	8 琤	310
			1 詳 346	至 114		

0828　　6 亙 122　　**1016**

1	旗	482	3 議 485	疊 345	1 霑	428
	旗	357	7 誨 370	7 五 89	4 露	495
		380		互 100		

0873　　**1017**

	旋	253	2 旅 269	8 巫 137	7 雪	246

1020		0	下	84	1	霆	406		雷	406

1020

0	丁	77
1	亍	86
7	零	271

1021

0	兀	86
1	元	87
2	死	114
4	霍	428
	靃	501
	靉	510
7	霓	429

1022

2	霂	322
3	霶	501
	霖	310
7	丙	112
	兩	146
	而	124
	雨	160
	爾	382
	雺	305
	霄	406
	霧	463
		476

1023

0	下	84
1	孺	513
2	豕	144
	弦	172
	震	406

1024

7	夏	228
	憂	389
	焞	274
	覆	459
	霞	449
8	霰	488
	顟	471
	霰	449

1030

7	零	331

1032

7	焉	262

1033

1	惡	285
2	惡	209

1040

0	于	83
	干	80

1	霆	406
4	耍	201
6	覃	296
9	平	104

1043

0	天	86

1044

1	弄	135
7	再	125

1048

2	孩	180

1050

3	憂	262
6	更	127

1052

7	羈	508

1060

0	石	104
	西	113
	百	114
	面	199
1	吾	140
	晉	235

	霅	406
2	雷	463
3	雷	333
6	畐	204
9	否	131

1061

7	硫	204

1062

0	可	112
7	磅	398
	靅	510

1063

1	醮	474

1064

7	醇	405
8	礖	494

1066

1	磊	398
6	醋	427
	礨	507

1068

6	礦	484

1071

2	雹	340

6	巨	112
	電	343
7	鼍	452

1072

7	鬲	449

1073

1	雲	282
	云	88
2	長	149

1077

2	函	157

1080

6	貢	231
	賈	332
		346
	賣	463

1090

0	不	92
1	示	112
4	栗	210
	粟	315

1096

3	霜	449

1099

4	霖	428

1110

1	韭	204

1111

0	北	108
	玭	175
	玨	205
1	玩	161
	玼	311
4	班	227
	斑	302
	琟	405
6	疆	466
7	琥	314
	甄	371

1112

0	珂	203
1	珩	221
7	巧	108
	翡	366

1113

2	琢	305
6	蜑	369

1114

0	珥	212
	玤	140

1116

0	砧	205
8	璿	455

1118

6	項	316
	頭	429

1120

7	琴	300

1121

1	麗	479
4	殛	347

1122

7	彌	433
	背	190

1123

2	張	264

1124

0	弭	196

	貐	347

1128

	預	344
	頑	347

1133

1	悲	314
	瑟	323
	黛	465

1149

0	斐	292

1142

7	孺	433

1148

6	類	413

1150

0	芈	139

1161

1	瓽	401
3	硅	240
4	礭	494
6	醼	461

1163

4	硬	362

1273			**1328**		瓚	504	酙	266

1273

2 裂　296

1274

7 霻　511

1290

0 劋　342

1292

2 彭　355

1313

2 球　624
　琅　264

1314

0 珷　159

1315

0 珹　347
　珹　234

1325

0 殳　391
　殲　492
3 殘　296

1326

0 殆　205

1328

6 殯　454

1364

0 碙　346

1365

0 碱　420

1411

2 耽　213
4 珪　230
　瑾　395

1412

7 玏　112
　瑢　236

1413

1 聽　500
2 眈　234

1414

7 掰　269

1418

1 琪　313
　瑱　362

瓚　504
璜　417

1419

0 琳　316

1421

2 弛　124
4 殲　394
　殗　316
7 殖　313
8 殪　417

1422

7 勦　346

1434

7 襪　512

1461

1 磋　380
4 確　421
7 磋　398
　磋　470
　醓　448

1462

1 碕　346
7 劭　143

酙　266

1463

4 碘　420

1464

1 醻　495

1466

0 酷　305
1 酷　380
　碏　313

1467

0 酣　313

1468

1 礎　456
　磧　398
6 礦　441

1469

0 琳　345

1471

1 齻　495

1512

7 聘　340

1513	**1569**	1 碧 372	**1710**
0 玦 174	4 礫 394	**1661**	1 蝥 405
1519	**1611**	0 硯 314	3 丞 125
0 珠 221	0 覡 370	3 魂 393	4 亟 175
4 臻 423	現 274	醜 448	7 盈 196
6 疏 292	**1611**	4 醒 371	237
1520	1 琨 302	7 醯 448	孟 147
7 建 236	3 瑰 361	**1662**	8 翌 272
1523	4 理 254	7 碣 362	**1712**
0 殃 200	理 264	碭 362	0 羽 122
6 融 423	**1613**	**1663**	珝 290
1529	0 聰 445	2 碨 362	玽 138
0 殊 231	2 環 438	**1664**	卭 112
1540	**1621**	1 醳 486	珋 205
0 建 180	0 覲 494	**1666**	聊 263
1561	覿 512	0 礧 484	刁 77
8 醴 486	7 瑥 381	**1668**	7 璆 395
1563	**1623**	6 磧 398	邛 167
2 醸 486	6 强 314	**1669**	邛 126
1568	**1625**	3 礫 420	耶 208
6 磧 421	6 殫 417	**1671**	鄧 391
	1660	3 魂 377	瑯 361
	0 硐 346		弱 212
			瑀 348
			1713
			6 蛮 315
			瑤 361

7	已	84		致	222	2	酏	311		垂	153

7	已	84		致	222	2	酏	311		垂	153

1780

| 1 | 翼 | 458 |

1790

| 4 | 柔 | 200 |

1791

| 0 | 飄 | 488 |

1810

| 4 | 墊 | 309 |

1812

1	瑜	337
2	珍	184
7	玢	175
	琗	272

1813

6	螫	402
7	聆	271
	玲	183

1814

0	攻	143
	玫	174
	政	204

1818

| 1 | 璇 | 246 |

1820

| 7 | 麬 | 490 |

1821

| 2 | 弛 | 174 |

1822

| 7 | 衿 | 200 |

1832

| 7 | 騖 | 478 |

1833

| 4 | 憖 | 412 |

1840

| 4 | 婆 | 312 |

1844

| 0 | 孜 | 143 |

1860

| 4 | 睯 | 382 |

1861

| 1 | 酢 | 316 |

1862

| 7 | 矵 | 174 |

1862

| 7 | 砏 | 205 |

1873

| 2 | 饕 | 464 |

1874

| 0 | 改 | 133 |

1877

| 2 | 嵤 | 314 |

1915

| 9 | 璘 | 418 |

1916

| 6 | 璿 | 438 |

1918

| 0 | 耿 | 231 |
| 6 | 璅 | 362 |

1965

| 9 | 磷 | 441 |

2010

| 4 | 重 | 187 |

2011

| 1 | 乖 | 176 |
| 4 | 雌 | 340 |

2020

| 2 | 彳 | 86 |

2021

1	魖	465
2	魕	496
4	住	140
	往	166
6	偅	383
7	禿	140
	伉	122

2022

1	停	265
3	偫	408
7	秀	135
	傭	339
	焉	304
	雋	336
	喬	304
	傍	308
	仿	122
	彷	137

2023		
1 焦	349	
2 襄	480	
依	152	
6 億	383	
2024		
0 府	237	
1 僻	383	
辭	474	
4 佞	142	
2025		
2 舜	314	
2026		
1 倍	234	
信	181	
2030		
7 乏	112	
2031		
6 鱧	510	
2032		
7 鱛	502	
2033		

1 焦	278	
	349	
熏	360	
2034		
0 鮫	407	
8 鮫	451	
2039		
6 鯨	478	
2040		
0 千	80	
2041		
1 隼	234	
2040		
4 妥	140	
委	150	
	176	
7 孚	142	
季	160	
雙	463	
2041		
4 雛	462	
雞	463	
7 航	237	
2042		
7 禹	205	

舫	235	
2043		
0 奚	228	
天	99	
2044		
7 再	208	
爱	198	
2050		
0 手	100	
1 犖	483	
7 爭	175	
2052		
7 犒	371	
2060		
1 讐	506	
售	273	
4 舌	125	
9 香	198	
2061		
4 碓	341	
雉	376	
2062		
7 皜	397	

2064		
8 皎	252	
2071		
4 離	462	
毳	312	
毛	97	
2073		
1 鐎	386	
2074		
6 爵	455	
嶂	355	
8 崒	254	
巚	497	
2076		
7 螗	343	
2079		
4 嵊	386	
2090		
1 乘	228	
3 系	137	
4 集	276	
采	144	

采 159
7 秉 153

2091

3 統 278
4 維 364
稚 346
纏 494
穜 441
7 秔 184
紜 237

2092

7 締 400
縞 422

2093

2 穰 499
紘 268
纕 505

2094

8 綷 365
絞 297

2096

3 稽 399

2098

6 積 485
纘 494

2099

4 緤 457

2104

7 版 158

2108

6 順 297

2110

0 止 100
上 82

2116

0 黏 451

2110

3 衍 196
4 坐 143
衝 402
街 304
9 衛 382

2120

1 步 129

2121

0 仳 126
舧 434
舡 237
1 魖 502
俳 237
征 166
能 216
徑 222
2 儷 490
虛 296
4 偃 243
侹 205
5 衢 509
6 僵 383
傴 333
7 甗 493
虎 144
盧 420
伍 121
甗 468

2122

0 何 130
1 行 120
衎 206
7 觜 297
342
齒 269
俏 274
齗 445
衞 424
儒 409
虜 347
膚 395

2123

1 慮 258
2 侲 183
4 虞 334

2124

0 虔 231
佴 207
1 處 258
6 便 181
倬 223
7 優 432

2125

3 歲 332

2126

0 佰 239
貊 344
1 僭 349
2 偕 269
6 偪 265

2128

1 虞 368	**2134**	0 匕 78	0 紅 185
徙 265		比 99	1 經 327
虞 459	0 鱸 496	4 岯 198	纑 511
6 顗 463	**2140**	6 嶇 355	4 經 400
顧 511		7 岠 174	6 組 278
穎 390	6 卓 144	**2172**	絚 401
偵 243	**2141**	7 師 228	7 纑 500
傾 345		**2177**	秙 232
價 383	7 艫 500	2 齒 408	**2194**
穨 429	**2142**	**2178**	0 紆 202
須 306		6 顱 464	3 繈 422
2129	0 舸 273	頊 272	6 綽 365
	2143	**2179**	綆 336
1 僄 348		1 嶀 355	**2195**
4 傑 271	0 衡 423	**2180**	3 穢 457
2131	**2151**	6 贙 506	**2196**
		貲 348	
6 鉅 450	0 牝 125	貞 198	0 緬 401
7 號 402	**2156**	**2190**	1 繒 422
2132		3 紫 311	**2198**
	1 牾 258	4 柴 184	
7 鯠 450	**2160**	術 263	1 繼 443
2133		**2191**	6 額 422
	0 鹵 258		穎 421
0 熊 361	1 啙 204		**2199**
態 371	警 348		
1 毖 207	8 睿 380		1 縹 443
2 愍 319	**2171**		
6 紫 430			

2200			側	246	斤	175	**2226**		
0	川	85	制	157	鼎	327	4	循	313
2202			倒	232	2 彰	434	**2227**		
7	肩	170	劇	383	7 剔	208	2 徭	341
			例	174	崩	254			
2210			2 參	355	偏	349	**2229**		
4	饔	466	7 彎	498	嵩	348	3 係	197
8	豈	227	巋	312		380	絲	401
	豐	459	岑	136	嵞	270			
9	鑒	513					**2231**		
			2221		**2223**		4 鈺	379
2211			0 亂	332	0 舫	298			
1	韍	412	1 光	127	4 僕	349	**2232**		
			岸	168			7 鷲	515
2212			崟	347	**2224**				
7	歸	491	巃	466	0 舥	304	**2233**		
			嶤	386	低	140	1 恁	234
2213			2 彪	254	仟	111	9 戀	504
6	蠻	511	3 桃	166	4 倭	210			
	蚩	214	崑	335	7 炭	139	**2234**		
			4 崔	338	後	205	7 鐭	489
2214			崔	263	俘	204			
0	對	433	任	119	8 巖	504	**2236**		
			崖	274			3 鯔	478
2218			6 貙	460	**2225**		9 鰭	508
2	欽	386	7 嵐	306	2 儌	349			
					3 巉	433	**2240**		
2220			**2222**		崴	276			
0	刎	126	1 所	168	幾	302	4 變	498

6	稻	505
7	稱	368
	緌	365

2296

3	緇	365

2297

7	稻	399

2299

3	絲	278

2302

7	牖	395
	牖	381

2320

0	仆	101
	外	109
	佖	144
2	參	258

2321

1	倥	235
	佗	143
4	佗	166
5	魋	465

2322

1	佇	142
7	偏	264
	徧	308

2323

2	觫	376
4	伏	115
		118
	獻	481
	俟	205

2324

0	膩	423
	代	107
2	傅	281
7	俊	182

2325

0	伻	166
	戕	171
	伐	121
	戲	436
	戚	372
	俄	181

2326

7	倌	381
8	俗	308

2328

6	儳	408

2333

3	然	316
4	猷	407
6	怠	200

2334

2	鱒	502

2336

0	鮐	430

2338

2	猷	430

2344

0	弁	112

2350

0	牟	118

2356

1	犞	371

2360

0	祕	381
	台	110
3	番	236

2371

1	崆	272

2372

2	嶙	354

2373

4	巇	504

2374

7	峻	217

2375

0	巇	480
	峨	222

2376

8	嶒	343

2377

2	岱	172

2378

2	岐	174

2380

6	貸	314
9	狊	203

2390

3 糸 314

2391

1 統 344

2392

7 編 400

2393

2 稼 398

2394

1 綷 422

7 級 247

2395

0 織 457

織 505

絨 400

2396

1 稽 399

縮 443

2398

6 繾 485

2399

1 綜 380

2408

6 牘 468

2409

4 朕 341

2411

7 豔 514

2412

7 勳 273

2414

7 歧 170

2420

0 什 97

豺 235

射 228

2421

0 魁 377

壯 144

化 97

1 佐 144

姚 304

先 116

佬 166

僥 348

2 就 273

他 108

4 魃 380

僅 336

佳 166

7 值 223

仇 100

2422

1 倚 228

7 侑 174

俙 208

備 308

2423

1 德 387

8 俠 183

2424

1 倬 273

侍 243

儔 409

侍 149

待 201

7 敓 236

伎 118

2425

6 偉 264

2426

0 儲 452

1 佶 207

佶 174

儴 348

牆 438

2428

1 供 176

徒 222

俱 234

2429

0 休 118

1 傑 383

6 僚 381

8 倈 265

倈 237

2431

4 鏈 478

2432

7 鮪 450

勳 410

2433

1 鮎 430

	2434	
7	鲮	478
	2436	
1	鳍	496
	2438	
6	鳟	507
	2440	
0	升	99
	2441	
2	勉	201
	2444	
7	臁	456
	2451	
0	牡	140
	2454	
0	犍	342
1	特	231
	2458	
6	犢	468
	2460	
1	告	130

	2461	
1	曉	440
4	隺	398
6	罋	449
	2466	
1	皓	294
	2467	
0	甜	272
	2471	
1	嶢	386
6	崦	273
	2472	
1	崎	254
7	帥	204
	崒	273
	幼	110
	嵼	412
	2473	
2	裝	348
4	幙	355
		380
8	峽	239
	2474	
1	峙	180

		203
7	峻	174
	岐	137
	2476	
1	醋	508
	2478	
6	巇	498
	2479	
6	爒	386
	2480	
6	貨	271
	贊	472
	2490	
0	科	184
	2491	
1	繞	457
2	統	233
4	稶	337
	絓	278
7	紈	198
	紬	268
	2492	
1	綺	365

7	絺	332
	稀	308
	納	223
	勵	346
	綺	311
	2493	
0	紘	223
2	繶	471
6	繼	494
	2494	
7	綷	344
	稜	325
	2495	
6	緯	401
	2496	
0	緒	401
1	結	277
	稭	485
	2497	
0	紺	268
	2498	
1	稹	399
	鎮	422

2499	**2523**	**2534**	116
0 綝 365	0 觖 272	3 鱄 502	4 桀 233
4 繰 401	佚 136	**2536**	274
6 繚 457	3 憨 349	0 鮋 430	6 紳 267
2500	**2524**	**2539**	線 315
0 牛 100	3 傳 344	6 鍊 489	**2591**
2510	**2526**	**2540**	繐 457
0 生 107	0 佡 174	7 肆 330	7 純 220
2511	6 僧 339	**2546**	**2592**
0 甡 235	**2528**	0 舳 273	7 績 365
2520	6 穨 470	6 艚 445	緋 275
0 舛 127	**2529**	**2551**	繡 471
6 伸 141	0 休 142	0 牲 204	**2593**
仲 125	俅 166	**2560**	0 秩 222
使 176	4 傑 310	1 眥 232	3 總 457
7 律 180	**2531**	**2572**	**2594**
2521	8 鱧 510	7 靖 255	4 縷 443
0 姓 172	**2532**	**2579**	**2596**
9 魅 407	7 鯖 478	4 嵥 346	0 紬 273
2522	**2533**	**2590**	**2598**
7 佛 130	0 鏈 502	0 朱 112	1 繐 365
倩 234			6 續 457
			積 421

2599			偶	244	鯛	496	**2666**
0 銖	308	**2623**			鯛	489	0 皛 398
秣	231	2 儐	383	**2633**			**2671**
6 練	400	泉	177	0 鰓	489	0 睍 217
2600		**2624**		息	209	睍 274
0 白	107	0 貏	403	**2634**			**2672**
自	118	8 儌	497	6 鱧	507	7 峒 307
2610		**2625**		**2635**			嵑 315
4 皇	191	6 觶	472	0 鰤	430	嵣 315
2611		**2626**		**2640**			**2673**
0 覻	446	0 儸	432	0 卑	175	2 嵝 312
2620		倡	210	阜	140	**2674**
0 伯	137	**2628**		3 皋	229	0 岬 273
個	176	1 促	182	**2641**			1 嶂 412
2621		**2629**		3 魏	465	4 嶁 480
0 但	134	4 倸	234	**2660**			**2675**
1 貎	447	保	181	1 罾	403	0 岬 174
3 傀	281	**2631**		**2661**			**2678**
鬼	229	1 鯤	478	3 魄	407	0 靦 490
4 俚	204	**2632**		**2664**			**2690**
貍	372	7 鰐	489	3 皞	397	0 和 154
2622							
7 偈	253						

綑	315	1 緹	400	**2720**		剺	235
細	268			0 夕	85	幣	336
4 枲	237	**2699**				嚮	466
		3 纆	443	**2721**		鷸	508
2691				0 佩	166	躬	227
		2710		祖	166	侈	174
1 絚	371	0 血	125	1 礘	387	脩	273
4 程	282	4 墾	411	2 危	118	角	130
縡	494	壑	432	魁	465	俑	202
		7 盤	398	4 偓	265		
2692				6 俛	202	**2723**	
2 穆	421	**2711**		7 凫	208	1 儵	465
7 緆	364	0 諷	478	僵	383	2 像	349
稰	310	凱	306			象	297
綿	380	5 鈕	203	**2722**		衆	256
			231	0 個	349	4 侯	198
2693		7 龜	431	刌	109	貘	426
0 總	400			豹	235	候	237
0 緫	443	**2712**		勿	100	倏	244
2 繯	470	0 岬	167	匐	193	6 儵	311
6 緅	457	7 鄧	492	向	125		
		郵	336	個	234	**2724**	
2694		歸	454	徇	183	0 俅	231
0 稗	334			御	272	2 將	257
1 緝	401	**2713**			246	7 偀	349
釋	487	2 黎	408	2 修	222	傢	272
繹	471	6 蛋	271	7 鄉	331	股	215
4 纓	505	蜜	471	籥	494	侵	181
7 稷	399	蠢	494	鷉	514	役	134
2698							

	假	264	3	冬	112		鰡	496	**2744**	
2725			**2731**			**2738**			0	舟	126
2	獬	486	7	覰	479	1	鰈	511	7	艘	423
	解	324		鯢	478	2	歟	377		般	215
7	伊	119	**2732**			**2740**			9	彝	452
2726			0	鮣	450	0	身	140	**2748**		
1	儋	383		勺	86	4	贅	339	2	欸	270
	詹	331	7	鴽	478	7	復	382	**2750**		
4	貉	348		鶄	496		阜	169	2	擎	379
	貊	343		鳥	246	**2741**				犂	300
2726				郎	347	3	毚	437	6	擘	477
4	倨	236		鴛	430		兔	168	**2752**		
2727				鶴	508	**2742**			0	物	154
2	倔	238		鳥	213	0	翱	458		㧁	208
2728			**2733**			7	雞	465	7	犧	380
1	儗	409	1	怎	203		鵯	478		犡	465
	俱	237		怨	204		鶺	489	**2760**		
2	歔	417	2	忽	164		鴰	408	0	名	118
	飲	174	4	鯄	489		郛	236	1	響	502
2729				怒	285		努	229		磬	398
1	儵	339		愍	352	**2743**			2	智	158
4	條	244	6	蠡	516	0	夬	206	3	魯	407
2739				魚	246		獎	372	4	督	324
			7	急	204		奧	327	**2762**		
			2736						0	句	112
			2	鰡	496						

旬	117	**2772**		蟲	378	7 紀	201
甸	140	0 匄	111	7 峆	271	繩	471
翻	458	匈	125	自	125	絕	278
的	158	蛷	380	**2778**		**2792**	
匐	315	勾	101	1 嶼	433	0 約	201
匎	198	2 嵺	355	2 欨	139	綱	364
7 郇	208	7 島	237	嶮	386	絇	267
鵠	465	鴇	430	**2780**		綢	370
够	273	鷗	496	0 久	85	絢	278
2764		鶖	407	6 貪	380	紉	205
◑ 叡	410	**2773**		負	195	稠	343
2765		2 裒	344	**2781**		網	365
0 舐	234	餐	429	1 虀	507	2 紓	223
2768		饕	502	**2790**		繆	442
1 艇	315	**2774**		1 禦	421	7 繰	422
2 敆	204	7 馭	143	4 梟	253	移	263
2771		峎	174	彙	348	**2793**	
0 颩	478	**2775**		粲	334	2 緣	400
岨	160	2 觲	386	**2791**		綠	365
2 脆	198		412	0 組	247	3 終	247
包	112	**2776**		租	234	**2794**	
3 巇	466	2 翩	490	3 纔	505	0 叔	154
4 鼪	511	4 崌	271	5 紐	236	綴	364
7 色	118	**2777**		6 繞	336	級	236
龜	452	2 崫	255			**2795**	
						4	303

2796	斂 236	7 綸 478	裕 234
	攸 143	7 鯑 465	
4 絡 278	微 332		**2849**
緖 400	徵 387	**2833**	4 艅 343
繻 381	徹 387	4 懲 466	
	徽 383	悠 245	**2851**
2798	傲 341	8 慫 389	4 栓 238
2 欨 234	徽 434		
	徽 412	**2834**	**2854**
2810	1 併 234	0 敘 407	0 牧 168
0 以 112	7 復 280		
		2835	**2855**
2821	**2825**	1 鮮 451	3 犧 483
1 作 131	1 儛 409		
6 俛 183	3 儀 382	**2836**	**2864**
7 仡 111		1 鰭 489	0 敫 456
	2826		7 馥 464
2822	8 俗 205	**2840**	
0 价 126		1 聳 445	**2871**
1 偷 265	**2828**		1 嵯 346
7 俏 166	1 從 339	**2841**	峉 174
倫 237	從 246	7 艦 485	7 屹 124
觴 459	6 儉 383		9 嶕 271
		2843'	
2823	**2829**	7 艎 273	**2873**
7 伶 140	4 徐 234		7 岭 174
		2845	齡 490
2824	**2832**	3 艤 500	
0 徽 381	0 舠 407	艤 471	**2874**
			6 嶂 386
		2846	
		8 谿 445	

2876	繪 470	**2972**	4 注 157
1 嶍 306	**2898**	7 峭 221	淮 273
6 嶒 386	1 縱 443	**2975**	潼 389
2878	縱 444	9 鱗 386	灘 498
6 嶮 412	**2921**	**2976**	漄 358
2891	2 倦 210	6 嶜 480	6 澶 413
6 纜 513	**2922**	**2992**	7 瀛 467
税 281	7 徜 265	7 稍 313	8 泣 237
2892	倘 237	綃 327	**3012**
0 紛 220	**2923**	**2998**	1 淳 294
7 綸 365	1 儻 497	0 秋 184	2 濟 435
紛 219	**2925**	**3010**	7 滂 324
綈 342	0 伴 140	1 空 148	滴 359
稊 281	**2932**	4 室 208	滈 338
2893	0 鈔 407	塞 335	清 274
2 稔 343	7 鶩 490	窒 272	**3013**
7 縑 422	**2933**	6 宣 179	0 汴 140
2894	2 鱗 502	7 宜 161	2 泫 164
0 絯 422	**2935**	**3011**	瀼 481
1 絣 364	9 鱗 507	1 宛 270	**3014**
2896	**2936**	滪 359	0 汶 143
1 給 278	1 鰭 511	3 流 197	6 漳 358
5 繕 457			7 液 242
6 繒 457			淳 264
			3016
			3 潘 343

6 涫 306		

3018

6 瀳 453	

3019

4 濱 383	
潫 390	
6 凉 242	

3020

1 宁 111	
2 寥 354	
7 㝑 172	
穹 160	

3021

1 完 139	
扉 313	
寵 466	
2 宛 161	
7 宂 106	
宧 256	

3022

1 翁 368	
2 家 172	
7 房 170	
窮 399	

寡 354	
寓 290	
宵 223	
禘 368	
宥 199	
甯 313	
扇 236	
扃 199	
禍 402	
	424
祊 205	

3023

2 永 104	
宸 218	
宬 239	
宧 399	
袨 233	
宓 236	
家 223	
康 386	
窠 421	
4 戾 171	

3024

7 覆 442	
寖 310	
寢 354	
8 窱 457	

3026

1 宿 253	
寤 354	

3027

2 窟 337	

3029

4 寐 314	

3030

1 進 315	
遭 440	
远 168	
2 適 397	
3 迹 224	
遮 397	
寒 289	
4 避 440	
7 之 100	
宆 218	

3032

7 寋 488	
寋 496	

3033

1 窯 399	

2 宓 174	
3 寒 354	
6 憲 412	

3034

2 守 125	

3040

1 宇 115	
宰 223	
準 343	
4 安 115	
宴 223	
寠 421	
8 窔 272	

3041

7 尢 111	

3042

7 寅 289	

3043

0 突 200	
寊 354	
窡 368	
突 205	
2 宏 129	

3050

2 牢 129	

寧	371	窺	441	寶	480	7	泘	134
3051		7 鼠	457	竇	404			
		宦	198			**3112**		
6 窺	421	窗	207	**3090**		0 汀	112	
						河	155	
3055		**3072**		1 宗	157	1 涉	216	
8 窘	205	7 窈	218	察	354	7 污	119	
				宋	203	馮	304	
3056		**3073**		4 宋	135	濡	435	
7 窨	296	2 良	128	案	219	溺	435	
		蹇	412	窠	342	漏	348	
3059				寀	272			
1 宕	161	**3077**		6 寮	385	**3113**		
讋	445	2 密	253			2 漲	379	
5 宙	168	宿	238	**3094**				
6 富	290	7 官	176	7 寂	253	**3114**		
8 曾	238	窨	348			0 汙	119	
容	219			**3111**		汗	125	
9 審	386	**3080**		0 江	120	汧	178	
		1 定	148	沚	137	泇	237	
3061		寔	316	泄	174	3 潯	345	
4 窀	272	寬	337	1 沅	142	6 潭	389	
		塞	412	瀝	467			
3062			447	灑	498	**3115**		
8 宿	240	寶	399	4 汪	140	3 濺	414	
		2 穴	106	涯	261			
3071		6 賓	354	湮	316	**3116**		
1 它	111	實	381	漑	358	0 沾	174	
4 宅	125	竇	485	潅	467	洒	178	
				6 洹	206			

	酒	233	顧	495	瀏	453	泓	164

酒 233
湎 316
1 潛 389
8 濬 435

3118

6 湏 359
頪 406
灝 508
澒 390

3119

1 漂 360
6 源 341

3121

1 裶 337
4 裡 379
8 褔 316

3123

2 纚 413
裖 315

3126

6 福 380
福 382

3128

6 禎 368

顧 495

3130

1 逗 248
遷 419
遷 504
迁 160
2 遒 456
3 遜 397
遮 440
4 迁 143
逴 282
6 逼 342
迫 249

3133

2 憑 413

3148

6 頟 406

3190

4 渠 295

3210

0 洲 208
列 156
列 198
測 314

瀏 453
浰 233
淵 240
4 堲 432

3211

2 澎 358
3 兆 116
洮 205
4 淫 241
灌 359
渾 315
8 澄 390
澂 338

3212

1 沂 141
浙 226
澌 390
漸 358
2 澎 391
7 泠 211
湍 305
潶 413
潚 358

3213

0 冰 123

泓 164
1 沂 174
2 派 178
4 沃 133
漢 435

3213

6 滏 342
7 泛 163

3214

6 灟 491
7 浮 216
鼕 479
叢 452
瀁 491

3215

7 淨 275

3217

7 滔 320
渣 264

3219

4 潎 380

3220

0 劂 236

3221

4 衽 204
袵 247
7 褫 402

3222

1 祈 199

3224

0 衹 197

3225

3 禨 441

3230

0 迥 238
1 遞 374
逭 273
2 近 151
逝 249
透 273
3 巡 139
4 逶 282
6 遁 326
7 遥 374
9 遜 374

3260

0 割 300

3277

2 迺 236

3290

4 業 342

3300

0 心 98

3310

0 泌 164
沇 140

3311

2 涴 264
4 沋 143

3312

1 濘 413
435
2 滲 359
7 浦 233

3313

2 泳 174
浪 216
流 343
泫 237

3314

1 滓 346
2 溥 343
4 汥 174
7 浚 230
漵 360

3315

0 滅 342
減 263
瀸 481
濈 413
3 淺 241
濺 453

3316

0 冶 135
治 176
8 溶 321

3317

2 滵 359

3318

1 淀 240
2 沉 162
6 演 358
濱 435

3319

1 淙 271

3320

0 祕 224

3322

2 襂 424
7 褊 380
黼 490

3325

0 襶 500

3330

2 逋 272
3 逑 271
达 172
邃 421
4 逡 249
9 述 208

3333

0 惢 285

3390

3 絷 457
4 梁 251
粱 344

	榮	416	浦	294					**3423**	
			渤	174		**3416**		1	禮	509
	400		滿	358					袪	224
0	斗	100	洧	208	0	沽	174		袪	225
			洚	202		渚	305			
	3410		渤	304	1	澔	359		**3424**	
0	泔	174	滯	360		浩	226	1	襠	470
	汁	111						7	被	209
	對	371		**3413**		**3417**				
	澍	391	0	汰	143	0	泔	174		**3425**
				法	174				6	褋	370
	3411		2	濛	435		**3418**			
1	洗	177	4	浹	359	1	洪	178		**3426**
	澆	390		渓	275		滇	321	0	祐	234
2	沈	133		漠	359	6	潢	390		褚	370
	池	120		漢	358		瀆	453	5	禧	441
	澾	273	8	浹	216		瀆	390			
	灌	491							**3429**	
6	淹	264		**3414**			**3419**		1	襟	459
		273	0	汝	115	0	沐	133	4	裸	380
7	泄	164	1	洔	177		淋	248			
	汎	125		濤	445	4	溧	279		**3430**	
	港	308	3	溇	358	6	潦	390	1	迣	204
	溢	343	7	浮	204					遴	397
8	湛	280		波	157		**3420**			迆	139
				淩	209	0	袡	236		逯	308
	3412			濩	435				2	邁	440
1	漪	359		淩	248		**3421**		3	遠	371
2	灣	516		涍	233	1	澆	446			
7	汭	137				4	袿	267			

4	達	330		清	240		洙	205
	達	326		**3513**		4	溱	345
	蓬	396	0	泆	174		溙	337
6	造	248		決	127	6	凍	236
9	速	308		決	164		**3520**	
	遶	419	2	潢	204	6	神	225
	3433			湊	307		**3521**	
2	懑	453	8	澧	467	8	禮	456
	3440			**3514**			**3522**	
4	婆	264	4	淒	210	7	灩	465
	3490			凄	264		**3523**	
4	染	205	7	溝	348	0	袂	204
	3510			**3516**		2	襬	459
6	沖	233	0	油	163		**3530**	
	洩	177	1	渚	310	0	連	249
	冲	126	6	漕	359	3	迭	202
	沖	135		**3518**		5	遭	374
7	津	177	1	捷	273	6	迪	204
	沛	137		渼	272		遭	397
	3511		6	潰	389	8	遺	419
7	沌	143		潰	358	9	速	273
8	澧	413		**3519**			**3610**	
	3512		0	沫	162	0	泗	174
7	瀟	413		沫	162		汩	138
	沸	162						

	汩	138
	油	174
	泊	163
	涸	240
	泊	205
	洄	208
	涸	320
	湘	279
7	盪	440
	3611	
1	混	247
4	湟	313
7	洍	233
	温	320
	3612	
1	濞	435
7	涓	225
	渴	312
	湯	280
	滆	435
	濁	413
	3613	
2	深	358
	瀑	453
		491
	溰	307

4	澳	414

3514

1	澤	413
4	瀴	481
7	澀	341
	漫	360

3615

4	潬	358

3619

4	澡	414

3621

0	祝	225
	祖	233

3622

7	褐	382

3623

0	昶	202
2	襏	506

3624

0	裨	345
4	襫	500

3625

6	襌	441

3628

1	褆	380

3629

4	裸	382
	裸	341

3630

0	迫	180
	迴	224
1	邌	456
	逞	248
	迡	308
	遑	337
2	遷	335
	邊	342
	遏	346
	遇	336
	邊	468
3	還	440

3710

9	鷖	514

3711

0	汛	121
	洫	177
	汎	121

	沮	163
1	泥	157
2	氾	109
	泡	162
3	濴	481
4	渥	303
	濯	435

3712

0	沏	138
	洵	178
	洵	205
	洞	176
	凋	221
	瀾	481
	溯	271
	湯	128
	泅	338
	潤	390
	澗	390
2	漻	453
	漻	360
7	湧	231
	鸂	511
	渦	316
	漏	358
	鴻	451
	潟	389
	潘	389

	湑	279
	溺	321

3713

1	灨	498
2	潒	390
	澀	236
6	漁	359

3714

0	淑	271
6	潯	390
7	汲	143
	没	149
	泯	157
	浸	226
	澱	414
	漈	390

3715

6	渾	279

3716

1	澹	413
2	沼	174
	溜	342
4	滑	316
	洛	178
7	涒	237

湄	314	翩	401	4 遝	315	**3782**	
3717		7 羃	410	遲	374	7 鴻	430
2 洄	246	鷓	489	遐	345	**3790**	
涵	241	鶺	512	逢	271	4 粲	337
3718		祁	175	遅	397	罙	175
0 溟	321	鶂	479	運	330	粢	313
1 凝	410	**3723**		6 迢	180	**3810**	
澟	481	2 冢	232	7 辺	141	4 塗	334
2 次	118	4 褉	368	追	220	**3811**	
漱	358	**3724**		8 選	419	2 洍	174
6 瀨	467	7 褑	313	**3740**		7 汔	126
3719		**3726**		1 罕	138	溢	316
3 潔	391	1 襜	459	**3752**		濫	435
4 滌	348	2 詔	239	7 鵯	489	溢	338
深	273	7 裙	329	**3760**		8 滋	414
濚	358	**3730**		8 咨	200	9 澁	344
3721		1 迅	135	**3771**		**3812**	
0 祖	225	逸	282	7 瓷	270	1 渝	279
4 冠	194	2 迎	151	**3772**			316
7 祀	161	通	248	0 朗	273	湔	311
3722		過	326	**3780**		7 澝	346
0 調	340	遡	371	0 冥	221	涕	233
袑	200	遙	419	6 資	333	渝	242
袔	172	3 遷	458			澌	453
		退	234				

	瀚	467	6	澮	413					
			7	滄	320		**3830**			**3912**
	3813					1	迤	202	0	沙 133
2	滋	348		**3818**			迣	204		渺 313
	漾	359	1	澬	358	3	遂	326	7	澔 338
	凇	139		漩	358	4	迁	160		澇 390
3	淤	264	6	澂	414		迸	308		消 221
7	濂	340					逆	220		
	泠	163		**3819**			迸	313		**3918**
			4	涂	240		遊	331	0	湫 308
	3814						邀	440	1	漢 481
0	瀓	391		**3821**		6	道	330	9	淡 435
	激	390	1	袥	224		遒	325		淡 241
	激	359	2	袍	236	9	途	249		
	激	414								**3930**
	澈	236		**3822**			**3834**		2	逍 248
	激	481	1	褕	370	3	導	412	8	逃 274
	潃	359	7	袡	205				9	迷 204
6	涁	294		衿	203		**3850**			237
7	濮	389				7	肇	382		
	游	279		**3824**						**4000**
			1	敝	452		**3864**		0	乂 77
	3815		7	複	370	0	敨	272		十 77
1	洋	178								
7	海	226		**3825**			**3866**			**4001**
			1	祥	254	8	豁	446	1	左 103
	3816								2	宄 100
				3826			**3890**		7	九 75
1	滔	308	1	裕	247	4	榮	316		丸 86
	洽	200	8	裕	316					

4003			
0 大	81		
太	91		
4 爽	257		
4006			
0 右	112		
4010			
0 土	83		
4 圭	126		
奎	201		
臺	368		
7 直	176		
盍	236		
壼	344		
壺	298		
8 壹	314		
4011			
4 堆	255		
6 壇	411		
7 蠱	508		
4012			
3 畬	380		
7 坊	131		
墉	350		

4013	
2 壞	480
4014	
7 蘥	479
4016	
7 塘	345
4018	
2 垓	204
6 壞	452
4020	
0 才	86
7 夆	196
夸	125
4021	
4 在	114
帷	259
幢	386
4022	
7 巾	84
内	96
南	188
希	130

叕	214
育	169
有	117
布	104
	126
獢	356
4024	
7 麩	175
皮	107
存	114
8 狡	199
	209
4026	
1 猎	233
4028	
6 獷	453
4033	
1 赤	127
志	130
4 燕	455
6 憲	413
4034	
1 寺	126
4040	
0 女	85

爻	100
1 幸	175
7 孛	128
李	143
支	100
4042	
7 姉	143
妨	143
4043	
4 嫉	344
4044	
0 卉	122
4 奔	192
姦	180
8 姣	205
4046	
5 嘉	372
4056	
1 糕	449
4060	
0 古	103
4060	
1 吉	112

嗇 345	6 檔 467	**4099**	**4124**
3 奮 412	**4090**	4 森 276	0 狅 125
4 奢 316	0 木 88	**4101**	**4126**
5 喜 313	3 索 229	7 甄 419	0 帖 176
9 奓 165	8 來 146	虖 227	**4128**
4062	**4091**	**4111**	6 顏 372
1 奇 146	4 柱 201	1 壋 466	**4129**
4064	檀 416	4 垤 198	1 猂 173
1 壽 379	椎 307	堰 313	**4131**
4071	6 檀 437	6 疆 411	1 經 375
0 七 74	**4092**	垣 187	**4138**
4 雄 302	1 榜 343	7 墟 385	6 賴 426
6 奄 170	7 榜 356	**4112**	**4141**
7 奄 479	柿 184	7 壖 432	1 娿 233
4073	槁 356	圬 126	6 嫗 351
2 麥 124	**4093**	**4121**	姬 180
袠 235	1 樵 416	1 礚 504	7 爐 351
襄 446	2 榕 357	4 狂 134	**4142**
4080	棟 393	**4122**	7 嫣 351
1 走 128	欀 492	7 獺 481	媋 351
真 229	**4094**	**4123**	**4143**
寘 382	1 梓 244	2 帳 274	1 嬎 351
6 賁 299	8 校 217		
4081	**4098**		
4 齚 451	2 核 221		

	孋	452		櫶	482	6 梗	245	2 彭	300

	孋	452		櫶	482

4144

0	妍	180		櫹	504
	奸	126	1	杬	173
6	嫏	275	4	楂	266
	娗	237		桎	234

4146

3	孺	480

4148

6	頯	337

4158

1	鞿	488

4168

6	頟	488
	頡	406

4188

6	顚	477

4191

0	杋	144
	枇	173
	杠	143
1	欐	482

	柾	165
	極	319
	槩	393
6	桓	339
	樞	393
	櫃	437
7	櫨	394
	櫨	482
8	樞	198

4192

1	桁	221
7	槁	381
	栖	234
	柄	208

4193

2	棭	265
	根	303
	椓	306
4	楔	339
6	橖	393

4194

0	杅	140

6	梗	245
	椗	343
	棹	306
7	榎	342
	板	165
9	枰	184

4196

0	柘	208
1	梧	245
3	櫖	492
6	櫧	492

4198

6	櫍	437
	楨	332

4199

1	標	393

4200

0	刈	101

4211

0	剴	343

4211

8	鐙	385

4212

1	圻	139

2	彭	300

4213

1	壎	432

4214

0	坻	171
1	埏	232
2	垺	235

4216

1	垢	208

4217

7	墖	315

4220

0	剺	172
0	劂	380

4221

4	㹠	345
6	獵	453

4222

1	獅	381

4223

0	狐	173

	瓠	275
4	猱	310

4224

1	狿	274
	挻	235
7	猨	314

4226

9	幡	386

4240

0	荆	215

4241

4	妊	124
	妊	143

4242

7	媽	385

4243

4	妖	134

4255

3	韱	495

4256

3	韜	449

4257

7	韜	477

4260

0	剞	231

4262

1	斳	302

4280

0	趯	472

4282

1	斯	298

4290

0	杊	125

4291

3	桃	233

4291

8	橙	416

4292

1	析	155
2	彬	263

4293

0	柷	208

1	柝	203
4	樸	417

4294

0	柢	203
1	梃	272
7	櫻	346
	桴	245

4295

3	機	416

4296

2	枯	204
4	桰	236
	楯	333
		345

4299

3	櫢	492
4	樂	467
7	棟	316

4300

0	弋	86

4301

0	尤	99

4304

2	博	303

4310

0	式	112
	卦	172

4312

2	墋	350

4313

4	埃	231

4315

0	域	268
	城	235
	堿	351

4323

2	狼	211
	嫁	346
4	獄	355

4324

7	狻	235

4325

0	截	382

4328

2	狄	173

4 墐 350
7 壒 411
菹 308
蓺 396
蘊 438
8 墥 385

4412

0 蓟 468
1 蔪 455
埼 268
蔐 418
7 墻 350
勸 317
蒟 366
蒲 367
蕩 418
蓊 367
蒻 366
蘱 493
蘸 512
9 莎 242

4413

2 蒅 338
6 蔮 395
蟄 445

4414

1 蓱 396

2 薄 439
7 蔌 315
蕞 419
鼓 326
9 萍 303

4415

3 蕺 438

4416

0 堵 313
4 落 321
9 藩 468

4418

1 填 327
6 墳 385
7 茨 227

4419

4 蒢 367
堞 312
藻 483

4420

1 苧 185
2 蓼 396
芓 174
7 考 122

耇 314
夢 366
萼 321
荂 205
梦 314

4421

1 莞 242
荒 226
蕘 418
麓 479
獟 391
2 苑 205
菀 316
3 蒐 367
4 莊 262
萑 294
荏 234
藿 483
蘺 456
6 䒞 205
蔸 343
莧 275
藐 456
7 蔖 268
8 莅 242

4422

0 蒴 348

1 莃 341
荷 272
猗 256
2 茅 185
7 芀 125
狶 233
蔄 308
蒨 366
莠 266
芮 168
茵 314
薌 438
藹 456
梵 303
帶 272
芬 145
芳 168
蔕 396
菁 284
幕 371
萬 332
薦 439
蘭 483
蒿 366
萁 312
蕭 439
勸 479
蘭 493

4423		
1 蕤	418	
薷	468	
2 蓏	380	
猨	344	
蓤	367	
3 蒓	315	
4 蟆	380	
7 蘽	366	
蔗	396	
8 狹	225	
4424		
0 蔚	396	
1 幬	433	
薜	438	
2 簿	419	
7 獲	435	
蔣	397	
葭	334	
莜	322	
8 蔽	418	
薇	438	
4425		
2 薜	419	
蕣	418	
3 茂	206	

蔑	396	
藏	456	
葳	338	
蔵	335	
6 幃	316	
4426		
1 猶	418	
4428		
2 蕨	418	
6 蘋	483	
4429		
6 獠	391	
4430		
2 藹	438	
3 邃	396	
蓬	493	
5 蓮	395	
7 芝	168	
苓	206	
4432		
0 薊	438	
7 蔑	496	
芍	142	
鷔	502	

蔦	396	
4433		
1 薰	454	
蕉	418	
赫	375	
燕	417	
蒸	367	
蕪	419	
2 懃	435	
3 蕊	419	
蕙	419	
6 蒽	341	
蔥	397	
蘁	483	
8 甚	309	
恭	240	
9 懋	435	
4434		
3 蘛	380	
6 蕁	418	
7 被	316	
4436		
0 赭	426	
4439		
4 蘇	483	

4440		
0 艾	124	
1 茸	227	
茸	322	
莘	262	
2 芊	139	
4 薆	266	
婁	274	
萎	308	
葽	314	
蔞	341	
蔓	480	
6 草	497	
7 蓁	343	
摰	480	
芰	174	
孝	140	
芝	168	
蔓	396	
菱	266	
蔓	380	
8 萃	294	
9 莘	186	
4441		
1 嬈	385	
4 娃	205	
薙	439	

7	執	263

4442

7	勃	201
	婡	203
	荔	212
	婿	313
	嬬	385

4443

0	莫	242
	樊	392
	奠	438
1	嬾	466
2	菰	313
4	嫫	379

4444

1	荓	314
	婷	273
3	莽	249
		308
7	芨	198
8	藪	468

4445

6	韓	449

4446

0	姑	153

4	菇	224
5	嬉	385

4449

3	蔝	366
4	媒	275
6	嬢	385

4450

2	摰	388
	拳	234
	攀	466
	摯	388
4	華	284
	葷	397
6	革	193
	葷	342
	韋	338

4452

1	蕲	481
7	茀	185
	勒	266

4453

0	芙	147
	英	186
2	羹	226

4455

3	韈	510
4	韡	495

4458

6	贛	495
	贖	510

4460

0	茜	273
	菌	294
	苗	199
	茵	234
1	昔	169
	耆	230
	著	367
	薔	459
	罄	479
2	茗	205
	瞢	420
3	蓄	367
	苦	205
4	苦	185
	若	194
	著	341
6	菖	315
	薈	439
7	蒼	366
	茗	234
9	蕃	418

4461

7	葩	321

4462

1	哿	200
7	耇	205
	茐	314
	蒲	418
	蔀	397
	苟	233
	萌	282
	蘽	483
	苟	199

4464

1	蒔	366
	薵	456
7	護	483

4466

4	藷	483
6	蘁	468
	蘸	511

4470

0	斟	340

4471

0	芒	135

	藪	396	6	坤	173	4	楼	340
	柭	206		**4513**			**4594**	
	栬	236	0	塉	171	0	楗	338
	枝	176	8	壝	466	4	楼	276
8	藪	396					樓	393
				4522		7	構	357
	4496		7	猜	263		**4596**	
0	櫫	482		**4523**		0	柚	184
	箱	344	0	峽	176	6	槽	393
1	栝	245						
	藉	456		**4524**			**4597**	
	檣	437	7	耩	346	7	槢	393
4	梧	347		**4528**			**4599**	
	4498		6	幘	381	0	株	232
1	栱	236		**4541**		4	榛	371
6	櫕	504	6	爐	385		**4600**	
	橫	416		**4542**		0	加	111
	4499		7	婧	271		**4601**	
0	㮡	337		**4544**		0	旭	125
	林	153	7	姍	161		**4611**	
	樹	306		嫶	336	0	坦	173
1	蒜	366		**4548**			覣	459
4	檬	454	1	婕	274	3	塊	337
6	橼	417						
	4510			**4549**				
			0	姝	199			
				4553				
			0	鞅	381			
				4554				
			0	韆	463			
			7	韝	477			
				4559				
			0	絿	375			
				4590				
			0	杖	143			
				4591				
			7	杶	173			
				4592				
			7	柿	166			
				柹	266			
				4593				
			0	柍	204			
				楝	393			
			2	隶	315			
				隸	449			

4 埋 240	**4625**	4 娛 227	**4672**
	0 狎 161	嬡 452	7 揭 382
4612			
7 場 313	**4626**	**4644**	**4680**
塌 300	0 玁 453	7 嫚 351	0 趙 316
			8 趱 373
4614	**4629**	**4645**	
0 坤 267	4 猓 266	6 嬋 385	**4681**
			0 覿 500
4618	**4632**	**4646**	
6 塡 336	7 駕 430	0 媚 313	**4690**
	駕 407		0 相 184
4619		**4650**	
4 堁 273	**4633**	2 挈 234	**4691**
	0 恕 209		0 槻 482
4621	237	**4651**	1 椳 381
0 覲 511		0 鉏 375	槐 357
1 幌 340	**4640**	7 韞 477	棍 276
4 猩 312	0 如 121		3 槐 381
狸 235		**4652**	4 櫂 437
	4641	7 鞽 501	7 檉 437
4622	7 嫗 342		
7 狷 233		**4654**	**4692**
	4642	0 鞞 449	7 櫚 437
4623	7 嬲 236		榻 393
0 愡 291	娟 232	**4658**	楊 319
2 猥 291		1 鼙 463	楊 319
	4643		
4624	2 嬛 412	**4661**	
7 獿 504		0 覩 424	枸 205

4694

1 楫 348
4 櫻 492
7 椶 382
槾 393

4695

0 柙 208

4696

0 梠 265

4698

0 枳 200

4702

7 鳩 337
郟 233
鴆 407

4711

2 垝 198
7 擁 479
圮 115

4712

0 均 131
7 埽 267

4713

2 塚 336
垠 200
7 塠 348

4714

7 瞉 394

4715

1 墀 350

4717

2 堀 247
7 埳 274

4718

2 坎 138

4721

0 狙 161
帆 126
2 狍 173
翹 458
匏 256
4 幄 316
5 狃 144
7 猛 263

4722

2 獶 371
7 鶴 502
郁 178
獢 391
414
猾 340
鸛 515

4724

7 殼 295
穀 446
瞉 297
穀 311

4725

6 獐 301

4728

2 歡 499
獭 356
欷 260
6 獺 467

4729

4 猱 314

4731

7 絶 346

4732

7 鶖 407

4733

4 懿 389

4734

7 赧 273
瞉 497
赮 426

4740

1 聲 444
2 翅 233
7 孥 176

4741

0 姐 175
飆 495
2 娩 207
4 嬥 432
6 娩 217

4742

0 姁 175
嫺 385
朝 299
7 鴂 408
郄 205
嫋 327

4744

0 奴 111

7 報 312

4748

1 娫 203
6 嬾 466

4750

2 挐 187

4751

6 鞔 429
7 靶 343

4752

0 鞠 449
靮 312

4753

2 鞎 445

4754

7 鞁 344

4756

2 鞀 375

4758

2 歎 394

4760

1 砮 236
磬 421
9 馨 488

4762

0 胡 196
7 都 286

4772

0 切 98

4780

1 起 224
2 趨 447
3 趢 404
4 趣 404
6 超 301
8 趑 348

4782

0 期 305

4788

2 欺 312
歛 417

4791

0 柤 208
机 126
楓 319
340
飆 488
1 柅 201
2 枹 197
3 欃 482
492
4 櫂 454
5 杻 173
7 杞 141
楹 357

4792

0 杓 143
枸 184
柳 204
桐 232
橺 217
2 杼 164
樛 394
7 楕 316
椰 315
橘 417
楄 274

4793

2 椽 319
356
楔 346

4794

0 杈 142
椒 303
6 樳 416
7 椴 393
穀 399
殺 257

4795

0 柟 173

4796

1 檜 437
2 榴 393
3 櫓 467
4 椐 316
格 228
7 楣 344

4798

2 款 296

4801

6 馗 270

4812

7 堬 345

4813

6 螫 445

4816	7 翰 422	槎 357	**4928**
6 增 385	**4843**	6 桅 265	0 狄 139
4821	1 嫵 385	7 杚 142	**4933**
6 悅 236	**4844**	檻 454	8 愁 274
7 蔑 408	0 斡 381	**4892**	**4942**
4824	教 273	1 榆 319	0 妙 134
0 散 315	1 幹 323	344	**4958**
撇 356	**4848**	7 枌 165	0 鞅 463
4826	1 嫐 351	梯 275	**4972**
1 猶 292	**4849**	柃 165	0 勘 342
4828	4 斡 363	櫛 467	**4980**
6 獫 414	**4860**	橍 482	2 趙 371
4832	1 警 486	**4893**	**4991**
7 驚 507	**4864**	2 松 165	1 桃 232
4833	0 敬 327	**4894**	4 樘 392
4 慇 435	故 200	0 枚 165	**4992**
4841	**4880**	橄 416	0 杪 165
6 悅 240	2 趋 426	橄 437	7 梢 262
7 乾 258	**4890**	**4895**	**4995**
4842	4 繁 437	7 梅 271	9 樣 417
1 媮 315	**4891**	**4898**	
	1 柞 203	6 檢 437	
		4922	
		7 勢 209	

5000

0	丰	100
6	曳	126
	中	95
	車	127
	史	109
	申	107
7	聿	124
	事	145

5001

4	推	261
	撞	388
	攤	412
	轊	474
6	摚	412
7	抗	128
8	拉	168

5002

3	擠	434
7	抷	141
	掃	299
	摛	353

5003

0	夫	98
	抸	140
	央	107
1	擔	453
	擔	353
2	摘	453
	夷	120
	攘	480

5004

1	擗	412
4	接	264
7	掖	243
8	挍	206
	較	318

5006

1	掊	273

5009

6	輬	404

5010

6	畫	301
7	蠱	505
	盡	381
8	盁	420

5011

4	蜼	370

5012

7	螭	445

5013

2	泰	215
6	螶	500

5014

0	蚊	233
8	蛟	296

5020

7	粤	141
	粤	142

5022

7	胄	199
	青	145
	肅	326

5023

0	本	103

5033

3	惠	285
6	忠	173

5043

0	奏	199

5044

7	冉	109

5050

3	奉	176

7	毒	159

5055

6	轟	495

5060

0	由	107
1	書	235
3	春	189

5071

7	屯	100
	蘢	455

5073

2	襄	500
	表	145

5080

6	賮	425
	貴	302

5090

0	未	112
	末	112
	耒	126
3	素	212
4	纛	357
	秦	221

6 束 143	4 撇 434	蛭 314	3 挑 187
東 145	6 攄 453		4 攉 354
		5112	搥 273
5099	**5104**		6 攪 453
		7 蠣 494	8 橙 388
3 蠹 511	0 扞 124		
	軒 212	**5113**	**5202**
5101	1 攝 491		
	6 掉 264	0 虾 234	1 撕 353
0 扛 124	7 擾 453		折 132
扒 126	扳 138	**5128**	7 撟 387
批 173	9 抨 173		攜 491
批 139	軒 315	6 顱 488	揭 387
1 輕 375		廬 464	揣 303
擺 498	**5106**		
排 272		**5131**	**5203**
攏 466	0 拓 162		
2 摇 412	1 指 200	7 甄 419	4 撲 388
扼 136	揩 344		
4 輕 343	2 揩 315	**5132**	**5204**
7 擔 353	6 輻 427		
		7 驚 496	0 抵 142
5102	**5108**		1 挺 224
		5178	4 接 236
7 轎 474	2 撅 388		7 援 305
495		6 頓 330	授 272
攜 434	**5109**		撥 388
		5193	
5103	1 標 354		**5206**
		1 耘 227	
1 抎 142	**5111**		3 輻 404
2 據 412		**5194**	4 括 186
振 210	0 虹 194		輻 427
	4 堰 402	3 耩 423	
		7 耰 494	
		5201	
		0 亂 171	

9	播	388	9	蟋	445	**5293**	
						0	瓠	362

5207			**5214**			
2	拙	176	1	蚚	271	**5300**
	搖	329	4	蟒	369	0	戈	100
7	搯	345				**5301**

5209			**5216**			
			9	蟠	459	1	控	243
4	攃	453				**5302**
	攃	354	**5222**			2	摻	353
	欒	501	2	彭	274	7	輔	375
							捕	234

5210			**5225**			**5303**		
0	虯	169	7	静	372	4	攦	388
	劃	379			429		䲗	513
	蝸	369	**5230**			5	撼	412
4	塹	350	0	剒	328		欞	486
9	鑿	475	**5233**			6	轞	506

5211			2	慼	389	**5304**		
0	虹	143	**5260**			0	抴	173
8	蟷	423	1	醤	381		軾	343

5212			**5290**			2	搏	335
1	蚸	369	0	刺	157	4	按	187
7	蠕	508			205	7	拔	152
	蟜	459	**5291**				捘	235

5213			4	耗	273	**5305**		

0	攦	480			
3	轣	404			
5308					
6	擯	434			
5310					
0	或	172			
5311					
1	蛇	273			
2	蜿	369			
4	蛇	314			
5313					
4	蜈	370			
5315					
0	蛾	381			
	蛾	333			
5318					
6	蟟	445			
5320					
0	威	193			
	威	230			
	威	262			
	盛	306			
	威	192			
	成	120			

	戍	125	7	搚	348		摃	348	6	拽	231

戍 125
戎 122

5322

0 齌 274
7 勇 269
甫 135

5330

0 感 334

5333

0 惑 309
315

5340

0 戒 127

5350

3 戔 168

5400

0 扚 143
拊 168

5401

1 撓 388
2 扡 126
4 挂 201
攉 480
摧 354
6 掩 243

7 搚 348
軓 179
8 撉 388

5402

1 椅 244
7 撣 353
攛 491
轞 513

5403

0 軟 232
1 扲 173
2 轅 447

5404

1 持 202
7 挍 404
攗 434
披 151

5406

1 拮 205
轄 485

5407

0 拑 173

5408

1 拱 204

摃 348
轞 501
6 攢 498
轒 474

5409

4 搽 434

5412

7 蚴 272
蚋 235

5414

7 蛟 232
蟆 485

5415

3 蠓 494

5417

0 蚶 269

5419

4 蝶 402

5492

7 勒 200

5500

0 井 85

6 拽 231

5502

7 弗 104
拂 152

5503

0 扶 131
抶 173
軼 290
3 轜 474

5504

0 捷 297
3 搏 354
轉 460
4 搂 380

5505

3 捧 272

5506

0 軸 290

5507

7 轋 460

5508

1 捷 240

5509
4 轃 447
6 搸 310

5510
0 蚌 221

5512
7 蜻 369

5513
3 蟌 459

5514
4 螻 446

5515
3 蜯 369

5516
6 蟠 445

5517
7 彗 256

5523
2 農 346

5550
6 輦 405

5560
0 曲 116
6 曹 264

5580
1 典 176
6 費 300
9 奭 382

5590
0 耕 228

5599
2 棘 305

5600
0 拍 151

5601
0 摫 382
規 249
1 搥 347
擺 453
4 揘 310
7 轀 447
挹 210

5602
7 揭 287
揚 287
捐 233
暢 357

5603
2 擐 412
轘 486

5604
0 捭 264
1 輯 427
7 撮 388
攫 504

5605
6 撣 388

5606
0 轠 500

5608
0 軹 297
1 提 304
捉 235
6 損 337

5611
7 蝹 423

5612
7 蜎 337

5614
0 蜱 369
4 蠳 505
7 蟃 445

5615
6 蟬 459

5619
4 蜾 381

5621
0 靚 402

5641
0 覿 446

5692
7 耦 402

5701
0 颫 344
2 抱 173
3 拯 186
攙 480
4 摼 353
擢 434
握 306

6	攬	504		投	133		**5711**			**5723**
	挽	235		扱	143					
7	輓	404		撥	353	0	颽	423	2	歡 437
	5702			輟	404	7	蜺	370		**5742**
0	捫	337		掇	251		蠅	471	7	鶵 490
	䩬	404		**5705**			**5712**			**5743**
	撊	388	0	姆	173	0	蜩	369	0	契 199
	押	263	6	揮	288		蜩	369		**5750**
	扚	144		撢	453	2	蟉	446	2	挈 210
	軔	235		**5706**		7	蝸	402		擊 434
	軥	339	2	招	151		**5713**			**5777**
	軥	375		摺	353	2	蟒	402	2	蠹 497
	抑	132		軺	315		**5714**			**5790**
	掬	275	4	据	275	7	蝃	369	3	絜 314
2	抒	140		輅	339		蝦	402		繁 470
	摎	371	7	輖	381		**5716**			**5794**
	繆	460		**5707**		4	蛄	370	7	籽 204
7	搊	330	2	掘	263	7	蝐	402		**5797**
	掃	262	7	輅	405		**5719**		7	粗 272
	5703			**5708**		4	蟓	446		**5801**
2	輾	448	1	撰	388		**5722**		2	拖 176
	搗	412		**5709**		7	鷾	478	4	挫 224
4	揳	310	4	探	315		鷄	511	6	攬 508
6	搔	347		揉	316					
	5704									
0	軔	318								
7	搜	332								

7 扢	124		
挹	337		

5802

0 扮	143
1 揄	305
輸	427
2 抮	290
輪	405

5803

1 撫	388
2 捻	274
7 輪	298

5804

0 撤	388
撖	316
撤	388
轍	474
1 耕	405
拼	271
6 捵	294

5805

3 攕	466
轓	486

5806

1 拾	205

5808

1 撨	354

5810

1 墼	415

5812

7 蜦	370
蚡	236

5814

0 嬾	459
7 蝮	402

5815

3 蟻	471

5818

1 蟷	346

5821

4 氂	394
蘆	461

5822

7 髈	341

5823

2 糤	390

5824

0 斅	392

5825

1 鞷	395

5832

7 鷔	502

5834

0 斆	362

5840

1 聳	444

5844

0 數	392

5871

7 籠	511

5880

6 贅	460

5894

0 敕	274

5901

2 捲	243

5902

7 捎	224

5904

1 撐	388

5905

9 攌	388
轔	474

5908

9 捒	275

5911

2 蜷	271
	381

5915

9 鱗	459

6001

0 貯	159
3 唴	237
4 唯	272
睢	323
噇	415
囃	410
眭	316

6002

3 嘈	432

7	啼	315		星	200	**6015**			**6030**		
	嗁	347		墨	385	3	國	255	7	圙	176
6003				暈	315	**6016**			**6032**		
1	嘷	384		疊	452	1	晤	404	7	嚻	497
2	眩	224		里	204	**6021**				罦	171
	眩	205		置	418	0	四	101	**6033**		
6	噫	410	7	置	340	1	晃	229	0	思	183
6004				罝	208	2	罷	395	1	黑	303
0	肫	175		疊	467	**6022**			2	愚	346
4	嗖	265		疊	499	7	易	169	**6034**		
8	咬	187	**6011**				禺	198	3	園	350
	啐	272	3	晁	227		胃	204	**6036**		
	晬	314	4	矔	500		囿	205	1	黯	497
6006			**6012**				圖	224	**6039**		
1	暗	341	3	膌	495		圓	240	6	黲	490
			7	蜀	337		胃	236	**6040**		
6008				蹢	460		罧	455	0	田	107
6	曠	467	**6013**				禺	381	1	早	143
6010			0	罪	342	8	界	190		圉	273
0	日	95	1	矑	460	**6023**			4	晏	216
	日	95	2	暴	392	2	園	326	6	罩	314
	旦	112	**6014**				晨	249	7	曼	259
1	目	106	7	最	297		圖	410	**6041**		
4	里	143	8	晬	404	**6024**			6	冕	253
	呈	135				0	尉	395			

6043		
0	因	125
1	吳	135
	昊	160
6050		
0	甲	106
4	畢	262
	罩	395
6060		
0	回	115
	吕	139
	昌	171
	冒	203
1	磊	484
3	畾	438
4	固	170
	嵒	314
	圖	350
	署	379
6	罍	418
6071		
1	昆	158
2	圀	275
7	邑	143
	鼂	465

6072		
7	昂	205
	昂	175
	昜	205
6073		
2	睘	337
	圜	410
	囊	492
6074		
7	罠	206
6077		
2	嵒	306
6079		
3	圙	480
6080		
0	貝	129
1	足	140
	異	295
6	員	215
	買	316
	貫	256
	圓	335
6088		
6	鼎	495

6090		
1	累	172
3	累	247
	纍	494
4	暴	454
	果	148
	窠	395
6	景	293
6091		
4	罹	420
		438
	羅	468
6092		
7	蜀	438
		455
6101		
0	毗	204
	毗	233
1	曬	504
		508
2	噓	350
		384
4	睚	340
6	嘔	349
7	唬	275

	瓐	494
6102		
0	呵	175
	町	140
7	曕	350
	眴	204
6103		
2	嗦	410
	啄	271
4	喂	342
6104		
0	吁	116
	呀	142
	肝	143
	肝	175
4	腰	380
6105		
3	嗽	410
6106		
0	哂	204
1	唔	242
	嘗	452
	嗒	381
2	喈	316

6107		**6121**		唰	255	**6206**
2 喗	338	7 號	317	喞	312	4 眰	273
6108		**6131**		**6201**		**6207**
6 嚫	466	4 甂	430	3 眺	272	2 呭	166
6111		**6136**		4 吒	125	**6209**
0 趾	264	0 點	451	7 噯	342	3 䁖	484
跐	348	**6138**		8 瞪	440	**6211**
1 躧	512	6 顯	507	**6202**		3 跳	343
7 距	302	**6148**		1 听	140	4 踵	427
6113		6 顱	464	晰	313	6 躂	500
2 蹽	486	**6173**		7 喘	314	7 躓	447
6114		2 饕	502	喝	384	**6212**
1 躡	511	**6180**		**6203**		7 躋	474
6 踔	404	8 題	464	0 呱	175	踽	426
6116		**6181**		1 瞧	454	蹭	447
0 跕	287	1 貦	274	2 眽	251	**6213**
跕	313	**6198**		4 朕	362	4 蹊	447
6 蹦	426	6 顳	495	6 噬	335	**6218**
6118		**6200**		**6204**		6 顴	500
1 蹤	460	0 叫	111	0 肝	175	**6719**
2 躞	473			1 唑	236	4 蹂	427
6 顥	502			7 曖	436		
				9 呼	170		
				6205			
				2 瞬	441		

			睕	315	4 蹴	459	3 賤	403

6220

0 剮　232

6233

9 懸　480

6237

2 黜　451

6240

0 剔　134

6280

0 則　205

6283

7 貶　316

6299

3 縣　422

6300

0 泌　166

6301

0 吮　140
1 睆　316
2 睕　344

睕　315
4 嘪　237

6302

1 眝　221
7 晡　273

6303

2 咏　175
4 唉　232
　昹　206
　喉　265

6304

7 睃　310

6305

0 睋　314
　眸　272

6306

0 咍　175
　眙　221

6307

7 眝　172

6311

2 睕　404

4 蹴　459

6313

2 踉　380

6314

7 跋　287
　踆　373

6315

0 蹴　460
　戜　331
3 踐　404

6316

0 眙　315

6332

2 鬖　508

6333

4 駄　430

6382

1 眝　311

6384

0 賦　404

6385

0 賊　316

3 賤　403

6386

0 眙　314

6400

0 叶　111
　嘟　454

6401

1 啺　311
　曉　415
4 哇　187
　哇　256
　睦　345
　　348
6 晻　301
8 曀　415

6402

7 晞　144
　　234
　晞　269
　睎　296

6403

1 嚇　432
2 呔　141

	6513			6603			6618			6682	
0	跌	271	1	嘿	384	1	跕	426	7	賜	404
	跌	266	2	曝	482		**6624**			**6701**	
	跌	302		**6604**		8	嚴	479	0	咀	175
	6516		4	嚶	479		**6632**		1	眤	205
3	蹯	426		**6605**		7	羉	512	2	呴	167
	6581		0	呷	175		**6640**		4	喔	311
7	贜	495	4	嗶	380	2	臂	314		曜	454
	6600		6	嘽	384	4	嬰	432	7	睨	341
0	咽	187		**6606**		7	孆	484		**6702**	
	6601		0	唱	244		**6642**		0	叩	109
4	喤	344	4	曙	454	7	孊	432		吻	143
	喤	316		**6608**			**6650**			嗝	244
7	喦	322	1	睼	382	6	單	303		明	154
	6602			**6610**			**6660**			嘲	384
1	嘆	432	0	踘	404	1	醫	494		睸	440
7	唷	313		**6612**			**6666**			胸	268
		390	7	蹋	486	1	嚚	452		嘲	315
	喎	316		蹋	404	3	器	410		呴	176
	喝	306		蹋	447	8	嚚	490		吻	174
	喁	340		**6615**			**6671**		7	鳴	341
	喁	346	4	蹂	460	7	囅	512		鳴	378
	喁	346								哆	187
										瞓	441
									6703	
									2	喙	348

	脲	344	4	滕	420		踞	404
	瞜	398		**6710**			**6722**	
	6704		7	盟	317	0	嗣	342
7	吸	134		**6711**		7	鄂	286
	眠	213	2	跪	341		鹗	489
	喂	325	4	躍	495		**6733**	
	膄	381		**6712**		2	煦	315
	嗳	265	0	阴	267			335
	啜	345	2	野	260		**6742**	
	瞳	469	7	蹁	373	7	鸚	514
	6705			郢	227		鶍	496
6	暉	340		躑	500		**6753**	
	6706			跨	348	2	羅	497
0	胳	273		鶍	510		**6762**	
2	诏	193		**6713**		7	鄙	356
4	略	260	1	跽	381		鹏	512
	6707		2	跟	346		**6772**	
7	咍	265		躁	447	0	翻	471
	6708			**6714**		7	鷓	479
0	瞑	408	0	跛	404		鶍	489
2	吹	133	4	踦	341		**6778**	
	嗽	350		**6716**		2	歇	331
	6709		4	路	325			
1	賝	420						

	6782	
7	鵑	465
	鶍	489
	6786	
1	膽	486
4	胳	345
	6792	
7	夥	380
	6801	
1	咋	175
	昨	193
	嗟	333
8	噬	410
	6802	
1	喻	315
	喻	380
2	畛	227
7	睇	296
	盼	204
	吟	133
	6803	
2	嗞	338
7	嗛	338

6804

0	嗽	350
	敂	193
	嗷	410
	瞅	440
	瞰	415

6805

7	晦	243

6806

6	噲	384

6808

6	噞	410

6811

1	蹉	447
4	跧	347

6812

1	踰	426

6814

0	蹴	474
6	蹲	473
7	躞	514

6816

7	蹌	447

6818

1	踪	460

6832

7	黔	430

6834

6	黬	497

6881

2	眈	315

6884

0	敗	270

6889

1	賒	381

6901

2	睠	337
4	瞠	420

6902

0	眇	196

6905

0	畔	234
9	膦	441

	鳞	440

6908

0	啾	310
9	睒	344

6912

7	踃	380

6915

9	蹸	473

7010

3	璧	455

7011

4	雎	323

7021

1	飚	357
4	陲	274
	雕	428
	雅	298
	朣	415
7	阢	139

7022

3	隮	436
7	鵬	438

	防	133
	肪	172
	肺	174

7023

6	臆	438

7024

1	辟	334
6	障	356
8	骸	430

7026

1	陪	263

7028

2	陔	205

7031

4	驻	407
7	驪	514

7033

2	驤	513

7034

1	駢	450
8	駿	429

7038

2	駮	430

	7040			阯	144		厲	383		**7128**
4	孾	412	1	阮	144		膈	381	1	厤 474
	7044			隴	467		隔	336	2	厭 305
1	犇	448		陫	272		**7123**		6	顄 478
	7050			歷	417	2	豚	271		厵 383
2	挈	434		排	304		辰	128		**7129**
	7071		2	阤	136	4	厭	349	4	麋 417
7	礕	456		厄	100		**7124**		6	原 228
	7073			厐	194	0	牙	100		**7131**
2	襲	471		陋	205		肝	140	1	驪 514
	7080		3	飀	502	1	斥	112		騑 464
1	蠶	486		陜	296	2	底	141	6	驅 496
	7090		4	雁	235	7	厦	315	7	驫 514
4	檗	437		颺	337		反	91	9	駝 407
	7110			臁	483		厚	205		**7132**
6	壁	415		厓	172		陳	249	7	蟲 515
	7113			雁	299		**7125**			馬 216
6	蠆	341		陸	233	2	厝	452		**7133**
	蠱	508	7	盧	315		**7126**		1	懸 389
	7121			臚	482	0	陌	198	9	愿 353
0	阯	143	8	厑	140		阽	162		**7134**
				朡	269	1	厴	507	3	辱 234
				7122			厝	237	4	顪 478
			0	阿	152	2	階	316		
				厠	258	9	厤	415		
			1	陟	233					
				廝	349					
			7	臑	455					

	7136			7191		7	瓾	316		7226	
9	騳	450	7	瓶	274	8	隥	391	0	胋	207
	7138			7210			7222		1	后	126
1	驥	513	1	丘	102	1	鬍	478	4	盾	197
	7150		4	堊	450		斤	100		腤	337
6	罍	379		7212		2	肜	137		7227	
	7171		1	斳	357		鬚	489	2	胐	199
1	匹	100		7215			彤	254		7229	
	甌	269	3	鑶	514	7	髣	376	4	陳	381
2	匠	126		7220			鬱	465		桼	430
4	既	262	0	剛	232		臀	450		7230	
6	匼	175		刖	125	8	弆	376	0	馴	332
	區	256		剮	349		7223			7232	
	匿	273		刷	170	0	爪	100	7	驕	502
7	巨	103	2	參	496	1	斥	109		鸞	496
8	匵	432		7221		2	脈	233		7233	
	匱	371	0	鬧	510	7	隱	436	4	駿	478
	7174		1	髡	343		7224			7240	
7	敺	391	2	卮	111	0	肝	125	1	聲	430
	7176		3	朓	236		陁	174			
1	齰	490	4	膿	415	7	陵	343			
	7190			麢	449	8	髲	478			
4	橐	393	6	臕	467		7225				
						3	鬣	510			

7241

2 髡 376

7242

2 彤 143

7244

7 髮 407

7252

7 鬎 465

7260

1 鬠 489
髻 430

7260

2 髫 407
4 昏 151

7271

2 鬈 465
4 髦 376
6 鬣 503

7272

2 髟 232

7274

0 氏 111

7277

2 岳 175

7280

1 鬢 489
6 質 404

7290

4 髹 381

7321

2 腕 315
3 颸 495
4 肬 172

7322

7 脯 269

7323

2 脉 200

7324

0 膩 418
2 膊 362
7 陖 236
臌 371
胈 205

7325

0 臧 342

7328

6 臏 455

7331

1 駝 407
2 驍 449

7332

2 驂 496

7333

4 騃 450
駛 429

7334

7 駿 450

7335

0 驖 450

7336

0 駘 407

7410

4 墮 385

7420

0 附 152

7421

1 髏 489
2 陁 124
颱 407
颸 381
4 陸 249
5 飀 464
7 骪 340
骩 314

7422

7 肋 125
髆 496
髈 478
勵 432
腩 236

7423

1 陆 174
2 隨 415
髓 507
8 脥 268
陝 233

7424

1 隮 435
7 陂 162
陵 249

	駿 407	騁 450	隈 303
7426		**7533**	**7624**
0 陼 310	**7438**	0 馱 381	0 髀 464
1 腊 316	1 騏 464	**7570**	**7628**
7428	**7444**	7 肆 330	1 隄 306
9 脉 236	7 臄 456	**7572**	6 隕 340
7429	**7520**	7 鱰 497	**7635**
4 𦜝 339	6 陣 238	**7578**	6 驛 502
7430	**7521**	6 磧 460	**7639**
0 駙 407	8 體 507	**7621**	3 㸌 496
7431	**7523**	0 覎 334	**7676**
1 䮝 430	2 膿 438	2 飃 464	0 䮆 514
驍 502	3 脕 236	3 飋 464	**7680**
2 馳 329	4 㬺 342	4 腥 272	8 悶 204
4 驌 514	**7524**	臄 499	**7710**
7432	0 腱 341	隍 312	0 丗 86
1 騎 464	**7528**	腥 344	且 112
7433	6 隤 391	**7622**	3 疉 483
0 慰 389	**7529**	7 隅 303	4 閵 475
8 隳 465	6 陳 249	陽 286	闟 448
7434	**7532**	**7623**	7 盥 440
7 騜 450	7 驌 507	2 朦 344	釁 485

7731			叉	84	**7755**			卿	313
			1 閐	262				卻	158
0 飇	478		7 叐	100	0 毌	100		卬	100
飀	407		學	412	**7760**			印	125
7732			**7742**		1 礜	456		卵	141
0 駒	464		7 鶏	478	闇	448		7 鷗	502
7 鷩	496		**7743**		闔	405		鴎	430
驫	488		0 閗	448	礐	494		邸	167
焉	295		閦	277	礜	480		**7773**	
7733			2 闃	449	2 留	228		2 閵	495
1 熙	324		**7744**		4 昬	198		閭	406
2 驟	510		0 開	295	閤	376		**7774**	
6 騷	488		册	111	闍	428		7 民	111
鱟	510		丹	96	6 閭	405		**7777**	
7 閡	339		7 段	198	閭	428		2 關	475
7734			**7748**		7 闇	406		昌	144
7 馭	346		2 闙	462	問	273		7 閤	428
	372		**7750**		**7763**			**7780**	
騣	450		0 毋	112	2 歇	468		1 閟	462
7736			2 舉	453	**7771**			輿	447
4 駱	429		擎	348	6 闏	428		興	423
7740			6 闌	487	7 巴	92		與	372
0 閔	307		**7751**		罷	343		具	171
又	77		6 闕	475	氄	497		巽	205
					7772				314
					0 駒	465			

2	閡	381	7	隘	341		**7834**			**8000**
6	閣	487		**7822**						
	貿	313	1	隃	309	1	騈	464	0	八	74
	賢	404	2	胯	205		**7850**			人	77
7	閃	235		**7823**		2	擎	453		入	77
	尺	100	1	膴	418		**7873**			**8010**
9	爨	514		陰	249	7	鰜	508	1	企	123
	7788		2	隊	296		**7876**		2	並	159
			3	隧	415				4	坐	131
2	歟	454	4	朕	236	6	臨	445		全	117
	7790		7	陳	348		**7880**		9	金	147
3	緊	443		**7824**		9	燹	417		**8011**	
	緊	365	0	啟	175		**7921**		4	鐘	487
4	桑	221		胕	171	4	膡	345		鏈	475
	閑	277	1	骿	464	8	飚	495	6	鏡	475
6	闖	448	7	腹	344		**7922**			**8012**
	7810			**7826**		7	陥	227	7	鎬	461
4	墜	385	5	膳	416		騰	482		翕	275
7	盤	456	6	膾	438		勝	289		翁	240
	鹽	508		**7828**			腓	343		鏞	475
9	鑒	501	6	險	415		**7924**			鏑	474
	7821			**7829**		4	膝	347		翦	401
1	阼	174	4	除	227		**7929**			**8013**
2	陁	158		**7833**		3	騰	416	1	鑣	487
6	脫	251	4	感	338	6	隙	317		鑢	505
	覽	494									

8014

8　鉸　381

8018

2　羨　332
6　鑛　506

8020

0　个　86
2　参　112
7　今　100

8021

1　乍　112
　　差　230
　　龕　408
　　龕　490
　　龕　503
5　差　270
7　氛　159

8022

0　介　98
1　俞　190
　　前　199
　　斧　159
7　分　97

禽　340

8023

7　兼　230

8024

7　夔　480

8025

1　舞　370
3　羲　422

8030

7　令　112

8033

1　羔　236
　　無　299
2　愈　341
3　慈　353
9　念　271

8034

6　尊　306

8040

4　姜　203
7　孳　322

8041

4　雉　343

8043

0　美　197
　　莫　301
　　矢　112
　　羹　471

8044

1　并　126
6　弇　206

8050

0　年　124
1　董　447
1　羊　114
7　每　140

8051

1　羌　155
3　毓　382

8055

3　義　332

8060

1　首　195
　　酋　205
　　普　297
　　合　117
　　善　305

4　舍　155
6　曾　293
　　會　332
7　倉　222
　　含　130
8　谷　130

8062

7　命　151

8073

2　養　407
　　兹　230
　　食　196
　　公　97
　　衾　235

8077

2　龠　340
　　缶　126

8080

6　貧　268
　　貪　273

8090

4　余　138

8091

7　氣　211

8111

0 釭 268

　釠 343

7 鉅 341

　鑪 509

8113

2 鑢 495

8114

6 鐔 487

8116

1 鐟 448

8118

6 鎮 448

8128

6 頌 331

8131

7 甗 440

8138

6 領 375

8141

7 瓶 345

矩 231

8 短 301

8148

6 瀕 449

8168

6 頷 429

8173

2 飯 449

8174

0 餌 407

9 鑮 444

8178

6 頌 346

8194

7 敍 274

8211

4 鍾 448

　錐 474

8 鐙 487

8213

2 鉯 381

8214

1 鋋 405

　鋋 405

8215

7 錚 427

8216

3 錙 427

4 銛 376

9 鐇 487

8218

6 鎮 504

8219

4 鑠 506

8221

4 甦 273

7 鑸 514

8229

4 穌 499

8242

7 矯 441

8259

3 繇 401

8273

4 飫 344

8280

0 劍 383

8312

7 鋪 405

8315

0 鍼 448

　鐵 495

　鉞 340

8316

8 鎔 461

8325

0 戈 172

8363

4 猷 328

8365

0 臧 449

8375

0 餓 429

3 餞 449	鑽 513	496	**8711**
8377	**8419**	**8579**	0 鈕 324
7 餾 449	4 鎌 448	6 鍊 429	4 鏗 475
8410	**8444**	**8610**	**8712**
0 針 234	7 孋 470	0 鋼 427	0 鍚 448
8411	**8471**	釦 247	銅 376
1 鍇 448	1 饒 496	**8611**	鉤 295
8412	4 鏵 488	4 鍠 448	鉤 323
1 錡 427	**8473**	**8612**	**8713**
8413	4 餼 449	7 鍔 448	2 錄 427
4 鏌 475	**8513**	**8612**	銀 376
8414	0 鈌 340	7 錫 427	**8714**
1 鑄 501	鈇 313	鐲 506	0 鏽 475
7 鈹 341	**8514**	**8613**	7 鍍 448
8416	4 鏤 475	0 鏓 475	鈒 313
1 錯 428	**8519**	2 鐶 495	鍛 474
8417	0 銖 376	**8614**	鍛 448
0 鉗 345	6 鍊 448	1 鐸 495	**8715**
8418	**8573**	**8618**	4 鋒 405
6 鑕 487	0 缺 236	1 鍉 448	**8716**
	8578	**8621**	0 銘 376
	6 饋 488	0 覾 424	1 鉛 323
			8718
			2 欽 417

	8722			8810			8817			8824	
7	鶺	465	1	笒	380	7	箐	442	3	符	252
	邘	143	4	篊	363				8	筱	341
				篁	442		8820				
	8733			簒	485	7	琴	342		8825	
2	愬	352		篖	399				3	箴	399
				筀	308		8821			篾	442
	8738			筐	252	1	笎	271			
2	歟	363		坐	140		籠	499		8829	
			8	筮	344	7	籭	512	4	篠	442
	8742						簼	499			
0	朔	227		8811			篾	422		8830	
7	鄭	391	4	鐘	505				1	篗	457
				銓	376		8822		2	邎	470
	8752		6	銳	405	0	竹	117	3	籧	505
0	翔	297	7	筑	312	1	箭	399	6	篷	442
						3	箭	399			
	8762			8812		7	籝	505		8832	
0	卻	205	7	蓊	421		第	234	7	篱	421
	鑭	472					第	252			
2	舒	313		8813			籣	470		8833	
7	郤	235	2	籙	499		筲	347	4	憋	388
	鷸	497	4	鏃	475		簡	457			
			7	鎌	461		甫	343		8834	
	8768			鈴	340			347	3	等	442
2	欽	232					篇	399			
				8814						8840	
	8778						8823				
2	飲	342	2	簿	470	2	篆	422	1	筵	335

	簽	336		箱	421		**8874**
	竿	187		**8854**		7	筬 272
	竿	204	0	籹	271		**8877**
6	箪	382	1	籊	499	7	管 363
	8842			**8860**			**8879**
7	筹	457	1	簪	457	4	餘 429
	8843			答	310		**8880**
2	筎	382	3	笛	272	1	篷 380
8	筴	346		**8862**			箕 363
	8844		7	筲	274	6	算 421
1	籍	470		筍	314		簀 457
	笄	312		**8864**			籫 511
6	算	382	0	籰	472		簀 442
7	籌	422	1	籜	485		**8884**
	8846			**8866**		7	籤 470
3	笽	252	7	箉	370		**8890**
6	䉩	441		**8871**		2	策 299
	8850		3	箧	399		316
6	箪	457		**8872**		3	纂 485
7	筆	315	7	節	325		繁 442
	筝	363			399	4	簶 442
	8852			**8873**			**8892**
7	第	272	3	纂	421	7	箱 457

	8895	
1	籍	485
3	箱	400
	8898	
6	籟	494
	8899	
4	籹	363
	8911	
4	鏜	475
	8912	
7	銷	405
	9000	
0	小	85
	9001	
4	惟	249
	9003	
2	懷	467
	慷	352
	9004	
7	慺	338

慳	491					3 悽	285
惇	272	**9024**		**9082**		4 慨	352
:8 悴	249	1 掌	311	7 熇	361	悝	223
9006		**9033**		**9083**		**9102**	
1 惜	309	1 鸞	490	2 炫	204	7 懦	435
	316	**9050**		**9084**		**9103**	
6 惰	309	0 半	112	8 焠	308	2 悵	272
9009		2 拳	224	**9088**		**9104**	
4 懍	413	掌	296	6 爞	468	1 嚪	491
9010		**9060**		9 焱	278	6 悼	245
4 堂	262	1 嘗	371	**9090**		9 怦	173
9020		3 眷	262	3 縈	314	**9106**	
0 少	96	6 當	324	4 棠	307	0 恓	309
7 尜	208			6 嵙	235	1 悟	209
9021		**9071**		**9091**		慴	389
1 光	116	2 卷	155	8 粒	272	**9109**	
4 雀	271	**9073**		**9094**		1 慓	382
9022		2 裳	370	8 粹	364	4 慄	338
7 常	257	**9080**		**9101**		**9148**	
券	172	0 火	97	1 悱	272	6 類	478
尚	155	9 炎	153	恈	204	**9154**	
9023		**9081**		忙	143	7 叛	195
2 桼	342	7 炕	172				

9181		8 愷	338	**9301**		2 忱	139
4 煙	333	**9204**		1 悾	271	4 懽	491
9182		7 悸	257	**9302**		**9402**	
7 炳	186	**9206**		2 慘	352	7 怖	173
9184		4 恬	205	**9303**		**9404**	
6 燂	417	**9207**		2 悢	238	1 恃	204
焯	307	7 慆	342	**9304**		6 憚	343
9188		**9223**		7 悛	234	7 憐	267
6 煩	324	0 鄰	380	**9305**		悖	236
9189		**9250**		0 惑	274	**9405**	
1 熛	395	0 判	135	忧	205	3 懷	453
9191		**9280**		**9306**		6 悼	309
0 粔	204	0 剡	224	0 怡	140	**9406**	
7 粗	271	**9281**		**9309**		1 惜	246
9198		8 燈	417	1 惊	271	2 憻	466
6 額	494	**9282**		4 恜	173	**9408**	
9200		1 炘	172	**9385**		6 憤	389
0 側	285	**9284**		0 燨	417	9 恢	183
9201		1 烶	271	**9401**		**9409**	
3 挑	204	**9289**		1 慥	338	0 懍	249
		4 爍	468			4 慄	312
						5 憭	389
						9428	
						6 懭	465

9481

1 熸 339
4 爠 493

9482

7 焽 341

9485

4 燁 395
6 煒 340

9486

1 熺 417

9488

6 熿 417

9489

6 燎 417

9490

0 料 235

9492

7 糈 442

9501

0 性 153

---

7 忳 142

9502

7 情 245
　佛 165

9503

0 怢 173
3 憶 389
6 憁 491

9504

4 懷 352

9508

1 怏 275

9509

6 悚 238

9581

7 爐 455

9589

6 煉 339

9592

7 精 364

9596

6 糟 442

9600

0 悃 234
　怕 173

9601

0 怛 165
　悅 164
4 懼 491
　悝 236
7 悁 235
　愠 341

9602

7 悁 223
　愕 284
　惕 245

9604

1 悍 222
7 懮 504

9605

6 憚 389

9609

4 倮 249

9680

0 烟 235

9681

1 焜 279
4 煌 324

9682

7 煬 324
　焆 273
　燭 438

9683

2 煨 346
　爆 468
　　 482

9684

1 燡 437

9685

6 燀 417

9690

0 粕 274

9693

4 糗 422

9694

0 粺 363

9701			
0 怚 173			
2 悗 209			
4 怪 173			
9702			
0 怐 208			
惆 271			
惆 257			
忉 112			
惘 389			
2 憀 353			
7 憫 339			
9703			
4 懊 413			
9704			
7 惇 309			
9706			
1 憺 412			
2 惛 389			
9721			
4 燿 485			
9722			
7 鄰 391			

9725	
6 輝 404	
9781	
4 燿 455	
9782	
0 爛 482	
炯 186	
焗 252	
灼 135	
爛 493	
7 爤 482	
爥 511	
9783	
4 煥 341	
燠 437	
9785	
4 烽 252	
6 煇 324	
9786	
2 熠 395	
炤 205	
9788	
0 熄 361	

2 欻 297	
9789	
4 燦 438	
9791	
0 粗 255	
9792	
0 糊 400	
7 糌 400	
9793	
4 糧 400	
9799	
4 糅 400	
9801	
1 怍 173	
6 悦 234	
9802	
1 愉 285	
9803	
1 憮 389	
7 慊 319	
9804	
0 傲 352	

懶 413	
懺 388	
1 怦 271	
7 愎 315	
9805	
7 悔 223	
9806	
7 愴 319	
9824	
0 敵 316	
敝 452	
9832	
7 驚 508	
9840	
4 婺 385	
9844	
4 弊 387	
9850	
2 擎 412	
9860	
4 瞥 440	
9880	
1 鼈 474	

	9882			9902			9941			9983	
7	燆	493	7	悄	273	7	羝	331	1	爐	508
				悄	233		9942			9985	
	9883			9908		7	劳	295	9	燐	417
3	燧	437	0	愀	285		9960			9990	
7	燫	360		9910		1	罃	398	1	縈	398
	9884		3	瑩	395		罃	446	3	縈	422
0	燉	492	4	塋	340	6	罃	437	4	榮	361
	9901			9940			9980				
1	恍	204									
2	惓	275	7	瑩	437	9	燊	360			

文選類詁

編　者：丁　　福　　保

出　版　者：文　史　哲　出　版　社

登記證字號：行政院新聞局局版臺業字○七五五號

發　行　所：文　史　哲　出　版　社

印　刷　者：文　史　哲　出　版　社

台北市羅斯福路一段七十二巷四號

郵撥○五一二八八一二彭正雄帳戶

電話：三　五　一　一　○　二　八

中華民國七十九年十二月台一版

實價新台幣七○○元

ISBN　957-547-027-3